Astrologie 2005

Photographie : Geneviève Dorion-Coupal
Maquillage : Sylvie Rolland
Coiffure : John Adams

Catalogage avant publication
de la Bibliothèque nationale du Canada

D'Amour, Andrée

Astrologie 2005

1. Horoscopes. I. Titre.

BF1728.A2D37 133.5'4042 C88-030391-3

DISTRIBUTEURS EXCLUSIFS:

• Pour le Canada
et les États-Unis:
MESSAGERIES ADP*
955, rue Amherst
Montréal, Québec
H2L 3K4
Tél.: (514) 523-1182
Télécopieur: (514) 939-0406
* Filiale de Sogides ltée

• Pour la France et les autres pays:
INTERFORUM
Immeuble Paryseine, 3, Allée de la Seine
94854 Ivry Cedex
Tél.: 01 49 59 11 89/91
Télécopieur: 01 49 59 11 96
Commandes: Tél.: 02 38 32 71 00
Télécopieur: 02 38 32 71 28

• Pour la Suisse:
INTERFORUM SUISSE
Case postale 69 - 1701 Fribourg - Suisse
Tél.: (41-26) 460-80-60
Télécopieur: (41-26) 460-80-68
Internet: www.havas.ch
Email: office@havas.ch
DISTRIBUTION: OLF SA
Z.I. 3, Corminbœuf
Case postale 1061
CH-1701 FRIBOURG
Commandes: Tél.: (41-26) 467-53-33
Télécopieur: (41-26) 467-54-66
Email: commande@ofl.ch

• Pour la Belgique et le Luxembourg:
INTERFORUM BENELUX
Boulevard de l'Europe 117
B-1301 Wavre
Tél.: (010) 42-03-20
Télécopieur: (010) 41-20-24
http://www.vups.be
Email: info@vups.be

Pour joindre l'auteur:
C. P. 5051
Sainte-Adèle (Québec) J8B 1A1
astro@andreedamour.ca
Site Internet: www.andreedamour.ca

Dépôt légal : 3e trimestre 2004
Bibliothèque nationale du Québec

ISBN 2-7619-1961-0

Gouvernement du Québec – Programme de crédit d'impôt pour l'édition de livres – Gestion SODEC – www.sodec.gouv.qc.ca

L'Éditeur bénéficie du soutien de la Société de développement des entreprises culturelles du Québec pour son programme d'édition.

Nous reconnaissons l'aide financière du gouvernement du Canada par l'entremise du Programme d'aide au développement de l'industrie de l'édition (PADIÉ) pour nos activités d'édition.

Astrologie 2005

Andrée D'Amour

Remerciements

Merci aux lecteurs et aux lectrices qui m'ont fait confiance au cours des 25 dernières années.

Merci à l'équipe jeune et dynamique des Éditions de l'Homme qui me soutient dans mes bons et mes moins bons moments.

Merci enfin à la Providence de me donner la chance d'aider un tant soit peu autrui à vivre mieux.

C'est du moins mon intention, ma motivation.

Est-ce toi qui noues les liens des Pléiades,
Ou qui délies les chaînes d'Orion ?
Est-ce toi qui fais sortir en son temps les constellations,
Et qui conduis la Grande Ourse avec ses petits ?

JOB 38, 31-32

Deux choses remplissent l'esprit d'admiration
et de crainte incessante : le ciel étoilé au-dessus de moi
et la loi morale en moi.

EMMANUEL KANT

Dans l'océan du ciel,
Sur les vagues de nuages,
Le vaisseau de la Lune
Semble voguer
Parmi une forêt d'étoiles

HITOMARAO

Connaître les autres, c'est sagesse.
Se connaître soi-même, c'est sagesse supérieure.

LAO-TSEU

Apprendre aide à connaître,
Et connaître aide à aimer.

ANDRÉE D'AMOUR

Un mot de l'auteur

Je commence cette fois mon livre annuel, *Astrologie 2005,* avec un grand sourire au cœur. Revenant d'un beau voyage à Cuba, sept petits jours de purs délices, j'accueille la tâche qui m'attend avec une énergie renouvelée après avoir constaté soudainement que j'en suis à mon vingt-cinquième volume sur le sujet!

Vingt-cinq ans de vulgarisation de l'astrologie scientifique moderne! Cela peut sembler incroyable, mais cela m'avait échappé jusqu'ici...

Je ne puis m'empêcher d'être fière du travail accompli, mais il reste beaucoup de chemin à parcourir, de tabous à renverser et d'idées fausses à réfuter au sujet de cette magnifique science humaine qu'est l'astrologie sérieuse.

Il est temps que des personnes intelligentes et curieuses de savoir entreprennent des recherches libres de préjugés et qu'elles en rendent compte à la société en panne de spiritualité. J'ai la conviction qu'elles redoreront le blason de l'astrologie et serviront la cause que je défends avec vigilance, parfois avec férocité.

Que les détracteurs et les sceptiques affluent ne me cause pas de problème intellectuel ni moral, à condition qu'ils connaissent le sujet dont ils parlent. C'est comme discuter de religion avec quelqu'un qui n'a aucune notion de théologie ou de médecine avec un ignare. Perte de temps, absurdité...

À vous, chers lecteurs assidus ou nouvellement intéressés par le sujet, je vous souhaite de profiter à profusion des éléments nouveaux qu'apporte 2005 et de jouir pleinement de la facilité qui semble vouloir prendre du galon, et cela dans tous les domaines. Une vraie bonne année ne nous fera pas de mal!

Nouveauté importante :

J'ai pris le parti d'analyser chaque signe du zodiaque en fonction de l'ascendant de chacun. Ainsi, un Bélier ascendant Taureau ne connaîtra pas tout à fait la même destinée qu'un Bélier ascendant Capricorne. Faisant suite aux prévisions générales, vous trouverez des prévisions spécifiques à chaque ascendant. Cela vous aidera à soulever le voile sur l'avenir que chacun rêve de connaître.

Avec un peu d'objectivité et de bonne volonté, vous découvrirez, si vous l'ignorez, votre ascendant en lisant les prévisions pour le signe X de tout ascendant que vous trouverez au début de chaque signe. À la fin du terme, relisez ce texte ; votre ascendant vous apparaîtra clairement. S'il ne vous plaît pas, résignez-vous : tous les signes ont quelque chose de bon à recevoir et à donner cette année. Tous sont porteurs de bonnes nouvelles.

Sans garantir le bonheur total, cet espace-temps nommé année 2005 est porteur d'espoir, de foi et de bienveillance.

À vous tous, merci de me lire et de voir en ce livre un guide et non une fatalité absolue. Vous êtes le moteur, je suis la stimulatrice d'énergie positive tentant de vous propulser dans le cosmos et de vous faire atteindre le zénith de vos capacités, de vos possibilités et de vos talents.

J'ai réussi à écrire et à publier avec succès 25 livres sur l'astrologie. Tout est possible à qui travaille sans faillir pour parvenir à son but !

Bonne route et bonne lecture !

Découverte scientifique majeure

Tel que prévu dans *Astrologie 2004,* une découverte scientifique majeure a été annoncée le 15 mars, jour de mon anniversaire. Depuis le temps que j'espérais ce moment, je n'oublierai pas ce jour. Quel cadeau de la Providence, ça ne pouvait tomber plus à point!

Je n'ai pas ressenti de la joie, mais de l'extase. Pensez donc, le ciel jugeait à propos de nous faire découvrir un onzième corps céleste. Il devait croire que nous étions prêts à recevoir la fameuse Sedna et à accepter les cadeaux et découvertes qu'elle apporte infailliblement.

Uranus a apporté l'uranium et la psychologie, Neptune le neptunium et la psychanalyse, Pluton le plutonium et la voyance, le supraconscient. Que découvre-t-on de nouveau en ce moment, que nous cache-t-on? Il est tôt pour tirer des conclusions, mais un questionnement à ce sujet ne serait pas superflu…

«Nous venons de découvrir une nouvelle planète, elle se nommera Sedna.» Cette nouvelle pose un grand défi et force les astrologues à se remettre en question. De quel sexe et de quelle nature est-elle, à quel signe l'attribuerons-nous, quel sera son impact sur les humains, sur la terre et l'espace? Les paris sont ouverts.

J'ose vous faire part de mes premières impressions; ce sont parfois les meilleures, surtout quand comme moi on a Uranus sur Mercure en Poissons. Et si je me trompe, tant pis, mon orgueil en prendra pour son rhume, voilà tout!

De couleur orangée, froide, lointaine, mystérieuse à souhait, Sedna m'a immédiatement fait penser au signe de la Vierge dont on sait peu de chose et que, par conséquent, nous comprenons mal… L'astrologie étant la science des correspondances, je ne dois pas être la seule à avoir eu la même intuition…

Depuis des millénaires, la Vierge partage Mercure avec le Gémeaux. Il était temps que l'on découvre sa planète maîtresse. Je disais à l'animateur Jean-Pierre Coallier (un sceptique forcené) en décembre dernier à la télévision québécoise qu'il nous manquait deux planètes, celles de la Vierge et de la Balance. Comment l'astrologie peut-elle être exacte dans ces conditions ?

Je m'avance en disant ce qui suit, mais je n'hésite pas à me jeter à l'eau : il n'est pas impensable que Sedna soit éventuellement, et après bien des tergiversations, attribuée à la Vierge en tant que planète maîtresse.

Après de courtes recherches personnelles, il m'apparaît ceci : la couleur préférée de la Vierge est sans contredit l'orangé. Faites enquête, regardez les teintes sur les murs, la décoration intérieure, les vêtements, parfois, des natifs de la Vierge. Vous en viendrez à la même conclusion que moi.

Autre « coïncidence » (vous n'êtes pas sans savoir à quel point j'abhorre ce mot) : nous découvrons cette planète au moment même où Jupiter le grand bénéfique transite le signe de la Vierge. Coup de chance pour les natifs et les ascendants du signe qui apprécieront d'ici quelques années les conséquences positives de l'arrivée de Sedna dans le zodiaque incomplet avec lequel ils devaient composer.

On peut comprendre la difficulté de cerner le devenir de la Vierge avec précision. Il nous manquait, disons-le sans ambages, des informations d'une importance capitale. D'ici peu, les éphémérides nous donneront la position exacte de Sedna dans le zodiaque fixe. Nous aurons alors plus d'information à donner non seulement au sujet de la Vierge, mais des autres signes également.

Ceci encore : Signe de terre, la Vierge a pour balancier le signe des Poissons, signe d'Eau. Sedna a été nommée ainsi en l'honneur de la déesse inuite de l'océan nordique. Froide, bien sûr, du moins en principe et à moins d'un dégel progressif de la sensualité, et correspondant au signe.

Vierge, cela implique aussi des choses dont je fais prudemment mention de peur d'être perçue comme étant trop avant-gardiste et pour certains complètement irrationnelle.

Par exemple, les femmes auront d'ici peu des enfants sans les porter en gestation dans leur sein pendant les neuf mois requis... À l'instar de la Vierge Marie, être vierge, et sans l'aide de Joseph, concevoir un enfant. Magie que tout cela ? Non, mystère encore, mais tout va si vite qu'on ne saurait attendre longtemps pour voir des choses plus intrigantes encore se manifester, comme les utérus artificiels portant les enfants à terme, les utérus (faute de mot plus exact) implantés aux hommes, et autres merveilles liées à la naissance et à l'enfantement.

Bien d'autres attributs viendront ajouter à ces quelques considérations personnelles. La collaboration des astrologues sera nécessaire pour établir avec certitude les corrélations entre Sedna et la Vierge. L'astrologie étant la science des correspondances, en travaillant d'arrache-pied on finira par trouver la vérité au sujet de la Vierge et de son appartenance planétaire.

La Balance, elle, n'a qu'à espérer. D'autres planètes seront découvertes en 2005, sans doute jumelles (une pour chacun de ses plateaux) ; ce sera à son tour de se voir confirmée à part égale dans le zodiaque. En attendant, qu'elle partage Vénus, il y a pire destin !

Regard sur 2005

GAILLARDEMENT

C'est gaillardement que je jette un regard d'astrologue sur 2005.

Ce nombre est intelligent, il parle de chance communément, mais le 7, résultante de l'addition, signifie en numérologie orientale : spiritualité, âme, esprit. Les Orientaux ayant inventé le système numérique que nous utilisons aujourd'hui, la signification des nombres qu'ils ont eux-mêmes créés mérite qu'on s'y arrête. La nouvelle année promet un avancement spirituel et psychique majeur, mais d'autres bonnes nouvelles font partie du décor...

MIEUX QUE BIEN

La nouvelle année commence bien. Pour tout dire, elle promet d'être fantastique à maints points de vue et cela, pour la plupart d'entre nous. Bien intentionné, le ciel de l'année augure des mois de contentement et de progrès social et matériel. Il convient de se réjouir de la tendance optimale et de tirer profit de toute occasion avantageuse visant à améliorer sa propre qualité de vie et celle d'autrui. Le moindre effort se trouvant largement récompensé, l'année se passera mieux que bien.

DU CÔTÉ TECHNIQUE

Du côté technique, les planètes lentes et majeures se déplacent en harmonie toute l'année, sauf en décembre où Jupiter et Saturne se font des misères. Rien de tragique, mais il faudra en tenir compte. Des explications détaillées seront données dans le chapitre intitulé « Planètes en deux temps » ainsi que dans les sections sur votre signe personnel et votre signe ascendant, les deux étant d'importance égale.

GARDER L'ESPRIT OUVERT

Vous savez dès lors que l'année est propice à toutes les sphères d'activités humaines et qu'elle avantage chacun de nous personnellement. Il ne reste qu'à entrer en accord avec la tendance cosmique pour que tout s'illumine dans nos corps et dans nos esprits. Garder l'esprit ouvert est la seule réquisition des astres pour que nous atteignions au bonheur promis.

FORMIDABLES SURPRISES

De nombreuses occasions de progresser nous sont dévolues ; mal nous en prendrait de bouder les opportunités qui se présentent, elles sont de qualité et nous procureront le bien-être physique, mental et moral attendu. Les mois à venir réservent à tous et chacun de formidables surprises. Vivre chaque instant pleinement et faire provision de santé, de joie et de bonheur pour les années prochaines est ce qui donnera de la valeur au temps présent.

LES HOMMES VALORISÉS

Les hommes surtout sont valorisés cette année, les planètes se déplaçant majoritairement en signes positifs ou masculins.

Aucun doute, 2005 est l'année des hommes qui cherchent à se démarquer, à innover, à installer des régimes sociaux, des politiques convenables et à mettre de l'ordre dans ce monde en désordre. C'est l'année des hommes d'action, d'esprit et de décision. On se met tous en mode « action ».

SEXE ET TRADITION

Le sexe masculin régnant sur la plupart des secteurs, aucune surprise de ce côté, c'est la continuation, la tradition se perpétuant dans un monde qu'on dit avancé et hautement civilisé. Pas de quoi se plaindre cette année, cependant : les hommes en place jouent un rôle de premier plan, mais ils le jouent correctement et honnêtement. Ça nous changera de tout ce que l'on a récemment entendu dire sur leur compte, les pauvres…

BALANCE, VERSEAU, GÉMEAUX

Les géants de l'industrie, du commerce, des banques et de la finance ont pour signe solaire ou ascendant la Balance ou le Verseau, mais le

Gémeaux participe activement à l'avancement et au progrès commun. Ces trois signes d'air de pôle positif ou masculin semblent gérer les affaires avec droiture et adresse, combinaison gagnante par excellence. Intelligence plus un peu de magnanimité et de vision font de ces hommes de « bons géants ».

Chanceux, les Balance, Verseau et Gémeaux en affaires, éminemment chanceux !

SAGITTAIRE

Sur un autre plan, le Sagittaire, également positif et masculin, est extrêmement présent et efficace dans les affaires qui se brassent à l'étranger. Il œuvre harmonieusement au sein de mouvements, de cultures et de religions différentes de ceux de la majorité et associe ses efforts à ceux des gens qui viennent d'ailleurs, réalisant des accords qui semblaient irréalisables. Améliorant son sort personnel, il contribue aussi à l'accroissement du bien collectif. Vienne septembre, on lui devra beaucoup.

Chanceux les Sagittaire de façon globale cette année, très chanceux !

Chapeau, messieurs de ces astralités, mais aussi de tous les signes. C'est votre tour de briller au firmament des météorites et des comètes. Souhaitons que votre règne soit aussi pacifique et bienveillant que prévu...

FEMMES DE FORCE

Quelques « femmes de force » Balance, Verseau, Gémeaux et Sagittaire ont leur mot à dire cette année et ce qu'elles ont à dire compte pour beaucoup. Un peu masculines, décidées, inflexibles dans leurs principes, elles constituent la contrepartie agissante. Ne pensez pas les réduire au silence, elles parleront coûte que coûte et forceront l'admiration de ces messieurs en mal de solutions simples mais salutaires qu'elles trouveront, bien sûr.

Pour remplacer quelqu'un dont le poste est contesté ou aboli ou que la maladie retient au lit, pour remonter une affaire boiteuse, pour créer de toutes pièces un décor propice à l'expansion matérielle, au rayonnement d'un territoire, d'un pays, d'une nation, ou encore pour stimuler l'enthousiasme et encourager les troupes au travail, ces femmes accompliront des prouesses.

Messieurs, vous priver de leurs services serait folie, ne le faites sous aucune considération, et cela même si vous craignez qu'elles ne prennent votre place. Après tout, c'est chacun son tour.

Chanceuses, les Balance, Verseau, Gémeaux et Sagittaire cette année, extrêmement puissantes et chanceuses!

REVIREMENT DE SITUATION

Il se fait à la fin d'octobre un revirement de situation assez exceptionnel.

On passe subitement au mode «écoute». C'est au tour des signes de pôle négatif ou féminin de participer activement à l'élan général. Jupiter en Scorpion et Uranus en Poissons se faisant des aspects harmonieux indiquent des découvertes scientifiques et médicales dues à l'intuition supérieure de quelques personnes dont le but est d'éblouir, certes, mais surtout de guérir, de rassurer et de protéger ceux de leur espèce.

HUMANISME ET PAIX

Un grand humanisme teinte le travail des personnes de ces signes solaires ou ascendants, mais elles ne perdent pas de vue le côté utilitaire pour autant; au contraire, elles cherchent de façon pratique et économique le moyen d'arriver plus vite sur les lieux, d'apporter l'aide requise en cas de drame collectif, de conclure des affaires, d'arriver à des ententes d'envergure. Cela pourrait réussir sur le plan mondial et apporter une paix relative mais appréciable.

La santé de certains pays inquiète. Il faut soigner des populations entières; les découvertes nutritionnelles et en eau potable sont très utiles. Une capsule vaut un repas complet ou un verre d'eau, pourquoi ne pas partager notre trop-plein? La paix pourrait bien être à ce prix. S'il faut payer pour obtenir que certains pays cessent de se déchirer et que les terroristes cessent leur boucan socio-politico-religieux, réglons la note allègrement. Humanisme et paix sont irrémédiablement liés. Il faudra composer avec cette notion…

SCORPION ET POISSONS

À la fin d'octobre et surtout en novembre, Scorpion et Poissons voient leurs parts monter en flèche. Ils s'identifient à leur famille et à leur emploi et envisagent la vie de façon absolument admirable, sans optimisme excessif mais sans angoisse non plus. À la une des conversations, sur un plan plus réduit, ou dans les journaux selon leur plan de vie personnel, ils sont partout.

Signes d'eau, ils apportent au monde leur sensibilité, leur imaginaire et leur créativité, sans pour autant négliger leur mémoire du passé proche et lointain qui est absolument fabuleuse. Les surprises heureuses que ces natifs nous réservent sont de taille à impressionner les plus réfractaires à leur genre de travail, d'œuvre, de vocation ou de mission. Ils sont appréciés à leur juste valeur.

Chanceux en fin d'année les Scorpion et Poissons, extrêmement chanceux !

CANCER

Le Cancer se mêlant à eux favorise la réussite de projets ambitieux. Ensemble, ils innovent et ont des traits de génie à couper le souffle ; reste à les mettre à profit. S'ils ne le font pas eux-mêmes, d'autres s'en chargeront avec succès. Le résultat sera le même : profitant aux natifs du Cancer qui utiliseront ces énergies il améliorera aussi l'environnement, l'eau en particulier, ainsi que la qualité de vie de chacun.

Chanceux les Cancer en fin d'année, très chanceux !

ÉCLIPSE SOLAIRE TOTALE

Quatre éclipses teintent le ciel de l'année, mais seule la première est totale. Il y a éclipse solaire totale le 8 avril dans le ciel du Bélier. Les plus affectés par une baisse de santé et de vitalité physique sont Bélier, mais aussi Cancer, Balance et Capricorne de signe solaire ou ascendant. Soigner sans tarder le moindre malaise s'impose dans leur cas. Il faut aussi se méfier des drames familiaux qui tendent à prendre alors une tournure plus dramatique.

Les pays, occupations et secteurs liés au signe sont touchés. Possibilité d'épidémie ou d'épizooties affectant surtout les agneaux et les animaux à sang chaud et rouge. Israël et la Palestine sont fortement secoués. Cinquième république, la France n'échappe pas au danger. L'Algérie et la Tunisie écopent ainsi que la Corée, le Japon, la Chine, le Honduras et le Paraguay. Le Canada et les États-Unis étant fortement marqués pas le signe du Cancer se trouvent à risque. Souhaitons être épargnés.

Mauvaises conditions atmosphériques, tempêtes inhabituelles, désastres par le feu et la sécheresse, l'eau, la grêle et les avaries diverses. Les récoltes peuvent être menacées de façon inquiétante à certains endroits du globe. Il faudra s'entraider pour ne pas sombrer dans le drame intégral.

SURTAXÉS

Terrains, maisons, immeubles, pétrole et gaz. L'eau et d'autres produits d'habitude exempts de taxes sont surtaxés. La révolte gronde contre les gouvernements, parfois de façon violente. Ceux-ci doivent faire d'importantes concessions pour ramener la paix et l'équilibre. L'agressivité et la violence sont monnaie courante ; il faut se prémunir contre les agressions et contre le terrorisme, de quoi donner à réfléchir avant de partir en voyage pendant cette période, surtout si on est marqué par le Bélier, bien sûr...

ÉCLIPSE LUNAIRE

L'éclipse lunaire du 24 avril en Scorpion est de pénombre, et par conséquent moins active. Un temps de déprime s'inscrit pour les Scorpion, Lion, Taureau et Verseau. Elle ne devrait pas s'installer à long terme, mais si l'on est déjà aux prises avec des problèmes psychiques, ça risque de s'aggraver. Se faire traiter le plus rapidement possible est ce qu'il y a de mieux à faire.

Les pays de l'Afrique du Nord surtout et de l'Or Noir (c'est le cas de le dire !), le Pakistan, la Bulgarie, la Turquie, l'Irak, l'Iran, le Koweït, l'Arabie Saoudite, le Yémen et leurs pays limitrophes sont à risque. Par ailleurs, le domaine de la finance internationale est affecté, les impôts et primes d'assurance augmentent, les bourses, trusts et multinationales subissent des pertes dont nous sommes victimes. Tempêtes et naufrages sont en recrudescence, mieux vaut ne pas se trouver en croisière sous pareils augures, surtout si on est du Scorpion.

ÉCLIPSE SOLAIRE ANNULAIRE

L'éclipse solaire annulaire du 3 octobre en Balance est de moindre effet. Ceux qui sont prédisposés à la maladie ou malades doivent se protéger des virus et microbes affectant une partie des populations. Balance, Cancer, Bélier et Capricorne sont plus à risque de développer des infections et malaises dont le SRAS toujours présent et bien sûr le sida. Prendre les précautions qui s'imposent atténuera les risques.

Le Canada, la Chine (du Nord), l'Afrique du Nord, l'Autriche, l'Égypte, Hawaï et le Guatemala répondent du signe par le Soleil ou l'ascendant. Il serait souhaitable de ne pas voyager en ces lieux si vous êtes marqué par la Balance et par les autres signes cités plus haut. Si vous y vivez, restez sur place, mais soignez le moindre symptôme sans hésitation, le mieux étant de vous reposer au moment de cette éclipse.

ÉCLIPSE LUNAIRE PARTIELLE

L'éclipse lunaire partielle du 17 octobre en Bélier montre une baisse de résistance psychique. Le moral peut tendre à chuter temporairement pour les Bélier et pour les Cancer, Capricorne et Balance. En cas de problèmes liés à l'équilibre mental et moral, mieux vaut consulter.

Les pays impliqués lors de l'éclipse solaire totale du 8 avril dernier sont les mêmes que ceux qui sont touchés ici. Ne pas y séjourner en octobre serait bien avisé, surtout si l'on est du Bélier ou des autres signes impliqués.

LA CHANCE PURE

La Chance Pure passe toute l'année dans le signe du Bélier, assurant aux natifs, aux ascendants et aux Lune en Bélier une chance peu commune. Gratuite, c'est-à-dire non méritée, elle vient à eux comme une panacée et met un baume sur leurs plaies d'orgueil, de santé et d'argent. Je ne vous enjoins pas de jouer de façon compulsive des sommes considérables et de vous endetter si vous êtes de cette astralité, mais jouer raisonnablement pourrait rapporter.

GRANDE LUMIÈRE

Chance aux jeux de hasard, par spéculation boursière et financière, par ou avec les enfants, vous n'avez pas fini d'en parler à vos parents et amis. Tous sont mis au courant de votre bonne fortune. Si vous gagnez des sommes astronomiques, partager votre trop-plein vous empêchera de devenir égoïste et avaricieux.

Dépensez librement, on ne sait jamais pour combien de temps le « cosmonaute » que nous sommes visitera la Terre… On ne sait jamais quand on rentrera au bercail, dans la quatrième dimension, quelque part entre le trou noir et la Grande Lumière !

Bonne chance, chers Bélier !

SOLDATS DE LA PAIX

Soldats de la paix, solidaires de la souffrance humaine, participants actifs au développement des moins nantis, passons tous gaillardement à l'attaque de la nouvelle année. Quelle joie de vivre de pareils moments de grâce. Nous nous souviendrons avec satisfaction de cette année 2005 !

Planètes en deux temps

Cette section vous instruira sur les voyages planétaires et sur les aspects positifs et négatifs qui influenceront notre vie au cours des prochains mois. Débutons par la planète la plus connue et sans doute la mieux aimée, Jupiter. Ayant fait l'étude des transits, vous passerez une meilleure année et comprendrez mieux votre propre fonctionnement et celui des personnes que vous aimez. Il y a une raison à tout, ne négligez pas de vous y intéresser…

JUPITER POUR TOUS

Jupiter commence l'année en Balance et la termine en Scorpion. La majeure partie de l'année est vouée à la Balance. Jupiter visitant ce signe vénusien a de quoi émouvoir. Il associe bonté et légalité, prose et poésie, musique et décibels, et il signe les grands artistes. Différenciant les émules des maîtres, Jupiter fait le tri entre le chiqué et l'authentique. Il remet les pendules à l'heure et permet à la vérité et à la justice de triompher.

AMOUR, FAMILLE

En amour et pour la famille, Jupiter est passible d'implanter un équilibre harmonieux. Il sème la joie en accents toniques et répand sur tous et chacun des poussées de bienveillance et d'optimisme qui ont un effet magique sur les relations humaines. Sous ses bons effluves, la famille s'agrandit, les enfants sont en bonne santé et réussissent dans leurs études, les parents et grands-parents sont satisfaits de leur lignée et de leur œuvre tandis que les affaires mondaines, légales, financières et politiques trouvent des issues rassurantes.

SOLIDAIRES

La société est en effervescence. Nous nous sentons tous concernés par les décisions prises en haut lieu, qui influencent notre vie personnelle, mais aussi par les événements qui surviennent ailleurs dans le monde. Fini le temps de la contemplation du nombril, terminé le nihilisme, nous faisons corps avec le reste de l'humanité. Que cela plaise ou non, il faut être solidaires.

ARGENT ET PAIX

Côté matériel et financier, Jupiter en Balance tend à équilibrer les rentrées d'argent et les dépenses, les dettes et les surplus. On tend à accorder à l'argent une grande puissance, celle d'apporter la paix, quitte à devoir l'acheter dans certains cas. L'argent exhale un doux relent, ça sent bon la paix!

MEILLEURS MOIS

Les meilleurs mois pour agir légalement et matériellement ainsi qu'en tant que parent et éducateur sont mars et août. Jupiter se plaçant alors en harmonie avec Neptune en Verseau accorde aux rêves une dimension surréaliste. Ce que l'on a vu ou imaginé se produit providentiellement; la chance aidant, on réussit là où des échecs avaient été expérimentés ou prévus.

À TOUR DE BRAS

Il faut mettre à profit ces mois superbes en exploitant les énergies positives sans tergiverser. Exaltation des facultés supérieures, inspiration et spiritualité sont transposées et agissent sur un plan pratique et économique. On découvre une ferveur pleine d'enthousiasme réduisant le désespoir chez certains et allumant la foi chez d'autres. Convaincus d'apporter quelque chose de concret et de nouveau au monde qu'ils habitent, ils mettent leur ardeur au service des autres et se bâtissent du capital santé et du bonheur à tour de bras.

PRISE DE CONSCIENCE

Prise de conscience monstre pour les plus chanceux, ceux qui reçoivent l'influence de ces planètes de plein front sont Balance et Verseau. Pour nous tous, c'est bon, car nous tendons à voir les choses sous un aspect chatoyant, prometteur, séduisant.

Les aspirations secrètes sont satisfaites sans qu'on doive faire le moindre effort; de ce fait, une euphorie un peu factice s'installe. Les gains trop faciles incitant aux dépenses outrageuses pour le plaisir, il faut se méfier de trop d'optimisme et jouir de la vie sans toutefois oublier qu'il y aura un lendemain. Dettes, emprunts et hypothèques coûtent cher, les placements rapportent peu, il faut faire un budget et s'y tenir le plus possible.

SEPTEMBRE

Septembre avec son bel aspect Jupiter-Pluton en Balance et en Sagittaire concrétise les espoirs et permet à certains privilégiés du sort d'acquérir la fortune. L'âge mûr est propice à la richesse et à la célébrité. Les dons de voyance étant accrus, les bénéficiaires du moment voient la mort d'un système politique ou d'un personnage de premier plan comme étant un avantage favorisant leur ambition. Ils en profitent pour se hisser au sommet.

La disparition d'une personne de l'horizon artistique, médical, social, judiciaire, politique ou aristocratique procure joie et bonheur à certains, pendant que d'autres s'attristent. Parmi les heureux, on notera les Balance et Sagittaire, mais le Verseau guette et est également satisfait.

ÉDUCATION

Le système éducationnel est revampé, actualisé, jusqu'à un certain point transformé. Les enseignants et professeurs ont la cote; l'intérêt qu'on leur porte replace les choses dans leur contexte: sans éducateurs, que serions-nous? Par chance, d'excellents prospects prennent la relève, nous apprenons plus et mieux en 2005. Moins de décrocheurs égale moins de chômeurs; l'équation vaut la peine d'être considérée…

NOVEMBRE ET DÉCEMBRE

Jupiter passé en Scorpion à la fin d'octobre fait une harmonie à Uranus en Poissons le 27 novembre, teintant de bleu pervenche le ciel du mois et d'une partie de décembre, mais un accroc au parfait bonheur se fait dans le ciel du 17 décembre entre le même Jupiter et Saturne teintant en gris sombre la deuxième partie du mois.

Profitons pleinement des bons courants d'un Jupiter aimable qui se feront sentir de manière bénéfique pendant tout novembre et terminons nos affaires et projets de préférence avant le 7 décembre, moment où l'autre aspect négatif prendra toute sa force active. Il n'y aurait rien d'étonnant à ce qu'on découvre les planètes jumelles maîtresses de la Balance, mais qu'on les décrie la semaine suivante n'aurait rien non plus de surprenant. Les scientifiques sont toujours les derniers à accepter l'évidence.

PRUDENCE

Prudence dans les affaires d'argent en décembre, et surtout aux environs du 17 du mois. L'inquiétude générale provoque un climat peu propice aux investissements. Insatisfaction, mélancolie des jours anciens ou l'on obtenait des intérêts à un taux acceptable quand on économisait, on trouve le destin inclément.

Manque de chance, manque de confiance en soi et en l'économie en général, échec par la loi, il ne fait pas bon être accusé ou prisonnier sous pareils augures. Il se peut que les soupçons soient injustifiés, mais les accusations de fraudes et de malversations fusent de toutes parts.

Un pessimisme s'installe qui paralyse la volonté et diminue la persévérance au travail. De nouvelles anomalies du foie, du cœur et des artères sont signalées et sans traitement réel. En somme, la fin de l'année 2005 ne semble pas amusante.

Averti, vous aurez fait provision de santé et d'affection et placé autant que possible en sécurité vos biens matériels ainsi que vos placements en valeurs mobilières et en immobilier. Vous affronterez la nouvelle année d'un pied plus ferme, sachant que vous avez fait ce qu'il fallait et au mieux de votre connaissance. L'astrologie et l'astrologue vous auront été utiles, l'avenir le certifiera.

LES PRÉFÉRÉS DE JUPITER

De janvier à la fin d'octobre, les préférés de Jupiter sont la Balance et le Verseau, puis le Gémeaux et le Sagittaire et finalement le Bélier et le Lion.

Ceux-là bénéficient du genre de chance que l'on se fabrique soi-même mais qu'un coup de pouce du sort fortifie. La protection de Jupiter nous est assurée dans les moments difficiles et rend les temps fertiles plus riches et plus intenses.

De la fin d'octobre à la fin de l'année, les préférés de Jupiter sont le Scorpion et le Poissons, puis le Cancer et le Capricorne et finalement le Taureau et la Vierge. On assiste à un regain de vitalité et d'optimisme valorisant le travail accompli et soutenant l'effort au quotidien. La chance prend des allures de carnaval en novembre, voyez plus loin...

JUPITER POUR VOUS PERSONNELLEMENT

JUPITER EN BALANCE

Être Balance ou ascendant Balance, avoir une Lune natale ou plusieurs planètes en Balance vous place du côté des gagnants. C'est décidément une très grande année. Excellent jugement, esprit de justice non dénué de clémence et de générosité, le tout arrosé de sociabilité et de bonne humeur, ces joyeuses dispositions entraînent les autres à votre suite et accroissent votre popularité.

Prenant les bonnes décisions au moment opportun, vous investissez et misez sur votre talent, votre personnalité, votre charme. Ce n'est pas perdu : la chance aidant, vous vous imposez et imposez votre suprématie dans le domaine où vous œuvrez. Vous n'avez pas eu autant de chance depuis longtemps ; j'espère que vous en faites bon usage.

ASSOCIATIONS

Associé à des gens dignes de confiance et chanceux comme vous, soit les Balance, Verseau, Gémeaux, Sagittaire et Lion de signe solaire ou ascendant, vous brassez de grosses affaires qui souvent tournent en or. Du côté du Bélier, c'est le conjoint ou l'associé qui apporte la Chance Pure. Il ne faut pas sous-estimer son action percutante.

AMALGAME

Véritable amalgame du bon et du meilleur, vous avez le goût de briller dans les milieux sélects. Sans être snob ou parvenu, vous choisissez bien vos affiliations. Alchimiste, vous êtes le chef de file qui prend en main une affaire déclinante pour en faire une réussite. La chose vous plaira, mais c'est dit sincèrement : vous avez du génie pour les affaires d'argent et de commerce. Dans le monde des communications, vous faites fureur. Appliquez-vous et le succès est assuré.

LES FLEURS DE DEMAIN

Une attitude sympathique réduisant les antagonismes passés, vous êtes capable d'atteindre un degré de perfectionnement qui réponde aux besoins de l'emploi que vous détenez. Si ce n'est pas assez glamour et sophistiqué pour vous, changez d'option. N'hésitez pas à tenter l'aventure, vous en sortirez grandi, amélioré, enrichi à la faveur de Jupiter. Il ne visite votre signe qu'une fois tous les 12 ans et ne reviendra pas avant longtemps, profitez des atouts qu'il sème sur votre passage et cueillez aujourd'hui les fleurs de demain.

Balance et tous les autres, vous avez de janvier à la fin d'octobre pour agir avec le maximum de chances de réussite. Ne ratez pas le coche...

AU TOUR DU SCORPION

À compter du 26 octobre, le grand bénéfique Jupiter passe en Scorpion.

Se positionnant le 17 novembre en trigone à Uranus en Poissons, il propose des changements brusques venant secouer l'apathie générale. L'idée de génie qui s'imprime dans le cerveau est à retenir ; il ne faut surtout pas négliger d'y donner suite. À la suite de cet aspect, nous sommes tous plus intuitifs, plus branchés.

Découvertes scientifiques et médicales touchant la reproduction, la naissance et la mort (euthanasie acceptée), utilisation nouvelle du sang et du sperme dans des buts évolutifs, ouverture sur les tendances sexuelles naturelles, exacerbation de l'instinct sexuel et de procréation, réformes enthousiastes sur le plan matériel et social, progrès énormes dans le transport, l'automobile et l'aviation. Les changements se produisant à la vitesse de l'éclair, nous avons intérêt à demeurer curieux et informés, sinon nous passerons à côté.

NATIFS ET ASCENDANTS DU SIGNE

Si vous êtes du signe, de l'ascendant ou du signe lunaire du Scorpion, préparez-vous à ressentir des tendances ultra-passionnées qui vous entraîneront on ne sait où, mais dans un lieu et avec une personne où vous serez bien. Les surprises sont porteuses de chance et de joie, aucun problème. Avec le Poissons, le Cancer et le Capricorne, vous formez bonne équipe, mais les Taureau et Vierge ne sont pas à dédaigner pour leurs qualités de réalisateurs et de gérants de projets.

NOVEMBRE ENTHOUSIASMANT

Novembre est enthousiasmant, mais décembre est dur. Une dernière secousse, histoire de vous faire passer le test final. Soyez sans inquiétude, vous le passerez. À l'aide de ce livre, vous vivrez un décembre difficile mais qui évitera d'être tragique et lamentable. L'astrologie prévisionnelle sert d'avertisseur et vous met sur la piste. À vous de renifler la bonne occasion ou le danger ; c'est entre vos mains.

LE MEILLEUR DE DEUX MONDES

Réjouissez-vous, cher Scorpion, mais lisez attentivement les prévisions annuelles et mensuelles concernant votre signe. Si vous connaissez votre signe ascendant, consultez régulièrement les prévisions le concernant afin de faire l'ajustement nécessaire. Le Scorpion est plus favorable ? Faites abondamment usage des qualités du signe. L'ascendant est meilleur durant cette période ? Mettez à l'ombre le Scorpion et utilisez les ressources de votre personnalité dictée par l'ascendant. Vous aurez ainsi le meilleur de deux mondes ; n'est-ce pas ce que nous souhaitons tous ?

DU CÔTÉ FÉMININ

La fin de l'année, avec son Jupiter en Scorpion et son Uranus en Poissons, favorise les attributs féminins. Homme ou femme, enfant, ado ou adulte, vous êtes soumis à la réflexion sur ce que l'on vous propose, à l'intériorisation des forces et des énergies, au rôle d'observateur plus qu'acteur. Le Cancer a sa part de gloire et reçoit les retombées positives préconisées par ces planètes. Ce qui est certain, c'est que les femmes de tous les signes voient leur prestige augmenter. C'est de bonne guerre, chacun son tour !

LES PRÉFÉRÉS DE JUPITER

Les préférés de Jupiter de la fin d'octobre à la fin de l'année (ça continuera l'an prochain, rassurez-vous si tout n'est pas parfait actuellement) sont bien sûr le Scorpion et le Poissons, mais le Cancer et le Capricorne suivent de près et le Taureau et la Vierge ont un mot à dire, une perception différente à apporter et qui pourrait être intéressante. Il faudra bien les écouter…

Saturne pour tous

SATURNE ET LA FAMILLE

Saturne transite le Cancer de janvier à juillet pour passer en Lion le 16 du mois. Comme il se trouve en carré à Jupiter durant les six premiers mois de l'année, tout n'est pas parfait sous le soleil. La famille est source de difficultés et de problèmes difficiles à régler pour les gouvernements et pour la société.

Sans parler de ceux qui écopent à cause de règlements parfois absurdes qu'on tend à imposer aux enfants en bas âge et d'autres conceptions erronées de la vie familiale. Le mariage légal et l'adoption pour les homosexuels sont remis en question, on n'en vient pas à une entente définitive.

UNITÉ FAMILIALE

Ce n'est qu'en juillet que l'on commence à voir clair dans les propositions énoncées et que l'on prend des décisions conformes aux désirs des intéressés, soit les membres de l'unité familiale. Élargie, agrandie, monoparentale, choisie, homosexuelle, interraciale ou autres variantes, la famille demeure un élément clé de la société. Les gouvernants feront bien de s'en rappeler après les élections...

SATURNE EN LION

De la mi-juillet à la fin de l'année, Saturne passe dans le signe du Lion où il habitera pendant les deux prochaines années et demie. Ce long moment est voué à l'autorité, à l'honorabilité, à la responsabilité de l'establishment aussi bien que du citoyen moyen.

Les magnats de notre monde doivent se rendre à l'évidence : ils ont perdu le lustre qui les caractérisait jadis et ont beaucoup à faire pour remonter la pente dans l'estime du public, mais avec la volonté de bien faire et de servir leurs concitoyens, ils retrouveront un peu de leur éclat et seront respectés. On investira du temps, du labeur et de la fierté, mais à profit.

FIN D'ANNÉE DURE

Fin d'année difficile, décembre montrant un carré de Saturne à Jupiter en Scorpion promettant de briser des carrières et de mettre K.-O. des systèmes sociaux et politiques. Certes, le mois n'est pas aisé. La situation monétaire mondiale s'effritant dangereusement, les chutes des valeurs sont nombreuses et inquiétantes. Il conviendra de garder son sang-froid et de prévoir la chose. Ainsi, décembre paraîtra moins barbare.

SATURNE POUR VOUS PERSONNELLEMENT

RETENUE ET PRUDENCE

Saturne voyageant en Cancer pendant la première moitié de l'année conseille aux natifs et ascendants Cancer la retenue et la prudence dans les affaires de santé et de sécurité personnelle. S'exposer à des risques et périls serait dangereux ; provoquer le sort est déconseillé surtout de janvier à la mi-juillet, moment où les choses prennent une couleur plus sympathique.

SUICIDE

L'imagination peut s'attarder sur des sujets déprimants, la mémoire vous rappeler les événements malheureux de l'existence. C'est de mauvais augure, surtout chez les ados et les aînés. Il faut tenir compte du taux de suicide, en particulier chez les jeunes, et prendre des mesures pour contrôler ce phénomène qui tend à se répandre. Les gouvernements prendront leur rôle au sérieux à compter de juillet ; on peut escompter une amélioration, mais la fin de l'année risque d'être odieuse en ce sens.

SENS DES RESPONSABILITÉS

En contrepartie, Saturne accorde aux natifs du Cancer un sens aigu des responsabilités, de la maturité, de l'expérience et du sang-froid. Le domaine immobilier se porte bien, mais décembre peut engendrer des baisses ou des hausses excessives, ce qui peut occasionner des pertes importantes. Prendre la vie au sérieux n'est pas tragique, c'est la base même d'une existence qui se veut équilibrée et heureuse.

LIBERTÉ

Les Cancer et ascendants Cancer atteignent ce but cette année. Après des mois d'excès de pessimisme et parfois de dépression, ils retrouvent la joie de vivre. Ils aimeront juillet ; ce mois correspondant à leur anniversaire de naissance sera cher à leur cœur, et pour de multiples raisons, la principale étant qu'ils recouvreront une grande partie de leur chère liberté.

SATURNE ET LE LION

Saturne fera obstacle aux projets du Lion, les natifs du début du signe, soit ceux du 24 juillet au 4 août, étant les plus touchés. Orgueil, intransigeance, dureté et cruauté leur occasionneront des ennuis. S'ils se montrent dominateurs et pervers, ils en subiront les conséquences, et elles risquent de leur déplaire au plus haut point.

SANTÉ COMPROMISE

La santé peut être compromise, le cœur, le dos, les yeux et l'ossature être fragilisés. Les natifs du Lion feront bien de surveiller leur santé et de ne pas commettre d'excès regrettables. Avertis, ils prendront les rênes de leur destinée et feront en sorte de ne pas céder aux pressions que Saturne tentera d'exercer sur eux.

PLUME AU CHAPEAU

C'est un test que la vie vous fait passer, cher Lion, n'en déduisez pas que je ne vous aime pas ni encore moins que la vie ne vous aime pas, c'est une affaire de cycle planétaire, d'âge de la vie, tout simplement. Vous réussirez à vaincre le sort capricieux et à atteindre une qualité de vie raisonnable, ce sera une plume de plus à votre chapeau !

DÉCEMBRE À VIVRE EN DOUCE

Il faudra vivre décembre en douce, compte tenu du carré qui se fait entre Saturne dans votre signe et Jupiter en Scorpion. Ce sont deux signes fixes ; on peut aisément sentir la tension due à l'entêtement dont vous êtes capable de faire preuve et qui s'avère déphasé en ce moment. Le pire serait de vous entêter dans l'erreur. Alors, rien ni personne ne pourra vous convaincre de l'utilité de vous montrer souple et réceptif. Libre à vous, vous en subirez les affres.

CHUTE DES VALEURS

Prévoyez une chute importante des gains et profits, des valeurs boursières, mobilières et immobilières et de l'argent en général et agissez en conséquence durant les mois précédents. Ayant pris vos précautions, vous serez moins sujet à des pertes pouvant avoir un effet nocif sur votre santé. Terminer l'année en douce mettra les natifs du Lion à l'abri des grands remous qui menacent le monde actuel. Pas de voyages ni surtout de croisières et le tour sera joué.

LES PRÉFÉRÉS DE SATURNE

De janvier à la mi-juillet, les préférés de Saturne sont le Scorpion et le Poissons, mais la Vierge et le Taureau tirent profit de certaines décisions gouvernementales et d'autres paliers de compétence. Les qualités de Saturne sont déversées sur eux et ils atteignent à un degré élevé de sagesse.

De la mi-juillet à la fin de l'année, c'est au tour du Bélier et du Sagittaire d'avoir recours aux forces et qualités attribuées par Saturne. Ils vieillissent bien et mûrissent au lieu de se faner. C'est un attribut qu'ils apprécieront.

URANUS POUR TOUS

ESPRIT D'ENTREPRISE ET NOUVEAUTÉ

Uranus se tient toute l'année dans le signe des Poissons. Il fait gentiment son chemin de janvier à octobre et ce n'est qu'en novembre qu'il relâche les émotions et énergies qui le font bouillonner de l'intérieur. Passant en bel aspect de trigone à Jupiter le 27 novembre, Uranus teinte tout le mois et le suivant d'une belle couleur bleu glacé qui convient à ceux qui possèdent l'esprit d'entreprise et l'amour de la nouveauté.

COMPASSION ET EMPATHIE

La photographie, le cinéma, tout ce qui vient de l'image trouve encore à nous étonner. Nous sommes loin d'avoir atteint le zénith et n'en sommes qu'aux balbutiements sur l'autoroute des communications... Sur un autre registre, Uranus en Poissons accorde à tous de l'amitié pour les pauvres, les malades, les faibles, les déshérités du sort. Il accroît les dons psychiques ou magnétiques mis au service du soulagement des misères humaines. Les médecins et soignants montrent plus de compassion et d'empathie pour les malades et les personnes âgées. Ils sont plus habiles, plus disponibles aussi...

DONS NATURELS

Les parapsychologues et surtout les gens qui s'adonnent à l'étude de l'hypnose ou qui possèdent des dons de guérisseurs et de thaumaturges sont encouragés à persévérer dans leurs recherches. Tentant d'expliquer honnêtement leurs dons naturels, ils parviennent à des momentum. Certains cas particuliers obtiennent l'approbation de savants et de chercheurs.

Les succès obtenus de façon non orthodoxe ou « miraculeuse », guérisons spontanées, etc. portent à réflexion au sujet de la santé, et par ricochet sur les dons occultes auparavant niés par la science officielle. Au royaume des aveugles, les sourds sont rois, dit-on ; cela s'applique à certains bougons rétrogrades, mais leur nombre est en régression cette année.

PROGRÈS IMPORTANTS

Des progrès importants s'annoncent dans le domaine de la santé. On nettoie les hôpitaux de la cave au toit et les visiteurs doivent eux aussi procéder à une désinfection avant de pénétrer à l'intérieur des lieux où l'on traite toute forme de maladie. Ces mesures permettent de limiter les risques d'épidémies dues à des souches nouvelles de microbes difficiles à neutraliser. On cherche et découvre finalement la source et le remède à ces microbes et virus envahissants et meurtriers, mais ce n'est qu'en novembre que tout semble redevenir normal dans ces secteurs.

Qui n'a peur de rien retirera d'Uranus des effets bénéfiques qui le raviront. Oser est le mot d'ordre et agir intuitivement est la clé du succès. Ceux qui auront le bonheur de suivre la tendance seront comblés.

URANUS POUR VOUS PERSONNELLEMENT

INTUITION SUPÉRIEURE

Uranus séjournant en Poissons, les natifs et ascendants du signe sont bien sûr avantagés par une intuition supérieure. Ils solutionnent les énigmes et les mystères par pur coup de chance. Appartenant parfois à des sociétés secrètes, à des groupes d'initiés, ou se réunissant à leur convenance, ils s'intéressent aux sciences occultes et à l'ésotérisme.

L'astrologie étant uranienne, on peut croire qu'elle fera cette année des progrès marquants.

NE DISCUTEZ PAS, PROCÉDEZ

Si vous êtes Poissons de signe solaire, ascendant ou lunaire, utilisez votre faculté d'intuition au maximum. L'idée qui s'imprime dans le cerveau à la vitesse de l'éclair, voilà ce qu'il faut écouter. L'intuition vous dit dans quel sens il faut agir ; ne discutez pas, procédez. Vous ne le regretterez pas, promis.

ASSOCIATIONS SOUHAITABLES

Se joint au Poissons le Scorpion, surtout en novembre alors que Jupiter et Uranus sont en harmonie. Quelle belle musique ils feront ensemble ! Et s'ils s'allient au Cancer, ce sera une symphonie en do majeur.

Côté intuition et qualités parapsychiques, le Taureau et le Capricorne sont également très doués cette année. Ces natifs et ascendants font des bonds en avant et réduisent leurs préjugés, ce qui leur permet d'entrer en contact avec une force intérieure dont ils font peu usage. Dommage de laisser dormir cette belle énergie sous-jacente et d'un potentiel extralucide… Peut-être que cette année ils relâcheront la logique pour sauter dans l'aventure. Ce serait chouette.

LES PRÉFÉRÉS D'URANUS

Les préférés d'Uranus sont le Poissons, le Scorpion et le Cancer, puis le Capricorne et le Taureau. La Vierge est utile en tant que complément. C'est la cinquième roue du véhicule, mais il faut compter avec elle. En tant que conjoint ou associé, elle agit comme un balancier et fera osciller la recherche scolaire, médicale, sociale, financière et politique dans un sens ou dans l'autre. En quelque sorte et jusqu'à un certain point, elle détient la balance du pouvoir…

Ces natifs termineront l'année en flèche et auront hâte de voir arriver 2006. Mais procédons par ordre et continuons notre exposé…

NEPTUNE POUR TOUS

SYMPATHIQUE ET COMPATISSANT

Neptune est extrêmement sympathique et compatissant cette année.

Du Verseau où il séjourne, il incline à donner le meilleur de lui-même. Sa nature féconde régissant l'inspiration renforce l'idéal d'amitié et de fraternité. Sous sa régence, on tend vers l'amour universel, le dévouement pour une cause commune, l'altruisme et l'humanisme.

À travers les dénouements merveilleux qui font suite aux découvertes ultramodernes et parfois futuristes concernant entre autres le virtuel et la robotique, nous demeurons humains et éminemment vulnérables. Il faut se protéger par la clairvoyance, le pressentiment et l'intuition, trois facultés en croissance chez chacun de nous cette année, et pour notre plus grand bien.

DÉVELOPPEMENT DE LA SPIRITUALITÉ

On note un développement important de la spiritualité chez tous les humains de la planète. Toutes religions confondues, on est à la recherche d'un idéal de vie personnelle et collective qui engloberait les hommes et les femmes dans un même accueil généreux et intelligent.

Les deux sexes étant sur un pied d'égalité en fin d'année, on peut croire que les autorités de la religion catholique, entre autres, feront des déclarations fracassantes qui seront bien accueillies par la majorité. Les femmes font une percée remarquée en tant que participantes de plein droit au rituel sacré de l'Église. Minorité certes que ces élues, mais il n'en demeure pas moins que c'est prodigieux comme exercice.

L'Église catholique et l'Afrique noire font les manchettes et dans un sens extrêmement positif, en particulier vers novembre 2005. Plusieurs se réjouiront des mesures prises par le Vatican.

EXODE

L'exode des jeunes hommes, des femmes et des jeunes filles, des divorcés et des homosexuels d'une religion sans vision confirme l'urgence pour l'Église catholique (et pour bien d'autres) d'agir conformément à ses enseignements de base, c'est-à-dire l'amour de Dieu, de soi et du prochain. L'amour implique un respect égal de la personne sans rapport avec son sexe, son âge, son état de santé, la couleur de sa peau, son pays d'origine et la langue qu'elle parle.

La charité ne va pas sans la liberté de choisir entre le bien et le mal, chacun se retrouvant face à sa conscience. Il faut à la religion catholique, entre autres, une ouverture sur le monde actuel. La terre est surpeuplée, des populations meurent de soif et de faim, qu'en est-il de la contraception en 2005 ? Impensable que la réponse soit un non sans appel.

D'autres religions suivent le mouvement progressiste. Le protestantisme est nettement à l'avant-garde en ce sens, le mariage des prêtres et ministres du culte ayant été accepté depuis longtemps et l'union des personnes de même sexe ayant été dans maints cas sanctifiée par l'Église.

ALLIANCE

L'alliance formée entre le christianisme, le judaïsme, le protestantisme, l'hindouisme, le bouddhisme et d'autres grandes religions rejoint une grande partie de la population terrestre. Seuls les musulmans fondamentalistes semblent résister à l'attrait de principes de base communs à tous, mais certains n'hésitent pas à franchir le pas.

De réels progrès s'accomplissent cette année sur le plan des croyances personnelles et de la religion, chacun demeurant fidèle à sa tradition mais en même temps se trouvant uni aux autres par les liens indissolubles de la congrégation humaine. Chair et sang sont indissociables, ils vivent ou meurent.

GAINS MATÉRIELS

Ne serait-ce qu'en ce qui concerne les gains matériels, Neptune est très actif cette année. Mais il y a plus. Des gains matériels s'annoncent à la suite de découvertes providentielles sur l'eau et le pétrole, l'un remplaçant l'autre alternativement, pour arriver à s'en défaire complètement au cours des prochaines années. Ce n'est pas pour demain, l'auto qui se déplace grâce à l'eau ou à un élément connexe, mais ça vient…

Financièrement, les produits de l'eau et ses dévirés ainsi que les produits synthétiques et pharmaceutiques sont prisés et rapportent des profits astronomiques plafonnant en mars, en août et surtout en novembre, mais décembre est traître : il faudra rester sur ses gardes pour ne pas risquer de tout perdre. Être averti vous rendra plus prudent dans vos investissements et placements.

NEPTUNE POUR VOUS PERSONNELLEMENT

CÉLÉBRITÉ, FORTUNE, GLOIRE

Neptune en Verseau favorise les natifs *a priori*. Ceux qui ont la chance d'être du signe ou d'avoir un ascendant ou autre point fort en Verseau seront à même d'en témoigner : ils accompliront des exploits dans leur vie privée, mais aussi sur un plan plus grand et plus transcendant. La célébrité, la fortune et la gloire sont accessibles pour certains qui auront pris la peine d'étudier et de travailler pour devenir les meilleurs dans leur art ou dans leur domaine.

Verseau, il vous appartient de faire concorder opportunisme et flamme créative. Vous irez alors chercher le meilleur de ce que l'année a à donner ; c'est assez pour satisfaire tous les appétits.

POUR VOUS SECONDER

Pour vous seconder dans vos tâches, élisez de préférence quelqu'un qui a de la Balance, du Gémeaux ou du Verseau comme vous, bien que ceux qui ont du Sagittaire et du Bélier soient également utiles. Du côté du Lion, vous trouverez de l'opposition, mais rien ne s'obtenant sans peine, vous réduirez les antagonismes et séduirez l'adversaire qui n'y verra que du feu. La victoire, si elle est remportée contre votre conjoint ou votre associé, n'en aura que plus de prix. Par ailleurs, la chance de l'autre vous profitera, ne la boudez pas.

PRÉFÉRÉS DE NEPTUNE

Les préférés de Neptune sont bien sûr les Verseau, mais la Balance suit de près et le Gémeaux est également dans la course. Le Sagittaire se montre indispensable à votre avancement en septembre tandis que le Bélier vous allumera quand l'énergie baissera, ce qui risque de se produire en décembre. À ce sujet, revoyez Jupiter et Saturne, ils éclaireront votre lanterne.

Croisières et beaux voyages rêvés ou réalisés sont le lot de ces chanceux cette année. L'avion aussi est très prisé ; si vous avez du Verseau, des cours de pilotage pourraient s'avérer utiles et surtout plaisants. Bon voyage !

Pluton pour tous

DONS DE CLAIRVOYANCE

Pluton se montrant cette année sous un jour favorable, il accroît les dons de clairvoyance et permet au supraconscient de s'autodéterminer et de s'autoguérir. Apprendre à utiliser cette énergie nouvelle n'est pas aisé, mais une fois que l'on a compris le principe, on est sur la bonne voie. Se parler à haute voix, se motiver soi-même, diriger constamment son esprit vers des sujets positifs dans le but d'améliorer son sort et celui des autres, cela demande de la pratique.

VISION POSITIVE

Dès que vous constatez que votre esprit s'égare dans des pensées négatives, ramenez-le à une vision positive de l'avenir. Cette technique tient de Pluton et du supraconscient. Il guide l'inconscient vers l'affirmation de soi et le conscient agit en conséquence. Les trois sont inséparables et doivent coordonner leur action pour que l'équilibre soit maintenu.

TRAVAIL DE PLUTON

La régénération des cellules, le renouvellement des forces et énergies, le ressourcement physique et psychique, la destruction dans le but de refaire mieux et plus humainement, la manipulation et la coercition sont le travail de Pluton. À vous d'utiliser les possibilités positives et de neutraliser le négatif auquel cette planète expose et qui est difficile à contrer, vous le constaterez à l'usage…

À ce sujet, je vous souhaite patience et persévérance dans l'effort. N'abandonnez pas la partie avant d'avoir tenté le principe positif de Pluton. Il serait triste d'être soumis aux impondérables quand on peut régir soi-même un bon nombre de choses, sinon tout…

INSTINCT

Malhabile est celui qui boudera les faveurs de Pluton. L'instinct et la force magnétique qu'il accorde sont inimaginables et doivent être utilisés de façon constructive. Cela se passe ainsi : Vous êtes bien en un lieu, bien avec une ou des personnes : restez ; vous êtes mal à l'aise et inconfortable : partez. Vous flairez la bonne affaire : acceptez, vous avez le feu vert. À défaut de quoi vous refuserez toute offre sentant l'arnaque et le désir de vous délester de vos deniers, compris ?

En principe, votre pôle d'attraction devrait attirer des personnes de qualité et désireuses de participer à l'action que vous déclenchez. De prime abord, l'instinct est juste, vous avez intérêt à suivre son inclination.

PLUTON POUR VOUS PERSONNELLEMENT

COUP DE CHANCE POUR LE SAGITTAIRE

Pluton voyage toujours en Sagittaire, signe auquel elle inflige des hauts et des bas faisant penser aux montagnes russes depuis quelques années. Le changement était à l'honneur, mais pour certains, la transition n'a pas été harmonieuse. Coup de chance cette année : tout se déroule de façon beaucoup plus agréable. La vie monte en grade et l'échelon à monter pourrait les amener au sommet.

Si vous avez du Sagittaire par le Soleil, l'ascendant ou la Lune natale, mieux vaut pour tous être de votre côté que contre vous. Votre pouvoir est énorme et il sera particulièrement évident en septembre prochain, moment qui annonce une très grande réussite. Patience d'ici là et profitez de la vie. N'ayez crainte, vous trouverez de quoi vous occuper et vous offrir du bon temps.

LES PRÉFÉRÉS DE PLUTON

Les préférés de Pluton sont les Sagittaire, bien sûr, mais les Lion et Bélier sont également favorisés. Avec les signes de feu, vous entretenez d'excellentes relations. De beaux voyages à l'étranger et l'engrangement de gains et de profits fortuits ont le don de vous faire sourire largement. Il y a matière à contentement, convenez-en !

Également favorisés par Pluton sont la Balance et le Verseau de signe solaire, ascendant ou lunaire comme toujours. Ceux-ci complètent le portrait heureux d'une année qui veut vous procurer de la satisfaction personnelle, de la santé, du bonheur à souhait. Tout transformer, mais dans un sens ascendant et positif, est le programme de Pluton cette année. Suivrez-vous le pas ? C'est à souhaiter car l'enjeu est considérable !

À NOTER POUR TOUS

L'année se permet de renverser la vapeur à maintes reprises et de faire tourner les choses dans le sens contraire de ce que l'on attendait, mais certaines actions et décisions apparemment désuètes voire rétrogrades produisent des effets boomerang dont vous avez beaucoup à espérer. Ne jetez pas la serviette avant que la partie soit complètement terminée !

Passons maintenant aux prévisions personnelles.

Bonne année à tous et à toutes !

Bélier

DU 21 MARS AU 20 AVRIL

1er DÉCAN : DU 21 MARS AU 31 MARS
2e DÉCAN : DU 1er AVRIL AU 10 AVRIL
3e DÉCAN : DU 11 AVRIL AU 20 AVRIL

Prévisions annuelles

ANNÉE BRILLANTE

L'année 2005 augure on ne peut mieux pour les Bélier des deux sexes. Ils se régaleront à souhait et feront l'envie de plusieurs, sinon de tous.

Le ciel signale que le moment est venu de se remettre en selle et d'agir conformément à l'expérience acquise au cours des deux dernières années et demie. Ayant largement mérité ce temps de retrouvailles et de paix qui leur est finalement alloué, ils ne rateront pas l'occasion de se démarquer du peloton et réussiront là où bien d'autres ont échoué avant eux.

Si vous êtes du signe, prenez note : une année brillante s'annonce, soyez prêt à tout.

ACTION PERCUTANTE

Grâce à l'action percutante des natifs de ce signe et aux qualités de chefs et de meneurs qui leur sont naturelles, on parle d'eux et d'elles sur toutes les scènes ; dans les milieux où ils tiennent un rôle de premier plan, ils ont la cote d'amour. Même les seconds violons du signe ont leur heure de gloire. Tous attirent l'attention, mais adroitement, sans conflit avec l'establishment.

Une période exceptionnelle s'ouvre pour les natifs du signe ; elle ne se terminera pas sans actes d'éclat. En harmonie avec eux, la grande Pluton les dirige habilement. Transformant leurs limites en courage, elle réduit presque à néant leurs mauvais penchants.

Malgré ces bons présages, quelques restrictions s'imposent. Mal vous en prendrait cette année de ne pas suivre l'avis des planètes, cher Bélier. Comme vous, elles ont toujours raison !

LES SIX PREMIERS MOIS

Saturne transitant le Cancer, votre carré, la première partie de l'année est problématique, surtout pour les natifs du troisième décan (10 au 20 avril). Ils doivent l'aborder sagement et prudemment. Les six premiers mois exigent contrôle de soi, retenue et prévoyance. Nous en reparlerons plus amplement dans l'étude de chaque mois de l'année.

Les autres natifs prennent rapidement de l'essor. Rien ne les retient, ils ont repris leurs ailes pour la plupart et sont prêts à s'envoler vers un destin plus clément. Liberté chérie! Oui, mais encore là quelques admonitions ne seront pas superflues...

POUR TOUS

De la Balance où il séjourne, le grand bénéfique Jupiter s'oppose au Bélier de janvier à la fin d'octobre. Tous les natifs sont touchés par cette opposition planétaire qui, sans être extrêmement nocive, invite à l'économie des forces et des moyens.

Cet aspect négatif conseille d'éviter les excès, tout en multipliant les occasions de se dépenser et de se morfondre. Les tentations prolifèrent de gaspiller temps, argent et sentiment en vaines poursuites. Le goût vous prend de faire des «folies», mais le temps n'est pas propice, vous comprendrez bientôt pourquoi...

ÉMERGENCE

Excès de travail, de zèle, de dépenses inutiles, de table et d'alcool, de sexe et de sport extrême à bannir de votre vocabulaire pour un temps. Les investissements trop audacieux et onéreux sont du groupe. Vous vous en trouverez mieux et n'aurez rien à regretter lorsque viendra novembre prochain, moment de votre émergence.

ÊTRE À L'ÉCOUTE

Ceux qui, au cours des deux dernières années, ont pris à cœur d'écouter les conseils donnés bénévolement par des personnes généreuses et dépourvues d'intérêt personnel, ceux-là retireront de la nouvelle année des bienfaits insurpassables. Ils voient leur bonne volonté récompensée.

Seul, vous êtes moins bien armé pour contourner le sort qui se fait capricieux pendant les six premiers mois de l'année. Le reste est du bonbon, le savoir vous donnera le courage d'affronter le peu de négatif que certains d'entre vous ont encore à surmonter.

SAVOIR RECEVOIR

Cher Bélier que j'adore, vous le savez pertinemment, quelques admonitions s'imposent concernant la première partie de l'année.

Vous l'aurez compris, ce n'est pas votre meilleur temps. Libre à vous de le prendre avec un grain de sel, ou pas du tout. Dans notre transaction lecteur-auteur, c'est moi qui ai la donne et vous qui recevez actuellement.

Recevoir impliquant être en position d'attente, ce n'est pas votre emploi préféré. Vous devez faire preuve de bonne volonté encore un peu cette année. Beaucoup vous est alloué, mais vous devrez apprendre à recevoir, à assumer, à digérer, puis à remettre en circulation l'énergie acquise à la suite de ces fonctions « nouvelles » pour vous.

TEMPS FAVORABLES

Comprenez-le bien, vous n'avez pas à vous inquiéter mais à prévenir les coups du sort. Grâce au guide astrologique que vous tenez entre vos mains, j'espère que vous serez mieux en mesure d'apprécier l'urgence d'agir dans les moments opportuns, entreprenant les changements souhaités en temps favorable, ce que nous déterminerons ensemble au fil des mois qui suivent.

OPPORTUNITÉS

À l'aide de l'astrologie sérieuse, vous constaterez que les obstacles sont de moindre importance que les opportunités qui fourmillent. Ainsi, l'année 2005 représentera pour vous un temps de grâce, au lieu d'être une période de vieillissement et de déprime. Sauf exception, vous n'y sombrerez pas. Et si vous devez remonter la pente, vous le ferez avec succès, et finalement sans trop d'efforts...

LIBERTÉ SOUHAITÉE

Rassemblez vos forces et vos énergies. Ne vous gaspillez pas sexuellement et ne dispersez pas vos biens et votre argent. Soyez prêt à faire des concessions. Si vous exigez que tout se passe à votre goût vous serez déçu, trop d'autorité rendant frustré et peut-être malade...

Carré de Saturne oblige, les six premiers mois de l'année demandent d'agir sagement. Si des poisons vous empêchent de vivre la vie qui vous est dévolue, videz-les de leur sens, enlevez-leur le pouvoir malin qu'ils exercent sur vous, laissez tomber. La liberté souhaitée est à deux pas, tenez le coup. L'enjeu en vaut la peine !

DEUXIÈME PARTIE D'ANNÉE EXTRAORDINAIRE

Par ailleurs, Saturne passant en Lion le 16 juillet indique une délivrance. Ce qui vous pesait et vous empêchait de gravir les échelons est balayé, liquidé. Santé meilleure, moral stable, restrictions et empêchements diminués jusqu'à se neutraliser complètement, la deuxième partie de l'année est extraordinaire.

MOTS DE PASSE

Vos mots de passe cette année : supraconscient, foi et sagesse. Le supraconscient ou superinstinct est cadeau de Pluton, la foi vient de Neptune et la Sagesse de Saturne. Sans l'un des trois vous survivrez, mais avec moins de plaisir. Deux sur trois et vous êtes sauf. Trois sur trois et c'est le Pérou !

SUPER-INSTINCT

Par super-instinct nous entendons ici l'instinct animal sublimé qui accorde à l'utilisateur une force quasi surhumaine. Les dons de clairvoyance naturels se trouvant exacerbés, vous êtes à l'abri de tout mal, pourvu que vous ayez le bon sens d'écouter votre corps, mais aussi votre âme et votre conscience.

La conscience parle haut et fort cette année, il faudrait être sourd pour ne pas l'entendre. Je suis certaine que vous entendrez sa voix et que vous en tirerez profit. Un truc serait de ramener votre esprit à des choses positives dès qu'il s'égare en terrain vaseux. La visualisation positive est pour vous.

Cela exige un travail sur vous-même, mais il rapportera des dividendes surclassant tout ce que vous aviez espéré. En cas de maladie ou de chirurgie, la guérison est possible grâce à ce super-instinct. Dans le choix d'un médecin, d'un traitement, d'une discipline de vie, il vous sera salutaire. Écoutez-vous, la recette est simpliste mais elle est gagnante.

FOI

Quant à la foi, il s'agit de la foi que l'on a en une force supérieure à la sienne, si on a la chance d'y croire, mais aussi de la foi en soi-même et en la capacité d'autrui. Vous n'êtes pas seul à avoir du

talent et des qualités ; faites confiance aux autres et déléguez les pouvoirs, cela fera toute la différence.

Avoir foi en un idéal fait également partie d'un décor qui se veut propice à l'épanouissement du moi intérieur, tout en favorisant l'éclatement de la personnalité et de la vie sociale et professionnelle. Se montrer désabusé, sceptique, rebelle à toute forme de croyance serait s'aliéner des forces puissantes agissant autant sur le physique que sur le moral.

Accrochez-vous à ce qui va et mettez au rancart ce qui rate ou menace de crouler. Une fois cet effort de volonté consenti, vous n'aurez que du bon à attendre de 2005.

SAGESSE

Quant à la sagesse, elle vient après de multiples essais décevants, mais elle vient. C'est en plein été, soit en juillet 2005, que vous appréciez le mieux cette qualité que vous avez négligée au cours de votre existence, longue ou courte. De force mais quand même, vous finissez par reconnaître les vertus de la retenue et de la sagesse et ce que vous en retirez vous plaît.

CHANCE PURE

La part de Chance Pure (Nœud ascendant de la Lune) transitant votre signe pendant toute l'année 2005 et une partie de 2006, vous bénéficiez d'une chance peu commune en matière de spéculation boursière, immobilière et financière, ainsi que dans les jeux de hasard. Avec les enfants et en amour, la chance est également présente et promet des joies inespérées. Un enfant de plus dans la famille, un mariage ou un engagement à long terme, pourquoi pas ? Aucun effort ne vous rebutera.

Cette bonne fortune ne revenant qu'en juillet 2023, pressez-vous de saisir les opportunités qui se manifesteront inopinément. Même si les résultats ne sont pas sûrs, n'hésitez pas à sauter la barricade : ça fonctionnera.

UN ANGE

Le ciel fait bien les choses : il vous envoie un « ange » en dernier recours. Il se nomme Véhuiah et symbolise la transformation. Il invite à rechercher l'esprit de vérité qui se cache derrière chaque être et chaque situation. Il enseigne que tout ennui se consume au feu de l'amour cosmique et éternel.

Quelle belle fin d'année vous connaissez, cher Bélier. De quoi donner envie de vieillir comme vous en sagesse et en beauté!

SOUHAIT

Que votre bienveillance se répande en abondance sur l'entourage est le souhait que je formule pour vous en 2005. Que votre tête déborde de bonnes idées, que votre cœur soit généreux et votre portefeuille bien rempli. Et puis, que sont quelques dollars de plus ou de moins quand on a la santé!

Natifs et natives du Bélier, bonne année!

Coup d'œil sur le Bélier de tout ascendant

Bélier-Bélier

L'année est étriquée. Coincé, vous êtes mal à l'aise. Mettre trop l'accent sur le matérialisme pouvant nuire, vous montrer moins ambitieux vous permettra de négocier cet espace-temps avec plus de plaisir et d'efficacité.

Lâcher prise serait sage, le temps de vous régénérer, de combler les pertes affectives et les déficits financiers subis malgré vos efforts. N'en faisant qu'à votre tête, vous risquez des déboires, en particulier si vous êtes natif du 10 au 20 avril, mais tous trouveront utiles les horoscopes qui suivent...

Côté lumineux: votre nature bon enfant séduit et attire la sympathie. La Chance Pure vous souriant, vous faites des gains substantiels aux jeux de hasard et par spéculation. Enfants et petits-enfants sont source de joie et de satisfaction, l'espoir est bien vivant.

La vie se fait plus douce à compter de juillet et septembre résout vos problèmes. Action garantie cette année, vous l'aimerez!

Bélier-Taureau

Tout Bélier utilisant son côté Taureau prend cette année de l'avance sur les autres. Patience et persévérance faisant la différence, mettre ces vertus en pratique améliorera vos relations humaines et vos affaires d'argent.

Stabilité en amour et au foyer, opiniâtreté dans le travail, adaptation au changement, vous êtes branché sur des antennes dont la transmission est bien reçue. Voyages précipités, séparations douloureuses, vous acceptez l'inévitable. Du coup, la santé est meilleure et vous n'êtes pas menacé.

Durant les six premiers mois de l'année, soyez Taureau puis, à compter de juillet, redevenez «Bélier à part entière». Décembre est un mois à pièges. Pourquoi s'entêter dans l'erreur? Tout quitter et rebâtir serait une solution…

Suivre ces conseils vous fera passer une année qui, sans être la plus excitante de votre vie, sera très acceptable.

Bélier-Gémeaux

Le Bélier ascendant Gémeaux a plus de chance. L'action bénéfique de Jupiter le rend imperméable aux intempéries. Il n'a qu'à s'occuper de ses propres affaires pour qu'elles se portent bien, mais il est curieux, ça pourrait être difficile…

La santé peut inquiéter, mais pour la plupart c'est la renaissance, la découverte de soi menant à un équilibre quasi parfait. Le «je me moi» fait place à un «nous» sympathique. À la suite d'une intervention providentielle, le Gémeaux rayonne, mais pour plusieurs la période s'avère fondamentale.

Des gains matériels largement suffisants vous consolent de déboires réels ou imaginaires. Mars et novembre sont intéressants, mais juillet, août et septembre sont financièrement fabuleux. Vous ne vivrez jamais assez vieux pour oublier l'action généreuse du sort en ces mois bénis des dieux.

L'année réussira au Bélier ascendant Gémeaux vif d'esprit et un peu profiteur. Ni vu ni connu, l'affaire est dans le sac. Bravo!

Bélier-Cancer

Harmoniser le feu de la passion et l'eau fraîche n'est pas tâche facile. Consolez-vous, à l'aide des conseils donnés au fil des mois, la nouvelle année finira par trouver grâce à vos yeux. Vous y prendrez même un certain plaisir.

Rien ne vous est donné en début d'année, mais en juillet vous vibrez sur une corde moins sensible et atteignez la cible. Ce que vous aviez remisé aux oubliettes resurgit avec force. La vie se charge de régler des énigmes auxquelles vous ne vouliez plus songer… Vous avez pleuré, le temps de rire est venu.

Côté lumineux: la fin d'octobre et tout novembre sont exceptionnels et décembre est plus qu'aimable. Votre sens phénoménal de la persuasion fait de vous un vendeur génial. Vous récupérez vos pertes et faites profiter la famille entière de votre abondance. Il y en a pour tous!

Un conseil: Ne démissionnez pas mais persistez, la santé et le succès sont à ce prix. Bonne chance!

BÉLIER-LION

Vous dégagez tant de chaleur que certains s'éloignent de peur d'être consumés! Vous allez vous brûler et brûler l'entourage par trop d'exigence. Entourez-vous de Poissons et de Scorpion générateurs de calme et de fraîcheur. Tendresse et bienveillance sont vos portes de sortie.

En juillet et août vous faites de bonnes affaires avec les Balance, Verseau et Gémeaux, mais septembre est votre grand mois. Impliquez les Bélier, Lion et Sagittaire de signes solaires ou ascendants dans vos projets. La politique peut vous intéresser, tout dépend de vos ambitions personnelles.

Pédale douce en décembre, ne changez rien si vous pouvez l'éviter. Avec la justice et en placements mobiliers et immobiliers, honnêteté requise, sinon la suite sera pénible. Feu rouge devant toute offre trop belle: c'est un piège.

Pour passer une meilleure année, suivre ces indications sera salutaire.

BÉLIER-VIERGE

Sens critique et analytique vous protègent. Grâce à ces qualités que vous tenez de la Vierge, votre ascendant, vous êtes apte à discerner entre le vrai et le faux et à porter un jugement sûr quant aux décisions à prendre cette année.

J'abonde dans le sens d'aller directement au but sans tergiverser. Passer par Paris pour aller à Québec me semble long, surtout si vous partez de Montréal. C'est vous qui tenez les rênes de votre destinée, libre à vous.

La santé est solide ou se stabilise, les forces vitales ne manquent pas à ceux qui font l'effort de s'alimenter sainement et de s'autodiscipliner. Mais la Vierge folle a plus de plaisir à vivre que la Vierge

sage. Celle-ci tend à vouloir thésauriser, alors que dépenser et investir l'amuseraient davantage...

Se détendre, rire et faire rire, s'amuser sans arrière-pensée. Voilà le secret qui vous gardera jeune et souriant toute l'année!

Bélier-Balance

Belle longueur d'avance pour les natifs de cette astralité. Les tendances Balance favorisent les affaires de famille, de société, d'argent. De grands progrès matériels sont à escompter. Le mois de mars est sensationnel, août et septembre déroutants tant ils offrent de possibilités.

Jupiter dans votre signe ascendant incite à voir grand et loin. Il accorde la possibilité de réaliser vos rêves et vos ambitions. Associez votre conjoint à vos transactions et affaires financières, vous serez plus chanceux à deux et à plusieurs.

Du côté sombre: la santé peut inquiéter lors des éclipses solaires et lunaires affectant le signe à trois reprises cette année. Suivre les conseils donnés chaque mois diminuera les risques et atténuera les ennuis. Mieux vaut prévenir que guérir, ne négligez pas de le faire.

Ne faites pas l'orgueilleux et n'hésitez pas à demander de l'aide. On vous aime, n'en doutez pas, et votre année sera plus excitante encore!

Bélier-Scorpion

Belle distribution des énergies du Scorpion favorisant une meilleure année pour le Bélier que vous êtes en profondeur. Faire usage de votre personnalité et de votre image renforcera vos chances de succès et de bonheur.

Pour autant que vous ne soyez pas jaloux, vous risquez d'être heureux en amour et sexuellement. Mariages, naissances et gains chanceux à escompter. La seule pensée de manquer de quelque chose vous étant insupportable, investissez sagement vos économies.

Pour traiter d'affaires importantes, remettez à la fin d'octobre, moment qu'a choisi le grand bénéfique Jupiter pour entrer dans votre signe. Novembre est à retenir pour les affaires légales et nouvelles, mais décembre est traître. Soyez vigilant et ne brusquez rien.

Nous reparlerons de tout cela dans l'étude de chaque mois. N'oubliez pas de consulter ce manuel pratique, il vous est indispensable cette année!

BÉLIER-SAGITTAIRE

Votre côté Bélier est moyen, mais votre Sagittaire donne le courage de lutter contre les facéties du sort. Quoi qu'il advienne, vous sortez victorieux de l'entreprise. Remerciez la Providence : si ce n'était d'elle, vous seriez dans de mauvais draps !

Toutes les ramifications se recoupant en mars puis en août, septembre vous apporte de quoi vous mettre sous la dent. Vous avez de l'appétit et le repas est substantiel. Les énergies dépensées auparavant se regroupent et font de septembre votre meilleur mois de l'année.

Vous pouvez remédier à votre situation financière si elle est décevante, vous refaire une vie personnelle, amoureuse et sociale, vous rebâtir physiquement et moralement, vous reconstruire une image conforme à vos goûts et besoins présents, tout est possible ou presque…

Voyez la suite de cet exposé pour ne rien manquer de ce que le ciel vous réserve de bon cette année, cela vous réconciliera avec bien des choses…

BÉLIER-CAPRICORNE

L'année nouvelle exige de l'adresse. Il faut savoir bêcher, travailler, se débrouiller seul. Rien de gratuit pour les natifs de cette astralité cette année. Ils ont raison de consulter ce guide, c'est sans doute à eux qu'il sera le plus profitable.

Il faut surveiller la santé d'abord, puis surveiller ses arrières. La justice n'étant pas de votre côté, mieux vaut ne pas la déjouer, vous en retireriez grand mal. Entourez-vous de personnes dignes de confiance et brassez le moins possible de grosses affaires, vous risqueriez des pertes considérables.

Aux jeux de hasard, la chance est bonne par moments, puis c'est la défaite totale. Si vous avez un goût indomptable du jeu, méfiez-vous, cette année pourrait marquer le point le plus bas de votre existence. Même chose si vous avez un autre vice, une dépendance grave.

Suivre les indices et conseils donnés chaque mois pourrait vous sauver la vie, et je n'exagère pas. Libre à vous, l'avis est lancé. Bonne chance !

Bélier-Verseau

Cette combinaison harmonieuse donne cette année des résultats mixtes. La liberté recherchée est disponible mais vous en avez moins envie. Vous n'avez qu'à suivre le chemin indiqué par les étoiles, mais il est confondant, il faut savoir lire les indices…

Certains ont des ennuis de santé, mais ils sont compensés par un destin heureux qui permet l'expansion sociale et matérielle. Travailler avec les Balance et Gémeaux de signe solaire ou ascendant augmente votre chance. En septembre, ajouter quelqu'un qui a du Sagittaire sera bon.

Les mois de mars, d'août et de septembre sont incomparables. Il faut les choisir pour traiter d'affaires d'argent dont vous espérez tirer le meilleur rendement possible. Utilisant votre intuition fabuleuse, vous arriverez à des résultats étonnants. Par contre, décembre est traître, ne changez rien pendant ce mois.

Ne négligez pas la faculté de prévoir l'avenir que vous possédez naturellement, elle vous rendra de grands services cette année !

Bélier-Poissons

Les six premiers mois sont sous le signe du sérieux et de la profondeur. Le sens de la responsabilité accordé par le Poissons favorise la prise en charge de votre santé et de votre sécurité autant physique que matérielle. Adouci par l'eau qui tempère votre ardeur, vous courez moins de risques.

Les six derniers mois de l'année se déroulent sous les bons auspices de Jupiter. Grâce à cette protection occulte, rien à redouter de négatif en quelque domaine que ce soit. Fiançailles, mariages, naissances, voyages ou maison de rêve, rien de trop beau pour vous. Vous avez raison, c'est écrit dans le ciel.

Toute l'année est favorable côté matériel et financier, mais le mois de novembre et la première partie de décembre sont nettement supérieurs à la moyenne. Vous vous dépassez et atteignez des sommets. Les voyages en avion et nouvelles entreprises sont agréables et sécuritaires, rien à redouter.

Faire appel à votre côté Poissons vous met à l'abri des malheurs cette année ; n'oubliez pas d'être charitable et généreux, tout se joue là !

Prévisions mensuelles

JANVIER

Il y a deux tragédies dans la vie : l'une est de ne pas satisfaire son désir et l'autre de le satisfaire.

OSCAR WILDE

EXCELLENT DÉBUT D'ANNÉE

Les astres indiquent un excellent début d'année pour vous du Bélier. Profitez-en pour établir solidement les bases d'une période mouvementée, mais enrichissante idéologiquement, moralement et spirituellement.

Connecté à des personnes désireuses et capables de vous conseiller et de vous soutenir dans vos diverses démarches, vous réussirez. Sans les autres, ce sera plus complexe et surtout moins agréable. Sachant cela, vous n'hésiterez pas à faire appel à plus fort que vous. Il s'en trouve pour vous servir de guide à travers la tourmente, si jamais elle avait le culot de se manifester...

PARTIR

L'année débute de façon imprévue. Des circonstances exceptionnelles ayant trait à l'étranger se manifestent brusquement. Ce qui est lointain et exotique stimule vos sens et garde votre curiosité en éveil. Vous êtes prêt à courir le risque et à partir pour Cythère, lieu mythique où l'hédonisme prévaut.

Le ciel du mois donne de l'éclat à la vie privée, sans pour cela négliger les amours et amitiés de longue date. Voyages, rencontres et plaisirs divers sont au programme. Un beau voyage de noces et d'amour vous plongerait dans le ravissement total ; souhaitons que ce soit le cas...

N'en déplaise à Oscar Wilde, satisfaire votre désir serait un bonheur, non une tragédie !

VALEURS SÛRES

Vous pourriez vous réfugier dans les valeurs sûres et opter pour la sécurité affective, sentimentale et financière, sans chercher à innover, mais ce n'est pas sûr... Votre nature aventureuse se contente rarement du déjà-vu. Elle préfère l'inédit, même si des risques sont impliqués. La nouveauté exerce sur vous une fascination relevant du fétichisme. Pour vous, argent égale sexe, et sexe égale amour. L'envers du décor, quoi, mais qui saurait vous en tenir rigueur, alors que vous remportez tant de succès ?

AVIS AUX INTÉRESSÉS

En ce début d'année, vous avez bon caractère et êtes prêt à presque tout pour faire plaisir à ceux que vous aimez. Avis aux intéressés : le moment est idéal pour vous demander une faveur. Vous l'accorderez, pourvu que ça ne coûte pas trop cher, le budget étant à l'ordre du jour non par avarice, mais par nécessité.

CONCESSIONS NÉCESSAIRES

Le fait est que Jupiter s'oppose à votre signe, par conséquent à vous, de janvier à octobre. Mieux vaut sabrer dans les dépenses et choisir la paix de l'esprit, tout en laissant au conjoint ou à la conjointe son heure de gloire en public et dans les relations familiales et sociales. Il ou elle sera source de profit cette année ; c'est à considérer.

Des concessions sont nécessaires dans le mariage et l'association d'affaires, mais vous supportez mieux que d'habitude les contraintes et obligations familiales, sociales et économiques. Cette attitude tolérante vous allège et vous rend heureux. Adopter un profil bas vous ennuie, mais c'est sans doute ce qu'il y a de mieux à faire dans les circonstances.

PASSIONNÉ À CHAUD

Janvier ne vous refroidit pas les sens et ne ralentit pas votre ambition ni votre ardeur au travail ; il les allume, au contraire. Attention de ne pas prendre de coups de soleil, mais le coup de foudre serait plus dommageable. Passionné à chaud, vous nous en faites voir de toutes les couleurs tout en vous amusant follement. Profitez mais n'abusez pas, garder des réserves est toujours utile.

BÉLIER ASCENDANT BÉLIER

Si vous avez du roux dans vos cheveux, une cicatrice au visage ou à la tête, des manières décidées et d'autres caractéristiques que vous trouverez dans mon livre *Les secrets des 12 signes du zodiaque* paru récemment aux Éditions de l'Homme, vous êtes sans doute Bélier ascendant Bélier. Imaginez la somme d'énergie que vous dégagez, c'est inouï.

Il faut beaucoup de patience pour vous aimer, beaucoup d'amour pour vous suivre dans vos périples et vos péripéties. Par chance, ces qualités abondent, cadeau de la Providence en cette nouvelle année.

AUTRES ASCENDANTS FAVORABLES

Chanceux en art et dans les métiers connexes, les artistes, créateurs et artisans du Bélier ayant l'ascendant en Bélier, en Sagittaire ou en Lion brillent d'un éclat particulier. On ne voit qu'eux, on les encense, on loue leurs œuvres ; leur réputation dépasse les frontières. Reconnus à l'étranger, ces artistes et créateurs nous font honneur quand ils sont de chez nous. En retour, ceux venant d'ailleurs sont chaudement reçus. Bel échange d'énergie, synergie captivante, vous êtes content.

PRÉJUGÉS ET TABOUS

Les conflits de race, de culture et de religion s'estompent ; le Bélier est le premier à élargir ses horizons et à tenter de réconcilier les parties adverses. Minimiser les écarts de fortune et rapprocher les êtres devient une priorité, il en fait sa mission. Il a du boulot sur la planche et du chemin à parcourir lui-même ; les préjugés et tabous ont la vie dure, même pour les natifs du Bélier.

Artiste ou non, si vous êtes de cette astralité, vous régnez en roi et reine sur janvier 2005. C'est votre mois ! Il ne reste qu'à mettre à profit les largesses mises à votre disposition par pure bienveillance céleste.

Bon janvier, cher Bélier !

HOROSCOPE HEBDOMADAIRE

Le 1er janvier : Le premier de l'an est superbe ; bonne année, cher Bélier ! L'énergie est bien employée, mais le sens critique est exacerbé.

Attention de ne pas blesser un autre Bélier, un Capricorne, une Balance, un Cancer trop sensible…

Du 2 au 8 janvier : Grandes transactions financières et commerciales surtout avec les Bélier, Lion et Sagittaire de signe ou d'ascendance. Import-export, affaires légales traitées avec soin et à profit, relations interraciales et multiculturelles de qualité, vous vous ouvrez à un monde nouveau. C'est productif.

Du 9 au 15 janvier : Prudence en amour et en amitié le 9. La nouvelle Lune du 10 en Capricorne accroît les tensions. Vous pouvez mener bien du monde par le bout du nez, mais pas tout le monde. Acceptez la critique et bâillonnez la vôtre.

Du 16 au 22 janvier : La nervosité expose à des inepties. Prudence au volant et dans les rapports avec les plus jeunes. Conflits d'intérêt avec les Capricorne, Cancer, Balance et Bélier. Dormir plus apportera le repos nécessaire.

Du 23 au 29 janvier : Prudence dans la vie sentimentale le 24, mais la pleine Lune le 25 janvier en Lion avantage la vie érotique. Initiatives payantes, avantages pour ou par les enfants, chance aux jeux de hasard et en spéculation, la semaine est propice aux transactions audacieuses.

Du 30 janvier au 5 février : Favorable pour mettre au monde un enfant ou pour accoucher de tout projet qui vous tient à cœur. Agissez pendant que le ciel incline au succès dans les études, le recyclage, les démarches et les voyages.

CHIFFRES CHANCEUX

1 - 3 - 4 - 19 - 23 - 35 - 44 - 50 - 60 - 64

FÉVRIER

Amour, amour, quand tu nous tiens,
Tu nous fais faire des folies,
Les vieux amants le savent bien,
Quand on est deux, c'est pour la vie !

VIEILLE CHANSON FRANÇAISE

Rien de fatal à prévoir, mais les dissonances de Saturne, de Jupiter, de Mars et de Mercure s'accumulant, vous n'avez pas la vie facile. La santé est prioritaire. Tête et organes de la tête, estomac, reins et vessie sont fragilisés. Portez un casque et des vêtements appropriés au sport et au travail, évitez les sports extrêmes et agissez sobrement. Si la sobriété est un problème, voyez les Alcooliques Anonymes : ce mouvement vous aidera à recouvrer la partie manquante de votre existence et vous mettra en contact avec votre vraie nature. Celle que tout le monde adore !

FAIRE PROVISION

Si vous avez eu la bonne idée de faire provision d'optimisme et de joie de vivre, vous ferez bonne route jusqu'en mars, moment où les choses reprendront un cours plus normal. La « crise » passée, vous retrouverez votre élan et votre énergie. Le contrôle sur vous-même et sur vos passions étant plus facile à exercer, vous reprendrez l'équilibre et serez plus heureux.

NOTION DE PLAISIR

Pour vous, février doit demeurer le mois des amoureux de la vie. N'oubliez pas la notion de plaisir, cela transposera le quotidien banal sur un mode chaleureux qui vous donnera des ailes.

À travers les difficultés de santé, certains déboires légaux ou financiers pouvant vous miner, vous résisterez mieux aux forces négatives si vous vous moquez de vous-même et de votre situation. Le plaisir et le rire, il n'y a que cela pour guérir les maux réels ou imaginaires dont vous souffrez. Soyez gentil, faites-vous plaisir. Rien de mieux pour remettre les choses en perspective.

SENS DE L'HUMOUR

Croyez bien que je sympathise avec vous, mais rien de mieux que le sens de l'humour pour protéger la fierté et l'orgueil du Bélier quand ça va mal. Avis à tous vos amis : c'est le temps ou jamais d'en faire preuve !

Riez, dilatez-vous la rate, c'est un excellent moyen de combattre le spleen de l'hiver et de chasser les maux physiques. Demandez l'avis de votre soignant ou médecin, il le confirmera. Une petite tisane avec ça ? Pourquoi pas !

Bonne Saint-Valentin !

HOROSCOPE HEBDOMADAIRE

Du 6 au 12 février : La violence peut faire rater vos projets. Reprenez votre sang-froid, la nouvelle Lune du 8 février en Verseau apporte de bonnes nouvelles. Évitez les conflits avec le patron et en tant que patron, soyez plus diplomate. Avec l'aîné, augmentez la vigilance.

Du 13 au 19 février : Le mieux serait de ne pas prendre position socialement et politiquement, de taire vos opinions et de ménager les susceptibilités. On a toujours trop d'ennemis. Ne compétitionnez pas, vous perdriez, c'est rasant.

Du 20 au 26 février : La pleine Lune le 23 février en Vierge incite à prendre des mesures draconiennes en matière de santé : suivre un régime, minimiser les risques d'accidents. Dirigez sans en avoir l'air, vous êtes mieux en coulisse.

Du 27 février au 5 mars : Ascendant Capricorne, vous êtes plus favorisé que les autres, mais vous voyez trop grand, réduisez vos ambitions. Les autres doivent se tenir à l'écart de toute manifestation publique. Ils recevraient les coups.

CHIFFRES CHANCEUX

1 - 4 - 11 - 22 - 25 - 31 - 44 - 45 - 58 - 67

MARS

Ô santé ! santé ! bénédiction des riches ! richesse des pauvres ! qui peut t'acquérir à un prix trop élevé, puisqu'il n'y a pas de joie en ce monde sans toi ?

Ben Jonson

TEMPS DE PÂQUES ET DE FÊTES

Premier dimanche après la pleine Lune du printemps (20 mars cette année), la fête est tôt cette année sous nos latitudes froides et ce, malgré le réchauffement de la planète annoncé un peu partout.

Nous célébrons la fête de Pâques le 27 mars, tel que prévu dans les éphémérides qui ne traitent pas que de choses abstraites, vous en conviendrez. Quand je pense que certains traitent encore l'astrologie de haut! Mais voici de bonnes nouvelles, allons voir en quel sens…

ANNIVERSAIRE

Le 20 mars cette année, le Soleil passe en Bélier, votre signe. Pour plusieurs, c'est votre anniversaire. De plus, Vénus et Mars donnent un impact harmonieux aux quinze jours qui nous mènent au 5 avril, moment où vous devrez réduire vos dépenses d'énergie à cause de l'éclipse du 8 avril prochain.

Profitez de ces précieux moments pour passer les examens médicaux nécessaires et régler ce qui menace votre santé et votre équilibre. Les gestes que vous ferez ou négligerez de faire en mars entraîneront toute la différence.

AVANTAGES

Bien que devant être vécu au ralenti jusqu'au 20 mars, le mois offre des avantages. Forces nerveuses en recrudescence, réflexes meilleurs, intellect vif et brillant, vous étudiez, travaillez, faites du sport et de l'exercice à profit. Vous distraire et vous amuser raisonnablement est conseillé.

Des connaissances nouvellement acquises enrichissent votre vocabulaire et participent à l'amélioration de votre vie en général. N'hésitez pas à avoir recours à vos relations pour obtenir les soins et faveurs désirés. L'Internet et autres moyens de communications ultrarapides vous fascinent. Vous pouvez y travailler ou les utiliser en dilettante avec autant de talent que de plaisir.

SENTIMENTS ARDENTS ET IMPULSIFS

Vénus dans votre signe entraîne son cortège de joies affectives, amoureuses et artistiques. Vous êtes aimé et populaire dans votre milieu de travail. Généreux et dépensier quand il s'agit de vos amours et de vos plaisirs, vous pouvez être extravagant. Attention de ne pas l'être trop.

Vos sentiments sont ardents et impulsifs; vous montrez des emballements irréfléchis. Pressé d'arriver au but, vous ne vous contentez pas d'aimer, il vous faut des satisfactions charnelles. Certains se marient sur un coup de tête et trop jeunes, mais ils ne veulent rien entendre. Parents et amis, vous perdez votre temps à leur conseiller de remettre leur engagement à plus tard, ils n'entendent rien. Souhaitons-leur du bonheur, après tout mieux vaut trop tôt que trop tard...

Bon anniversaire, cher Bélier! C'est la fête de Pâques le 27 mars, joyeuses Pâques à tous!

HOROSCOPE HEBDOMADAIRE

Du 6 au 12 mars: Fortifiez-vous en prenant des suppléments vitaminiques. Sous-alimenté, vous perdez des forces. La mode vous veut mince, mais est-ce dans votre nature? La nouvelle Lune le 10 mars en Poissons tranche la question.

Du 13 au 19 mars: Sport, travail intellectuel et commerce sont favorisés. Les courts déplacements et démarches sont sous le signe de la chance, pourvu que votre raisonnement soit juste. Vous faites de bonnes affaires, c'est ça de gagné.

Du 20 au 26 mars: Le temps est à la fête. Pour certains, c'est la délivrance. Un poids enlevé, ça soulage. Tombez ou retombez en amour si le cœur vous chante, mais la pleine Lune du 25 mars en Balance parle de conflit avec le conjoint ou associé. Recherchez la paix.

Du 27 mars au 2 avril: Si la santé physique et morale se maintient, tant mieux. Sinon, ne remettez pas à demain, faites ce qu'il faut pour regagner le terrain perdu. Tête, sang, estomac et système digestif sont fragiles, ne les négligez pas.

CHIFFRES CHANCEUX

9 - 10 - 21 - 29 - 30 - 47 - 48 - 57 - 62 - 70

AVRIL

Une année qui finit, c'est une pierre jetée au fond de la citerne des âges et qui tombe avec des résonances d'adieu.

F. VAN DEN BOSCH

MOIS D'ÉCLIPSES

Le mois de votre anniversaire tombant durant une période d'éclipses, il n'y a pas lieu de vous affoler mais de porter attention à votre état de santé pendant la quinzaine qui précède et celle qui suit l'éclipse solaire totale du 8 avril. Une baisse de résistance physique est quasi inévitable. L'âge et l'état de santé préalable sont à prendre en considération. L'éclipse solaire du 8 est suivie d'une éclipse lunaire partielle en Scorpion le 24 avril. La première est évidemment plus sérieuse. Les indications suivantes vous seront utiles…

LE 8 AVRIL

Vous célébrez votre anniversaire le 8 avril ou aux environs de cette date ? Pas lieu de paniquer, mais être averti vous aidera à traverser sans trop de mal cette période moins intéressante. Planifier des jours plus calmes pendant la période allant du 24 mars au 8 mai serait prudent, prendre au sérieux toute alerte signifierait agir avec sagacité.

Les changements importants faits durant cette période étant voués à l'échec, ne changez rien dans votre vie ni dans vos affaires si vous pouvez l'éviter. Sinon, adaptez-vous de votre mieux et ne brusquez rien. De meilleurs jours approchent, un peu de patience et votre existence deviendra plus paisible.

Éclipses ou non, la vie continue. La routine habituelle est conseillée parce qu'elle est sécurisante, le fait a été prouvé depuis des lunes. À vous d'y croire ou non. L'avenir se chargera de prouver que ces éclipses sont des indices valables pour les êtres subsolaires et sublunaires que nous sommes.

AIDE CÉLESTE

Contrebalançant les énergies négatives, la belle Vénus offre des joies affectives, sentimentales et artistiques de qualité. Comme incitation à guérir, rien de mieux que l'amour et l'amitié. Certains dont l'ascendant est Balance, Verseau ou Gémeaux reçoivent une aide céleste de nature soit matérielle soit spirituelle, mais appréciable. Chanceux au-delà du mot, ils sont portés par la foi et par l'optimisme. Rien ne les arrête, pas même les éclipses, c'est dire !

À ces Bélier heureux, nous disons bravo. Aux autres, nous disons ceci : l'opportunité se pointera encore en juillet, août, septembre et novembre prochain. Vous n'aurez rien perdu à attendre, promis.

Bon anniversaire, cher Bélier !

HOROSCOPE HEBDOMADAIRE

Du 3 au 9 avril: Semaine à vivre soigneusement, sans chercher à donner dans les splendeurs. L'éclipse solaire totale du 8 avril incite à ralentir et à se dorloter. Des massages vous feraient du bien. Par chance, l'amour vous aime.

Du 10 au 16 avril: L'énergie est bonne. Quoi qu'il arrive, maladie, chirurgie, soins intensifs et draconiens, vous vous en sortirez pourvu que vous en fassiez l'effort. Ne perdez pas confiance, le moral compte pour beaucoup actuellement.

Du 17 au 23 avril: La vie s'allège, les corvées et obligations sont moins lourdes. Vous recommencez à faire des projets d'avenir. Vous ne les réaliserez pas tous, mais c'est stimulant. Si vous passez ce temps sans heurts, vous êtes un phénomène. Votre ascendant est Sagittaire, Poissons ou Gémeaux!

Du 24 au 30 avril: Pleine Lune correspondant à une éclipse lunaire de pénombre le 24 avril en Scorpion. À moins d'avoir un ascendant Scorpion, Lion, Taureau ou Verseau, vous avez bon moral. Sinon, consulter serait utile.

CHIFFRES CHANCEUX

6 - 8 - 16 - 26 - 27 - 34 - 40 - 46 - 51 - 61

MAI

À chaque fleur qui s'ouvre
Aux branches du prunier,
Le printemps un peu plus s'attiédit.

RANTSETSU

REGAIN D'ACTIVITÉ

Mai marque un regain d'activité. C'est le printemps, la nature est en fête et le beau temps invite à la joie. Sans être fébrile, vous vaquez allègrement à vos occupations quotidiennes et êtes capable d'analyser et de régler les petits problèmes de la vie domestique et courante. Dans les petites choses de la vie, vous excellez. C'est dans les grandes que vous êtes moins sûr de vous. Non sans quelques raisons…

QUESTION D'AURA

Il reste encore des points à éclaircir, des nodules à dissoudre, des sentiments négatifs à liquider, des entités indésirables à neutraliser. Cela, autant dans votre corps physique que dans votre corps astral et éthérique.

Votre aura avait besoin d'être purifiée. Pour la plupart, c'est chose faite ; pour d'autres, le travail n'est pas complété. Tout changement vous étant facilité, défaites-vous de vos défauts et mauvaises habitudes ; ce sera d'une facilité désarmante, vous aurez du regret de ne pas l'avoir fait avant.

LE TEST DU TEMPS

Les natifs de la fin du signe sont encore aux prises avec le carré de Saturne. La vie leur fait passer un test, celui du temps. Ils vieillissent mal, sont las, blasés, malades ou déprimés. Vienne la mi-juillet, ils retrouveront le sourire et la joie enfantine qui les caractérise. Tout redevenant neuf, ils se construiront une vie nouvelle et trouveront une paix qui les satisfera. Ce sera bon !

NATIFS DU 10 AU 20 AVRIL

Natifs du 10 au 20 avril, recherchez la compagnie de personnes jeunes et en santé, gaies et légères comme des oiseaux. La musique sert de lien entre l'infini et vous. En l'écoutant, vous atteignez l'équilibre vous permettant de terminer le grand ménage entrepris, ou qui s'impose de toute urgence. Au printemps, la terre fait son grand ménage. Faites le vôtre, voilà l'avis de Saturne.

LES AUTRES

Les autres, que deviennent-ils ? Ils recouvrent la santé, redécouvrent les plaisirs simples de la vie, reprennent goût à la nourriture, aux bons vins ou aux jus santé, se refont une discipline de vie adaptée à leurs besoins actuels et peuvent discuter avec les jeunes et moins jeunes sur un pied d'égalité. Entreprise de reconstruction intéressante, mais pas facile tous les jours…

L'ASCENDANT

L'ascendant aidant, certains parviennent à être heureux, du moins ils le prétendent. C'est mieux que de pleurer. Suffisamment de gens se sont éloignés, il faut maintenant faire du rattrapage, se refaire une vie sociale, des amis, un entourage. Tout cela paraît simple, mais il ne faut rien brusquer. Encore ici, juillet sera meilleur pour entreprendre des retrouvailles. Surtout si elles sont importantes. Sachez être patient, cher Bélier, il le faut.

C'est la fête des Mères le 8 mai (en France, quinze jours plus tard). Bonne fête aux mamans Bélier!

HOROSCOPE HEBDOMADAIRE

Du 1er au 7 mai: Mercure dans votre signe accroît la rapidité d'esprit, donne de bons réflexes et un jugement sûr. Contrats, papiers importants, démarches, petits déplacements et voyages sont hautement favorisés. Feu vert!

Du 8 au 14 mai: Nouvelle Lune le 8 mai en Taureau mettant l'accent sur l'argent. Si vous tenez à conserver ce que vous avez acquis, évitez les excès de fierté et d'autorité. À moins d'être le grand patron, et encore...

Du 15 au 21 mai: Vous entretenez des relations agréables avec les frères et sœurs, les cousins, la parenté, les voisins. S'il y a des malentendus à régler, une explication arrangera tout. Vous parlez avec le cœur, mais la tête approuve.

Du 22 au 28 mai: Pleine Lune le 23 mai en Sagittaire vous propulsant à l'avant-plan. En vedette dans votre milieu de travail et sur toutes les scènes, vous discourez bien. On vous écoute avec attention. Certains partent en voyage.

Du 29 mai au 4 juin: Vous recevez de l'aide inattendue et inespérée le 1er juin. Utilisez ce jour pour les études, les contrats, la comptabilité, les comptes à régler et les livres à mettre en règle. Court voyage amusant et sécuritaire.

CHIFFRES CHANCEUX

3 - 5 - 10 - 15 - 25 - 32 - 33 - 49 -50 - 69

JUIN

L'amour peut tout.

ANDRÉE D'AMOUR

HISTOIRES DE FAMILLE

Juin porte à s'interroger sur les aléas de la famille. Des histoires de famille semblent venir troubler votre paix et vous compliquer l'existence. Certaines vous briseraient le cœur si vous l'aviez plus fragile. Par chance, vous êtes de moins en moins sensible aux problèmes familiaux. Si la famille dont vous avez hérité à la naissance ou celle que vous vous êtes fabriquée vous peine et vous chagrine, ne dramatisez pas. Souhaitons seulement que cela n'affecte pas votre santé, c'est la principale chose à avoir en tête.

SOMBRES AFFAIRES

Traîner un membre de la famille en justice pourrait vous coûter beaucoup en argent et en peine. Vous n'auriez pas gain de cause en plus de nuire à votre santé. Mettez fin à toute entreprise dans ce sens et réglez à l'amiable tout conflit, que ce soit avec la famille ou autrement. Moins vous brassez de sombres affaires, mieux ça vaut pour vous et pour ceux que vous aimez.

BOMBE D'ÉNERGIE

Du 11 juin au 28 juillet, vous êtes secoué par une vague d'énergie qui déferle sur vous. Une grande force vous envahit, vous devenez une bombe d'énergie. Il faut voir à exulter et à libérer ce surcroît d'énergie, sinon il vous occasionnera plus d'ennuis que de profit. Ça ne devrait pas présenter de problème majeur si vous êtes actif sexuellement, au travail et dans les sports.

MARS DANS VOTRE SIGNE

Mars entrant en Bélier, votre signe, l'instinct et les qualités dynamiques sont accrus. Vous êtes intenable. Désir constant de bouger, de tout changer, de tout transformer sur votre passage, besoin de vous animer, d'apprendre, de vous dépenser utilement ou non. Vous n'arrêtez pas de vous déplacer, de faire du sport, de travailler, de voyager. Mais il y a un hic. C'est le suivant…

LE HIC

Le hic, c'est la santé. Le Soleil transitant le Cancer vous fait un carré. Rien d'inquiétant, mais si vous tendez à avoir des problèmes de santé, il se peut que vous deviez vous en occuper sérieusement, prenant le temps de solutionner le mystère qui s'y relie et réglant le problème une fois pour toutes. Le diagnostic peut être difficile à faire, mais avec un bon médecin vous y parviendrez. Chirurgie, traitements mineurs ou invasifs, n'hésitez pas, mais si vous avez le choix, reportez à la mi-juillet ou après. Saturne ayant quitté le Cancer pour séjourner en Lion vous sécurisera.

COURAGE, OPTIMISME ET AMOUR

D'ici la mi-juillet, prudence avec le feu et l'eau ; les liquides présentant des risques, vous devez éviter les croisières et être prudent en bateau. Pour le reste, vous n'avez que du plaisir à attendre de ce mois. Il est porteur de force, de courage, d'optimisme, de joie de vivre, d'enthousiasme et surtout d'amour. Avec l'amour, on peut tout !

C'est la fête des Pères le 19 juin et la fête nationale du Québec le 24 juin : bonne fête aux papas Bélier, et à mes compatriotes québécois !

HOROSCOPE HEBDOMADAIRE

Du 5 au 11 juin : Nouvelle Lune le 6 juin en Gémeaux mettant l'accent sur les courts déplacements et voyages, les études et examens, les entreprises jeunes et nouvelles, les rencontres superficielles mais agréables et instructives.

Du 12 au 18 juin : Les nerfs sont secoués, en particulier vers le 15. Évitez les situations corsées, les confrontations, les discussions oiseuses et inutiles. Vous avez besoin de repos mental et nerveux cette semaine ; rien d'autre n'y fera.

Du 19 au 25 juin : Pleine Lune le 21 juin en Capricorne vous remettant les idées en place. Un peu de réflexion et de cogitation fera l'affaire. Il faut aussi faire le budget et tenter de le boucler, comptabiliser afin de ne pas s'endetter.

Du 26 juin au 2 juillet : Allégement de vos peines et responsabilités. Certains nagent dans le plus pur bonheur, d'autres le savent tout près. Le temps est aux plaisirs d'été, à la détente, aux congés et vacances. Mettez-vous à l'heure d'été.

CHIFFRES CHANCEUX

5 - 9 - 19 - 20 - 34 - 44 - 45 - 51 - 52 - 68

JUILLET

Un jour, une heure de vertueuse liberté
Vaut une éternité entière d'esclavage.

ADDISON

VIVE LA LIBERTÉ

Vers la mi-juillet, vous expérimentez la liberté retrouvée, ou sur le point de l'être, vous le pressentez. Un poids est enlevé, les responsabilités s'allègent, vous respirez mieux et courez plus vite. La vie est belle, le Bélier reprend la forme. Le mouton noir en vous est devenu blanc. Vive la liberté !

FOYER, FAMILLE, ENFANTS

La vie au foyer est animée, les liens familiaux sont cordiaux et sympathiques. Générateurs d'énergie, les enfants et petits-enfants vous font honneur et vous remplissent de fierté. Leurs accomplissements sont les vôtres, vous y prenez autant de plaisir qu'eux. Des tendances casanières se manifestent. Vous êtes bien chez vous, c'est confortable, sécurisant et peut-être luxueux. Pourquoi aller voir ailleurs ? pensez-vous non sans sagesse... Des vacances seraient bien, surtout si elles sont prises entre le 15 juillet et le 17 août. Partir ou rester, les deux vous plairont.

ACHATS IMMOBILIERS

Des achats immobiliers sont possibles et rentables, surtout s'il s'agit d'une demeure familiale. Vous retrouvez votre sens de l'économie et des finances ; tout ce que vous placez ou entreprenez a de grandes chances de réussir. Cela flatte votre vanité, mais vous êtes sans orgueil outré, comme si cette tendance était chose du passé...

SANTÉ

Les ennuis de santé semblent terminés, ou sur le point de se régler au mieux. Vous avez traversé des épreuves, vous avez changé, mais la maturité nouvellement acquise vous va bien. Vous êtes plus accueillant qu'avant, plus empathique aussi. Par conséquent plus aimé et apprécié de tous.

C'est congé le 1er juillet, fête du Canada et en France le 14 juillet. Bonne fête à tous et à toutes et bon été !

HOROSCOPE HEBDOMADAIRE

Du 3 au 9 juillet : Voyages sous le signe du plaisir et des rencontres. Grand amour, mariage décidé impulsivement pour vous ou pour un ami. Nouvelle Lune du 6 juillet en Cancer rappelant de mauvais souvenirs ; n'y pensez plus.

Du 10 au 16 juillet : Votre énergie considérable demande à être utilisée positivement et constructivement. Bâtissez, rénovez, peinturez, décorez, jardinez et cuisinez. Faire quelque chose de vos dix doigts vous détendra.

Du 17 au 23 juillet : Propice aux affaires d'argent. Si vous avez un ascendant Verseau, Gémeaux ou Balance, vous faites des affaires d'or. Sinon, vous en faites avec les natifs de ces signes. La pleine Lune le 21 juillet en Capricorne amortit et déprime. Ne travaillez pas ce jour et évitez les conflits d'intérêt.

Du 24 au 30 juillet : Action, sexe, sport, affaires urgentes à traiter, rien ne vous paraît difficile à réaliser. Vous êtes un pôle d'attraction extraordinaire. On vient à vous comme on va à confesse : pour demander pardon. Vous l'accordez.

Du 31 juillet au 6 août : Le 31 juillet invite à se calmer et à retenir sa main de frapper. Risque de perte de contrôle, d'accident, d'opération. Refroidissez-vous les sangs, buvez de l'eau. La nouvelle Lune le 4 août en Lion ramène l'harmonie.

CHIFFRES CHANCEUX

1 - 9 - 24 - 25 - 38 - 39 - 40 - 55 - 69 - 70

AOÛT ET SEPTEMBRE

Les affaires, c'est bien simple : c'est l'argent des autres.
ALEXANDRE DUMAS

MOIS MAGIQUES

Août et surtout septembre sont des mois magiques pour qui, comme vous, s'intéresse aux affaires d'argent. On vous a bien enseigné, c'est une tradition dans la famille que de faire des affaires, vous avez un talent naturel pour ces choses. Pareillement doué, vous ne pouvez passer à côté des occasions qui se présentent d'elles-mêmes. Incroyable, vraiment.

LE SENS DES AFFAIRES

Dire que vous avez le sens des affaires est en deçà de la vérité : vous y êtes imbattable. C'est une seconde nature, une prédestination. Non seulement votre portefeuille s'épaissit, mais vous gérez l'argent des autres avec talent et honnêteté et savez faire profiter une masse de gens de la manne qui passe…

AIDE PRÉCIEUSE

Vous recevez l'assistance précieuse de la Providence, mais aussi d'amis qui vous aident à réaliser vos buts et ambitions. Le soutien des natifs et ascendants Verseau, Balance et Gémeaux en août s'avère irremplaçable, alors que les signes de Feu comme vous, soit Bélier, Lion et Sagittaire, participent à votre progrès et favorisent votre triomphe en septembre.

LE 18 SEPTEMBRE

Ce mois est particulièrement chanceux, il faut l'admettre. Aux environs du 18 septembre, possiblement à cette date exacte, vous recevez l'approbation recherchée, les crédits nécessaires à l'élaboration de vos plans et projets assez fastueux et coûteux, comme il est dans vos us et coutumes. Ce n'est pas le moment de relâcher la machine, mais d'agir en grande pompe et d'investir.

SPLENDEURS

Rien de petit ni de prévisible. De l'inattendu, des surprises monstres, des offres de vente et d'achats mirobolantes, de la surclasse gratuite, des postes de prestige, des gains inespérés, des inventions et innovations géniales, des dons et cadeaux du sort. Sans l'ombre d'un doute, vous donnez dans les splendeurs.

DOMAINES PROPICES

Domaines propices en août : gaz, pétrole, huiles de toutes sortes, matières synthétiques, distilleries, pêcheries, caoutchouc, pétrochimie. Transactions utiles non seulement dans l'immédiat, mais aussi dans le futur. Les activités sociales, politiques ou religieuses vous intéressent, vous participez à des groupes dans ces domaines et scellez des relations agréables et intéressantes.

En septembre, vous pouvez redresser votre situation matérielle si elle était en péril ou l'améliorer de façon importante. Logique de vos approches, votre instinct vous guide vers les personnes désireuses et capables de vous aider. Concrètement, c'est génial.

ÉVÉNEMENTS FAVORABLES

Les événements mondiaux vous avantagent. Un système politique peut s'écrouler, vous en tirez profit. Une tierce personne part et vous laisse la voie libre, vous prenez sa place. Les événements extérieurs vous sont favorables comme ils ne l'ont pas été depuis longtemps : le temps est venu de récolter ce que vous avez semé.

Si l'argent ne vous intéresse pas, vous en êtes quitte pour passer deux mois passionnants. Si les vacances vous intéressent plus que le travail, partez allègrement. Avion, bateau, croisière, vous adorerez et serez en sécurité.

Bonnes vacances à tous !

HOROSCOPE HEBDOMADAIRE

Du 7 au 13 août : Période heureuse. Tout abonde dans votre sens, vous êtes bourré d'énergie et intelligent. Les études de marché et autres sont menées à bien, le travail est bien fait. Aucun détail n'échappe à votre regard de lynx.

Du 14 au 20 août: Le 17 favorise les relations humaines. La pleine Lune le 19 en Verseau donne de l'éclat à la personnalité. L'entourage est sympathique, frères, sœurs, cousins et voisins s'entendent bien, mais gare à la mégalomanie.

Du 21 au 27 août: Un voyage entrepris ou décidé à ce moment s'avère très intéressant. Il aura des répercussions sur votre avenir, vous ne l'oublierez pas de sitôt. Balance, Verseau et Gémeaux sont vos alliés au combat, vos amis, vos amours.

Du 28 août au 3 septembre: Prenez garde d'éviter les conflits avec le conjoint ou associé. Un mariage vous déplaît mais souriez, votre image est en jeu. La nouvelle Lune du 3 septembre en Vierge remet les pendules à l'heure.

Du 4 au 10 septembre: Vous êtes toujours en danger de commettre des excès soit d'optimisme ou de dépenses, mais vous semblez vous en moquer. Vrai, le ciel vous favorise. Vous avez le vent dans les voiles, souhaitons qu'il soit bon!

Du 11 au 17 septembre: Malgré vos semblants d'excès, vous faites preuve d'assez de sagesse pour clore le bec aux dénigreurs. Il s'en trouve pour vous critiquer, mais la pleine Lune le 17 septembre en Poissons les neutralise.

Du 18 au 24 septembre: Succès personnel, social et professionnel largement mérité. Nous soulignons votre réussite par des honneurs et des récompenses. On vous courtise. Ne faites pas trop le fier et souriez, c'est pour la postérité.

Du 25 septembre au 1er octobre: Quelle période vous vivez! Et ce n'est pas terminé. Quand au 26 octobre Jupiter passera en Scorpion, vous verrez à quel point ce que vous avez fait est valable. D'ici là, patience!

CHIFFRES CHANCEUX

6 - 7 - 11 - 22 - 30 - 40 - 46 - 47 - 50 - 60

OCTOBRE ET NOVEMBRE

Le moyen d'aimer une chose est de se dire qu'on pourrait la perdre.

G. K. Chesterton

ÉCLIPSES VILAINES

Si vous avez vécu ces deux derniers mois au maximum et fait des provisions de bonheur, d'argent et de santé, les deux éclipses de ce mois-ci vous paraîtront moins difficiles. Pour être exacte, les deux affectent les natifs de votre signe, de quoi lire attentivement ce qui suit...

ÉCLIPSE SOLAIRE

Solaire et partielle, l'éclipse du 3 octobre se tient en Balance, votre signe opposé. Il se peut que votre santé soit moins résistante ; prenez soin de bien vous alimenter, de dormir, de faire de l'exercice. N'oubliez pas vos vitamines d'automne. Sous nos latitudes froides très tôt à l'automne, c'est un *must*. Comme c'est une éclipse partielle, elle est moins virulente, mais prenez les précautions d'usage et ne commencez rien d'important entre le 25 septembre et le 25 octobre. Ce serait voué à l'échec ; pourquoi provoquer le sort ?

ÉCLIPSE LUNAIRE

L'éclipse lunaire du 17 octobre est partielle aussi, mais comme elle se tient dans votre signe elle demande de la précaution côté psychique et moral. Si vous tendez à déprimer, dites-vous que c'est normal, mais si la situation se prolonge au-delà du 25 octobre, voyez un thérapeute ou un psychologue, ça aidera.

NOVEMBRE MEILLEUR

Novembre est nettement meilleur. Associez vos efforts à ceux des personnes qui ont du Poissons ou du Scorpion et vous n'aurez plus aucun problème. C'est votre signe ascendant ? Voyages, rencontres, bonnes affaires, vous n'avez qu'à vous féliciter de votre perspicacité. Profitez-en bien, c'est mérité !

HOROSCOPE HEBDOMADAIRE

Du 2 au 8 octobre : Éclipse solaire annulaire le 3 octobre en Balance exigeant d'accorder une attention particulière à la santé physique. Tant mieux si vous allez bien, mais si ça ne va pas, consultez sans tarder.

Du 9 au 15 octobre : N'entreprenez rien de nouveau actuellement. Assis entre deux chaises (deux éclipses), la position est inconfortable. Reprenez vos esprits et laissez passer. Ce que vous croyez une faveur du ciel est un piège : prudence.

Du 16 au 22 octobre : Éclipse lunaire partielle le 17 octobre en Bélier marquant une légère baisse de résistance morale. Le courage est moins présent, les luttes plus dures à supporter. Ne vous laissez pas avoir, résistez.

Du 23 au 29 octobre : La vie affective et sentimentale offre des compensations. Les joies artistiques et esthétiques sont de qualité, votre goût impeccable permet de faire de nouvelles acquisitions de valeur.

Du 30 octobre au 5 novembre : Nouvelle Lune le 1er novembre en Scorpion favorisant la détection. Si vous croyez qu'on vous joue et vous vole, cherchez le coupable. Ce que vous découvrirez vous choquera, mais c'est nécessaire.

Du 6 au 12 novembre : Mal disposé, vous n'avez pas le goût à l'amour ni même à l'amitié. Mieux vaut rester dans votre coin et réfléchir. Le travail va bien, l'argent rentre, vous n'avez pas à vous plaindre de votre sort en somme…

Du 13 au 19 novembre : Scorpion et Poissons font votre bonheur. Leurs idées obtiennent votre approbation. Participer à leur succès vous élève. La pleine Lune le 15 novembre en Taureau favorise la grande bouffe : invitez des amis et bon appétit !

Du 20 au 26 novembre : L'amour n'est pas heureux. Essayez de ne pas aggraver les choses en étant agressif et de mauvaise humeur. Vous en prendre à qui a du Capricorne serait malencontreux, pour ne pas dire dangereux…

Du 27 novembre au 3 décembre : La nouvelle Lune le 1er décembre en Sagittaire est favorable, mais prudence avec les Taureau, Lion, Scorpion et Verseau. Si c'est votre signe ascendant, tenez-vous tranquille, ça va barder !

CHIFFRES CHANCEUX

1 - 4 - 11 - 24 - 25 - 39 - 40 - 41 - 59 - 64

DÉCEMBRE

La musique est une révélation plus haute que toute sagesse et toute philosophie.

LUDWIG VAN BEETHOVEN

VIVRE OÙ BON VOUS SEMBLE

Vous avez envie de vivre où bon vous semble. C'est un besoin farouche, comme une urgence. Sachant que l'existence est soumise à des impondérables, vous voulez profiter de ce que la terre a de bon à offrir. Qui saurait vous en tenir rigueur?

SATURNE VOUS RETIENT

Cela dit, Saturne harmonieux vous retient à la maison, au travail, en lieu fixe. Les enfants et petits-enfants vous tendent leurs petits bras potelés, vous craquez. Que faire en pareille situation? La question se pose crûment en décembre. Vous prendrez la bonne route, je vous fais confiance, mais voici quelques considérations pouvant influencer votre décision...

STABILITÉ

La stabilité de vos finances prime. Vous désirez obtenir des garanties sérieuses à la suite de prêts et de règlement de dettes. Pour signer des papiers légaux concernant ventes, impôts et testaments, choisir la période allant du 12 au 31 décembre. Intellectuellement, vous gardez la forme.

Prenez soin d'éviter décembre, surtout les environs du 17, si vous avez un ascendant Lion, Scorpion, Verseau ou Taureau, ce que vous devez savoir maintenant. En ce cas, tout se bouscule sur le plan social et matériel. Pas de quoi s'affoler, mais restez sérieux et présent. Pas question de partir ailleurs dans ces conditions, vous le voyez vous-même...

PROBABILITÉS

Huit chances sur douze que vous soyez épargné par les difficultés sociales, politiques et économiques. Les probabilités sont de votre côté. Quoi qu'il en soit, le cœur est heureux. Avoir une vie affective et sentimentale stable est un apport précieux pour tout Bélier qui se respecte. Même les plus coureurs se branchent, c'est dire!

La fin d'année vous trouve souvent en pays ensoleillé. Vous adorez le soleil et c'est bon pour vous. Les divertissements (la musique surtout) font impression, vous vous en souviendrez longtemps.

Passez de belles fêtes, cher Bélier!

HOROSCOPE HEBDOMADAIRE

Du 4 au 10 décembre: La semaine favorise la santé physique et nerveuse. Le sommeil est réparateur, le teint resplendissant, les yeux vifs et brillants. Votre séduction s'exerce sans difficulté, vous attirez qui vous voulez dans vos filets.

Du 11 au 17 décembre: Accroissement de la fortune du conjoint, de l'associé. Gros avantages possibles par dons, héritages, polices d'assurances, primes de départ ou de compensations. Pleine Lune le 15 décembre en Gémeaux revigorante.

Du 18 au 24 décembre: Certains subissent des pertes qui vous avantagent pécuniairement. Pas lieu de traumatiser, c'est la vie. S'ils travaillent aussi bien que vous, ils récupéreront leurs pertes. Souriez, c'est Noël et la vie est belle!

Du 25 au 31 décembre: Joyeux Noël! Semaine chaleureuse. Avec vos préférés, vous passez du bon temps. Planifiant vos sports et loisirs, vous êtes heureux. La nouvelle Lune le 30 décembre en Capricorne parle de travail et d'argent.

CHIFFRES CHANCEUX

6 - 9 - 19 - 28 - 29 - 37 - 38 - 39 - 49 - 59

Bonne année nouvelle, cher Bélier!

Taureau

DU 21 AVRIL AU 20 MAI

1er DÉCAN : DU 21 AVRIL AU 1er MAI
2e DÉCAN : DU 2 MAI AU 11 MAI
3e DÉCAN : DU 12 MAI AU 20 MAI

Prévisions annuelles

PLUS JOLIE

C'est indiscutable, le Taureau tend à voir la vie sous un angle attrayant cette année. Hommes, femmes, ados et enfants du signe, tous se trouvent choyés et apprécient la chance qu'ils ont de vivre en milieu favorable à la libre expression de soi et à l'épanouissement des facultés créatrices et artistiques qui sont leur apanage. Décidément, la vie est plus jolie cette année !

ENTRE LE ROSE ET LE GRIS CLAIR

L'influence extérieure est déterminante. En tant que natif du signe, la moindre émotion teinte vos états d'âme et les fait varier à l'infini. Ça oscille entre le rose et le gris clair, mais le rose prédomine cette année. Le noir se raréfie et ne se montre qu'à certains natifs en période déterminée, soit entre la mi-juillet et la fin de l'année.

Nous reparlerons de ce nuage le temps venu. Pour le moment, précisons que le climat rassurant et le déroulement convenable des événements mondiaux contribuent à mieux disposer le natif et la native de ce signe vis-à-vis de la vie et des êtres. Par conséquent, le Taureau est plus heureux.

SIX PREMIERS MOIS

Décidé à faire de cette année la meilleure de votre vie, et en forme pour l'attaquer, vous êtes optimiste et enthousiaste quant à votre propre avenir et à celui de la planète. Les six premiers mois se chargent de vous donner raison en ce qui concerne votre vie : jamais vous n'avez eu autant de chance et de liberté.

La santé meilleure ou stable, le moral au beau fixe, les idées et projets plein la tête, vous démarrez l'année sur une note joyeuse qui fait plaisir à voir. Votre sourire n'a jamais été si beau, votre rire si contagieux. Il est indéniable que cette période est un moment de pur plaisir ; vous en avez convenu ainsi et ainsi il en sera.

SYMPATHIES NOUVELLES

Tolérant mieux les défauts et faiblesses d'autrui, vous montrant conciliant avec ceux qui ne partagent pas vos vues et opinions, vous vous attirez des sympathies nouvelles et vous vous faites des amis parmi l'intelligentsia et les gens de pouvoir. Draguant avec art, vous allez chercher les personnes désireuses et capables de participer à votre progrès et à votre avancement.

En quelque sorte, la crème de la société est à votre disposition. Il s'en trouve pour vous aimer inconditionnellement et pour contribuer à votre avancement. Quelle chance de pouvoir marier les deux!

ACCROISSEMENT MATÉRIEL

Artistes, écrivains, musiciens, médecins, anthropologues, philosophes, sportifs, promoteurs, entrepreneurs et gens d'affaires sont vos alliés et amis. Vous accédez à des connaissances nouvelles et élargissez votre champ d'action. Il s'ensuit une amélioration notable de votre situation sociale, financière et matérielle contribuant à vous rasséréner.

CŒUR

Jouissant d'un statut social et matériel plus élevé, vous pouvez vous offrir des luxes du meilleur goût, ce qui n'est pas pour vous déplaire; mais, plus important encore, vous donnez ce que vous avez de meilleur et de plus précieux: votre cœur! C'est un gros cadeau que vous nous faites cette année. Souhaitons que nous sachions l'apprécier à sa juste valeur.

CHER SATURNE

Ces bons augures sont réels, mais ce cher Saturne vient mettre un stop à trop de magnanimité du sort et nous ramène à la réalité. Que voulez-vous, c'est la vie…

À compter de la mi-juillet et pour le reste de l'année, les natifs du 20 avril au 4 mai environ (les plus jeunes nés le 20 sont Taureau) se trouvent en carré à Saturne. La quadrature du cercle a mauvaise réputation et l'expérience prouve que ce n'est pas sans raison. Prévoir les ennuis de santé évitera l'aggravation de problèmes que vous avez ignorés ou négligés par le passé. Ça peut aller jusqu'à vous sauver la vie si vous êtes sérieux.

LE TEMPS

Nous reviendrons en temps voulu sur ce sujet moins drôle. Il convient de souligner que Saturne n'est pas un monstre, mais en grande partie le résultat de nos actes passés. L'addition est parfois légère et parfois lourde, selon ce que nous avons fait jusqu'ici du temps trop bref alloué sur terre.

Saturne nous compte le temps (c'est Chronos). Cette année, il a des comptes à régler avec certains natifs du Taureau. Aussi bien être averti, ainsi vous pourrez le déjouer plus aisément. En ce sens, ce bouquin est un outil de travail appréciable. Ne négligez pas de le lire et de le relire souvent.

MAJORITÉ

En majorité, les natifs du signe (ceux qui sont nés du 5 au 20 mai) sont bien placés sur l'écliptique. Reste le carré de Neptune qui rend les jeunes et les hypersensibles plus susceptibles de succomber à l'abus de paradis artificiels. Ils savent à quoi s'en tenir. Possédant une volonté remarquable, ils peuvent circonscrire le problème s'ils le désirent vraiment. Libre à eux: c'est leur responsabilité, leur choix.

COMPARATIVEMENT

Comparativement aux dernières années, 2005 est plus stimulante. Il reste quelques ennuis imprévisibles ici et là, mais qui n'en a pas? Mal leur en prendrait de se plaindre, les Taureaux ont au contraire maintes raisons de réjouissance. En matière d'amour et de sentiment par exemple, le natif de ce signe sait se faire aimer et désirer. Il conserve longtemps l'affection de ceux qui l'ont connu et aimé. C'est un cadeau de la Providence dont il peut s'enorgueillir.

NAISSANCE OU PROJET

Une naissance est possible chez le Taureau, dans sa famille ou tout près. Parfois désirée, mais le plus souvent en surprise, c'est un prêt céleste ravissant. Il ou elle nage dans le bonheur à la suite de cette naissance qui assure la continuité de la famille, de la dynastie, de la race. S'il ne s'agit pas d'un enfant, c'est un grand rêve ou projet qui se met en branle à votre grande satisfaction. Il était temps de passer à l'action, c'est cette année que tout se décide.

ART, BEAUTÉ, BONHEUR

Fait à souligner: vos dons et talents utilisés à profusion rendent votre vie passionnante. Ce que vous créez et accomplissez repousse les limites et vous rapproche des autres. Remède à bien des maux, le culte de l'Art et de la Beauté vous fait oublier le malheur, si jamais il ose se présenter.

Cette année c'est au bonheur qu'il faut vous préparer. Il frappe à la porte; ouvrez-lui sans crainte, il vous rendra meilleur.

MISSION

Vous allez acquérir de nouvelles connaissances cette année, mais il faudra les vulgariser, les mettre à la disposition du plus grand nombre. Semer la connaissance et la paix autour de vous est votre mission. Ne perdez pas le goût d'enseigner, c'est l'une de vos plus grandes réalisations.

ANGE ACCOMPAGNATEUR

Un ange vous accompagne dans cette démarche, il a pour nom Jeliel et appartient à la famille du chœur des Séraphins. Apportant l'énergie vivifiante requise pour engendrer, il donne la fécondité et permet à qui veut fonder une famille ou un clan d'en assumer la pleine responsabilité en tant que chef et patriarche. L'invoquer vous aidera à tirer parti des épreuves traversées et à assumer pleinement votre destin.

Somme toute, une année de grâce et de plaisir s'installe pour votre plus grand bonheur. Détendez-vous et souriez, ça vous sied à merveille!

Natif et native du Taureau, bonne année!

Coup d'œil sur le Taureau de tout ascendant

Taureau-Taureau

Les six premiers mois de l'année procurent du bonheur aux personnes des deux sexes. Vivant à leur rythme, lentement, confortablement et souvent luxueusement, elles apprécient à sa juste valeur cet espace-temps.

Le travail ne manquant pas, le Taureau ascendant Taureau doit ménager sa santé et prévoir les risques de *burnout* et de maladie à compter de juillet. Des revenus stables le sécurisant financièrement, il n'a pas à s'inquiéter en ce sens.

Le Taureau ascendant Taureau est têtu, rien de surprenant à cela. Pas de problème, sauf que novembre et décembre exigent souplesse et savoir-faire du côté financier. Planifier du soutien en affaires sera avantageux.

Les deux sexes auront plaisir à vivre les six premiers mois de 2005. La deuxième partie de l'année exigeant prudence, les horoscopes mensuels et hebdomadaires qui suivent les protégeront des mauvais courants de Saturne.

TAUREAU-GÉMEAUX

L'amalgame procure des avantages au natif du Taureau. Sa capacité d'adaptation lui permettant de se déplacer, de déménager, de changer d'emploi ou de vie sans difficulté, il prend plaisir à partir et à voyager.

Les qualités orales et vocales du natif du Taureau ascendant Gémeaux sont remarquables. Quelle belle voix, quel orateur il fait! Plusieurs d'entre eux utilisent ce don comme gagne-pain, d'autres s'en servent en amour, tous le font avec intelligence.

Pour plus de satisfaction, soyez résolument Taureau en début d'année, puis du mois de mars à décembre ayez recours à vos qualités diplomatiques et communicatives. Ces mois vous seront précieux en affaires.

Vous avez la chance d'être à la fois réalisateur et créateur. C'est en tant que créateur de rire et d'amusement que vous triompherez cette année!

TAUREAU-CANCER

Tendant à intérioriser ses émotions, le Taureau de cet ascendant a besoin d'aide pour concrétiser ses désirs. Cette année, il doit se montrer stable et tenace, changer trop souvent d'idée lui étant nuisible.

Le côté Cancer de votre nature est à tenir sous contrôle. Trop de sensibilité, d'imagination, de rêves inaccessibles. Les désirs obsessionnels risquant de provoquer des problèmes, tout excès est à éviter.

Que ce soit en tant que professionnel ou en tant qu'amateur, les artistes connaissent une année plus douce. Rien de mieux que l'art et la musique pour se réconcilier avec la famille, l'argent, les procès ou divorces qui tournent mal!

À compter d'octobre, mettez à profit l'amour de la famille et des ancêtres, l'histoire, la lecture, l'écriture et le cinéma. Vous y prendrez plaisir et remporterez du succès.

TAUREAU-LION

Ce que vous montrez de vous n'est pas qui vous êtes, et la tendance s'accentue cette année. Les appétits sexuels et matériels exacerbés accroissent les risques de mégalomanie et de problèmes psychiques. Santé prioritaire.

Tirez parti des six premiers mois et faites le maximum pendant cette période plus heureuse. À compter de juillet, il faudra diminuer les dépenses physiques et matérielles. Décembre incite à une grande prudence.

Orgueil et entêtement dans l'erreur sont redoutables. Aucune passion ne doit vous faire oublier le travail, le devoir et le sens de l'honneur. Les erreurs seront coûteuses; mieux vaut ne rien faire que mal le faire.

Si vous suivez les transits planétaires tels que décrits dans les horoscopes mensuels et hebdomadaires, vous vous en trouverez mieux.

TAUREAU-VIERGE

Les six premiers mois mettent en valeur votre côté Taureau et montrent une progression lente mais sûre. À compter de la fin d'octobre, le train de vie s'accélère. Tout va bien, vous êtes choyé.

Voyages et déplacements sont éminemment profitables en novembre et en décembre. Croisière, train, avion, auto, moto et cheval au programme. Vous passez l'examen. Journaliste, écrivain, artiste, c'est sensas…

En ce qui concerne le côté pratique de la vie, l'année se déroule bien. Pour plus de succès, faites les gestes importants avant juillet et réglez des affaires d'argent en septembre et en novembre.

Cessez de critiquer et agissez, voilà le conseil des planètes en 2005. Votre caractère devient plus à pic, mais ça fait partie du jeu… Bonne chance!

Taureau-Balance

Combinaison astrale proposant une expansion sociale et matérielle importante. Jupiter en Balance favorise les arts, les artistes, les créateurs et les artisans. Tout compté, vous vivez une année mémorable.

Utilisez les qualités de la Balance pour arriver à vos fins. Charme, finesse d'esprit, beauté et talents naturels à mettre de l'avant. Pour le Vénusien de signe solaire et ascendant, la réussite est considérablement facilitée.

Si le cœur n'est pas parfaitement heureux au mois de mars, ce mois demeure le meilleur de l'année pour vous côté travail et affaires d'argent. Vous faites de gros profits, c'est génial!

L'année est plutôt favorable, mais à compter de juillet il faut réduire la vitesse si la santé bat de l'aile. Cela dit, elle est riche en divertissements et en aventures.

Taureau-Scorpion

Il faut de la patience et de la persévérance pour que vous trouviez des vertus à la nouvelle année. Complexe de nature, vous vous compliquez la vie à souhait. Simplifier serait faire un pas en avant.

Les six premiers mois de l'année favorisent votre côté suave et mondain, mais à compter de la fin d'octobre, vos tendances Scorpion vous portent bonheur. Jupiter entrant dans votre signe ascendant, vous êtes sous sa protection.

Mettez alors votre Scorpion à l'avant-plan et utilisez les qualités liées à ce signe. Curiosité, énergie, volonté, régénération, bon jugement, fierté, ténacité, scrupules dans les actes, ces qualités signeront votre succès.

Décembre est à deux tranchants; suivre les transits tels qu'indiqués dans les horoscopes suivants vous rendra plus heureux. Bonne chance!

Taureau-Sagittaire

Vous êtes capable de vous dépasser et de dépasser vos limites. Les six premiers mois favorisent les voyages, études, affaires de famille et d'argent, mais septembre est votre grand mois, celui dont vous vous souviendrez!

Il est bon de vous associer à ceux qui ont de la Balance, du Verseau, du Gémeaux ou du Sagittaire par le signe solaire ou ascendant. Ceux qui ont du Lion ou du Bélier pourront également contribuer à augmenter vos richesses matérielles et à faciliter les voyages.

À compter de juillet, il serait bon de vous montrer moins déterminé et entêté. Faisant preuve de souplesse, mais aussi d'audace téméraire, vous obtenez des succès matériels que vous n'espériez plus.

L'année est supérieure aux anticipations; j'espère que vous en profiterez largement!

TAUREAU-CAPRICORNE

L'année nouvelle exige des efforts, rien n'est donné. Tout coûtant plus cher que prévu, attendez-vous à des dépenses imposantes et inattendues. Ne paniquez pas: en lisant les prévisions mensuelles et hebdomadaires qui suivent, vous vous en sortirez bien.

À compter de juillet, ménagez votre santé de façon systématique. Rien ne doit passer avant votre bien-être physique et moral. Vous ne voulez pas de *burnout*; soyez prévoyant.

De la fin d'octobre à la fin de l'année, vous avez plus de facilité au travail, ainsi que dans les affaires d'argent, de commerce et d'immobilier. Des gains intéressants sont possibles grâce aux amitiés et aux relations. Sachez remercier qui le mérite.

Si vous avez tendance à la dépression, voir un psychologue ou un thérapeute vous aidera à négocier ce tournant un peu raide de l'existence. Bonne chance!

TAUREAU-VERSEAU

Vous êtes une personne déterminée, voire têtue. Quand vous avez raison, ça va, mais quand vous avez tort, c'est la crise. Cette année, vous allez devoir réduire vos ambitions, c'est un *must*.

Assurez votre sécurité de janvier à juillet, puis diminuez la vapeur. À compter de la fin octobre et jusqu'à la fin de l'année, il faudra faire preuve de prudence et de discernement. Décembre est fragile; étant averti, vous êtes moins à risque.

Ce guide astrologique vous est indispensable. À l'aide des informations qu'il contient, vous éviterez le pire et tirerez le meilleur de ce que l'année a à offrir. Ce n'est pas le Pérou, mais c'est quand même acceptable.

Ne faites pas la forte tête et lisez gentiment les horoscopes qui suivent. C'est fait avec amour et sans jugement aucun. Bonne chance!

TAUREAU-POISSONS

Le début d'année satisfait vos attentes. Suffisamment d'action pour vous garder éveillé, mais pas trop pour vous épuiser. Vous trouvez bon d'avancer dans le temps, cela vous rapproche de votre idéal.

Abattre une grande besogne est facile pendant les six premiers mois de l'année. Profitez-en pour effectuer un changement de résidence ou d'emploi. Si un déménagement est envisagé, procéder au plus tôt serait avantageux.

Soyez résolument Taureau de janvier à juillet, puis ayez recours à la nature plus conciliante et plus douce de votre côté Poissons. Ainsi, vous aurez le meilleur des deux mondes.

Pour une année meilleure, vérifiez souvent les horoscopes qui suivent. Décembre étant dur, vous avez intérêt à prévenir plutôt qu'à guérir.

TAUREAU-BÉLIER

Combinaison heureuse pour celui ou celle qui aura la sagesse d'agir en Taureau pendant les six premiers mois de l'année, pour recourir aux qualités et tendances Bélier pendant les six derniers mois.

Cette gymnastique peut paraître difficile, mais c'est assez aisé. Il suffit d'utiliser une de vos facettes de préférence à l'autre en temps voulu. Avec de la concentration, vous y parviendrez. L'enjeu est important...

L'idéal: vous montrer pratique et matérialiste en début d'année et terminer la période sur une note active mais sage. Sage le Bélier? Cette année, oui. Lire à propos du signe vous guidera correctement.

Bonne année, à condition de suivre l'indication des planètes. Sinon avril vous semblera dur et décembre décevant.

Bonne lecture à tous!

Prévisions mensuelles

JANVIER

Dépêchons-nous de succomber à la tentation avant qu'elle s'éloigne.

ÉPICURE

VIVRE AU MAXIMUM

En ce début d'année prometteur vous avez, cher Taureau, le goût de vivre au maximum. Vous n'acceptez aucune limite à votre liberté et repoussez d'un geste ce qui ose entraver votre liberté et votre évolution. L'idée de mettre de nouveaux projets en route vous propulse telle une fusée. Ne connaissant pas de limite à votre ambition, et la chance aidant, vous arrivez au but sans difficulté. Vivre au maximum oui, mais pourvu que la machine tienne!

TRAVAIL

Ne reculant devant aucun obstacle, vous foncez droit devant et réussissez à imposer vos vues et idées, même si elles s'avèrent onéreuses. Rien de petit ni de banal ne vous intéresse, vous donnez dans les grandeurs. On accepte derechef votre façon de travailler et surtout de faire travailler les autres. À ce titre, vous êtes passé maître!

SUCCÈS

Un beau succès personnel et matériel vous échoit dès janvier, ce qui a pour effet d'accroître l'ardeur au travail. Mais la somme d'énergie consacrée au travail n'empêche pas d'avoir du plaisir. Pour vous, le plaisir est indispensable. Sans plaisir pas de Taureau viable, c'est aussi simple que cela. Savoir lier travail et plaisir est l'essence même de ce beau janvier; vous l'aimerez.

PLAISIR D'AMOUR

On dit que plaisir d'amour ne dure qu'un moment. Pas en ce qui vous concerne, cher Taureau. Vous profitez d'un amour durable et fidèle. On vous dit volage, mais en réalité vous êtes un séducteur, une séductrice qui ne résiste pas à la tentation de flirter. Dès qu'on vous regarde avec intérêt, vous partez en flammes. Facile de vous allumer, difficile de vous éteindre. Le savoir sera utile à qui tentera sa chance avec vous cette année.

COUP DE FOUDRE

Un coup de foudre est possible ce mois-ci. Rien de négatif. Au contraire, l'idée même met des étoiles dans vos yeux. Qui a du Capricorne ou de la Vierge vous plaît. Vous risquez d'être un peu déçu à la fin du mois, mais peu importe. Vous avez passé de bons moments et êtes rassuré quant à l'effet produit sur le sexe opposé. Quel que soit votre âge, le charme opère. Vous êtes satisfait.

SANTÉ

Le corps a toutes les chances de bien se porter jusqu'au passage du Soleil en Verseau le 19 janvier. Durant le mois suivant, il vaudra mieux ne pas trop s'en demander. Un peu d'exercice et de sport huilera la machine, de bons repas sains l'alimenteront et un sommeil réparateur la gardera en forme.

Il est possible que la vie sociale et professionnelle soit trop exigeante. Sortir moins souvent après les fêtes et prendre du repos supplémentaire vous gardera en bonne santé, quoi qu'en dise et qu'en pense Épicure...

HOROSCOPE HEBDOMADAIRE

Le 1er janvier: En forme et bien luné, le premier de l'an vous trouve ragaillardi, joyeux et hospitalier. Vous recevez parents et amis avec plaisir et sans qu'il vous en coûte, ce qui n'est pas toujours le cas, admettez-le. Ce beau début d'année incitant à tous les espoirs, je vous souhaite une bonne année!

Du 2 au 8 janvier: Il est possible que vous soyez en voyage ou en vacances. Si oui, c'est formidable. Vous aviez besoin de vous ressourcer et de faire le plein d'oxygène. Sinon, tant pis, vous êtes aussi heureux. L'amour comble vos désirs charnels, l'art agrémente vos heures de loisir, vous vivez bien et êtes satisfait.

Du 9 au 15 janvier: La nouvelle Lune le 10 janvier en Capricorne parfait votre bonheur en vous donnant la possibilité d'exercer votre pouvoir avec autorité et magnanimité. Aucune rancune ne teinte vos actes et décisions. Si vous devez employer ou congédier quelqu'un, vous le faites honnêtement, sans détour.

Du 16 au 22 janvier : Revenus et dépenses s'équilibrent ; vous savez gérer vos affaires d'argent. Si vous confiez votre portefeuille à une autre personne, assurez-vous de son intégrité. Tous ne sont pas comme vous, ne soyez pas naïf. Côté cœur, la vie affective et amoureuse est réglée au quart de tour.

Du 23 au 29 janvier : Tirez parti des bons rayons de Vénus concernant votre santé et vos amours, mais pour avoir une explication avec un enfant, un ami, une relation d'amour ou d'affaires, évitez la pleine Lune du 25 en Lion. Elle tend à rendre hypersensible et trop de sensibilité nuit. Séchez vos larmes.

Du 30 janvier au 5 février : Santé physique et nerveuse à protéger. Cœur sensible à soigner. Paroles dures à éviter. Travail excessif à proscrire. Si vous avez de l'énergie à dépenser, que ce soit pour récupérer et vous remettre en forme. Mars étant favorable, volonté et sexualité sont des atouts.

CHIFFRES CHANCEUX

2 - 6 - 11 - 23 - 24 - 33 - 42 - 43 - 50 - 60

FÉVRIER

Toute théorie est grise, mais vert et florissant est l'arbre de la vie.

GOETHE

ÉNERGIE CONSIDÉRABLE

Grâce à Mars en Capricorne, signe ami, vous disposez d'une somme d'énergie considérable ; pourtant, certains d'entre vous semblent mal en point. Il se peut que vous utilisiez incorrectement vos forces… En principe, vous devriez être pétant de santé, ou à tout le moins capable de récupérer rapidement en cas de maladie, de chirurgie ou d'autre problème de santé.

RESSOURCES CACHÉES

La vie sous-jacente de la nature en cette saison invite à faire comme elle et à utiliser nos ressources cachées. Vous possédez des forces insoupçonnées. Si vous agissez de façon ordonnée et canalisez vos énergies dans des voies pratiques vous obtiendrez de meilleurs résultats. Ce mois fera la preuve qu'un Mars bien disposé est toujours avantageux pour qui en profite, ce qui est le cas pour vous actuellement.

PLEIN LA VUE

Ceux qui vous connaissent bien vous savent capable des plus grands efforts grâce à un bon contrôle de vos pulsions et impulsions, mais les autres sont surpris. Il faut dire que vous en mettez plein la vue. Rien n'est trop coûteux en temps, en travail et en argent. Vous êtes capable de clouer le bec aux envieux et aux dénigreurs, et vous ne vous gênez pas pour le faire, ce en quoi vous avez raison. Mais attention de ne pas dépasser la mesure...

ÉPREUVES

Malgré une épreuve possible sur le plan de la santé ou des sentiments, février est idéal pour s'approvisionner aux sources mêmes de la vie. Un enfant chez vous ou dans la famille peut naître ou s'annoncer, un projet s'établir solidement ou se matérialiser, une prédisposition naturelle s'épanouir et vous donner du plaisir. La liste des possibilités est longue et heureuse. À vous d'en découvrir la nature exacte et d'en retirer les bienfaits entrevus.

ÉTRANGER

Un voyage précipité à l'étranger peut s'annoncer. Vous y ferez des rencontres et vivrez peut-être des amours passionnées et tumultueuses, mais c'est du point de vue philosophique que vos concepts et points de vue risquent de subir fortement le choc des cultures. Qui eût dit cela de vous ?

Vous changez d'idée au sujet de certains préjugés. Ce changement aussi vigoureux que souhaitable profite à tous vos sens et sur tous les plans. Progressant personnellement et matériellement, vous fourmillez d'idées larges et de concepts nouveaux. C'est du meilleur effet dans votre milieu de travail. Effectué de préférence après le 16 février, ce voyage, cette rencontre réunit les conditions propres à la réussite. Ne le ratez pas !

Bonne Saint-Valentin à tous !

HOROSCOPE HEBDOMADAIRE

Du 6 au 12 février : Nouvelle Lune le 8 février en Verseau invitant à garder le contrôle de ses émotions. Tendu et geignard, vous ne vous faites pas d'amis. Détendu et réceptif, vous vous ouvrez aux nouvelles idées. Le progrès personnel et professionnel est à ce prix.

Du 13 au 19 février : Insatisfait affectivement et sentimentalement, vous faites la vie dure aux gens qui vous entourent. Ne vous vengez pas sur eux, ils n'ont rien à se reprocher. Méfiez-vous des paradis artificiels, des menteurs, des voleurs. Soyez patient et courageux, tout finira par rentrer dans l'ordre.

Du 20 au 26 février : Misez sur le sport et l'exercice pour garder la forme, mais ne vous dépensez pas trop. En cas de mauvais rhume, soignez-vous. Vous ne voulez pas souffrir de pneumonie, couvrez-vous la poitrine, c'est l'hiver ! En amour, ne brusquez rien, la semaine prochaine sera plus propice.

Du 27 février au 5 mars : Pleine Lune le 23 février en Vierge mettant de l'avant le besoin de faire un budget et de s'y tenir. La vie amoureuse se portant mieux, vous rajeunissez et êtes charmant. Les arts et les voyages meublent votre univers. Vous êtes plus aimable et mieux aimé, c'est naturel.

CHIFFRES CHANCEUX

9 - 11 - 22 - 23 - 38 - 39 - 45 - 57 - 58 - 62

MARS

La seule différence entre le saint et le pêcheur, c'est que chaque saint a un passé et chaque pêcheur, un futur.

OSCAR WILDE

PÂQUES HÂTIVES

Pâques se célébrant le 27 mars, ce sont des Pâques hâtives qui s'annoncent cette année. Vous avez hâte au printemps ; source de renouveau, il charrie l'espoir des temps à venir. Les semailles, les fleurs, les potagers, la piscine, le lac, la pêche, le golf, que de loisirs et de plaisirs à anticiper.

D'un signe de Terre, vous aimez notre bonne vieille terre et en prenez soin. C'est un beau geste dont nous vous remercions. Offrez des fleurs à Pâques mais n'oubliez pas de vous en faire cadeau à vous-même, c'est la nourriture morale par excellence pour quelqu'un de votre astralité.

RÉCOLTE

Un grand aspect bénéfique se crée dans le ciel de mars, le 14 pour être exacte. On en ressentira les bons effets du début de mars à décembre. Jupiter en Balance se place en harmonie à Neptune en Verseau votre carré, ce qui a pour effet d'adoucir les angles considérablement.

Soudainement enclin à faire des concessions bien nettes, vous récoltez des bienfaits inattendus des événements locaux, nationaux et internationaux, selon l'échelle de vos intérêts et l'importance de vos investissements. Chose certaine, la récolte est abondante et vous satisfait pleinement.

ASCENDANTS ET SIGNES FAVORABLES

Si vous avez l'ascendant dans la Balance, et avec les natifs et ascendants du signe, vous accomplissez des tâches difficiles avec aisance et rapidité. Nommé pour représenter une personne, un groupe, une clientèle ou une association quelconque, vous le faites brillamment et allez chercher ce que vos mandataires désiraient obtenir. Ils sont fous de joie et très reconnaissants.

SUCCÈS COMMENTÉ

Votre succès est commenté au bureau, dans les milieux que vous fréquentez et comme il se doit à la maison. Vous êtes un héros pour plusieurs, une idole pour certains. Que cela ne vous monte pas à la tête. La popularité est capricieuse; profitez-en pour mettre de l'ordre dans vos comptes et affaires bancaires. Vous êtes sûr d'obtenir un rendement maximal pour chaque dollar et euro investi.

GRAND MOMENT

Si vous avez l'ascendant en Verseau, et avec ceux de ce signe solaire ou ascendant, vous donnez dans l'inédit. Des réussites sont à escompter en gaz, pétrole, mazout, eau, alcool et liquides de toutes sortes. Comprenant les grands problèmes sociaux actuels, vous agissez pour le bien commun et faites fortune dans le même souffle.

Votre dévouement pour une bonne cause est source de faveurs en haut lieu; en somme vous êtes l'agent de votre propre bonheur. Autant vous appréciez votre chance, autant vous êtes apprécié par ceux qui comptent. Un grand moment s'inscrit dans votre vie sociale et professionnelle.

À DÉFAUT DE QUOI...

À défaut de quoi vous avez la bonne idée de vous entourer de gens qui ont de la Balance, du Verseau, du Gémeaux ou encore du Sagittaire. Vous avez besoin d'un environnement positif, compétent et qualifié; choisissez ces gens de préférence. Sinon, travaillez seul, ça vaudra mieux.

SEXE, VOYAGES, ENFANTS

Mars demeure captivant. Sexe et voyages en pays lointains sont au programme. Une aventure romantico-sexuelle ne serait pas impossible. Pourvu que vous preniez soin de vous protéger et de revenir à la maison. La famille et les enfants vous attendent, ne les délaissez pas trop longtemps. Votre présence les rassure, ils vous aiment et ont besoin de vous.

HOROSCOPE HEBDOMADAIRE

Du 6 au 12 mars: Électricité dans l'air le 7, ne mettez pas le doigt entre l'arbre et l'écorce, surtout si l'arbre est signé Cancer, Capricorne ou Bélier. La nouvelle Lune le 10 mars en Poissons adoucit les mœurs, faites beaucoup de musique et mangez bien, vous êtes toujours meilleur l'estomac plein.

Du 13 au 19 mars: Bel aspect de Jupiter à Neptune apportant des profits et gains providentiels. Vous avez gain de cause dans un conflit d'autorité, un procès, une affaire légale. Croisière entreprise dans une période idéale; partez et bon vent!

Du 20 au 26 mars: Vogue la galère, quoi qu'il advienne, vous savez que ça tournera en votre faveur. Possible que vous soyez fatigué, usé, à plat. La pleine Lune le 25 mars en Balance tend à faire des raccords utiles. Rapprochez-vous de qui vous aime et oubliez les autres.

Du 27 mars au 2 avril: Cher printemps, tu mets des diamants dans les yeux des amants Taureau. Hélas, certains pleurent et ce sont les larmes qui font briller leur regard. Que les problèmes sexuels, s'ils existent, ne gâtent pas votre joie, ce serait pure folie. Vous connaîtrez des heures plus glorieuses...

CHIFFRES CHANCEUX

2 - 7 - 12 - 19 - 28 - 29 - 35 - 49 - 56 - 67

AVRIL

Les mots peuvent ressembler à des rayons X; si l'on s'en sert convenablement, ils transpercent n'importe quoi.

ALDOUS HUXLEY

ÉCLIPSE SOLAIRE

Une éclipse dans l'orbe de votre anniversaire de naissance, temps privilégié de l'année, ça met du sable dans l'engrenage. D'abord il y a éclipse solaire totale le 8 avril en Bélier. Rien de sérieux pour vous, par chance, mais si vous avez un ascendant touché, soit Bélier, Cancer, Balance ou Capricorne, soignez votre santé. Il se peut que des soins médicaux soient nécessaires. Ne paniquez pas, tout ira bien.

ÉCLIPSE LUNAIRE

L'éclipse lunaire de pénombre du 24 avril en Scorpion, votre signe opposé, montre une légère baisse de résistance morale. L'autre et les autres sont pesants et peuvent vous contraindre à effectuer des travaux supplémentaires que vous détestez. Soyez patient et trouvez un coin où avoir la paix. La période grise devrait être terminée le 8 mai au plus tard. Sinon, voyez un spécialiste de la santé psychique qui vous aidera à traverser le pont.

VOTRE ANNIVERSAIRE

Si votre anniversaire se situe aux environs du 24 avril, relisez ce qui est dit plus haut et appliquez la règle. Vous serez protégé des retombées négatives qui sont possibles sous ce genre d'auspices.

Joyeux anniversaire et bonne chance à tous!

HOROSCOPE HEBDOMADAIRE

Du 3 au 9 avril: Ne cassez rien irrémédiablement et tenez-vous-en à la routine. C'est la meilleure chose à faire en période d'éclipses. L'éclipse solaire totale du 8 avril en Bélier a été commentée ci-haut, référez-vous à ce texte pour plus d'informations.

Du 10 au 16 avril: La période demande de ne pas faire de vagues. Il y en a suffisamment dans l'espace pour durer longtemps! N'intervenez pas dans les affaires d'autrui et larguez votre agressivité par-dessus bord: c'est nul.

Du 17 au 23 avril: Le corps donne signe de fatigue. Pour certains, risques de *burnout* ou de maladie exigeant des soins spécialisés, une chirurgie. En cas de saignements inhabituels, consultez sans tarder. Sexuellement, prudence!

Du 24 au 30 avril: Éclipse lunaire de pénombre le 24 avril en Scorpion. Celle-ci vous concerne personnellement; ne remettez pas à plus tard une visite au psy. Si tout va bien, tant mieux, vous êtes bâti solide. Portez secours aux démunis.

CHIFFRES CHANCEUX

1 - 6 - 23 - 24 - 31 - 32 - 46 - 57 - 68 - 69

MAI

Voici mai, ce beau mois,
Qui réjouit tous les cœurs,
Fait fleurir les arbres.
Voici mai aux belles fleurs!

CHANSON POPULAIRE TOSCANE

GRAND MOIS

Mai est votre grand mois. Celui de votre anniversaire pour la plupart, mais aussi celui qui accorde la possibilité de regagner ce que vous aviez perdu et sur quoi vous ne comptiez plus. Un temps de grâce vous est promis par les planètes, en particulier par le Soleil, Mercure et Vénus. De quoi vous réjouir côté santé, vitalité et amour.

RETROUVAILLES

Des retrouvailles sont à prévoir. Il peut s'agir d'une santé retrouvée, d'un amour ou d'un ami, d'un emploi, d'une somme d'argent, d'un héritage, d'une prime d'assurance sur laquelle vous ne comptiez plus ou même d'un enfant ou d'un autre bonheur que vous croyiez envolé. Si ce n'est pas exactement la même chose, un ersatz plus que satisfaisant comble vos désirs.

RETOUR AU BERCAIL

Le ciel se charge de ramener au bercail les âmes égarées. Si c'est de vous qu'il s'agit, tant mieux, vous rentrez de bon gré et êtes content de sacrifier un peu de votre confort et de votre liberté à une personne aimée ou à une cause que vous jugez juste. Le résultat final vaut largement la peine : vous n'avez jamais reçu un si beau cadeau de fête, vous jubilez !

Joyeux anniversaire à tous ! C'est la fête des Mères le 8 mai, bonne fête aux mamans du signe !

HOROSCOPE HEBDOMADAIRE

Du 1er au 7 mai : Procédez lentement mais sûrement, sans faire d'éclat mais avec force et diplomatie. Vous avez du goût pour la gastronomie, les grands vins et alcools, et la mer vous attire. Si vous le pouvez, partez y faire un tour, cela produira un effet bénéfique sur votre état de santé physique et moral.

Du 8 au 14 mai : À la nouvelle Lune du 8 mai en Taureau, vous pouvez faire des gestes importants, prendre des décisions et changer ce qui vous déplaît en vous et autour de vous. Une très bonne période s'annonce, profitez-en.

Du 15 au 21 mai : Vous avez des espoirs enthousiastes, vos amis et relations vous suivent sans s'inquiéter. En votre compagnie, ils sont sûrs de bien s'amuser et d'être bien traités. Sympathie pour les sportifs, les gens d'action, les bâtisseurs de cathédrales qui accouchent de leurs projets.

Du 22 au 28 mai : Pleine Lune le 23 mai en Sagittaire donnant le goût de l'aventure et des voyages en pays ensoleillés et lointains. Les étrangers vous plaisent et vous attirent, une relation amicale ou amoureuse peut s'ensuivre. Étrangement, elle pourrait être intéressante et durer un certain temps.

Du 29 mai au 4 juin : Le ciel est bleu, la mer est verte, vous êtes satisfait et heureux de votre sort. Le chant des oiseaux suffit à vous faire oublier les petits ennuis de santé ou autres qui surviennent. En principe, tout va bien.

CHIFFRES CHANCEUX

2 - 4 - 11 - 23 - 30 - 31 - 44 - 45 - 56 - 64

JUIN ET JUILLET

Je voudrais épuiser sur moi l'éternité.

ANNA DE NOAILLES

MAISON, FAMILLE

Ces mois d'été vous rapprochent de la maison, de la famille. Ces milieux vous réconfortent et vous rassurent. Vous aimez les rencontres discrètes, les réceptions intimes, les échanges secrets. Les repas gastronomiques pris entre connaisseurs vous charment, mais attention de ne pas prendre trop de poids. Comme l'abus d'alcool et de paradis artificiels, ces tendances sont à surveiller.

Prenez soin de nettoyer votre système régulièrement. Une cure de désintoxication, un demi-jeûne, et vous êtes remis sur pied. Fruits et légumes abondent sur les marchés, ils ont belle couleur et meilleur goût l'été, n'ayez pas peur d'en abuser.

CONFORT

Pour vous, le foyer est synonyme de quiétude et de paix. Vous ne pouvez pas vivre sans confort, c'est contre votre nature. Désordre

et malpropreté sont ennemis de votre santé ; nettoyer de la cave au grenier, en passant par le garage, vous fait vous sentir plus léger. Profitez de la belle saison pour embellir votre demeure, vos terrasses et jardins, votre entourage. De bonne humeur en touchant la terre et heureux en cuisine, vous choyez ceux que vous aimez et ils adorent ça.

ÉPANCHEMENTS

Les épanchements se font sur l'oreiller. En position allongée, vous tendez à la confidence. Un divan de psychiatre vous convient, quand vous avez besoin de vous confier, rien de mieux qu'un professionnel. Ainsi vos épanchements les plus secrets sont entre bonnes mains, vous ne risquez pas d'être trahi.

FÊTES ET VACANCES

Pour aller à la mer en amoureux, partir en vacances et voyager, choisissez juin de préférence. Il fait beau et il n'y a pas foule. Ce que vous faites par amour et pour l'amour, fiançailles, mariages, enfants, voyages, tout cela vous apportera plus de plaisir et de bonheur en juin.

CHARME ET BEAUTÉ

Vénus bien disposée accroît votre charme et votre beauté. Le talent amoureux et les tendances artistiques étant exacerbées, il convient d'utiliser pleinement ce mois favorable à l'amour, aux communications et à l'apprentissage. Écrits, publicité, meetings, conférences et rencontres, vous puisez à de nombreuses sources de renseignement et trouvez de l'inspiration dans les choses les plus ordinaires. Pour la créativité et le bon goût, juin est exceptionnel.

TRAVAIL PLUS QUE PLAISIR

Juillet est réservé à des occupations ayant trait plus au travail qu'au plaisir. Même la partie de golf fait partie du travail. La vie érotique et amoureuse étant restreinte par la force des choses, ou par votre propre choix, vous faites bien d'occuper votre temps à des choses pratiques. Minidrame, perte amoureuse, conflit amical ou familial, n'aggravez pas les choses en tombant malade. Prenez soin de vous, c'est impératif.

MI-JUILLET

Réglez avant la mi-juillet si possible tout problème épineux qui menace de s'envenimer. Saturne entrant en Lion le 16 juillet se place en aspect de carré à votre signe ; c'est négatif. Cela apporte des tiraillements et des ennuis surtout à ceux du début du Taureau ; mieux vaut être averti. Plus vous êtes attentif au présent, moins la suite sera soumise à la fatalité.

FÊTES ET CONGÉS

C'est la fête des Pères le 19 juin, la fête nationale du Québec le 24, la fête du Canada le 1er juillet et la fête nationale française le 14 juillet : bonne fête à tous et bons congés !

HOROSCOPE HEBDOMADAIRE

Du 5 au 11 juin : Nouvelle Lune le 6 juin en Gémeaux mettant en relief vos capacités de gérer l'argent et d'en gagner. Succès en rapport avec les Balance, Gémeaux, Cancer, Bélier et Sagittaire. Avec ces natifs et ascendants nul doute, c'est profitable et bénéfique.

Du 12 au 18 juin : Semaine active et amusante, mais ne signez pas de papiers importants, contrats, successions et autres le 15 juin. Choisissez le moment où le jugement est plus sûr, soit le 16. Même chose pour voyager et pour aimer.

Du 19 au 25 juin : Pensez eau à boire. Pour se baigner, faire du bateau et des sports nautiques, rien de mieux que ce précieux liquide. La pleine Lune du 21 juin en Capricorne vous assèche le corps et le cœur ; ne soyez pas trop dur.

Du 26 juin au 2 juillet : L'été vous met le cœur en joie. Vous profitez largement de la vie et à raison, mais évitez les excès de table et d'alcool, ils sont nocifs pour le cœur et les artères. Faites du sport pour maintenir le poids et la forme.

Du 3 au 9 juillet : Dissonances Mercure-Vénus se faisant sentir dans les affaires d'argent et d'amour. Les communications sont quasi nulles. La nouvelle Lune du 6 juillet en Cancer vous avantage ; réglez à l'amiable tout conflit ou procès.

Du 10 au 16 juillet : Ne vous mettez pas dans la mire des Lion, Verseau, Scorpion, ils ont un compte à régler avec vous. Prompts à aimer et à détester ils veulent se venger. Essayez la douceur, c'est plus efficace que la force.

Du 17 au 23 juillet: Prudence dans les sports, loisirs et voyages. En amitié et en amour, la pleine Lune du 21 juillet en Capricorne propose une partie de plaisir ou une réconciliation. Meilleur jour le 22: revirement spectaculaire en votre faveur.

Du 24 au 30 juillet: Idéal pour prendre congé et partir en vacances. La santé peut limiter les activités. Amusez-vous, mais en évitant les excès de fatigue. Coups de soleil et de chaleur à redouter; mettez-vous à l'ombre. L'énergie remonte, amour et sexe vous tiennent en haleine, sport et loisirs défoulent.

Du 31 juillet au 6 août: Mars dans votre signe met l'accent sur la vie privée. Renouveau d'ardeur sexuelle mais la nouvelle Lune le 4 août en Lion est un piège. Vous n'allez pas vous déguiser en loup-garou, gare à vous, Taureau!

CHIFFRES CHANCEUX

9 - 10 - 11 - 23 - 37 - 40 - 41 - 42 - 52 - 63

AOÛT ET SEPTEMBRE

Dès qu'on approche un être humain, on touche à l'inconnu.

É. ESTAUNIÉ

MOIS EXCEPTIONNELS

Août et septembre sont exceptionnels. Trois géants du ciel, Jupiter, Neptune et Pluton, voyageant harmonieusement, ils favorisent le succès d'entreprises et de projets audacieux. Visez haut et n'hésitez pas à idéaliser une personne, une situation. Ces mois sont protégés par les dieux de l'Olympe; vous ne risquez pas d'être perdant. Le temps presse, ne tardez pas à agir et battez le fer pendant qu'il est chaud.

CHANCE PROVIDENTIELLE

Le rêve est porteur de messages heureux. Les déchiffrer vous aidera à cibler votre désir. Ce que vous visualisez en rêve ou éveillé se cristallise, vous n'en revenez pas de la facilité avec laquelle vous progressez. Vous récoltez des succès de taille dans votre milieu de travail et professionnellement. Une chance providentielle s'abat sur vous. Votre portrait social et matériel s'en trouve vivifié, rajeuni.

ASCENDANTS FAVORABLES

Les ascendants les plus favorables sont Balance, Verseau et Sagittaire ; à ceux-là rien n'est refusé. Si c'est votre cas, une amélioration matérielle rarement aussi rapide et importante se fait sentir. Vous avez le vent en poupe et pouvez réaliser vos objectifs, si grands soient-ils. Évolution et succès sont vôtres pour peu que vous fassiez l'effort nécessaire.

Un ascendant Gémeaux, Lion ou Bélier produira sensiblement le même effet ; associé aux personnes qui ont de ces signes, vous décrochez le gros lot !

Bonne fin de vacances et bonne rentrée à tous !

HOROSCOPE HEBDOMADAIRE

Du 7 au 13 août : Dynamisme et joie dans la vie affective et sentimentale. Vous établissez des rapports heureux avec les jeunes et moins jeunes et savez expliquer vos émotions et sensations. Vous aimez ou pas, c'est sans appel.

Du 14 au 20 août : L'énergie doit être dépensée utilement et pleinement, sinon il y aura reflux, blocage, frustration. Faites quelque chose d'excitant, sauf à la pleine Lune le 19 août en Verseau. Ce soir-là, faites-vous tout gentil, mignon, charmant, taisez-vous et ne pleurez pas !

Du 21 au 27 août : Tout va bien côté santé, mais les personnes nées au début de la période du signe doivent porter attention aux malaises qui reviennent sans cesse. Les ignorer pourrait aggraver les choses. Pour le reste, tout va à merveille. Trop bien, même, ça vous inquiète...

Du 28 août au 3 septembre : La fin de l'été s'annonce déjà. Vous en concevez de la tristesse, mais la plénitude des moments vécus récemment vous garde en équilibre. La nouvelle Lune du 3 septembre en Vierge tend à l'étude et à l'économie. La rentrée s'annonce intéressante.

Du 4 au 10 septembre : Vous sentant en pleine forme, vous avez le goût de l'exercice et de l'action, au travail comme dans la vie privée. Besoin de prouver votre autorité sur l'entourage. La vie sexuelle est énergisante et passionnante.

Du 11 au 17 septembre : Favorable pour faire de l'exercice, s'inscrire à un club-santé, se recycler et étudier. La natation vous plaît, mais si vous préférez danser, libre à vous. La pleine Lune du 17 septembre en Poissons favorise les plaisirs calmes et tranquilles, la lecture, le cinéma, par exemple...

Du 18 au 24 septembre : Les études ou le recyclage entrepris seront menés à terme et réussiront à vous stabiliser psychologiquement et matériellement. Vous ne perdez pas votre temps, vous bâtissez sur du solide, c'est différent. Ne lâchez pas la proie pour l'ombre, continuez à vous perfectionner.

Du 25 septembre au 1er octobre : Les variations de climat influent sur vos états d'âme. Essayez de faire des projets pour l'hiver prochain, c'est la meilleure façon d'apprivoiser le mal qui vous prend en ces temps d'arrière-saison...

CHIFFRES CHANCEUX

2 - 4 - 12 - 15 - 23 - 25 - 33 - 40 - 51 - 66

OCTOBRE

Ce qui est admirable, ce n'est pas que le champ des étoiles soit si vaste, c'est que l'homme l'ait mesuré.

ANATOLE FRANCE

SCIENCE ET TECHNOLOGIE

Science et technologie sont vos dadas. Vous vous intéressez à ce qui est mesurable, calculable, vérifiable. Le reste vous laisse sceptique. Dommage que l'astrologie ne soit pas plus exacte. C'est une science humaine, vous comprendrez que tout ne soit pas entièrement prévisible...

Si vous cherchez une voie vers laquelle vous diriger, les sciences pures et les sciences sociopolitiques sont une direction naturelle. Si vous allez au plus rapide, optez pour la technologie de pointe : radio, télé, cinéma, ondes de tout genre et de toute portée. En tant que réalisateur des projets d'autrui, vous avez du talent et parfois du génie. Si vos études ou votre réorientation ne vous satisfont pas, revenez sur votre décision et allez vers ce qui vous branche. Autrement, vous n'arriverez nulle part, c'est fatal.

TENDANCE

Il est très tendance dans les années 2000 de revenir au basique. Le minimalisme a fait son temps, mais si vous ne l'avez pas encore expérimenté, il serait temps pour vous d'entreprendre un travail personnel en ce sens. Vous défaire de la moindre babiole vous étant pénible, pensez à donner ce qui ne sert plus depuis deux ou trois ans. C'est vieillot, mal ajusté, il faut faire de la place à la nouveauté pour qu'elle se manifeste et change votre optique au sujet de bien des choses... N'hésitez pas en cet octobre d'éclipses à disposer de tout ce qui est désuet et anachronique, absolument tout !

RINGARD

Jetez ce qui est rouillé, inutilisable, et faites de même avec vos principes surannés. Être qualifié de ringard vous déplairait ; demeurez actuel sur le plan lecture, film, vêtement et attitude. Le carré de Saturne incite à cultiver la jeunesse de corps et d'esprit ; sinon, vous vieillirez prématurément, ce serait dommage...

ÉCLIPSES ET SANTÉ

L'éclipse solaire annulaire du 3 octobre en Balance ne vous concerne pas, à moins d'avoir l'ascendant dans ce signe ou en Cancer, Capricorne ou Bélier. Autrement, vous conservez la forme et pouvez aider les personnes des signes touchés à passer ce moment moins favorable à la santé physique.

L'éclipse lunaire partielle du 17 octobre en Bélier touche les signes nommés plus haut. Pas d'ascendant dans ces signes et le moral demeure solide, le courage inaltéré. Les autres ressentent une légère baisse psychique ; cet état est passager.

Mieux vaut ne rien entreprendre d'important pendant la période d'éclipses, soit entre le 26 septembre et le 26 octobre. Ceux qui le feront

se placent en position d'échec. Libre à vous, mais observer l'entourage vous en apprendra long au sujet de ces éclipses jugées restrictives par les associations mondiales d'astrologie. Regardez et déduisez...

HOROSCOPE HEBDOMADAIRE

Du 2 au 8 octobre : Éclipse solaire annulaire le 3 octobre expliquée plus haut. En principe vous êtes à l'abri des épidémies, mais ne provoquez pas le sort en mangeant et en buvant n'importe quoi. Soyez sélectif.

Du 9 au 15 octobre : Gare aux colères et aux accidents causés par la nervosité. À surveiller : le cœur, la circulation sanguine, le durcissement des artères. Baisse anormale de la tension, pouls trop lent, névralgies et douleurs dans le dos. Un bon médecin ou spécialiste serait utile.

Du 16 au 22 octobre : Éclipse lunaire le 17 octobre expliquée plus haut. Une grande énergie physique vous permet de lutter contre d'occasionnelles tendances à la déprime. Travail, sexe et sport sont d'excellents dérivatifs.

Du 23 au 29 octobre : L'automne régnant en maître sur nos journées, des suppléments vitaminiques et exercices légers mais réguliers s'imposent. Vous voulez rester jeune et autonome, vous voulez étudier, travailler et donner le maximum, prenez soin de vous et de votre santé, c'est un *must* absolu.

Du 30 octobre au 5 novembre : Nouvelle Lune le 1er novembre en Scorpion indiquant des tensions possibles avec le conjoint ou associé. Évitez les confrontations. Ne pleurez pas, Madame ; ne faites pas pleurer les femmes de votre vie, Monsieur. Un nuage gris n'empêche pas le soleil d'exister.

CHIFFRES CHANCEUX

6 - 7 - 19 - 20 - 34 - 35 - 41 - 43 - 55 - 69

NOVEMBRE

Adonne-toi à l'étude des lettres pour en tirer quelque chose qui soit toute tienne.

MONTAIGNE

AIDE CÉLESTE

Mois des morts, novembre n'est pas votre préféré, et pour cause. Il rappelle souvent de sombres souvenirs et tend à faire voir la vie en noir. Pour vous aider à combattre les démons souterrains qui tentent de prendre le dessus sur votre volonté, vous recevez une aide céleste puissante. Il s'agit de forces invisibles mais très efficaces dont l'action vous surprendra joyeusement.

OUTILS

La tendance optimiste et novatrice actuelle est stimulée par Jupiter en harmonie avec Uranus. Au lieu de s'opposer à vous sans contrepartie, le grand bénéfique Jupiter s'allie au génie créateur d'Uranus pour vous donner les outils nécessaires à une réussite dont vous ignorez l'ampleur en ce moment.

Ces outils se nomment opportunité, intuition, conscience sociale, dons mis au service des misères humaines, amitié pour les pauvres et les malades, recherche sincère de la Vérité. Mais ces outils se nomment avant tout « amis et relations ».

AMITIÉS NOUVELLES

Des amitiés nouvellement liées vous confrontent à vos propres limites et élargissent vos centres d'intérêt. Ces amis vous entraînent dans des voies nouvelles et offrent leur appui sans rien demander en retour. Vous vous sentez en communauté d'âme avec vos nouveaux amis. Vous les connaissez peu, mais vous partagez les mêmes aspirations et poursuivez les mêmes buts. Le rapprochement est inévitable.

SOUPE MAGIQUE

Plus question de douter, vous cherchez des certitudes. Une action libre et indépendante s'ensuit ; elle est guidée par une lumière nouvelle : celle de la curiosité et de l'intelligence qui n'admet aucune barrière, aucun tabou. Insatisfait des réponses issues de la science et de diverses philosophies et religions, vous puisez dans des sources de connaissance plus vastes et rejoignez une part d'éternité. C'est le commencement d'une vaste entreprise de destruction suivie d'une période de reconstruction monumentale.

SUR LE PLAN PRATIQUE

Sur le plan pratique, apport matériel instantané et heureux dont les répercussions se feront sentir pendant des années à venir. Sans blague, mes chéris, vous êtes tombés dans la soupe magique, en plein dedans!

Vous voyagez beaucoup en avion et vivez intensément en novembre. Faites provision de joie et de bonheur pour décembre, ce mois semble moins emballant... Bon voyage et bonne chance!

HOROSCOPE HEBDOMADAIRE

Du 6 au 12 novembre: Faites des concessions et signez les papiers et contrats que le conjoint requiert et que l'associé demande. Vous n'avez rien à perdre et tout à gagner. Choisissez ce moment pour régler les conflits d'intérêt.

Du 13 au 19 novembre: Sentimentalement et affectivement, c'est l'apothéose. Vous donnez tout ce dont vous êtes capable et recevez de même. La pleine Lune du 15 novembre en Taureau vous met à l'avant-plan. On vous aime et vous loue, acceptez et souriez!

Du 20 au 26 novembre: Le bon coup attendu se matérialise. Vous remportez une victoire importante et ce, malgré l'avis contraire de personnes envieuses et jalouses. N'écoutez que les compliments et négligez la critique: ces gens n'y connaissent rien!

Du 27 novembre au 3 décembre: La semaine raffermit votre volonté de terminer la tâche commencée, mais n'allez pas au-delà de vos forces et gardez des réserves. La nouvelle Lune du 1er décembre en Sagittaire invite au voyage.

CHIFFRES CHANCEUX

4 - 7 - 11 - 24 - 25 - 33 - 47 - 48 - 66 - 67

DÉCEMBRE

Il faut se ressembler un peu pour se comprendre, mais il faut être un peu différent pour s'aimer. Oui, semblables et dissemblables... Ah ! qu'étranger pourrait être un joli mot !

PAUL GÉRALDY

L'IDÉE

L'idée dans la vie n'est pas de devenir milliardaire, mais d'être heureux. Or, en décembre, il se peut que vous connaissiez des ennuis vous empêchant de l'être. Ce n'est pas tous les natifs qui souffrent de la dissonance Jupiter-Saturne, mais quelques-uns n'y échappent pas. C'est du côté des finances que les embêtements rôdent. Pas de quoi paniquer, mais de quoi cogiter et réfléchir...

LA CHOSE À FAIRE

La chose à faire quand les affaires vont mal: rester calme et évaluer lucidement la situation. Ne rien brusquer, ne pas s'entêter dans l'erreur, c'est également profitable. Difficile quand on est soumis à tant de pression, mais indispensable dans les circonstances.

Soignez votre santé. Vous pouvez être sujet à l'arthrite, au gonflement des articulations, à des problèmes d'épiderme. Autres points sensibles: cou, seins, poitrine, organes génitaux, anus, ongles, cheveux et ossature.

POINT DE VUE MORAL

Au point de vue moral, tendance à négliger vos devoirs et à faire preuve d'insouciance en regard des règlements et de l'ordre établi, d'où problèmes avec l'autorité, la justice. Crise de conscience entre le désir de liberté et d'expansion d'une part et, d'autre part, les habitudes, la routine, la tradition. Le couple peut, de ce fait, être soumis à une tempête qu'il vous appartiendra d'évaluer, à la suite de quoi vous subirez ou quitterez.

POINT DE VUE PRATIQUE

Au point de vue pratique, cette influence est peu propice aux relations avec les organismes officiels, avec l'administration et les milieux politiques. Maladresse et malchance possible dans les affaires

minières, foncières ou immobilières ainsi que dans les entreprises de construction, à la suite d'erreurs d'appréciation. Vous avez été trop optimiste ou trop entreprenant; il est temps de réduire vos appétits et de revenir à la réalité.

CONSEIL

Conseil: Même si vous craignez le pire et êtes insatisfait de la marche des choses, ne changez rien à vos affaires en ce moment. Ce serait à votre détriment.

Ayant lu d'avance et prévu ce qui arrive, vous affronterez décembre avec plus d'aplomb. Il sera moins dur pour le portefeuille et plus doux au cœur. Croyez-en les planètes, ce n'est pas vaine promesse; vous serez à même de mesurer la justesse de ces propos en cette fin d'année arrogante et capricieuse.

Dommage, mais c'est sur une note un peu sombre que se termine 2005. Par chance, l'année a été généreuse, dites-vous que 2006 sera meilleure encore!

HOROSCOPE HEBDOMADAIRE

Du 4 au 10 décembre: Semaine biscornue. Si vous agissez avec souplesse, elle sera plus simple. Sinon, tant pis, vous vivrez pour regretter votre entêtement. Rien ne sert de vous prévenir si vous avez décidé autrement, je sais. Tant pis, j'aurai fait mon devoir d'astrologue, et vous le vôtre sans doute…

Du 11 au 17 décembre: Les nouvelles ne sont pas encourageantes. C'est à l'échelle mondiale que les choses se gâtent. Il ne faut pas présumer que la prochaine année sera mauvaise; restez optimiste. Chaque médaille a son revers. Pleine Lune le 15 décembre en Gémeaux et l'argent s'envole, c'est la vie!

Du 18 au 24 décembre: Le conjoint ou associé peut occasionner des dépenses extravagantes. Mettez-y un holà, sinon il ou elle va vous ruiner. Si c'est vous le flambeur, attention, vous n'avez aucune chance au jeu. Pour équilibrer les choses, l'euphorie amoureuse vous transporte en des lieux voluptueux. Quel bonheur!

Du 25 au 31 décembre: Joyeux Noël! Vous êtes revenu de vos émotions récentes, ou du moins devriez l'être. Sinon, vous accordez trop d'importance à l'argent. Souvenez-vous de l'IDÉE du début et revoyez vos priorités. La nouvelle Lune le 30 décembre en Capricorne incite au réalisme cru. Elle vous sera d'une aide remarquable.

Bonne année nouvelle, cher Taureau !

Gémeaux

DU 21 MAI AU 21 JUIN

1er DÉCAN : DU 21 MAI AU 31 MAI
2e DÉCAN : DU 1er JUIN AU 10 JUIN
3e DÉCAN : DU 11 JUIN AU 21 JUIN

Prévisions annuelles

ANNÉE PRODUCTIVE

Tout bien calculé, c'est une année productive qui débute pour les natifs du Gémeaux. Hommes et femmes se trouvent à force égale. Bien positionnés par rapport au reste du zodiaque, ils bénéficient de faveurs célestes les mettant à l'abri de toute avarie. Ils diront qu'il était temps que ça change et j'abonderai dans ce sens.

MOMENT ATTENDU

Le moment attendu est arrivé, cher Gémeaux. Bien que ce ne soit pas parfait, la tendance pour 2005 est supérieure aux deux ou trois années précédentes. Ressentant les effets euphorisants des bienfaits planétaires depuis octobre 2004, vous pressentez que l'année sera bonne. Mais attendez la suite: vous n'avez rien vu, c'est meilleur que bon!

AIDE PUISSANTE

Essayez de garder votre calme, mais ce sera difficile devant tant d'imprévu et d'événements plaisants. Vous ne serez pas déçu, je le promets. Comme vous recevrez l'aide puissante de Neptune, planète de Foi, de Saturne, planète de sagesse et d'expérience, puis du grand bénéfique Jupiter pour la majeure partie de l'année, vous n'avez rien à envier à personne.

MISSION ACCOMPLIE

Vous faites des envieux cette année, cher Gémeaux, mais votre bonne santé, votre joie de vivre et vos succès sociaux et financiers sont hautement mérités. Vous avez livré et gagné de dures batailles, vous méritez respect et admiration. Ce n'est pas tant de se battre qui est difficile, c'est de remporter la victoire. C'est réussi, mission accomplie!

EN CONTRÔLE

L'année nouvelle se dessine beaucoup plus harmonieusement que par le passé. Contrariétés et tempêtes d'hier fondent comme neige au soleil, faisant place à un climat plus tempéré. L'équilibre retrouvé, le natif et la native de ce signe se retrouvent au poste de contrôle, manettes en main.

Fini de dépendre des autres, d'attendre leur bon vouloir. Vous reprenez la direction de votre destinée. Que l'on se passe le mot : malheur à qui vous barrera la route, il ou elle s'en repentira. Vous êtes seul maître à bord !

LIBERTÉ

Cette sensation de liberté est du meilleur effet sur la santé physique et psychique. Celle-ci tend à s'améliorer, à se maintenir ou à se stabiliser, selon l'âge et le cas. La deuxième partie de l'année, surtout, est formidable en ce sens. Le sérieux que vous mettez à soigner le moindre malaise ou symptôme est responsable de l'amélioration notée. Sans être exceptionnelle, la vitalité est bonne. Cela peut sembler anodin, mais certains d'entre vous seront rassurés de l'apprendre.

ENTOURAGE FAMILIAL

On remarque aussi une amélioration en ce qui concerne l'entourage familial. Les rapports sont moins intéressés, plus cordiaux. Vous partagez avec les membres de votre famille natale, ou avec celle que vous vous êtes créée, des moments de qualité dignes de la personne cultivée et intelligente que vous êtes. Cela contribue à votre contentement cette année.

CIVILITÉ

La civilité est de mise. Même si vous n'aimez pas une personne, vous agissez correctement avec elle. La leçon devrait servir d'exemple aux grossiers personnages avec qui vous devrez frayer de temps à autre. Noblesse oblige, vous n'avez pas le choix. On a la famille que l'on a reçue en héritage, et les amis que l'on a choisis. La différence est énorme et n'a jamais été aussi évidente que cette année.

QU'ATTENDRE DE LA VIE ?

La grande question que vous vous posez cette année est la suivante : « Que dois-je attendre de la vie à partir de maintenant ? » La réponse s'impose d'elle-même : tout, puisque tout est à venir !

AUCUNE ÉCLIPSE RESTRICTIVE

Aucune éclipse restrictive n'affecte votre signe cette année ; c'est de bon augure pour la santé. Les chutes de tonus physique et moral étant rares, vous pouvez compter sur une bonne résistance à la maladie, ainsi qu'aux virus et aux microbes. Mais n'exagérez pas. L'opposition de Pluton continue d'inciter à la prudence et Uranus suggère fortement de ne pas vous mettre à bout. Savoir décompresser et prendre la critique avec un grain de sel fera la différence.

RÉUSSITE À RISQUE

À la suite de décisions hâtives, d'impulsions fâcheuses et de sautes d'humeur intempestives, il se peut que vous mettiez volontairement ou non votre réussite sociale et professionnelle en danger. Réprimer les mouvements de colère et éviter les prises de positions dramatiques vous protégera des revirements spectaculaires et décevants auxquels vous êtes exposé. La tendance exagérément indépendante et excentrique ne vous convient pas cette année. C'est bien la seule chose qui vous soit contraire !

DU BON CÔTÉ DU VENT

Du bon côté du vent, si vous associez vos efforts à ceux des personnes qui ont de la Balance, du Verseau, du Sagittaire ou du Scorpion, vous êtes en meilleure position pour obtenir le succès désiré. Ces gens vous portent chance cette année ; ne manquez pas de vous en entourer, de les aimer et de cultiver leur amitié.

Travaillant avec ces natifs ou ascendants, inventant, créant de nouveaux systèmes et gadgets, vous attirez les bons courants d'autrui et profitez de leur talent et de leur expérience. S'ajoutant aux vôtres, ces qualités vous propulsent à l'avant-plan. Matériellement et financièrement c'est extrêmement fructueux, quand ce n'est pas le gros lot, ce qui reste possible pour quelques chanceux.

UN ANGE POUR VOUS

L'ange fait sur mesure pour vous cette année se nomme Sitael. Il symbolise la responsabilité. Cette responsabilité est liée aux postes importants de décision et de pouvoir. Sitael protège contre l'agression armée ou les armes en général, ainsi que contre les forces malfaisantes. Il vous aidera à faire fructifier vos richesses intérieures et spirituelles, sans vous disperser.

Sitael sera utile aux personnes qui mènent des carrières d'envergure et aux meneurs de jeu. Conciliateurs, négociateurs, médiateurs, directeurs, ingénieurs, architectes, législateurs, bâtisseurs, acteurs, humoristes et médecins se trouveront bien en sa compagnie. L'invoquer leur ouvrira les portes de la réussite.

SECRETS À PARTAGER

Je voudrais partager deux secrets avec vous, cher Gémeaux. Les derniers jours de décembre 2004 et les premiers jours de janvier 2005 montrent des risques d'accidents. À votre place je ne voyagerais pas en auto, et moins encore en avion. Mars et Uranus en Poissons contrecarrent votre signe ; cela incite à la prudence en matière de déplacements, d'électricité, de coup de foudre surtout d'origine sexuelle, d'eau et de paradis artificiels : feu rouge !

Encore une chose : prenez garde de ne pas prendre trop de poids ou d'en perdre trop rapidement ; si c'est le cas consultez un bon médecin.

D'accord, ce n'est pas plaisant, mais nous partagerons de meilleurs secrets au fil des mois.

COUP D'ŒIL SUR LE GÉMEAUX DE TOUT ASCENDANT

GÉMEAUX-GÉMEAUX

À la suite d'une action rationnelle et mesurée, vous êtes capable de grandes réalisations. Trop d'impulsivité nuira, mais une préparation suffisante vous assurera le succès.

Profondément remué dans vos principes, vous allez jusqu'au bout, quitte à changer de direction la semaine d'après. Tout changement doit être mûrement réfléchi, c'est la seule contrainte.

Une bonne connaissance de vous-même permet à l'amour d'éclore et de durer. Mariage, naissance et association d'affaires ont un effet bienfaisant sur votre santé physique, nerveuse et morale.

Voyages et déplacements sont favorables, mais il faut choisir son moment. Suivre les prévisions mensuelles et horoscopes hebdomadaires améliorera vos chances de bonheur et vous gardera en sécurité.

GÉMEAUX-CANCER

Être résolument Gémeaux pendant les six premiers mois de l'année, pour recourir à votre lenteur de Cancer pendant les six derniers mois vous assurera santé, confort et sécurité.

Votre intuition est plus fiable que celle des autres natifs de ce signe. La première idée est la meilleure, il faut vous y fier. Agir de manière responsable tout en conservant une part de liberté devient de plus en plus facile.

Pour une union ou une association d'affaires se voulant durable, agir de préférence en juillet, août et novembre. Conflits et procès seront mieux réglés ou commencés en novembre, les chances de gagner étant meilleures.

La maison, la famille et le travail au foyer sont favorables à la bonne marche des affaires. Pour une santé physique et morale meilleure, suivre de près les éclipses solaires et lunaires tel qu'indiqué ci-après.

GÉMEAUX-LION

Tout va bien pendant les six premiers mois de l'année, mais la deuxième partie demande de la retenue. Saturne entrant dans votre signe ascendant, le Lion, lire la partie du livre qui concerne ce signe vous renseignera plus adéquatement.

Tentez de vous libérer autant que possible de responsabilités pesantes, dettes, obligations familiales ou sociales qui entravent votre existence. Vous avez besoin de vous alléger, non d'ajouter à vos charges.

Sans dramatiser, la santé peut laisser à désirer. Si vous n'y prenez garde, vous risquez de vous retrouver mal en point, peut-être en *burnout.* Tous les excès sont à proscrire.

En étant léger et amusant, vous n'aurez que des amis, mais les larmes chasseront les amis. Les sentiments sérieux vous réussiront et le flirt nuira. Lire les horoscopes hebdomadaires ci-après vous fera passer une meilleure année.

Gémeaux-Vierge

Pas facile de vous comprendre vous-même, mais cette année est plus rassurante. Moins divisibles et plus concentriques, vos actes portent plus, remarquez-le. L'année s'annonce mieux que prévu…

Adoucissement des tendances contraires donnant du corps au personnage. Prêt à bondir sur l'occasion, vous dites adieu aux responsabilités restreignantes. Ou vous aimez, ou vous envoyez tout promener.

Les éclipses solaires et lunaires ne vous affectant pas cette année, vous devriez être en bonne santé physique et morale, mais il faut être prévoyant et ne rien négliger.

Le ciel favorise les finances et les voyages à condition de choisir les temps propices. Vous terminerez l'année plus riche si vous obéissez aux lois cosmiques contenues dans les prévisions qui suivent…

Gémeaux-Balance

Vous avez le vent dans les voiles cette année, presque tout vous réussit. Vous faites des progrès marquants sur les plans personnel, social et professionnel. Rien ne vous résiste.

Vous bénéficiez de faveurs célestes importantes en ce qui concerne l'aspect matériel de la vie, mais aussi spirituel. Une élévation de l'esprit permet des réalisations artistiques et esthétiques majeures. On parlera de vous dans les médias…

Tout ce qui est aérien, léger, intellectuel et commercial vous attire. Ayant du talent en ces domaines, vous êtes génial aussi dans les métiers reliés aux communications.

Établissez vos priorités et respectez vos horaires; on compte sur votre promptitude. Trop d'indépendance et d'originalité nuisant, limitez ces excès et renseignez-vous sur les éclipses, ça sera utile.

Gémeaux-Scorpion

Une bonne année s'annonce. Le début est excitant, surtout dans la vie amoureuse et sentimentale, mais également dans les domaines de la spéculation et des jeux de hasard. La chance est de votre côté.

Les jeunes et les enfants sont une richesse que vous chérissez, et ils vous aiment aussi. Les échanges avec eux sont cordiaux et sympathiques; vous transigez d'égal à égal.

Bien placé pour mener à bien vos études et entreprises personnelles, il vous faudra un peu de patience pour que la chance se manifeste pleinement. Dieu merci, vous en avez.

Mars, août et septembre sont fabuleux en ce qui concerne les choses matérielles mais novembre les bat tous. Par contre, décembre est moins favorable. Lire les prévisions mensuelles et les horoscopes qui suivent vous aidera dans vos choix.

GÉMEAUX-SAGITTAIRE

Vous bénéficiez d'une année plus intéressante. La chance tourne en votre faveur; des gains substantiels s'annoncent. Ils auront pour effet de stabiliser votre situation financière.

Une attitude déterminée vous ancrant dans la réalité, vous avez des certitudes. L'esprit de décision amoindrit l'impact négatif des hésitations passées, mais il faut voir ce qui suit…

La première idée n'est pas la meilleure cette année. Grâce à des décisions réfléchies, vous obtiendrez de meilleurs résultats. Rien ne doit être bâclé en quatre minutes ou moins, ça pourrait être fatal.

Le meilleur mois est septembre. Tablez sur cette période pour tout ce qui concerne les affaires d'argent, les voyages à l'étranger, les études, les déménagements et les changements majeurs. Les prévisions qui suivent vous renseigneront mieux.

GÉMEAUX-CAPRICORNE

Il faut jouer au chat et à la souris pour bien profiter de cette année. Vous aurez l'impression de changer complètement et de jouer sur deux tableaux, mais ce sera bénéfique.

Les six premiers mois vous incitent à faire usage de votre côté Gémeaux, léger et pertinent, puis il faut changer de registre et être Capricorne, donc fiable et solide. Pas facile, mais vous y arriverez…

La chance est disponible, mais elle demande une participation active.

Une inclination à la sobriété et à la spiritualité vous rendra la tâche plus facile. Si vous en manquez, cherchez de l'aide.

Des éclipses peuvent vous malmener. Lire avec soin les indications contenues dans les prévisions et horoscopes qui suivent vous évitera des problèmes de santé.

GÉMEAUX-VERSEAU

Vous avez plus de chance que les autres Gémeaux cette année. Sous l'influence de deux signes d'air, plus vous volez haut, mieux ça vaut pour vous et pour vos affaires.

Le destin vous tend la main, et il est généreux. Des possibilités de gains aux jeux de hasard et en spéculation existent ; à vous d'en profiter largement.

Vous pouvez aussi trouver l'amour et vivre une relation sentimentale digne de vos aspirations. De grands romans meublent l'écran de votre cinéma intérieur la nuit, quand vous dormez.

Avril et surtout décembre présentent des pièges ; vous tenir au courant et agir en conséquence limitera les ennuis. Les prévisions qui suivent vous guideront adroitement.

GÉMEAUX-POISSONS

Incroyable ce que vous êtes mouvant. Difficile à atteindre, vous êtes déjà parti à un autre endroit. Ça fait fuir le succès, attention…

Les événements surviennent en rafale, vous n'avez pas le temps de vous ajuster que c'est terminé, il faut passer à autre chose. Pas reposant, c'est le moins qu'on puisse dire…

Trop d'intuition, ça vous empêche de réfléchir, trop de gestes faits hâtivement et regrettés souvent inutilement. Vous avez les nerfs en boule, il faut décompresser.

Vous avez pourtant cette année une aide planétaire considérable. Reste à l'utiliser correctement et surtout en temps propice. C'est ce que nous verrons dans l'étude des prévisions plus loin…

GÉMEAUX-BÉLIER

La santé doit être prioritaire cette année. Si elle tient, vous aurez la palme. À peu de choses près, ça se résume ainsi. Inutile de prendre panique, mais le moindre symptôme doit être investigué.

Sans vouloir vous alerter, je vous signale que de vilaines éclipses frappent votre signe ascendant, le Bélier. Nous en reparlerons le temps venu pour vous rassurer.

Du côté des bonnes nouvelles, le Gémeaux vous allège tout en demeurant branché. Les responsabilités ne vous font pas peur ; à compter de juillet, vous les assumez avec une facilité déconcertante.

Au travail et en affaires vous êtes gagnant, sauf qu'il faut éviter les dépenses superflues et extravagantes. Lire les prévisions mensuelles et les horoscopes hebdomadaires qui suivent vous permettra de passer une année plus confortable.

GÉMEAUX-TAUREAU

Cette combinaison vous fera vivre une période propice aux émotions fortes. Vous les aimez, mais avec réserve. Il semble que ce stade soit dépassé allègrement cette année.

Vous avez la force voulue pour effectuer le transit d'une année à l'autre sans répercussions malheureuses, mais une personne avertie en valant deux, mieux vaut être au courant des déplacements planétaires.

Heureusement, vous possédez un niveau d'intuition élevé qui vous sert bien. Santé et travail se portent bien de janvier à juillet ; il faudra à partir de là vous montrer plus attentif.

Le goût pour les excès prévaut en fin d'année. Prévoyez un décembre conservateur, vous serez dans la note. Côté économique, social et politique, les prévisions qui suivent vous seront d'une grande utilité.

Prévisions mensuelles

JANVIER

Il y a de la musique en toute chose, si les hommes pouvaient l'entendre.
Leur terre n'est qu'un écho des astres.

LORD BYRON

ARDEUR ET OPTIMISME

En ce janvier important, vous avez l'ardeur de la jeunesse, même si vous n'êtes plus de la dernière couvée. Un optimisme sans faille vous préserve des dépressions physiques et morales douloureuses. Vite rétabli d'un rhume ou d'une indisposition passagère, vous envisagez la vie sous un angle flatteur. C'est exactement ce qu'il convient de faire en ce début d'année prometteur.

TRAVAIL, AFFAIRES, JUSTICE

Votre talent est reconnu, votre expérience appréciée, vous jouissez d'une réputation irréprochable. Les efforts que vous déployez à la maison et au travail sont couronnés de succès et les affaires d'argent vont bien. Dans les bonnes grâces de la justice, vous n'avez que des félicitations à vous faire de ce côté. Vous trouvez votre sort enviable et il n'est pas exagéré de le croire.

JOIE DE VIVRE

Somme toute, vous avez retrouvé votre joie de vivre. Élan, énergie, volonté, instinct et action se conjuguant au positif, vous faites des gestes en temps propice et obtenez justice en cas de litige ou de procès. Si vous avez le moindre problème légal à régler, vous pouvez y aller, mais pour des résultats plus avantageux remettez à février prochain. L'énergie étant encore meilleure, vous sortirez vainqueur d'un combat livré avec adresse. Bravo !

BONS COURANTS DE JUPITER

Grâce aux bons courants du grand bénéfique, Jupiter, vous débordez d'enthousiasme et êtes irrésistible. Votre popularité croissante vous assure une vie confortable, à l'abri de tout souci réel.

Si vous êtes inquiet, votre ascendant doit être Capricorne, Cancer ou Bélier; c'est impossible autrement. Le cas est rare; le plus souvent, vous planez au-dessus de la mesquinerie et décrochez les étoiles pour l'être aimé. Il ou elle a de la chance, vous êtes un paratonnerre incomparable. Nul mieux que vous ne peut se vanter d'avoir la chance de son côté: c'est vrai, sauf pour ce qui suit…

EXCEPTION

Font exception à cette règle: les amours et la vie sexuelle. Des peines ou conflits sont possibles avec le conjoint ou partenaire amoureux. Vous l'accusez de vous agresser, d'être impossible à vivre, alors que vous êtes en déséquilibre et fautif. Votre mauvaise humeur aggravant les choses, vous aimez mal et croyez être mal aimé. Vous voyez les choses comme à travers un miroir déformant; rien ne réussit à satisfaire votre besoin d'être rassuré.

IMPRESSION QUE TOUT VA MAL

Période donc où vous avez l'impression que tout va mal sur les plans affectif, sentimental et sexuel. En réalité, vous êtes l'initiateur des mésententes et des confrontations qui surviennent actuellement. Une prise de conscience à ce sujet serait utile, mais une consultation médicale pourrait vous renseigner sur votre état hormonal, responsable en grande partie de cette situation boiteuse. Libre à vous, mais à votre place, je consulterais.

ÇA NE DURE PAS

Par chance, cet état défaillant est bref. Dès février, vous renouez avec la meilleure partie de vous-même, votre cœur est moins sec, votre sexualité moins gourmande. Cela est garant d'une période plus heureuse dans la vie privée et amoureuse. Portez des jugements non dénués de clémence et de tolérance, vous serez jugé pareillement.

Patience, cher Gémeaux, Jupiter aidant, tout s'arrangera, soyez rassuré et passez un bon mois de janvier!

HOROSCOPE HEBDOMADAIRE

Le 1er janvier : Vous n'êtes pas bien luné en ces premiers jours de janvier. Prenez garde de ne pas vous tromper de route en auto, de déraper en ski, de vous énerver et d'avoir un accident. Pourquoi ne pas rester gentiment chez soi, avec qui l'on aime ?

Du 2 au 8 janvier : Période propice au repos physique et mental. Pour la détente, rien de mieux qu'un feu de foyer, un livre passionnant (le mien, bien sûr...) et un animal domestique à ses pieds. Avec en plus des repas pris entre amis, l'année débute du bon pied.

Du 9 au 15 janvier : Nouvelle Lune le 10 janvier en Capricorne donnant un esprit pragmatique. Stylo à la main, vous faites des calculs à n'en plus finir. Ne vous inquiétez pas, la crise d'économie sera passagère. Côté cœur et sexe, le 15 est particulièrement heureux.

Du 16 au 22 janvier : Bons réflexes, sommeil réparateur, alimentation complète et saine, vous retrouvez la forme et êtes prêt à reprendre le travail à plein temps. Reste un os lié à l'énergie mais le feu se ranime, il y a de l'espoir...

Du 23 au 29 janvier : Pleine Lune le 25 janvier en Lion exhortant à faire preuve d'honnêteté et de franchise, mais surtout de fierté et d'orgueil. Propre et frais, vous rajeunissez. L'amour vous sourit, gardez votre secret.

Du 30 janvier au 5 février : Grande force nerveuse et intellectuelle. Réflexes sûrs permettant le sport sans excès mais vivifiant, les études, les travaux et jeux intellectuels, les relations avec la jeunesse, les voyages et les affaires d'argent. Succès qui fortifie dans la ligne à suivre.

CHIFFRES CHANCEUX

3 - 5 - 13 - 23 - 24 - 37 - 41 - 42 - 50 - 69

FÉVRIER

Il n'y a pas de grandeur où il n'y a pas de vérité.

G. E. Lessing

UN DE VOS PRÉFÉRÉS

Pour diverses raisons liées aux planètes, en particulier au Soleil et à Mercure et Vénus, février est l'un de vos mois préférés. Non seulement parce qu'il ramène la fête des amoureux mais parce qu'il vous trouve en meilleure forme physique et morale. Le cœur aussi est plus joyeux, sans compter que la vie active, sportive et sexuelle reprend de l'ampleur et vous satisfait pleinement.

LES 14 ET 15 FÉVRIER

Si le 14 février est plutôt ordinaire, le 15 est fabuleux. Pour mettre plus de chances de votre côté, célébrez la Saint-Valentin le mardi, ou durant la fin de semaine précédente. Un coup de passion vous tombant sur la tête, vous pourriez bien tomber follement amoureux si ce n'est déjà fait. C'est probablement d'ordre sexuel plus que sentimental, mais si c'est plaisant et sans risque, pourquoi ne pas vous permettre une petite « fantaisie » ?

LIBRE ARBITRE

Notez bien que je ne veux pas vous donner de mauvaises idées, mais en interprétant le ciel du mois je vous dois la vérité. Le reste dépend de vous uniquement. Souvenez-vous de cette phrase si importante : « Les astres inclinent mais n'obligent pas. » Vous disposez du libre arbitre, à vous d'en user au meilleur de vos connaissances et de votre pouvoir.

PART DE CHANCE

Une part de chance vous échoit alors que vous êtes en mesure d'en tirer le maximum de profit et de gratification personnelle ; c'est un avantage dont vous devrez faire usage. Il se dessine en février, en particulier entre le 2 et le 16 du mois, un temps extrêmement propice aux affaires d'argent et d'études, aux voyages et aux communications ainsi qu'aux affaires légales et gouvernementales.

Bourses d'études ou de travail, conférences, meetings, rencontres de sommités, amitiés de personnages connus, tout cela est passible de vous enrichir intellectuellement et matériellement. Suivre le droit chemin vous rendra riche et peut-être célèbre ; vous serez fier de l'avoir compris.

LIBRE

Pour accélérer le processus menant au succès désiré, ne dérogez pas à vos bonnes habitudes et larguez les mauvaises. On vous veut disponible, capable d'accepter les offres que l'on vous propose et d'assumer les tâches qui leur sont liées. Libre de toute attache et de toute dépendance contraignante, vous avez des ailes et volez sans filet. Aucune peur n'entache votre plaisir.

AMOUR ET MARIAGE

Les environs du 18 février mettent l'accent sur l'amour et le mariage. Une union contractée durant cette période, basée sur le respect mutuel de l'autonomie de chacun, avec entente prénuptiale comme il se doit, serait heureuse, durable et valorisante. Douze belles années s'ensuivraient; ce n'est pas à rejeter sans avoir réfléchi...

ASSOCIATION D'AFFAIRES

Il peut également s'agir d'une association d'affaires, tout aussi prometteuse et passionnante. Une aventure, un beau risque à courir, un voyage en pays éloigné et inconnu, une découverte de vous-même en quelque sorte... Libre à vous, tout est possible ce mois-ci et surtout le meilleur!

Pour toutes ces bonnes raisons, et parce que c'est la Saint-Valentin, vous aimez février. Les jours commencent à rallonger, la lumière fuse, l'âme se saoule d'espoir. Quel beau mois que février, faites-moi confiance, vous n'en reviendrez pas vous-même!

Bonne Saint-Valentin, cher Gémeaux!

HOROSCOPE HEBDOMADAIRE

Du 6 au 12 février: Vous pensez impôts, taxes, affaires mais la nouvelle Lune du 8 février en Verseau change l'atmosphère: vous devenez indépendant, audacieux, frondeur. On vous aime ainsi, continuez à nous épater.

Du 13 au 19 février: Allez-vous succomber à la tentation ou laisser passer l'occasion? Vous avez le choix. L'amour sublimé peut aussi être de la fête et vous procurer de grandes joies. Quelle que soit votre décision, vous ne vous trompez pas.

Du 20 au 26 février : Remettez-vous-en aux sentiments et au grand amour si vous avez le bonheur de le connaître, vous êtes en sécurité. Côté santé, prenez soin de vos pieds et de vos poumons, ils sont fragiles. Prudence à la pleine Lune du 23 février, excès de vitesse et nervosité à surveiller.

Du 27 février au 5 mars : La semaine commence bien, mais entre le 1er et le 5 mars les choses se compliquent. Coup de foudre dangereux pour une personne ou pour une idée. Trop de monde dans votre vie ou votre lit, réduisez l'affluence.

CHIFFRES CHANCEUX

3 - 6 - 7 - 13 - 23 - 33 - 34 - 35 - 57 - 62

MARS

D'autant plus forte est l'ivresse que plus amer est le vin.

G. D'ANNUNZIO

AMITIÉS CÉLESTES

Ce mois-ci ne vous est pas particulièrement favorable ; pourtant, il se produit cette année quelque chose d'assez inusité en ce qui vous concerne. Voyons de plus près de quoi il s'agit…

Il se tient, bien au-dessus de nos têtes, une rencontre planétaire aussi rare que puissante entre Jupiter voyageant en Balance, signe ami, et Neptune se trouvant en Verseau, autre signe ami. Cela fait beaucoup d'amitiés célestes se déversant sur vous ; il ne peut qu'en résulter des événements avantageux qui se concrétisent à peu près de la manière suivante…

GUIDE

Vous trouvez un guide pour progresser dans l'étude des sciences occultes et de la parapsychologie. Une personne-ressource vous transmet son savoir et sa rigueur professionnelle. L'étude des religions vous intéresse, l'étude des langues vous passionne, vous êtes capable d'assimiler une vaste somme de connaissances en des temps records.

TOUJOURS

Possible aussi que vous soyez le professeur, le mentor, le guide. Vous en avez l'étoffe et la capacité, selon l'intérêt démontré pour le monde de l'esprit, invisible à l'œil novice mais palpable pour l'initié que vous devenez à ce moment-ci de l'existence. Jamais vous n'avez été aussi sûr de votre foi, de vos croyances, de votre propre force, aussi...

C'est un temps dont vous vous souviendrez toujours. C'est long « toujours », mais à moins que vous viviez dans un monde parallèle, soit en constant état de moindre conscience, on ne peut dire autrement.

UN CONSEIL

Un conseil : n'idéalisez pas votre guide ou professeur, vous pourriez être désappointé plus tard. Ne vous laissez pas non plus mettre sur un piédestal, c'est une position précaire. Malgré cela, les chances sont bonnes que vous sortiez de ce transit grandi et meilleur.

DÉSIR DE SE DÉVOUER

Un fervent et sincère désir de se dévouer pour alléger les souffrances d'autrui se manifeste chez tous les natifs de ce signe. Certains partent en pays sous-développés, en des lieux soumis à une transition forcée, douloureuse et incertaine. D'autres s'impliquent personnellement ou de façon institutionnalisée dans des œuvres caritatives.

Tous les Gémeaux sont heureux de donner et de se donner. Ils en retirent du plaisir et des compensations sans nom. Ils ne regretteront pas d'avoir participé aux mouvements d'entraide sur le plan local, national ou international selon le cas ; ils ne peuvent pas faire autrement, tout simplement.

RÊVEUR

On vous traite peut-être de rêveur, mais laissez passer. Votre ambition matérielle se réalisera malgré tout, et peut-être malgré vous. Une chose encore : ne prenez pas trop de risques et limitez vos mises aux jeux de hasard. Tout allant bien, vous pourriez prendre des risques insensés et perdre.

Malgré les bons augures actuels, n'oubliez pas que tout dépend de votre carte du ciel personnelle. Certains feront fortune et connaîtront le bonheur sous ce bon transit, mais par insouciance ou négligence, d'autres perdront au change. Quoi qu'il advienne, dites-vous que c'est une leçon de vie. Vous avez appris et vécu. Ce n'est pas perdu…

C'est Pâques le 27, joyeuses Pâques à tous !

HOROSCOPE HEBDOMADAIRE

Du 6 au 12 mars : Vous réglez avantageusement des affaires liées aux matières synthétiques, aux distilleries, au pétrole, au caoutchouc, à la chimie et à la pétrochimie, aux huiles, à l'alcool, à l'eau et aux liquides. La nouvelle Lune le 10 mars en Poissons accroît les risques liés aux paradis artificiels et aux noyades.

Du 13 au 19 mars : Non seulement les transactions financières sont utiles dans l'immédiat, mais elles le seront dans le futur. Possibilité d'avoir des relations intéressantes et agréables avec des gens dont vous partagez les opinions. Balance et Verseau, mais aussi Bélier et Lion sont vos alliés.

Du 20 au 26 mars : Favorable aux voyages et aux transactions financières faites à l'étranger ou avec des étrangers. Idéal pour l'import-export. Intérêt pour les religieux, les personnages influents appartenant à ces milieux. La pleine Lune du 25 mars en Balance amplifie ces bons pronostics.

Du 27 mars au 2 avril : La mer et l'eau vous attirent irrésistiblement. Un séjour aux eaux thermales ou autres centres de santé serait idéal. Si vous pouvez le moindrement vous offrir ce luxe, n'hésitez pas à le faire pendant que tout va bien. Vous en retirerez des bienfaits incalculables.

CHIFFRES CHANCEUX

3 - 5 - 18 - 19 - 26 - 35 - 36 - 49 - 50 - 64

AVRIL

Le flirt est le péché des honnêtes femmes et l'honnêteté des pécheresses.
PAUL BOURGET

COMME UN PAPILLON

Ce bel avril vous trouve léger comme un papillon. Tout semble évoluer en votre faveur. Vous trouvez les hommes beaux et les femmes belles ; la vie trépidante que vous menez stimule votre esprit, vous êtes heureux. Enfin, autant qu'on puisse l'être dans le monde en mutation qui est le nôtre.

Les surenchères, les taxes outrageusement élevées, les limites à la liberté d'action et parfois d'expression, rien n'empêche votre joie de se manifester bruyamment. Les éclats de rire fusent de toutes parts, vous êtes entouré d'une cour d'admirateurs et de fervents. Il n'y a pas à dire, la vie vous traite bien, vous avez raison de voler haut !

SOLEIL ÉCLIPSÉ, LUNE VOILÉE

Soleil éclipsé totalement le 8 avril en Bélier, Lune voilée partiellement le 24 en Scorpion, rien n'altère votre belle joie de vivre et votre optimisme. Heureux ceux qui se collent à vous, ils récoltent des masses d'énergie positive et bénéficient de vos largesses et de votre réconfort.

Comme vous ne vous inquiétez pas, tout le monde vous imite et tend à croire le meilleur encore possible. Malgré les vilaines éclipses qui en secouent plusieurs, vous demeurez stoïque, droit, intouché et intouchable. Vous avez de la chance, soyez-en conscient et reconnaissant.

ATTITUDE JOVIALE ET SYMPATHIQUE

Une attitude joviale et sympathique vous vaut de nombreuses retombées positives non seulement personnellement, mais socialement et matériellement. Vos coffres sont pleins ou se remplissent ; ne dites pas le contraire, vous mentiriez. Or, le moment est à la vérité.

Dire les vraies choses s'avère nécessaire. Avec des nuances ainsi qu'il est dans vos us et coutumes de le faire, mais il faut que le chat sorte du sac, et c'est vous qui détenez les cordons qui le retiennent.

N'ayez crainte, vous ne serez ni poursuivi en justice ni condamné, ce serait impensable.

Videz votre sac, cher Gémeaux, le temps est idéal pour toute forme de déclaration. Les vôtres seront fracassantes, mais constructives et justes. On ne pourra rien vous reprocher à la suite de cela, c'est un avantage considérable.

VOYAGE ET ASCENDANT

Jupiter assure votre sécurité jusqu'au bout du monde si tel est votre désir. Vous ne courez aucun risque en voyage, sauf si vous avez un ascendant Bélier, Cancer, Capricorne ou, bien que moindrement, Balance. Si tel est le cas, évitez de prendre des risques côté santé et sécurité pendant la période allant de la fin de mars au début de mai et soignez le moindre malaise, vous serez à l'abri.

DÉPRIME PASSAGÈRE

Si vous êtes moins fort moralement vers le 24 avril, il se peut que votre ascendant soit Scorpion, Taureau, Lion ou Verseau. Une déprime passagère est possible. Il vous sera facile d'en juger: si vous avez un moral du tonnerre, oubliez ces ascendants, le vôtre n'est pas l'un d'eux. Si le contraire se produit, vous serez renseigné une fois pour toutes. C'est simple comme bonjour!

HOROSCOPE HEBDOMADAIRE

Du 3 au 9 avril: Soleil, Mercure, Vénus, Mars, Jupiter, Neptune et la Chance Pure vous sont favorables. Espérez le meilleur, il se manifestera avec éclat. L'éclipse solaire totale du 8 avril en Bélier a été expliquée plus haut.

Du 10 au 16 avril: Les signes d'Air comme vous, Gémeaux, Balance et Verseau, sont agréables et utiles. Vous les comprenez et les aimez et ils vous le rendent. Étant du même niveau, vous faites d'excellentes affaires ensemble.

Du 17 au 23 avril: Belle synergie amicale et amoureuse. Le hasard intervient en votre faveur; une rencontre intéressante se produit, mais ne brusquez rien. L'éclipse lunaire du 24 avril ralentit les choses; lire plus haut les explications.

Du 24 au 30 avril : Vous êtes capable de consentir de grands efforts physiques, mais ne dépassez pas vos limites. Sexuellement puissant, vous faites des conquêtes. Le rôle de père ou de parent est mené avec autorité mais avec ouverture d'esprit. Vous savez écouter, les petits vous adorent.

CHIFFRES CHANCEUX

3 - 6 - 9 - 11 - 23 - 39 - 40 - 41 - 59 - 60

MAI ET JUIN

L'explication du malheur de bien des gens, c'est qu'ils ont le temps de se demander s'ils sont heureux ou s'ils ne le sont pas.

GEORGE BERNARD SHAW

FÊTES ET CÉLÉBRATIONS

Mai et juin sont mois de fêtes et de célébrations, mais le Gémeaux vibre sur une fréquence plus sensible chaque année en pareille saison. C'est la fête des Mères le 8 mai, la fête des Pères le 19 juin et votre anniversaire de naissance par surcroît. Une période de réjouissances s'offre à vous ; si vous le pouvez le moindrement, partez en vacances, en voyage avec des amis, au soleil…

MOMENTS PALPITANTS

Ces mois donnent lieu à des moments palpitants. Vous tenez entre vos mains un trésor incomparable nommé « amour ». Traitez-le avec déférence, il n'appréciera pas être manipulé. Vous désirez faire les compromis nécessaires pour améliorer vos relations amoureuses, mais la vie amicale peut prédominer et vous apporter autant de gratification.

CAMARADERIE

Votre personnalité étant chaleureuse, vous projetez sur l'entourage une aura de camaraderie qui fait bonne impression et vous tient à l'écart de la controverse acide. Vos talents de charmeur et de Don Juan se trouvant accrus, vous faites des conquêtes mais il est possible qu'elles soient superficielles. Quand même, le temps est au plaisir. Ce qui exalte les sens vous plaît, de jolies fleurs, un nouveau parfum, un certain regard et vous êtes séduit. Camaraderie pouvant devenir amour si le cœur vous chante....

PROBLÈME D'ÉNERGIE

Mars passant en Poissons est cause d'une panne énergétique. Le courant passe difficilement, l'équilibre physique et sexuel est difficile à trouver et à maintenir. Cela peut provoquer des désagréments dans le milieu de travail, des querelles dans la vie de couple. Métier et profession peuvent tenir une trop grande place et exiger trop d'efforts physiques de votre part pour que vous puissiez jouir complètement de l'autre.

Il y a un monde entre être en amour et faire l'amour. Vous en faites l'expérience durant ces mois. C'est déplaisant mais sans conséquences graves, ne dramatisez pas. Par ailleurs, il faut être à la hauteur et ne pas céder à des pulsions aveugles dans une confrontation avec le patron, l'associé, le conjoint. Sinon vous risquez des échecs au cours des six prochains mois.

SANTÉ

La santé peut souffrir, les troubles cardiaques et accidentels survenir. Prudence avec le feu, les armes, l'alcool, les explosifs, les milieux clandestins, les fanatiques militants et surtout avec l'eau. Les yeux, les poumons et les pieds sont fragilisés, prenez-en bien soin.

Par bonheur, Vénus en Gémeaux veille au grain. Recourir au sentiment vous fortifiera. À compter du 10 juin, les risques sont réduits. Profitez-en pour vous adonner au travail, à l'amour, à vos sports et loisirs favoris.

Joyeux anniversaire, cher Gémeaux! Bonne fête des Pères, bonne fête des Mères et bonne fête nationale!

HOROSCOPE HEBDOMADAIRE

Du 1er au 7 mai : Intellect et système nerveux sont solides. Vos talents de fin causeur sont propices aux relations amicales et sociales. Le 3 est intéressant; par contre, gare aux mouvements d'humeur le 7 et soignez vos oreilles.

Du 8 au 14 mai : Nouvelle Lune le 8 mai en Taureau favorisant le travail caché, parfois secret. Risque de maladie, d'infection douloureuse, fatigue du cœur, rupture de vaisseaux sanguins de l'œil droit, imprudences entraînant des accidents. Vénus vous protège à compter du 10.

Du 15 au 21 mai : Générosité envers ceux que vous aimez. Le 17 est fait pour l'amour, le mariage, l'art et la beauté. Vous avez la cote d'amour mais sexuellement c'est gris ; surveillez vos hormones et vos organes reproducteurs.

Du 22 au 28 mai : Pleine Lune le 23 mai en Sagittaire risquant d'accroître la tension entre vous, l'autre et les autres. Le 23 parle de conflit entre le cœur et le sexe mais le 24 rachète tout. L'amour est idéalisé mais il est source de joie.

Du 29 mai au 4 juin : L'approche de l'été vous plaît. Les entraves et difficultés s'amenuisant, vous rayonnez et brillez de tous vos feux. Votre personnalité empreinte de charme et de grâce vous attire la sympathie de gens en place ; c'est intéressant.

Du 5 au 11 juin : Nouvelle Lune le 6 juin en Gémeaux vous mettant en vue et accroissant votre prestige. La santé se portant mieux, vous pouvez travailler et vous amuser sans risque, ainsi que prendre du soleil, mais en quantité limitée.

Du 12 au 18 juin : Profitez de l'opportunité qui passe en mettant l'accent sur le commerce, les études, le travail intellectuel et manuel. Vous n'avez pas été aussi libre depuis des semaines, mais prudence le 15. Attendez au 16 pour signer des papiers et contrats.

Du 19 au 25 juin : Succès dans des entreprises hasardeuses. Possibilité de bénéficier de conditions avantageuses en faisant des gains au jeu. Bonne entente avec les enfants. Pleine Lune le 21 juin en Capricorne parlant d'argent, de dettes et de remises de dettes, d'impôts, de testaments et d'héritages.

Du 26 juin au 2 juillet : Faites vite les gestes qui vous tentent, vous avez le vent dans les voiles et le moment est favorable. Jupiter aidant, vous réaliserez de bonnes transactions financières et serez à l'abri de tout besoin matériel.

CHIFFRES CHANCEUX

3 - 5 - 11 - 22 - 23 - 33 - 34 - 49 - 50 - 61

JUILLET

Le vent jette, dans ma chambre, des fleurs de pêcher qui ressemblent à des papillons roses, ivres d'avoir trop butiné.

TCHOU-JO-SU

NOUVELLE VAGUE

Une nouvelle vague de connaissance et d'expérience facilite votre vie à tout point de vue. Vous profitez des enseignements nés de la sagesse en ce qui concerne la santé, la sécurité affective, le travail et le commerce. Soutenues par un niveau d'énergie élevé, les relations avec autrui prennent une tonalité vivante et stimulante pour le cerveau que vous êtes en réalité. Très nouvelle vague...

VIEILLIR

Rien ne troublant votre paix intérieure, personne ne venant fatiguer votre système nerveux, vous entrez dans une période de croissance personnelle remarquable. Celle-ci durera de deux ans à deux ans et demi. Vous aurez le temps d'apprivoiser le changement qui se fait en vous et pourrez suivre le cours des choses sans vous presser. Le temps agit en votre faveur; il est un ami sur qui compter, non un ennemi à redouter. Voilà qui est à signaler pour qui redoute de vieillir.

L'AMI SATURNE

Passant en Lion le 16 juillet, Saturne vous soutient. Honorabilité des sentiments, aptitude à gérer et à diriger une affaire ou un commerce, goût des responsabilités et capacité de les assumer adroitement et honnêtement, vous êtes une personne digne de confiance. On vous louange, mais gardez la tête froide. Ne dit-on pas « compliment flatteur, compliment menteur » ?

Cela dit, il se passe de magnifiques choses pour vous en juillet, mais elles sont de type sérieux et touchent les profondeurs de l'être. Pas de quoi pavoiser, mais de quoi être fier. Bonne route !

HOROSCOPE HEBDOMADAIRE

Du 3 au 9 juillet : Dispositions optimistes et joyeuses favorisant les réunions d'amis et les relations avec la jeunesse. La nouvelle

Lune du 6 juillet en Cancer porte chance dans les démarches pour trouver de l'emploi et apporte de bonnes nouvelles.

Du 10 au 16 juillet: Transactions financières et immobilières rapportant des dividendes importants. Rencontres providentielles avec des personnes capables et désireuses de vous aider. La chance vous suit encore et encore…

Du 17 au 23 juillet: Le 17 est formidable en ce qui concerne l'amour et la sexualité, mais aussi au travail et dans le sport. La pleine Lune le 21 juillet en Capricorne incite à traiter sérieusement les affaires légères, et légèrement les affaires sérieuses.

Du 24 au 30 juillet: Jardinez, rénovez, mettez une touche personnelle dans vos réceptions et la cour sera pleine. Vous avez besoin d'un entourage jeune et gai sinon d'âge, au moins d'esprit. Ainsi, vous conserverez longtemps votre belle jeunesse.

Du 31 juillet au 6 août: L'énergie dépensée se refait la nuit, pendant le sommeil. Si vous ne dormez pas suffisamment vous maigrirez et aurez moins bonne mine. Monsieur, profitez de la nouvelle Lune du 4 août en Lion pour faire des avances, des propositions honnêtes il va de soi…

CHIFFRES CHANCEUX

3 - 6 - 12 - 13 - 29 - 30 - 47 - 48 - 55 - 69

AOÛT ET SEPTEMBRE

Un souffle éloigne la crédulité de la foi.
Il n'est, entre le doute et la certitude, qu'un souffle.
De ce souffle si court, faisons le plus joyeux emploi.
De la vie à la mort, on glisse en l'espace d'un souffle.

Omar Khayam

MAGIE DU MOMENT

Août et septembre sont indissociables du fait de certains grands aspects planétaires les reliant, en particulier dans votre cas. L'effet titanesque découlant de ces aspects essentiellement bénéfiques reflète la magie du moment. Août est particulièrement généreux à votre

égard, mais il est incontestable que ce sont deux mois que vous n'oublierez pas.

ASSOCIATION SOUHAITABLE

Si vous travaillez ou œuvrez dans quelque domaine que ce soit avec des personnes ayant de la Balance ou du Verseau par le signe solaire, ascendant et même lunaire, ou que votre ascendant soit de ces signes ou du Gémeaux – ce qui signifie que vous êtes né au lever du Soleil –, votre association est en tout point souhaitable. Vous en verrez les retombées heureuses pendant ces mois, et en particulier vers le 17 août. Investissez, osez, vous avez le feu vert!

CHAMPFUSION

Vous ne pouvez échapper à la bonne fortune qui vous courtise, au charme du moment, à l'expansion de la conscience qui s'ensuit. Vous êtes à l'aise à l'intérieur de notre monde en mutation, et votre destin est en tout point enviable. Je dirai, dans mon vocabulaire inventé mais qui prend de plus en plus forme, que vous êtes en «champfusion».

D'AUTRES SIGNES AUSSI

D'autres signes aussi concordent avec la chance actuelle. Ils travaillent bien avec vous et réveillent chez vous l'ambition, l'initiative, l'inventivité. Ils ont pour nom Sagittaire principalement, mais aussi Lion et Bélier. Si tel est votre signe ascendant, les possibilités heureuses s'amplifient, surtout vers le 18 septembre, date à noter à l'agenda.

MATÉRIEL ET SPIRITUEL

L'avancement matériel et spirituel est en parfaite osmose; l'un ne s'exerçant pas au détriment de l'autre, vous vaquez à vos occupations quotidiennes tout en gardant un œil attentif sur ce qui se passe en vous. Cet état d'éveil graduel vous apporte la sérénité nécessaire pour prendre des décisions qui vous sont imposées par la force des choses, mais que vous finissez par apprivoiser. À la suite de prémonitions exactes, vous faites des gains qui vous rendent euphorique, mais vous gardez les pieds sur Terre. Un pèlerinage accompli pendant ces mois vous laissera un goût de plénitude et de joie.

VOYAGE PAR AIR ET PAR EAU

Un grand voyage par air est indiqué tandis qu'un voyage mi-air mi-eau serait idéal. Aucun risque, vous êtes en sécurité. De plus, le fait d'être ailleurs vous ouvre des portes, vous arrivez au moment opportun et une affaire importante est conclue. Trusts et multinationales peuvent être impliqués. Il peut aussi s'agir d'eau, de liquides précieux, de gaz, de pétrochimie, de produits de la mer. Pêcheries et bateaux sont avantagés.

Une croisière effectuée au cours de ces mois serait pur ravissement. À la moindre occasion, partez sur l'eau, nagez dans le lac, remontez la rivière, découvrez un ruisseau. Près de l'eau, vos forces physiques, morales et intellectuelles décuplent. Vous avez du génie, ma foi!

Dieu que l'été est beau, n'est-ce pas? Bonnes vacances!

HOROSCOPE HEBDOMADAIRE

Du 7 au 13 août: La semaine vous rapproche du but visé. Les projets d'envergure sont facilités par un heureux hasard. La Providence veille sur vous, cela ne fait pas de doute. Vous pouvez le prouver aux incrédules: le miracle de la foi s'accomplit!

Du 14 au 20 août: Excellente période pour traiter d'affaires d'argent. La pleine Lune du 19 août en Verseau précipite les choses et oblige à agir promptement. La justice étant de votre côté, rien à redouter à la suite d'un conflit ou d'un procès. Une injustice est réparée, vous êtes gagnant.

Du 21 au 27 août: Possibilité de gains aux jeux de hasard, ainsi que dans le domaine de la spéculation boursière, mobilière ou immobilière; rentrées d'argent plus importantes que prévues et qui assurent l'indépendance financière. Vous ne faites que ce que vous aimez en plus; c'est un bonus.

Du 28 août au 3 septembre: Déjà la fin de l'été et la rentrée. Vous avez le vague à l'âme mais le 30 apporte une grande joie et vous remet les idées en place. La nouvelle Lune du 3 septembre en Vierge requiert de l'attention. Instabilité psychique, mauvais réflexes, vous êtes mal luné, prudence au volant.

Du 4 au 10 septembre: Période favorable aux redressements financiers nécessaires à la bonne marche de vos affaires. Logique et

voyant clair, vous êtes capable de faire les concessions nécessaires pour revitaliser une situation ayant pu vous inquiéter.

Du 11 au 17 septembre: Malgré la fébrilité, vous accomplissez des exploits côté matériel et financier. Le cœur n'est pas laissé pour compte: ceux que vous aimez sont choyés. Ne laissez pas la pleine Lune du 17 en Poissons vous faire pleurer et ne tentez pas de noyer votre chagrin: pensez au lendemain!

Du 18 au 24 septembre: Vous êtes capable de prendre les virages nécessaires pour vous régénérer et pour revitaliser une affaire boiteuse. Aucun sacrifice ne vous rebute, vous allez jusqu'au bout et vos efforts trouvent récompense.

Du 25 septembre au 1er octobre: Associez-vous à ceux qui sont entreprenants. C'est dans les projets d'envergure que vous obtenez le meilleur rendement. Ne freinez pas votre ambition pour faire plaisir aux autres, ce serait limitatif.

CHIFFRES CHANCEUX

10 - 13 - 28 - 29 - 34 - 35 - 41 - 42 - 50 - 60

OCTOBRE

L'amitié est l'amour sans ailes.

LORD BYRON

SUR UNE BONNE LANCÉE

Sur une bonne lancée, vous évoluez avec grâce et facilité dans le milieu de travail, les réunions mondaines et la famille. Jupiter entrant en Scorpion le 26 octobre, profitez des bonnes dispositions qu'il manifeste envers vous pour terminer des études ou une affaire, initier un nouveau projet ou accomplir ce que vous n'avez pas trouvé le temps de faire. Établissez vos priorités, mais de préférence choisissez novembre pour toute entreprise dont le succès dépend d'autrui; vos chances de réussite seront meilleures alors.

ÉCLIPSES

L'éclipse solaire annulaire du 3 octobre en Balance est sans effet négatif, mais si vous avez un ascendant Balance, Cancer, Bélier ou Capricorne, une faible résistance à la maladie et aux microbes est possible. En cas d'épidémie ou d'épizootie, suivez les règles dictées par les autorités.

L'éclipse lunaire partielle du 17 octobre en Bélier n'affecte votre résistance psychique que si vous avez un ascendant Bélier, Cancer, Balance ou Capricorne. En cas de déprime passagère, il faut voir des gens en santé et optimistes, vous obliger à sortir et à fréquenter des gens dont le sens de l'humour est craquant. Rire est un bon remède; par surcroît, il ne coûte rien.

Malgré les éclipses, vous trouverez ce mois mouvementé mais excitant. Rien n'arrête vos emballements; tant mieux s'ils sont positifs et bons pour votre santé, vous tiendrez «une forme d'enfer».

HOROSCOPE HEBDOMADAIRE

Du 2 au 8 octobre: Éclipse solaire annulaire le 3 octobre en Balance expliquée plus haut. Huit chances sur douze que la santé soit solide. Intellect et système nerveux sont au zénith; aider ceux dont la résistance est amoindrie serait un beau geste.

Du 9 au 15 octobre: Discrétion au travail et secret concernant la santé sont de mise. Vous n'avez pas à tout révéler; gardez pour vous ce qui vous appartient en propre. La pudeur est une vertu sous-estimée, mais de grande valeur.

Du 16 au 22 octobre: Éclipse lunaire partielle le 17 octobre en Bélier nuisant à l'amitié et aux relations d'affaires. Difficile d'établir des liens avec les Bélier, Balance, Cancer et Capricorne. Côté cœur, prudence, le libertinage est tentant mais la fidélité préférable.

Du 23 au 29 octobre: Certains défaillent. Vous profitez des circonstances pour vous imposer et faire votre marque. Utilisé savamment, votre talent pour la conversation permet de faire des gains matériels, mais le conjoint est cause d'ennuis et de tracas. L'opposition persiste.

Du 30 octobre au 5 novembre: La nouvelle Lune du 1er novembre en Scorpion met l'accent sur la santé. Vous travaillez trop. Réduisez vos heures de travail et méfiez-vous des accidents.

La personne aimée peut vous décevoir, le coup de foudre amoureux être dangereux.

CHIFFRES CHANCEUX

11 - 12 - 13 - 28 - 31 - 32 - 44 - 51 - 61 - 70

NOVEMBRE

Il n'y a peut-être rien qui ait un sens aussi vif du jeu qu'une feuille morte.

Sir J. M. Barrie

TROUVER DU SUPPORT

Trouver du support en novembre vous sécurisera. Allez chercher ce dont vous avez besoin, n'hésitant pas à payer en temps et en argent afin d'obtenir les meilleurs soins disponibles. Aucun effort n'est vain ni trop grand. Vous récupérez rapidement et complètement et trouvez un travail fait sur mesure, en particulier si votre ascendant est l'un des signes suivants...

ASCENDANTS FAVORABLES

Si vous avez un ascendant Scorpion, Poissons ou Cancer, vous opérez en toute confiance, sachant Jupiter avec vous et conscient de la force de vos actes et de vos paroles. Un sentiment de puissance vous habite ; il vient d'on ne sait où, mais il se fait sentir dans votre vie personnelle et privée. Un ascendant Vierge ou Capricorne renforce aussi les bonnes tendances. Santé et travail sont au beau fixe ; sinon, vous êtes capable de remédier à tout problème les concernant.

DATE MARQUANTE

Vous avez la certitude que quelque chose d'exceptionnel va se produire. La réalisation de ce souhait inconscient est planifiée dans l'univers cosmique pour les environs du 27 novembre, date où Jupiter et Uranus se font un bel aspect de trigone augmentant les opportunités et procurant de bonnes occasions d'affaires. Ce qui est réglé vers cette date marquante vous surprend agréablement. Vous ne regrettez pas d'avoir lutté; la victoire a goût de miel!

Une chose: les circonstances favorables doivent être saisies au vol. Les décisions prises en quatre minutes sont les meilleures. Un voyage improvisé est réussi. L'hydroélectricité, l'informatique, le cinéma, la télévision, la publicité, l'aviation et l'industrie automobile connaissent des sommets.

SURPRISES ET CHAMBARDEMENTS

Nombre de surprises et de chambardements heureux se produisent à la fin de novembre et au début de décembre, dont deux sont d'une ampleur hors de l'ordinaire. Pas le temps de réfléchir aux conséquences que la décision est prise, le fait accompli. C'est mieux ainsi, vous vous inquiéterez moins...

Ne vous attendez à rien de précis, ce n'est pas ce qui se produira mais autre chose de plus gratifiant encore. Quoi que vous fassiez, vous ne pouvez pas vous tromper. La réussite sociale et professionnelle est assurée à qui le désire et le succès de la vie privée l'est également. Novembre est un très bon mois.

HOROSCOPE HEBDOMADAIRE

Du 6 au 12 novembre: Nervosité et risques d'accidents accrus le 6; soyez attentif. Le reste de la semaine est plus propice aux communications. Envoyez vite vos lettres et missives, des retards pouvant survenir la semaine prochaine.

Du 13 au 19 novembre: Mercure rétrograde accroît les risques de grèves. La pleine Lune du 15 novembre en Taureau parle d'argent dépensé au foyer, de restos chic, de bars à la mode. Se souvenir que la modération a meilleur goût...

Du 20 au 26 novembre: Semaine de préparatifs en vue d'une occasion spéciale. Allant et venant sans arrêt, rien n'avance. Les études, le travail, les rencontres, tout vous contrarie. Ne vous découragez pas et concentrez-vous sur l'immédiat.

Du 27 novembre au 3 décembre: Nouvelle Lune le 1er décembre en Sagittaire rendant hypersensible et larmoyant. Vous avez une nature sentimentale, mais vous le cachez bien. Les affaires d'argent passent avant tout; comme elles vont bien, qui s'en plaindra?

CHIFFRES CHANCEUX

2 - 3 - 11 - 22 - 23 - 33 - 40 - 50 - 51 - 66

DÉCEMBRE

La musique possède des charmes pour charmer un sauvage,
pour attendrir les rochers, ou tendre un chêne noueux.

W. Congreve

SURSIS

Décembre n'est pas votre meilleur mois, mais vous bénéficiez cette année d'un sursis, d'une prolongation dont vous avez besoin pour rendre à terme un projet, raffermir vos contacts humains ou obtempérer aux règles de l'art ou du métier que vous pratiquez. Vous avez pris du retard, il faut vous rattraper dans vos études et vos travaux personnels.

Un temps supplémentaire vous est accordé par Mercure, votre planète maîtresse, pour régler un problème avec votre conjoint ou associé, ou pour toute autre raison. Vous avez jusqu'au 12 pour peaufiner votre approche. Passé cette date ce sera plus complexe. Vous qui savez si bien parler et écrire, ouvrez votre cœur à l'autre. Il ou elle a besoin de se sentir près de vous en ces heures moins tendres. Le temps presse, ne perdez pas une minute…

ASCENDANTS MOINS HEUREUX

La dissonance entre Jupiter en Scorpion et Saturne en Lion se faisant étroite le 17 décembre, tout le mois est teinté par cet aspect négatif. Sans ascendant Scorpion, Lion, Taureau ou Verseau, vous êtes à l'abri des pertes matérielles et du manque de sagesse de certains les menant à leur perte. Sinon, veillez à ne pas accentuer vos lacunes et soyez honnête. La moindre incartade pouvant coûter cher, n'osez que ce qui est légal et bon pour votre réputation.

Restez sur vos gardes à tout hasard et évitez de vous déplacer sans fin d'un point à un autre. Des fêtes plus calmes sont recommandées cette année. Vous comprendrez pourquoi une fois rendu là, comme moi, j'imagine!

ÉTRANGE FIN D'ANNÉE

L'année s'est bien déroulée, vous avez connu des moments d'ivresse et de moindre intérêt, mais le bilan est positif en cette fin d'année pour le moins étrange. Certains sont pris dans un étau, mais la plupart des natifs de ce signe sont libres comme l'air. J'espère que c'est votre cas.

Ne laissez pas le pessimisme général vous gagner et évitez de vous mêler d'économie, de politique et de législation. En ces secteurs, vous seriez moins chanceux. Continuez à vous servir habilement de votre expérience et minimisez les risques d'échec en étant toujours un pas en avant des autres. Ça vous sera facile, vous êtes toujours pressé d'arriver.

Ne perdez pas une seconde et activez-vous, il ne sera pas dit qu'un Gémeaux terminera l'année sur son séant. Bon décembre !

HOROSCOPE HEBDOMADAIRE

Du 4 au 10 décembre : Mettez la machine en marche ; il faut que les choses se fassent vite et bien. Vous avez la pêche et menez bien vos affaires, mais vous sentez que les échéances se rapprochent et ça vous énerve. Du calme, ça ira.

Du 11 au 17 décembre : Ralentissez le mouvement et ménagez votre système nerveux. La pleine Lune du 15 décembre en Gémeaux vous met en position de force. Profitez de ce jour pour établir de meilleurs rapports avec le conjoint ou associé.

Du 18 au 24 décembre : L'amour et l'amitié sont au rendez-vous. Vous planifiez de belles sorties et réceptions pour les fêtes. Tout est décoré, préparé, prêt. Les cadeaux sont sous l'arbre, il ne manque que vous et votre bonne humeur !

Du 25 au 31 décembre : Joyeux Noël ! Amusez-vous sans chercher à impressionner par vos prouesses sexuelles ni sur la piste de danse. La nouvelle Lune du 30 décembre en Capricorne rend plus sérieux. Ne le soyez pas trop !

Bonne année nouvelle, cher Gémeaux !

Cancer

DU 22 JUIN AU 23 JUILLET

1er DÉCAN : DU 22 JUIN AU 1er JUILLET
2e DÉCAN : DU 2 JUILLET AU 12 JUILLET
3e DÉCAN : DU 13 JUILLET AU 23 JUILLET

Prévisions annuelles

SUPERNOVA

Un espace-temps beaucoup plus alléchant est proposé au natif du Cancer cette année. Chacun y trouve sa part de plaisir et de gratification. Son nirvana personnel dépassant largement ce qu'il a connu au cours des dernières années, celui-ci vit plus joyeusement et plus librement en profitant de chaque jour au maximum, ce qu'il lui était impossible de faire depuis des Lunes.

Après le départ de Saturne en juillet prochain, un allégement des peines et des contraintes est attendu avec impatience. Il se réalisera en juillet 2005, au grand soulagement du Cancer. Pour cela, et pour d'autres raisons dont nous parlerons plus loin, une étoile scintillante brille dans le firmament des natifs de ce signe. On dirait une supernova !

RÉJOUISSEZ-VOUS

Vous en avez assez des efforts physiques et du stress, assez des responsabilités trop lourdes à assumer au foyer et dans la famille, des obstacles à l'expansion de vos affaires, des handicaps à la joie. Assez aussi des pensées déprimantes qui vous pourchassaient. C'est terminé !

Réjouissez-vous, cher Cancer, le moment est venu de reprendre les guides de votre vie, le contrôle de votre destinée. Le temps est à la joie de vivre et à la plénitude des moyens. Ouvrez vos bras et encaissez le coup heureux du sort que l'année vous réserve, c'est absolument d-i-v-i-n ! Que les natifs de ce signe se préparent à fêter l'arrivée du nouvel an, il y a de quoi célébrer !

COLLABORATION

Certes, les planètes ont besoin de votre collaboration pour vous assurer plus de plaisir à vivre cette année. Elle sera marquée par l'instabilité pour ceux dont l'esprit est porté au pessimisme et à la misanthropie, mais passionnante pour ceux qui sauront s'adapter au moment présent sans crainte excessive pour l'avenir. L'avenir prendra soin de lui, je le dis et le répète parce que c'est vrai.

DU CÔTÉ POSITIF

Du côté positif, on note l'aide bienfaisante d'une planète moderne, et par conséquent encore mal connue, mais dont l'impact peut être énorme si on sait décoder ses influences. Elle se nomme Uranus et se promène dans le signe ami du Poissons, exaltant les qualités qui lui sont chères : indépendance, liberté, fraternité. Ses couleurs : coopération, originalité, inventivité et hypermodernité.

Refusant de vous isoler, ce à quoi vous tendrez de janvier à juillet à cause de Saturne passant dans votre signe, et vous ouvrant aux autres, vous remporterez une grande victoire non seulement sur vous-même, mais sur le monde extérieur. La fatalité n'aura pas de prise sur vous.

À LA MAISON

Vous confiner à la maison au risque de vous retrouver malade et sans ressort est contraire à vos intérêts. Forcez-vous s'il le faut, mais allez de l'avant bravement. Choisissez bien vos amis, vos confrères de travail, votre entourage proche. En suivant votre intuition, vous visez dans le mille.

RESPONSABILITÉ

Ne laissez personne prendre votre place. Les décisions concernant votre vie privée, sociale et professionnelle vous appartiennent ; assumez-en l'entière responsabilité. Celles que vous prendrez en moins de quatre minutes seront les meilleures cette année. Ne revenez pas sur votre idée, l'automne vous récompensera grassement des efforts faits et des énergies déployées. Vous vous en féliciterez !

ESSENCE CARDINALE

Quoi que vous fassiez dans la vie, ne vous laissez pas abattre, réagissez. Si vous ne faites rien d'intéressant, stimulez-vous à réaliser quelque chose, le succès et le plaisir que vous en retirerez vous ébahiront. Vous avez du caractère, cher Cancer, même si vous êtes un signe féminin et d'Eau, votre essence est cardinale, ce qui symbolise une volonté dominante. Malheur à qui vous sous-estime, il est mal renseigné et s'en repentira.

CEUX DU 3e DÉCAN

Du côté négatif, la lourde présence de Saturne en Cancer rend moins plaisante la vie des natifs du 3e décan. Ceux dont l'anniversaire se situe entre le 13 et le 23 juillet sont aux prises avec des obstacles qui semblent n'avoir pas de fin. S'ils se laissent envahir par la tristesse et l'amertume, ils déboucheront sur un *burnout* carabiné.

Éviter de se remémorer les événements malheureux du passé devient péremptoire. L'obsession morbide menant à des actes regrettables, les natifs du 3e décan qui y sont sujets doivent s'obliger à regarder l'avenir d'un œil plus objectif et plus optimiste, sinon ils risquent des maux d'estomac graves, un sommeil moins réparateur et des maladies pulmonaires.

Cesser de fumer — ou abandonner toute autre mauvaise habitude — est essentiel au maintien de la santé. À vous d'être conscient de vos forces et de vos faiblesses et de prendre le bon chemin.

LES AUTRES NATIFS

Les autres natifs du Cancer prennent à nouveau plaisir à la vie. Leur vie privée et leur travail devenant plus simples, ils se refont des énergies positives, ont de l'entrain et sont portés à sortir de leur coquille. Or, un crabe qui sort de sa coquille est délicieux, tout le monde l'adore!

CHANCE

La chance qui vient sous forme de bonnes occasions est apportée par le grand bénéfique Jupiter. Cette planète n'étant pas à votre service de janvier à la fin d'octobre, une période de demi-jeûne vous attend pendant ces mois. Se trouvant en Balance, soit en mauvais aspect par rapport à vous, Jupiter incite à des excès d'optimisme et autres excès négatifs pour la santé, la vie de couple et le portefeuille.

Fatuité, manque de sérieux, arrogance, coquetterie exagérée, tendance à ne pas tenir ses promesses, ces attitudes peu sympathiques sont déconseillées. Des maux de reins et de la prostate pouvant se manifester, se montrer attentif au moindre symptôme et ne pas galvauder ses énergies atténuera les risques.

MOMENT OPPORTUN

À compter d'octobre, Jupiter redevient aimable. Il aura suffi de savoir attendre le moment opportun pour saisir l'occasion et réussir ce qui vous fait envie. Sur ce plan, novembre vous enchantera et décembre ne sera pas mauvais. Être patient vaut la peine, vous en conviendrez le temps venu.

CHANCE PURE

La Chance Pure apportée par le Nœud ascendant de la Lune se trouvant en visite chez le Bélier, votre autre carré, rien d'époustouflant à attendre de la chance gratuite. Au contraire, des pertes par jeu et par spéculations boursières et immobilières hasardeuses peuvent survenir. Sous de pareils augures, mieux vaut ne pas prendre de risques et s'en tenir à ce qui est garanti, signé.

VOLONTÉ

Cela dit, rien n'empêche de se frayer un chemin à travers ces manques de chance évidents. Bien des gens du signe dont la chance est en berne obtiendront de bons résultats grâce à leur persévérance. Quand il est question d'endurance, nul ne vous bat. Servez-vous de l'instinct de survie caché sous votre carapace et vous n'aurez pas besoin de chance. La volonté suffira!

LE 2 ET LE 4

Les éclipses qui touchent votre signe en avril et en octobre seront moins dures si vous êtes au courant des précautions à prendre en pareil cas. Pris de court, vous risquez de tomber dans le piège tête baissée, comme la 22e carte du Tarot, le Fou. Additionnez 2 + 2 et vous aurez 4. Vous êtes le 4e signe, il faut considérer la résonance en astrologie confirmant ce qu'enseignent la numérologie et toutes les sciences occultes. Cela renferme un trésor d'information sur qui l'on est, d'où l'on vient et où l'on va...

UN ANGE

Un ange du nom de Damabiah vous apportera soutien et protection. Il vous protégera des envoûtements et sortilèges, mais aussi contre les épreuves et les tragédies morales et matérielles. Il

sera surtout utile pour ceux qui entretiennent des rapports avec l'eau, les produits de la mer, les bateaux, les croisières, les marins et les poètes.

Je vous laisse à votre réflexion, ayant la certitude d'éclairer votre lanterne jusqu'à un certain point, il va sans dire… Le reste vous appartient.

Coup d'œil sur le Cancer de tout ascendant

Cancer-Cancer

L'année s'annonce plus stimulante que prévu. Il est vrai que vous devrez patienter jusqu'en juillet pour reprendre votre envol, mais le savoir mettra du rire dans vos yeux.

Voyageant dans votre signe jusqu'au 16 juillet, Saturne incline à une baisse de résistance physique et morale. Le temps venu, vous retrouverez l'insouciance de la jeunesse, il fera beau et bon dans votre vie.

Quelques éclipses sont à surveiller. Il en sera question plus loin en avril et en octobre, dates de ces éclipses, mais cela dit, vous bénéficiez de plus d'optimisme et la fin de l'année se révèle étourdissante de nouveauté et de beaux projets.

Vivez chaque jour dans l'attente d'un renouveau, d'une liberté plus large et difficilement acquise, mais d'autant plus précieuse. Le ciel ne vous décevra pas, vous connaîtrez une année plus douce, je le promets.

Cancer-Lion

L'année s'annonce assez rude ; ne désespérez pas, mais soyez attentif et circonspect. Chaque geste a une conséquence bonne ou mauvaise, chaque parole un impact positif ou négatif. À vous de choisir…

Vous ne trouverez la liberté que dans l'acceptation des responsabilités qui vous incombent souvent malgré vous. Les circonstances vous y obligent, vous devez respecter vos engagements.

La période continue ce qui a été commencé. Certains la trouveront lourde et difficile à supporter, d'autres en tireront profit grâce à l'expérience acquise qui est de première qualité.

Les prévisions qui suivent vous seront d'un précieux secours. Sans prétention de ma part, je crois que l'étude des mouvements planétaires concourra à alléger votre sort et à vous faire comprendre bien des choses... Bonne chance!

CANCER-VIERGE

Le Cancer ascendant Vierge a de la chance: il peut profiter des deux facettes de sa personnalité et les fondre en une seule personne bien-pensante et agissante.

La chance ne fait pas défaut au natif ni à la native du Cancer ascendant Vierge. La femme est plus liée aux événements, elle participe plus étroitement aux changements de direction imposés ou choisis. Elle est *in*, ne m'en veuillez pas, Monsieur!

Les six premiers mois étant décisifs pour l'avenir des deux sexes, l'année est lourde de conséquence. Patience et persévérance sont à cultiver pour que tout se déroule selon le code d'éthique cosmographique, c'est nécessaire.

Soyez sensible, critique, percutant, rationnel, sceptique tant que le cœur vous chante, mais soyez propre, ponctuel et fiable. Votre succès personnel et matériel en dépend. Connaître les prévisions qui suivent ajoutera à votre chance, ne les ratez pas.

CANCER-BALANCE

L'an neuf propose des retombées positives en regard des enfants, de la progéniture, du mariage, des relations amoureuses et des affaires financières. De quoi se régaler!

Il faudra cependant faire abstraction de votre côté Cancer brouillon et hypersensible pour vous concentrer sur ce qui va bien dans votre vie privée, sociale et professionnelle.

Il est possible que surviennent des obstacles à votre bonheur, en particulier du côté de la santé, mais Jupiter de la Balance vous protège. Si le côté Cancer tend au pessimisme, le côté Balance tend à l'optimisme. Suivez-le, il mène à la joie.

Certes, la combinaison donne lieu à des accrochages, mais vous êtes plus que jamais en harmonie avec vous-même. C'est un plus. Rien n'étant parfait, contentez-vous de ce que vous avez, c'est presque le gros lot!

Cancer-Scorpion

Le Cancer que vous êtes doit prendre soin de sa santé et ne pas s'éparpiller sexuellement ni autrement. Cela dit, l'année sera mouvementée mais distrayante et imprévisible.

Un bel aspect d'Uranus vous entoure d'une aura favorisant un changement inattendu mais souhaitable dans votre vie privée et sociale. Ce que vous commencez sans grande réflexion a toutes les chances de réussir.

Cette combinaison planétaire est rugueuse mais profitable cette année. Vous ne manquez pas d'idées et certaines d'entre elles sont géniales. À vous de les mettre en marche : un trésor dort dans vos tiroirs ou dans vos cellules…

Quelques éclipses sont à respecter. Je vous en dirai plus long dans l'étude des prévisions qui suivent, mais tout compte fait vous passerez une bonne année.

Cancer-Sagittaire

Combinaison astrale dynamique et lymphatique à la fois. Poussé par les sentiments, vous agissez, sinon vous attendez que les choses se fassent d'elles-mêmes. C'est parfois un tort.

Cette année demande de la rigueur et de la conscience dans les actes. Si vous êtes dans la brume, rien de bon n'arrivera avant juillet, et vous devrez être sérieux sinon ce sera décevant.

Trop d'une bonne chose nuisant, vous devez limiter vos dépenses d'énergie, de temps et d'argent et vous occuper de votre santé avant tout. Les voyages et amusements viendront en septembre, mois que vous adorerez. Pour de meilleurs résultats, mieux vaut atténuer le côté Cancer pendant les six premiers mois de l'année tout en retenant les extravagances du Sagittaire. Pas facile, mais à l'aide des prévisions qui suivent, vous y parviendrez. Bonne chance !

Cancer-Capricorne

L'année offre des avantages surtout si vous minimisez votre côté Cancer et réduisez votre niveau de sensibilité aux autres. Être franc et direct vous réussira. Essayez la recette, elle vous plaira.

Cette période dispose à des conflits intérieurs et extérieurs, mais elle allège vos tendances rebelles et exigeantes. C'est un plus.

Moins à cheval sur les principes, vous devenez plus sympathique et cela incite votre entourage à une meilleure écoute envers vos projets. De beaux succès sont promis en novembre ; vous serez content d'avoir tenu le coup.

Il semble que moins vous mettez de temps à vous décider, mieux c'est. L'intuition est puissante, l'idée qui s'imprime dans le cerveau à la vitesse de l'éclair est à suivre. Les prévisions qui suivent seront utiles en affaires et les éclipses vous indiqueront les temps moins favorables à la santé.

Cancer-Verseau

Bénéficiant de chance grâce à votre côté Verseau, vous êtes un Cancer plus heureux cette année. Optez sans crainte pour l'indépendance et pour la liberté, vous êtes à l'abri de tout danger grave.

Suivre votre intuition sans discuter et agir spontanément vous portera bonheur. Ne vous en privez pas, surtout quand il sera question de travail et d'argent. Vous êtes sûr de réussir à la suite de la surprise que vous causerez.

Une chance providentielle vous échoit ; n'hésitez pas à vous lancer dans une affaire jugée risquée par l'entourage, cela ne regarde que vous. Écoutez les planètes sans crainte : Jupiter le grand bénéfique vous protège, vous ne courez aucun risque.

La santé peut laisser à désirer. Ne lésinez pas sur les moyens à employer pour la conserver. Tout traitement réussira. Parole de Jupiter, qui ne déçoit jamais. Les prévisions qui suivent seront utiles à ce sujet…

Cancer-Poissons

Les six premiers mois de l'année sont un peu lourds, mais le reste de l'année rachète ce manque de dynamisme et d'intérêt pour le monde en devenir que vous habitez tant bien que mal.

Dans les bonnes grâces d'Uranus, planète d'imprévu et d'intuition, vous avez l'avantage d'être mis au courant des événements futurs par une voix intérieure qui vous avertit des risques et périls ; c'est à utiliser.

Plus libre à compter de juillet, vous êtes capable de vous refaire une santé, une vie familiale et amoureuse, un métier, une carrière si vous le désirez. Ce que vous entreprenez a toutes les chances de réussir.

Certaines éclipses sont nocives; c'est à surveiller. Vous apprendrez tout ce qu'il y a à savoir sur ce sujet au fil des prévisions qui suivent...

Cancer-Bélier

Les six premiers mois de l'année sont difficiles, je ne vous le cacherai pas. Aux prises avec Saturne, vous sentez le poids des années, même si vous êtes encore jeune.

Orienter votre imaginaire vers des sujets tristes vous fera sombrer dans la dépression. La première chose à faire est de garder le moral. Ensuite, prendre soin votre santé, en vous assurant de recevoir les soins adéquats.

Faire confiance à votre intuition plus qu'au raisonnement logique et vous intéresser à la philosophie, aux religions et aux différentes cultures vous aidera à mieux transiter cet espace-temps.

Par bonheur, la Chance Pure veille sur votre ascendant Bélier toute l'année. Vous renseigner sur les éclipses préviendra les risques. Les prévisions qui suivent cette section vous sont indispensables. Bonne chance!

Cancer-Taureau

L'année demande de jouer toutes vos cartes sans ménagement. Le côté Taureau de votre nature est à mettre en valeur durant les six premiers mois de l'année. Stabilité, économie et sentiment sont vos points forts.

À compter de juillet, bifurquez vers vos tendances Cancer et mettez-les en pratique, oubliant de vous entêter dans ce qui semble être une erreur. Reconnaissez-le et changez d'idée, c'est votre privilège.

La vie amoureuse et sentimentale offre des avantages majeurs. En plus de vous rendre heureux, elle vous profite matériellement et vous garde à l'abri du besoin. Le grand amour peut être au rendez-vous, soyez prêt.

Il faut vous prendre en charge et dominer la situation. Suivre les indications concernant les éclipses annuelles dans les prévisions mensuelles et les horoscopes hebdomadaires vous facilitera les choses.

CANCER-GÉMEAUX

Ce duo astral est plus intéressant. Pour favoriser une bonne santé, vous avez intérêt à être le plus Gémeaux possible, léger, amusant, actif et sportif. L'année vous apparaîtra sous un jour plus attrayant.

Ne rien faire d'important durant les sept premiers mois de l'année serait déplorable. La chance apportée par Jupiter à votre ascendant est à exploiter. Avec eux, ainsi qu'avec les Balance et les Verseau, vous faites des affaires d'or.

Novembre est formidable, mais il agira mieux si vous pensez et agissez en Cancer. Conservatisme et traditionalisme, histoire et choses du passé vous rapporteront en satisfaction personnelle et en argent sonnant.

À tout prendre, l'année demande de la circonspection, mais le doute et la peur sont à éliminer de votre existence. Grâce aux prévisions qui suivent, vous agirez en conséquence et serez en sécurité.

Prévisions mensuelles

JANVIER

Il n'y a qu'une belle chose, c'est une âme libre et indépendante, avec une idée puissante et productive et la soif joyeuse de la vie.

ALEXANDRE KOUPRINE

AMOUR ET FANTAISIE

Les neuf premiers jours de janvier sont sous le signe de l'amour et de la fantaisie. Vénus et Mercure contredisent le Soleil en Capricorne vous faisant son opposition, d'où une moins bonne résistance physique et moins de tonus musculaire. Il faut remédier à la situation et voir ce qui pourrait favoriser une meilleure circulation sanguine, un teint plus coloré.

SOINS DIVERS

Une session de thérapie, massage, bains flottants et soins corporels divers est un cadeau idéal à s'offrir en pareille circonstance. Tombant pile, cette entreprise de régénération vous remettra en forme et comblera votre immense besoin de chaleur et de réconfort. Pourquoi ne pas vous offrir ce luxe si vous en avez le temps et les moyens?

CADEAU INCOMPARABLE

Rien de mieux que des mains habiles et un cœur aimant en cette dure saison. Par chance, l'affection du partenaire amoureux et de l'entourage pourvoit à l'essentiel en vous apportant la sécurité affective et amoureuse dont vous avez besoin, en plus d'une disposition au plaisir et à l'inattendu.

La fantaisie règne autour de vous. Rien de linéaire, de prévisible et d'ennuyeux ne se produit. Cet aspect inusité et amusant est un cadeau incomparable que la Providence met à votre disposition. Ne faites pas de caprices, relevez le défi et acceptez de sortir du lit pour un tendre moment. Vous serez ravi de l'avoir fait: les neuf premiers jours passés, vous serez prêt à recommencer!

L'HIVER ET VOUS

L'hiver agit défavorablement sur vos poumons et sur votre poitrine; ne négligez pas le moindre rhume. Les changements climatiques extrêmes ont pour effet d'amoindrir la résistance à la maladie. Loin d'être geignard, vous avez trop d'ambition pour votre capacité physique. Sans être chétif, vous êtes lymphatique et parfois maladif, il faut l'avouer. Il faut prendre soin de vous; bien des choses dépendent de votre état, par exemple ce qui suit…

Une fois en forme, vous vibrerez aux accords harmonieux de l'amour et celui-ci vous mènera au septième ciel. C'est le plus bel étage sans doute, celui des amants romantiques. Là, il fait beau et chaud toute l'année!

SANTÉ ET TRAVAIL

Le fait que Mars, planète qui gère l'énergie, la volonté et la sexualité, se trouve en Sagittaire pendant tout le mois met l'accent sur la santé, bien sûr, mais aussi sur le travail. Cela vous pousse à fournir une activité considérable sur le plan professionnel ou à l'intérieur. Occupé à des choses pratiques à la maison, vous organisez la vie domestique au mieux afin qu'il vous reste du temps libre pour lire, flâner, faire de la musique et rêver. Chacun ses priorités!

DISCIPLINE

Capable de discipline, vous suivez une diète dans le but d'améliorer votre condition physique. C'est un succès: vous êtes satisfait des résultats et désirez continuer dans cette bonne voie. Le goût vous prend de faire de l'exercice physique, du sport. Vous êtes plein d'ardeur à ce propos. Souhaitons que ce bon état d'esprit dure, c'est ce que vous pouvez faire de mieux pour vous-même en janvier.

Sexe au travail, sexe et travail, volonté ferme de concrétiser votre désir charnel, énergie dépensée au travail et sexuellement, les combinaisons sont nombreuses et toutes sont favorables. Aucun problème, amusez-vous bien!

HOROSCOPE HEBDOMADAIRE

Le 1er janvier: Bien luné et de bonne humeur, vous passez un jour de l'an agréable. Reste que les excès sont nuisibles. Excès de gourmandise, de vanité et de mondanités à réprimer, question d'être en forme pour attaquer la nouvelle année. Bonne année!

Du 2 au 8 janvier : Si vous avez un ascendant Sagittaire, vous êtes en voyage, parti à l'aventure Dieu sait où, heureux, en superforme et satisfait de votre sort. Sinon associez-vous à ceux qui ont du Sagittaire par le signe solaire ou ascendant, ils vous stimulent et vous portent chance.

Du 9 au 15 janvier : Nouvelle Lune le 10 janvier en Capricorne, Vénus et Mercure qui boudent aussi dans ce signe, il faut être prudent en amour, au volant, dans le sport et les déplacements. Si le conjoint ou associé se dresse contre vous, ne dramatisez pas, c'est une phase, ça passera.

Du 16 au 22 janvier : Ralentissez et modérez vos appétits jusqu'au 19, puis la vie reprendra un cours plus normal. La santé étant meilleure, vous n'aurez que vos amours à soigner. C'est un gros travail, mais la récompense vaut la peine.

Du 23 au 29 janvier : La résistance aux virus, microbes et maladies hivernales étant forte, vous n'avez rien à redouter en ce sens sauf en cas d'abus de boire et de manger, ce que vous ne faites sans doute jamais… La pleine Lune le 25 janvier en Lion favorise les affaires d'argent et de commerce et les enfants.

Du 30 janvier au 5 février : Les plus exposés à commettre des excès regrettables sont les Cancer qui sont nés du 8 au 14 juillet environ. Les autres sont plus solides devant la tentation, mais il ne faut pas multiplier les occasions. Toute volonté a ses limites… Les Verseau sont vos alliés, parfois des amis sur qui compter.

CHIFFRES CHANCEUX

2 - 4 - 16 - 24 - 25 - 39 - 40 - 55 - 56 - 67

FÉVRIER

Je crois que l'avenir est seulement encore le passé entré par une autre porte.

Sir A.W. Pinero

FÊTE DES AMOUREUX

C'est la fête des amoureux le 14 février. Vous trouvez à ces célébrations bien des défauts, entre autres celui d'être trop « commerciales », mais au fond vous aimez bien vous faire servir des petits plats à la maison ou au restaurant. Surtout si c'est votre amoureux ou amoureuse qui invite.

Faites la paix cette année avec la Saint-Valentin. Vous prendrez plaisir à tenter l'expérience suivante : envoyez une carte à qui ne l'attend pas ou plus. Vous obtiendrez des résultats fascinants, vous verrez…

VOUS PARLEZ BIEN D'AMOUR

Vous qui parlez bien d'amour, Jean-Pierre Ferland qui est Cancer en fait la preuve, sortez votre beau vocabulaire et susurrez à l'oreille de l'autre les mots qui charmeront son esprit et vous attireront ses faveurs. N'ayez pas peur d'innover, de plaisanter, de rire en faisant votre cour, c'est séduisant, l'humour. Vous ne savez pas à quel point vous serez heureux si vous faites le moindre effort. Ça vaut la peine de tenter le coup ; sans compter que les mots, ça ne coûte pas cher…

SECRET

Il se peut que vous partagiez un secret avec la personne aimée ou que votre amour soit caché aux yeux de tous. Cela ajoute une dimension mystérieuse à l'affaire et ce n'est pas pour vous déplaire, loin de là. En cachette ou à la vue de tous, aimez à votre manière et comme vous l'entendez. C'est le seul conseil de Vénus en ce beau mois de février.

TRAVAIL ET ARGENT

Si vous n'êtes pas en forme, prenez un congé sabbatique, c'est simple et efficace. D'ici octobre, vous ne perdrez pas au change et vous avez toutes les chances de ne pas manquer d'argent. À l'automne, vous aurez retrouvé votre élan et serez à nouveau au palmarès des prétendants au titre. Travailleur d'élite, expert en droit ou en politique, fiscaliste, spécialiste en médecine, en restauration, en hôtellerie ou en toute autre occupation qui vous ressemble, vous aurez la cote.

REPOSEZ-VOUS

D'ici là, reposez-vous, écrivez votre journal personnel, un livre, un film, réalisez un projet qui vous tient à cœur, et dormez sagement. Il y a un temps pour l'argent, or il n'est pas venu. Si vous travaillez à fond

de train pour peu d'argent c'est bon, à condition d'adorer ce que vous faites. Autrement, partez sans regret, quelque chose de mieux adapté à vos goûts et à vos capacités est tout près. Mettez-vous à l'ombre pour un temps, Mars vous coupant de votre énergie habituelle. Cela sera réparateur.

Bonne Saint-Valentin à tous et à toutes!

HOROSCOPE HEBDOMADAIRE

Du 6 au 12 février: Gare à la mauvaise humeur, elle rend hasardeuses les discussions avec le conjoint ou associé. S'obstiner à vouloir réussir l'impossible est vain; soyez adulte. La nouvelle Lune le 8 février en Verseau incite à assumer ses responsabilités sans grogne.

Du 13 au 19 février: La Saint-Valentin étant un lundi, vous feriez bien de la célébrer le samedi ou le dimanche, c'est plus propice à l'élaboration d'une fête, d'un projet. La semaine est extrêmement favorable à compter du 16. Intellect et énergie nerveuse accroissent les chances de succès.

Du 20 au 26 février: Regain de santé remarquable. Soleil et Mercure voyageant en Poissons, signe ami, études et occupations quotidiennes sont facilitées. La pleine Lune du 23 février en Vierge exacerbe la sensibilité. Celle-ci devient maladive; gare aux larmes, c'est mauvais pour les yeux.

Du 27 février au 5 mars: Tout se fait comme dans un rêve, c'est romanesque à souhait. Contrats et petits déplacements sont au programme, accordez-leur l'attention voulue et profitez de chaque occasion pour vous faire des relations. Elles joueront un rôle important d'ici peu dans vos affaires.

CHIFFRES CHANCEUX

11 - 12 - 22 - 23 - 37 - 38 - 42 - 43 - 56 - 61

MARS

La plupart des hommes ont un moment dans leur vie où ils peuvent faire de grandes choses, c'est celui où rien ne leur semble impossible.

STENDHAL

MOINDRE MAL

Si quelque chose vous apparaît comme étant un moindre mal, n'hésitez pas à vous impliquer et à saisir l'occasion de démontrer qu'à tout le moins, vous avez l'énergie nécessaire pour tenter votre chance. Aucun effort n'est vain, aucun travail perdu. Être conscient de cela vous empêchera de rester bras ballants, à regarder filer le temps.

TOURNURE SURPRENANTE

Ce que vous pensiez vide de sens prend soudainement une tournure surprenante. Cela se manifeste vers le 14 février. Vous tirez matériellement, socialement et spirituellement profit d'actes réalisés par autrui. Des décisions prises par d'autres, des investissements faits par différentes personnes de la famille ou de l'entourage vous rapportent. Ces bénéfices sont en rapport avec l'air et l'eau ; ce n'est que le début d'une vaste entreprise qui se consolidera en novembre et en décembre.

GAINS IMPRESSIONNANTS

Balance, Verseau et Gémeaux sont en partie responsables de la chance qui vous échoit actuellement, mais si vous préférez garder la chose secrète, c'est votre affaire. Ce qui se produit vous satisfait pleinement. Si votre ascendant est l'un de ces signes, vos gains n'en sont que plus impressionnants, votre caractère plus agréable, vos tendances meilleures. Heureux ceux que vous aimez et qui partagent votre quotidien, ils sont choyés.

DONS CACHÉS

Sur une autre registre, vos dons cachés s'extériorisent chaque jour davantage. Soyez sûr d'utiliser votre intuition en toute occasion, même si c'est sur un mode mineur, en apprenti, en novice. Avec le temps et l'habitude, vous réussirez à gravir ce qui semble être une montagne, mais qui n'est en réalité qu'un monticule basé sur les préjugés.

Vos qualités de psychologue sont ou seront éventuellement reconnues et appréciées à leur juste valeur. Que ce soit en lisant les cartes ou le Tarot, en vous adonnant à l'étude des rêves, à la numérologie ou à l'astrologie, laisser dormir de telles énergies serait dommage. Ne serait-ce que pour vous-même, utilisez vos dons occultes, vous en retirerez du bien.

LES YEUX DE L'ESPOIR

Vous envisagez l'avenir avec les yeux de l'espoir et ce regard que vous jetez sur les êtres et les choses vous permet de vivre Pâques joyeusement. Pâques est le 27 mars cette année. Étrangement cette date marque la fin d'une situation qui vous clouait sur place. En même temps que l'arrivée du printemps, un revirement en votre faveur vous redonne de la vitalité. Le magnétisme que vous respirez oblige les autres à vous voir sous un angle différent. On sait maintenant où vous allez, et comment vous comptez vous y rendre. C'est assez époustouflant pour forcer l'admiration.

Bonne route et joyeuses Pâques!

HOROSCOPE HEBDOMADAIRE

Du 6 au 12 mars: Vous êtes fort en matière de sentiment, dans les études et en mathématique, mais vous manquez de concentration. Reposer votre système nerveux entre les périodes de travail aiderait. La nouvelle Lune du 10 mars en Poissons favorise la musique, la romance, les amours.

Du 13 au 19 mars: Un bel aspect Jupiter-Neptune aide surtout ceux dont l'ascendant est Balance ou Verseau, mais les ascendants Gémeaux et Sagittaire sont également bien servis. Gains d'argent substantiels, chance providentielle, rien ne manque à votre bonheur.

Du 20 au 26 mars: Une panoplie d'occasions s'offre à vous. Il faut choisir entre le bon et l'excellent, ce n'est pas évident. La pleine Lune du 25 mars en Balance expose à des excès sentimentaux, à des peines plus imaginaires que réelles, mais qui font pleurer. Séchez vos yeux, le nuage passera.

Du 27 mars au 2 avril: Tout semble se liguer pour vous compliquer l'existence. Ne prenez aucun risque avec votre santé et assurez-vous d'être en sécurité le plus possible. Sans vouloir vous faire peur, le ciel incite à la prudence. Ne forcez pas le sort et attendez de meilleurs jours, ça ne saurait tarder.

CHIFFRES CHANCEUX

10 - 14 - 16 - 26 - 32 - 33 - 47 - 48 - 58 - 62

AVRIL

Il n'y a pas de situations désespérées, il y a seulement des hommes qui désespèrent des situations.

ANONYME

MOIS D'ÉCLIPSES

Avril est un mois d'éclipses; il comporte des risques plus élevés de maladie physique et morale qu'il faut prévoir afin d'éviter le cumul d'ennuis en découlant. Rien de pire que l'ignorance quand il est question de sa santé et de sa sécurité. Même si c'est déplaisant à lire, vous serez plus fort et plus alerte une fois averti, du moins j'ose le croire…

ÉCLIPSE SOLAIRE TOTALE

L'éclipse solaire du 8 avril en Bélier donne un vilain aspect à votre signe. Totale, cette éclipse requiert une attention particulière de votre part côté santé et sécurité personnelle. À la fin du mois dernier, vous avez ressenti une baisse de résistance physique; il faut y remédier au plus tôt et du mieux possible. Prévoir la tendance vous permettra d'arriver à ces moments moins agréables en meilleure forme, ce qui aura pour effet d'atténuer les effets négatifs de l'éclipse.

CONSEILLÉ

Sans s'affoler, il est conseillé de consulter un bon médecin en cas de problème à la tête et aux organes de la tête — yeux, nez, bouche, oreilles, ou en cas de troubles digestifs récidivant et pouvant aller jusqu'aux saignements. Si une chirurgie s'impose d'urgence, n'hésitez pas: Mars, planète du couteau et du sang, vous protège. Aucun doute, vous guérirez.

ÉCLIPSE LUNAIRE DE PÉNOMBRE

L'éclipse lunaire de pénombre du 24 avril en Scorpion ne vous affectant pas, vous aurez bon moral et tiendrez le coup mieux que d'autres et quoi qu'il advienne autour de vous et dans le monde. Votre sang-froid pourrait vous sauver la vie ou sauver des vies si l'occasion le demande.

Votre témérité est reconnue. Ne soyez pas fantasque, ce n'est pas le moment de vous montrer trop audacieux. Il faut au contraire s'en tenir à la routine sécurisante. Vous avez saisi le message: à vous de négocier ce mois comme vous l'entendez, mais vous ne direz pas que je ne vous avais pas averti.

NE PAS INNOVER

Ne pas innover et ne rien changer d'important dans sa vie privée et ses affaires entre le 25 mars et le 30 avril est ce qu'il y a de mieux à faire. Le temps et l'expérience aidant, vous vérifierez vous-même ce fait suivant : ce qui est commencé ou entrepris en période d'éclipses chute lamentablement. Pourquoi tenter le sort ? Remettez-vous-en plutôt à la sagesse des anciens, ils en savaient plus long que nous à plus d'un titre.

Soyez sûr que ce n'est pas un « poisson d'avril » que je vous fais. Sur ce, bon mois d'avril et bonne chance !

HOROSCOPE HEBDOMADAIRE

Du 3 au 9 avril : Délicat côté santé et sécurité à cause de l'éclipse solaire totale du 8 tel que dit plus haut. Calmement et méthodiquement, passez les examens nécessaires et suivez l'avis du médecin. Si tout va bien, tant mieux, vous avez un ascendant d'enfer et une chance à l'avenant !

Du 10 au 16 avril : Vous avez des ressources, des énergies cachées qu'il faut employer pour déjouer le sort capricieux. Utiliser les techniques ultramodernes pour guérir ou pour vous faciliter la tâche et rechercher le progrès médical et autre vous avantagera.

Du 17 au 23 avril : Stabilité sentimentale, fidélité sans compromis, le cœur est heureux. Votre charme attire des personnes dignes d'intérêt. Ils sont artistes, réalisateurs de projets, constructeurs, hommes et femmes d'affaires, et ils vous aiment. Écouter leurs conseils serait profitable.

Du 24 au 30 avril : Éclipse lunaire de pénombre le 24 avril en Scorpion décrite plus haut. Autrement vous remontez bien la pente et êtes plus en forme, cela favorise la vie affective et amoureuse qui devient passionnante. Il était temps !

CHIFFRES CHANCEUX

1 - 2 - 16 - 24 - 25 - 30 - 41 - 42 - 59 - 60

MAI

Écoutez beaucoup, afin de diminuer vos doutes ; soyez attentif à ce que vous dites, afin de ne rien dire de superflu ; alors, vous commettrez rarement des fautes.

CONFUCIUS

PLUS DOUX

Mai est beaucoup plus doux. Vous aimez son air printanier, son odeur délicate de fleurs à peine sorties de terre, ses couleurs plus brillantes grâce à un soleil plus présent. Ce mois met un baume sur vos plaies, vous guérissez complètement à la vue d'une verdure naissante. La crise est passée, le pire est derrière vous, respirez longtemps. Si vous connaissez le yoga ou la méditation, faites-en régulièrement, vous apprécierez leurs bienfaits multiples et serez plus serein devant la réalité.

PAS D'EXCÈS

Ne commettez pas d'excès et ne soyez pas exagérément optimiste, mais osez quelque chose de nouveau et d'agréable. Vous faire plaisir s'impose : choyez-vous et comblez certains de vos désirs. Vous avez besoin de récupérer, de reprendre pied. Rien de mieux qu'une nouvelle voiture, un voyage ou toute autre gâterie de votre choix pour retrouver un bon moral. N'hésitez pas à investir dans votre personne ; vous êtes votre bien le plus précieux.

AFFAIRES DE CŒUR

Les affaires de cœur se portent bien, mais l'amitié semble prévaloir. Donnez-vous entièrement à vos amis, ils ont besoin de vous savoir en forme et heureux. L'art et la beauté sont également au programme. Si vous faites de la musique, ce sera un plaisir et un succès, si vous faites de la cuisine un chef-d'œuvre, si vous faites l'amour ce sera le paradis. Chanceux!

C'est la fête des Mères le 8 mai au Québec. Bonne fête aux mamans Cancer!

HOROSCOPE HEBDOMADAIRE

Du 1er au 7 mai : Le haut niveau d'énergie se manifeste par le dévouement. La vie active, sportive et sexuelle prend de l'essor ; vous

avez le goût de bouger, de vous animer, de sortir de la routine. Goût pour la gastronomie, les bons crus, attrait pour la mer et les produits de la mer. Paix intérieure.

Du 8 au 14 mai : Nouvelle Lune du 8 mai en Taureau favorisant l'amitié et les relations sociales et professionnelles. Invitez, sortez, vous avez intérêt à vous montrer en compagnie de personnages en vue, sympathiques et influents.

Du 15 au 21 mai : Climat que vous aimez, entourage agréable, confort au foyer, belle énergie physique et sexuelle et cœur à l'avenant : vous jouissez d'une période de paix et de bonheur. Les œuvres caritatives vous ouvrent des portes.

Du 22 au 28 mai : Pleine Lune le 23 mai en Sagittaire inclinant aux relations avec les étrangers et aux voyages à l'étranger. Vous pouvez goûter à tous les plaisirs, pourvu que ce soit sans excès. Jupiter invite à la mesure et à la tempérance. En cas de litige ou de procès, remettre à plus tard si possible.

Du 29 mai au 4 juin : Gardez vos secrets, ils sont en sécurité enfouis au plus profond de votre cœur. Si les souvenirs sont sombres, chassez-les de votre esprit systématiquement, sans relâche. C'est le prix à payer pour avoir la paix de l'âme et de l'esprit.

CHIFFRES CHANCEUX

2 - 3 - 4 - 15 - 28 - 38 - 41 - 43 - 50 - 65

JUIN ET JUILLET

Nos fautes sont comme des grains de sable en face de la grande montagne des miséricordes de Dieu.

Le curé d'Ars

MOIS DE FÊTE

Vous attendez ces mois d'été avec plus d'anticipation que d'habitude. Même s'ils représentent les mois correspondant à votre anniversaire de naissance, votre nature sensible s'entend mal avec un soleil plombant ; vous préférez l'ombre, c'est naturel. Aussi, ces mois ne sont-ils pas toujours aussi heureux qu'on pourrait le prétendre…

Cette année fait exception à la règle. Ces deux mois servant vos intérêts personnels, familiaux et matériels, vous leur accordez votre affection et êtes capable de faire des concessions pour acquérir et pour conserver l'amour et le respect de ceux que vous aimez, et qui tentent de vous aimer en retour.

TENDANCES GÉNÉREUSES

Les tendances généreuses dont vous faites preuve envers les pauvres, les malades et les moins nantis ouvrent la porte à une fontaine de bienfaits matériels et spirituels. Sans le savoir ou le vouloir, vous donnez de l'importance à ce qui en a, délaissant ce qui est de moindre valeur. Vous débarrasser du superflu est fait, ou s'accomplit complètement. Du coup, vous êtes plus léger qu'avant, plus libre et plus heureux aussi.

CHOIX

Faire des choix devient facile. Devant deux demeures, deux familles, deux emplois ou deux amours, vous préférez ce qui est le plus sécurisant affectivement et le plus avantageux financièrement. Les deux n'étant pas opposés mais complémentaires, vous faites des choix en fonction de votre santé et du temps dont vous désirez disposer pour travailler et pour vivre selon votre fantaisie. Vous savez ce que vous voulez, c'est un grand pas de fait!

LIBERTÉ NOUVELLE

Si vous préférez ne rien faire, libre à vous. Juillet vous permet d'accéder à une liberté nouvelle. Saturne quittant votre signe pour le Lion, les restrictions et embûches sont choses du passé. Allez allègrement de l'avant et n'y pensez plus. Avec la mémoire colossale que vous possédez, ce ne sera pas facile, mais il le faut. Sinon vous stagnerez sans profiter des opportunités qui viennent de votre côté; ce serait dommage...

Conseil pratique: établissez un plan d'attaque, faites des projets solides, trouvez du capital, mais pour tout changer et tout acheter, novembre serait plus indiqué. Nous en reparlerons le temps venu.

Joyeux anniversaire, cher Cancer!

HOROSCOPE HEBDOMADAIRE

Du 5 au 11 juin: Vénus dans votre signe agrémente et embellit tout ce qui se rapporte à votre personne. Vous êtes en beauté, en forme, séduisant aussi… La nouvelle Lune du 6 juin en Gémeaux parle de secret. Il y a des choses qu'il vaut mieux garder pour soi. Chut, c'est entre nous.

Du 12 au 18 juin: La vie sentimentale et sexuelle atteint son apogée, vous êtes au faîte de vos possibilités d'aimer et de faire l'amour. Si ce n'est pas dans vos cordes, optez pour l'art ou le sport, vous en retirerez des joies de qualité.

Du 19 au 25 juin: La notion de plaisir s'estompe, mais l'énergie diminue, il faut vous reposer. La personnalité est plaisante et attire le succès, mais la pleine Lune du 21 juin en Capricorne met de la brume dans vos yeux. Ne pleurez pas, Madame, rien ne vaut ce chagrin!

Du 26 juin au 2 juillet: Bonne semaine pour les congés et les vacances, mais un Mars boudeur porte à l'inconstance, à l'égoïsme. Évitez de vous mêler des affaires d'autrui et décompressez. Par chance, votre jugement est solide, vous ne ferez pas de bêtises.

Du 3 au 9 juillet: Prudence avec le feu et l'eau: ils peuvent être dangereux surtout en présence d'enfants. En cas de migraines, d'inflammations des yeux, de blessures à la tête et au visage, de fièvres ou de saignements, ne soyez pas négligent. La nouvelle Lune le 6 juillet en Cancer vous favorise, tirez la couverture.

Du 10 au 16 juillet: C'est cette semaine, le 16 exactement, que Saturne quitte votre signe après deux ans et demi. Les sourires de soulagement sont de mise. Vous constaterez l'effet produit petit à petit, donnez-vous quelques semaines et vous apprécierez. Bravo, mais n'allez pas trop vite…

Du 17 au 23 juillet: Mars contrarie les plans et amoindrit l'énergie physique et sexuelle, tout en donnant des désirs dépassant les limites. Tenez sous contrôle votre bouillante nature et faites du sport ou du bénévolat pour vous défouler. La pleine Lune du 21 juillet en Capricorne vous attriste sans raison.

Du 24 au 30 juillet: Le début de semaine est stressant, mais le week-end ramène une belle force vitale et des idées plein la tête. Pour se déplacer, déménager et voyager, la période est astreignante mais favorable.

Du 31 juillet au 6 août : Les événements bousculent vos habitudes, mais le focus est meilleur. Voyant sans angoisse venir les choses, vous affrontez les situations cocasses ou cruelles sans broncher. Bravo pour le stoïcisme ! La nouvelle Lune du 4 août en Lion parle d'argent, d'amour, d'enfants et de vacances.

CHIFFRES CHANCEUX

2 - 4 - 8 - 19 - 20 - 33 - 34 - 49 - 50 - 69

AOÛT

Pour ses vertus sois bienveillant !
Pour ses défauts, un peu aveugle.

M. Prior

ASCENDANTS ET ASSOCIATIONS

Le mois est plus ou moins passionnant, selon votre signe ascendant et les associations que vous formez ou formerez dans un court laps de temps. Un grand aspect bénéfique ayant les natifs et ascendants Balance, Verseau et Gémeaux en haute estime, et ceux-ci frôlant les sommets, avoir un ascendant de ces signes serait des plus heureux.

Cette éventualité est alléchante. En pareil cas, deux formes de chance s'unissent pour vous dorer la vie. L'une est méritée, l'autre gratuite. Jupiter et Neptune exécutant une valse dont vous appréciez les gracieux mouvements, les retombées dynamisantes fusent de toutes parts. Vous n'avez de cesse de compter vos bienfaits. Partager votre bonne fortune la doublera.

REVITALISER LA CHANCE

Si vous n'avez pas un ascendant particulièrement favorisé en ce moment, vous pouvez revitaliser une chance déclinante en vous entourant de personnes dont vous appréciez l'intégrité et l'intelligence. La famille, ou un membre de celle-ci, peut être impliquée dans la réussite de vos bons coups.

Vous pouvez garder votre chance secrète si vous le désirez, cela n'altère en rien sa puissante. Quoi qu'il en soit, n'hésitez pas à envisager les choses sur une grande échelle, rien de petit ne se manifestant avec Jupiter et Neptune. Avoir la foi activera les choses et forcera la chance à tourner en votre faveur. Un atout de plus dans votre jeu.

BONNE OCCASION

Suivre votre inspiration, étudier vos rêves et agir en fonction de ceux-ci sera profitable. Ne ratez pas l'occasion qui passe, elle est d'une rare ampleur et de grande qualité. Si vous la laissez passer, tant pis, vous vous reprendrez. Dommage de perdre du temps, mais on ne maîtrise pas toujours les circonstances…

Bonne chance, cher Cancer, et n'oubliez pas ceci : « Bien mal acquis ne profite jamais » !

HOROSCOPE HEBDOMADAIRE

Du 7 au 13 août : Doté d'énergie considérable, vous vous dépensez avec mesure. Au travail, au sport, à faire l'amour ou en jardinant, les activités s'accomplissent dans un climat de rire et d'entregent. L'été est plaisant, vous êtes heureux.

Du 14 au 20 août : L'aspect Jupiter-Neptune est en force, agir rapidement est conseillé. La pleine Lune du 19 août en Verseau accroît l'urgence du moment ; suivez votre intuition. On mange bien et on se marre bien chez vous, parents et amis sont ravis d'être invités.

Du 21 au 27 août : Une croisière, un séjour à la mer, les vacances sont sous de bons augures. Avec les enfants c'est plus amusant, mais surveiller le budget devient astreignant. Il faut s'y résigner, voir à ne pas s'endetter indûment.

Du 28 août au 3 septembre : Force de caractère forçant le succès. Autorité au sein de la famille, mais respectant le droit à la différence. Nouvelle Lune du 3 septembre en Vierge facilitant la rentrée. Le rituel automnal vous sécurise.

CHIFFRES CHANCEUX

9 - 10 - 22 - 23 - 39 - 40 - 41 - 47 - 57 - 65

SEPTEMBRE

Rien de grand ne se fait sans chimères.

E. RENAN

EXCELLENT

Un excellent mois de septembre se dessine pour vous du Cancer. La santé est bonne, le moral stable, les réflexes solides et le caractère plus égal, ce qui a pour effet d'améliorer les relations affectives et sentimentales que vous entretenez avec plus de vigueur depuis quelques semaines. Toutes les planètes mineures, du Soleil à Mars, agissent en votre faveur. Vous n'avez pas raison de vous plaindre...

VIE SEXUELLE

La vie sexuelle prend de l'importance, le défoulement est impératif. Vous ne voulez pas taper sur quelque chose, et encore moins sur quelqu'un. Défoulez-vous sans mal en vous dépensant au travail et faites de l'exercice raisonnablement pour maintenir le système lymphatique en action, question d'éviter les blocages d'énergie que vous ressentez occasionnellement.

BESOINS MATÉRIELS

Vous avez de grands appétits, de grands besoins matériels, mais vos initiatives rapportent, ce qui permet de les satisfaire sans trop de difficulté. Par contre, si vous ne travaillez pas ou peu, il se peut que le portefeuille soit à sec. Ne désespérez pas mais sabrez dans les dépenses excessives et remettez tout achat important à novembre prochain. Mieux encore, à 2006. Vous serez en mesure de vous procurer ce dont vous avez envie ou besoin, sans avoir à faire trop de concessions.

MEILLEURS ASCENDANTS

Les meilleurs ascendants ce mois-ci sont encore Balance, mais aussi Sagittaire. Par extension, l'ascendant Lion ou Verseau est également favorable. Si tel est le cas, vous observez un changement imprévu et positif dans le déroulement de vos affaires d'argent et de travail. Ces secteurs se développant à une vitesse inespérée, l'argent rentre aisément, sans que vous ayez de grands efforts à consentir. C'est une période de vie dont vous garderez un bon souvenir, sans compter que votre compte en banque risque de grossir. Bonne chance !

HOROSCOPE HEBDOMADAIRE

Du 4 au 10 septembre : Entourez-vous de personnes fortes, même si elles sont contrariantes. Vous avez tout à gagner avec les Balance et les ascendants Balance, mais les Sagittaire sont plus réceptifs. S'il y en a autour de vous, cultivez leur amitié, demandez leur protection.

Du 11 au 17 septembre : Études et recyclages sont voués au succès. En octobre, vous verrez l'utilité de ce que vous faites aujourd'hui. Vous bâtissez, c'est dur mais la récompense vaut la peine. La pleine Lune du 17 septembre en Poissons rend hypersentimental, la fertilité est accrue, pensez-y.

Du 18 au 24 septembre : Une forte sensualité se manifeste ; vous avez le goût de faire l'amour, la plupart d'entre vous pour vous reproduire. Si la santé et les moyens financiers le permettent, pourquoi pas. Vous êtes aussi tenté par le démon de l'argent ; c'est bien d'en posséder, mais aimer et être aimé est encore mieux.

Du 25 septembre au 1er octobre : L'instinct sexuel peut être transformé en une ferveur mystique pour les personnes d'un âge avancé. Possibilité de revenus par spéculation ou provenant d'héritages, d'assurances, de primes diverses et de gains aux jeux de hasard.

CHIFFRES CHANCEUX

5 - 6 - 22 - 23 - 36 - 37 - 38 - 40 - 41 - 54

OCTOBRE

Puissé-je jamais, même en rêve, être coupable de vol, d'adultère, d'ivrognerie, de crime et de fausseté.

ATTANAGALU-VANSA

ÉCLIPSE SOLAIRE

Deux éclipses négatives à surveiller ce mois-ci. L'éclipse solaire et annulaire du 3 octobre se fait en Balance, votre carré. Elle n'est pas trop rude, mais la santé peut chuter légèrement. Il faut prendre les précautions d'usage en ayant une alimentation saine et suffisante et en prenant du repos supplémentaire. Cela vous préservera des virus, microbes et autres malaises. Un vaccin antigrippal pourrait être utile aux personnes plus âgées ou moins en forme. À vous de décider si vous êtes pour ou contre, mais la tendance est au oui en ce moment.

ÉCLIPSE LUNAIRE

L'éclipse lunaire du 17 octobre en Bélier, votre autre carré, est partielle, et par conséquent un peu moins déprimante. Quand même, le moral peut tendre à baisser assez sérieusement mais de façon provisoire. Prévoir la chose vous aidera à comprendre ce qui se passe en vous et autour de vous. Vous ne perdrez plus de temps à chercher ce qui ne va pas, vous saurez et aurez pris les précautions nécessaires pour arriver à octobre dans la meilleure forme possible.

BONS RÉSULTATS

La période ne favorise pas les entreprises nouvelles mais ce qui est déjà commencé donne de bons résultats à compter de la mi-octobre, moment où vous commencez à sentir les bons courants arriver, à la suite de l'entrée de Jupiter en Scorpion, signe ami. Patience, vous reprendrez le temps perdu. Mieux encore, vous serez en avance sur les autres, sur votre milieu, dans certains cas sur votre époque.

C'est l'Action de grâce le 10 octobre et Halloween le 31 du mois. Déguisez-vous en Pierrot (Pierrette) lunaire, ça vous ira comme un gant!

HOROSCOPE HEBDOMADAIRE

Du 2 au 8 octobre : Éclipse solaire annulaire le 3 octobre en Balance qui pousse à s'en tenir à la routine sécurisante, sans chercher à innover. Voir à sa santé et être prudent en cas d'ascendant Balance, Cancer, Bélier ou Capricorne, ceux-ci étant touchés par l'éclipse. Points sensibles : reins, voies urinaires, prostate.

Du 9 au 15 octobre : Semaine d'entre-deux. Rien n'est fixe, stable, définitif. Mieux vaut remettre les décisions importantes et signatures de papiers et de contrats à novembre. Être heureux en amour devrait suffire à votre bonheur.

Du 16 au 22 octobre: L'éclipse lunaire partielle le 17 octobre en Bélier diminue la résistance psychique. Le moral est fragilisé, mais de manière temporaire. D'autres aspects bénéfiques viennent vous réconforter. Voyez les gens qui sont jeunes et gais, ils vous remonteront le moral.

Du 23 au 29 octobre: La semaine est agréable; plus en forme, vous prenez mieux la vie. Les affaires d'argent vont bien ou tendent à s'améliorer, vous êtes de bonne humeur, votre jugement est juste, votre raisonnement équilibré. Vous prenez des décisions conformes à vos intérêts, magnifique!

Du 30 octobre au 5 novembre: Nouvelle Lune le 1er novembre en Scorpion mettant l'accent sur la sexualité et sur la reproduction. La fertilité étant accrue depuis la fin de juillet dernier, prenez des précautions en cas d'acte sexuel complet, sinon vous serez bientôt parent. Tant mieux si c'est ce que vous désirez!

CHIFFRES CHANCEUX

9 - 10 - 19 - 20 - 30 - 31 - 46 - 47 - 55 - 61

NOVEMBRE

La leçon des faits n'instruit pas l'homme prisonnier d'une croyance ou d'une formule.

G. Le Bon

GRAND MOIS

Novembre est un grand mois en 2005. Il a du panache, de l'impact, du génie pour certains qui savent mettre à profit leurs qualités exceptionnelles de vendeur, de promoteur, de directeur d'entreprise. Conglomérat, Bourse, multinationale, la gérance des fonds privés et publics est honnêtement faite. Vous en retirez satisfaction et honneurs.

En tant que conseiller en placements, agent immobilier ou spéculateur, vous pouvez amasser un pécule enviable. Les rentrées d'argent sont soudaines, imprévues, tonifiantes pour l'ego et pour le moral, sans oublier le portefeuille. De quoi vous réjouir et guérir vos maladies réelles ou imaginaires.

LA SANTÉ

Depuis le 26 octobre, Jupiter visitant le Scorpion aide à consolider votre santé si elle déclinait et l'améliore si elle périclitait. Vous pouvez prendre du poids rapidement ou en perdre, ce qui est plus rare. En ce cas, consultez afin de ne pas vous réveiller dans un an avec des sérieux problèmes. Si vous tendez à avoir une tension artérielle élevée, des problèmes de glycémie, la gourmandise incluant le boire et le manger est à contrôler. Trop de bonnes choses nuisant, trouvez le juste milieu et la suite de votre vie sera un enchantement.

Le plus souvent, grâce à une bonne circulation sanguine le teint est beau, la mine colorée, le cœur régulier et la vitalité excellente. Vous vous sentez en pleine forme, animé d'une vie plus intense, avec la sensation agréable d'un « trop-plein » de force qui ne demande qu'à s'extérioriser. Faites du sport, voyagez, travaillez mais tout en vous amusant. La vie vous appartient !

PUISSANCE DE TEMPÉRAMENT

Recrudescence de puissance de tempérament, audace, combativité et volonté de réussir, optimisme et goût de vivre au maximum. Mettre ces qualités à profit vous rapportera succès et bonheur, mais veillez à employer ces tendances de manière constructive. Ne mettez pas votre réputation en jeu à cause d'activités sexuelles désordonnées. Vous pouvez entretenir des relations ardentes et passionnées mais ne laissez pas la jalousie et les excès sexuels assombrir votre bonheur. À trop vouloir, on se casse le nez !

CÔTÉ CANCER PROTÉGÉ

Votre côté Cancer est protégé, reste votre ascendant à surveiller. Cancer ascendant Taureau, Lion, Scorpion ou Verseau, méfiez-vous de la possessivité exclusive tournant en domination et en esclavagisme. Ne vous laissez pas assujettir sexuellement ni autrement et n'imposez votre désir de force à personne. Vous aurez effectué un tournant dangereux haut la main. Vous possédez les ingrédients nécessaires pour être heureux, à vous de bien assaisonner la vinaigrette. Beaucoup de laitue et de tomates est recommandé.

PROCRÉATION ET CRÉATION

L'instinct sexuel étant fortement accru, l'instinct de procréation pourrait dominer et être exutoire. Si vous devenez ou êtes parent, votre superbe énergie est dépensée au mieux. Vous élevez vos enfants avec discipline et rigueur, mais pas trop, juste ce qu'il faut pour en faire des « hommes » dignes de porter le plus beau nom de la création. En tant que mère, vous n'avez pas votre pareille. La chose est reconnue depuis des siècles, ne faites pas mentir les anciens !

C'est la Toussaint le 1er novembre et le jour du Souvenir le 11 novembre. Bons congés si vous en avez !

HOROSCOPE HEBDOMADAIRE

Du 6 au 12 novembre : Projets à mettre en marche le plus tôt possible. L'énergie et l'optimiste vous rendent invincible. La famille et les membres de l'entourage suivent avec étonnement vos progrès. Vous associer à ceux qui vous aiment doublera votre chance.

Du 13 au 19 novembre : L'automne vous plaît plus que d'habitude. Des forces nouvelles et des gens nouveaux faisant partie de votre vie, vous rayonnez. La pleine Lune du 15 novembre en Taureau donne le signal : il est temps de s'engager, de signer des contrats, des papiers importants, de passer à l'action.

Du 20 au 26 novembre : Le grand bénéfique Jupiter agissant en votre faveur, vous n'avez rien à redouter. La justice est de votre côté ; en cas de litige, de divorce ou de procès, on vous traite dignement, vous gagnez votre cause.

Du 27 novembre au 3 décembre : Succès dans les transactions financières, gains aux jeux de hasard et en spéculation, bénéfices de l'autre dont vous profitez, chance à travers les enfants. Nouvelle Lune du 1er décembre en Sagittaire favorisant les voyages, les études, l'étranger.

CHIFFRES CHANCEUX

2 - 3 - 4 - 22 - 23 - 24 - 30 - 47 - 52 - 61

DÉCEMBRE

Où peut-on être mieux
Qu'au sein de sa famille ?

MARMONTEL

EN AMOUR !

En ce mois de décembre froid au point de vue température et capricieux financièrement, socialement et politiquement, le seul lieu où être mieux qu'au sein de sa famille, c'est en amour. Vous avez la chance inestimable d'être amoureux, de succomber aux charmes de Vénus et de Mars à la fois et de tomber tête baissée dans le piège odorant des charmes d'une jolie personne intelligente, rusée et ambitieuse. Comme elle est un peu à votre image mais très différente de vous, l'attrait est irrésistible. Uranus aidant, l'attraction ressentie peut se traduire par un coup de foudre vous extasiant.

SCEPTICISME

Cela peut sembler excessif à certains dont la réflexion au sujet de l'amour est teintée de scepticisme, mais la réalité s'impose. Il faut la regarder en face sans crainte ni bravade et conclure l'affaire rapidement. Plus vous cogiterez, moins vous saurez comment vous comporter. Plus vous réfléchirez, moins vous trouverez de réponse à votre questionnement.

LA RÉPONSE EST OUI

Quant à savoir si ça durera, la réponse est oui. Pourvu que vous cessiez de douter de vous et de l'autre et que vous lui accordiez votre entière confiance, cette union est bénie des dieux. Le Soleil et Mercure sont d'accord, agissez au plus tard le 15. Vénus, elle aussi compatissante, assure un bonheur durable.

EXCEPTIONS

Des exceptions s'imposent à cause d'une dissonance Jupiter-Saturne se tenant en Lion et en Scorpion le 17 décembre. Les avis et conseils donnés plus haut ne s'appliquent pas à ceux dont l'ascendant est Lion, Scorpion, Taureau et Verseau. Mieux vaut en pareil cas s'abstenir. C'est ce que la sagesse ancienne nous a appris. Libre à vous d'y croire ou non, la suite dira qui a raison.

PRUDENCE

À ceux-là, je conseille la plus grande prudence concernant les enfants, le mariage, le travail et la justice. Si vous êtes victime de soupçons injustifiés ou si vous entretenez vous-même des soupçons de ce type, mieux vaut ne pas forcer le destin. Ce n'est pas le moment de divorcer, ni de vous séparer, ni de vous marier, ni non plus de vous associer en affaires. Placements, investissement et dépenses extravagantes sont déconseillés, des pertes importantes pouvant s'ensuivre. Mieux vaut ne rien commencer sous de telles configurations planétaires. Avec le temps, vous rentrerez dans vos pertes et soignerez vos plaies d'orgueil plus que d'argent…

Pour les autres, l'année se termine sur une note qui se veut prudente aussi. Disons que c'est une sarabande en si bémol mineur, vous me comprenez. À tout prendre, le bilan de l'année est positif, il n'y a rien à regretter.

Bonne fin d'année à tous !

HOROSCOPE HEBDOMADAIRE

Du 4 au 10 décembre : Les choses tardaient mais elles reprennent un cours normal. Ne mettez pas le doigt entre l'arbre et l'écorce le 5, il pourrait vous en coûter. La semaine est bonne côté santé, amour et argent, et le 10 est fabuleux.

Du 11 au 17 décembre : L'opposition qui vous empêche de satisfaire votre désir vous peine et vous agace. Ne précipitez rien, la pleine Lune du 15 décembre en Gémeaux a un effet bénéfique sur vos amitiés et sur vos amours. Ce jour est précieux.

Du 18 au 24 décembre : L'approche de Noël ne vous empêche pas de vivre à votre rythme. Vous êtes blasé et cette fin d'année réveille en vous des désirs d'enfance. Elle semble vous plaire davantage, à croire que vous redevenez sentimental.

Du 25 au 31 décembre : Joyeux Noël ! La veille et le jour même se prêtent à la fête. Pour recevoir ou sortir, choisissez ces jours. La nouvelle Lune du 30 en Capricorne n'a pas le même charme et vous rend tristounet… Fini les larmes, l'année nouvelle vous réserve tant de bonnes choses, demeurez optimiste et souriez : tout va bien !

Bonne année, cher Cancer !

Lion

DU 24 JUILLET AU 23 AOÛT

1er DÉCAN : DU 24 JUILLET AU 2 AOÛT
2e DÉCAN : DU 3 AOÛT AU 12 AOÛT
3e DÉCAN : DU 13 AOÛT AU 23 AOÛT

Prévisions annuelles

EN DEUX TEMPS

L'an neuf se vit en deux temps pour le natif et la native du Lion. Durant les six premiers mois de l'année, tout va raisonnablement bien pour eux, mais les six derniers mois comportent des pièges évitables. Prendre plaisir à bien s'entourer et recourir aux connaissances et à la générosité d'autrui les protégera dans les moments difficiles.

Seul, le Lion manquera de résistance et il risquera de s'embourber. Le slogan «L'union fait la force» est d'une vérité criante pour lui cette année. En faire son credo devient essentiel.

AU PLURIEL

C'est au pluriel que se conjugue la destinée du Lion en 2005. Bien des gens sont impliqués dans son travail, ses activités, ses loisirs et même ses amours. Vous déplacez beaucoup d'air et prenez de la place, c'est connu. Organisant, désorganisant puis refaisant mieux les choses, vous ne vous comptez jamais pour battu ; c'est un plus. Mais vous devez compter sur les autres cette année. Dans votre optique, c'est un moins. Apprendre à vous plier aux exigences du moment vous facilitera la tâche.

PARMI LES INTIMES

Parmi vos intimes, quelques personnes tentent d'intervenir dans vos affaires personnelles, mais c'est dans un but louable qu'elles le font. Elles ne peuvent s'empêcher de vous prodiguer des conseils, de vous offrir de l'aide et de discuter de votre sort. Cela peut vous agacer mais il ne faut pas leur en vouloir, elles agissent par amour ou par amitié. Puisque vous avez besoin des autres pour parvenir à destination, il va falloir vous en accommoder. Accepter la chose sans rechigner fera de vous un gagnant.

SÉDUIRE L'OPPOSITION

Pour marquer des points dans votre vie privée, familiale, sociale et professionnelle tout en réduisant les antagonismes, vous n'avez qu'une chose à faire : séduire l'opposition. Cela peut sembler facile à une personne ayant votre nature et votre magnétisme, mais il faudra faire des efforts pour atteindre le but. Attention, la course peut devenir épuisante si vous n'y prenez garde…

QUI AU JUSTE

L'opposition peut être votre conjoint, votre associé, la personne en face de vous dans une discussion d'affaires, le ou la secrétaire de direction, le gérant de banque ou de personnel, le politicien dont vous avez besoin pour conclure une affaire, enfin tout homme ou femme d'affaires dont vous apprécieriez le soutien en cette année plus revêche. Il peut aussi s'agir de la « grande séduction » à exercer auprès d'un médecin traitant, d'un spécialiste ou d'un autre soignant sur lequel vous comptez pour vous remettre en forme. La séduction peut prendre bien des formes, n'en omettez aucune.

COMPORTEMENT

Savoir doser son comportement de manière à ne froisser personne, voilà le hic. Beaucoup dépendra de la façon dont vous vous y prendrez pour attirer l'attention et expliquer vos besoins, sans pour cela prendre toute la place. Savoir calculer vos coups, peser vos paroles et ne rien laisser au hasard doit devenir une deuxième nature. Ainsi, vous vous attirerez la sympathie dont vous avez besoin pour tirer le meilleur parti possible des douze prochains mois.

CHANCE PURE ET VISUALISATION

La Chance Pure aidant par moments, certains d'entre vous feront des gains importants aux jeux de hasard et en spéculation, mais la chance n'est pas automatique, il faut l'entretenir. Une clé peut vous aider : la visualisation positive. Celle-ci vous aidera à matérialiser vos rêves selon la vision de l'avenir que vous entretenez en pensée. Diriger vos pensées vers une imagerie positive sera sans prix.

JOUER LE JEU

Sur le plan personnel, la personne que vous désirez conquérir est rebelle, difficilement atteignable, sophistiquée et pour tout dire assez fantasque. N'ayant pas froid aux yeux, elle va droit au but et

n'hésite pas à faire les premiers pas. Elle vous décoche un regard qui en dit long. Sachant qu'elle plaît, elle vous fait marcher, c'est un jeu d'enfant. Mais vous semblez aimer le jeu. Encore faut-il que l'autre joue avec vous; seul, c'est bien triste… Conseil amical: Méfiez-vous de ce qui paraît trop beau, trop facile. La séduction est une arme à deux tranchants. Souvent, est bien pris qui croyait prendre!

MORALEMENT ET FINANCIÈREMENT

Sur les plans moral et financier, des temps plus riches s'inscrivent en mars et en août, mais septembre est le meilleur mois de l'année pour traiter d'affaires, innover, partir au loin, changer de route, de travail, de direction, pour transformer sa vie entière s'il le faut. En cas de scandales ou de mauvaises affaires, ce mois permet de vous en sortir au mieux. La fin d'un système politique ou d'une tierce personne vous favorise. Atteindre la richesse est possible à l'âge mûr, cela devrait vous apporter du réconfort.

DOSE D'HUMILITÉ

Il n'en demeure pas moins qu'une bonne dose d'humilité est requise pour contourner le sort et pour amadouer un destin qui tend à se compliquer à la deuxième partie de l'étape. Cette vertu est enfouie en vous, mais elle vit en votre âme ou esprit. L'utiliser rendra la vie moins cruelle. Les grands ont cette facilité d'accepter l'inévitable; vous faites partie de ceux-là.

Au lieu de vous rebeller, remerciez le ciel de vous envoyer un ange en temps propice. Celui dont il est question plus loin convient parfaitement à la situation cette année. Retenez son nom, il vous portera bonheur.

UN ANGE

Un ange du nom de Nith-Haiah vous accompagnera dans vos démarches. Relié au Soleil, votre planète maîtresse, il vous donnera sagesse et discernement et vous consolera en temps difficile. Il vous aidera à préserver vos droits et à respecter le droit des autres, le droit à la différence. Ceux dont la vie ou profession est marginalisée et tous ceux qui se placeront sous son aile en retireront des bienfaits.

L'AVENIR

Voyons mois par mois ce que l'avenir vous réserve, comment accroître les bienfaits de la vie et minimiser les pièges semés sur votre chemin. En réalité, ce n'est pas si mal. Vous connaissant, j'ai mis les choses au pire pour vous rendre plus prudent. J'espère que ça réussira!

Coup d'œil sur le Lion de tout ascendant

Lion-Lion

Une année riche en émotions de tout genre semble s'annoncer, alternant entre le meilleur et le pire, et par moments vraiment déroutante. Il faut dire les choses telles qu'elles sont même si ça semble décevant.

Cela dit, il n'y a pas de quoi s'affoler. Vous en avez connu de pires et êtes là pour en témoigner. L'avantage de connaître un tant soit peu l'avenir est qu'on peut déjouer le sort et minimiser les risques. Autrement, ce serait nul.

Je tenterai de vous mettre au parfum le plus possible, vous faisant profiter des circonstances heureuses qui se manifesteront occasionnellement, mais fortement. Par contre, décembre est traître, vous êtes averti.

Rien de pire que l'orgueil et l'entêtement dans l'erreur. Doublement fixe, vous savez ce dont je parle. Lire attentivement les prévisions vous aidera à retirer le meilleur de ce que l'année a à offrir. Bonne chance!

Lion-Vierge

Année moyenne qui va chercher ce que vous avez de meilleur en vous. Les six premiers mois font appel à votre côté Lion, les six derniers à la Vierge en vous. Ainsi départagée, l'année vous semblera plus courte et plus valorisante.

Limitez les engagements, contrats et promesses, et gardez le maximum de liberté d'action. Vous négocierez mieux cet espace-temps par ailleurs assez indéfinissable et capricieux. Rester souple vous aidera.

Si vous pensez à vous endetter exagérément ou à hypothéquer votre avenir de quelque façon que ce soit, renoncez à ces projets immédiatement et mettez une sourdine à vos grands désirs de reconnaissance publique.

Le mieux serait de lire les prévisions pour le Lion et la Vierge et de choisir d'agir de telle ou telle façon, selon les aspects en cours. Ça demande du travail, mais c'est possible et votre vie en sera meilleure. Bons choix!

LION-BALANCE

Voilà un Lion qui a plus de chance que les autres. Utilisant ses charmes et ses dons artistiques tout en faisant preuve d'intégrité, il attire les courants d'énergie positive qui font la différence.

Débuter l'année en Lion vous avantagera, mais vous devrez changer de registre et utiliser votre côté Balance, surtout en matière d'affaires d'argent, de métier, de carrière ou profession. Il vous portera chance.

Jupiter en Balance de janvier à la fin d'octobre incite à l'optimisme et ajoute du charisme à la personnalité. Vous êtes aimable, recherché et populaire; des portes s'ouvrent. Pénétrez sans crainte, le succès vous tend les bras.

Il y a quelques pièges cette année pour vous aussi, mais à l'aide des prévisions qui suivent, vous les éviterez et retirerez plus d'avantages que de désavantages de la nouvelle année. C'est ce que je vous souhaite!

LION-SCORPION

Cette combinaison est plus complexe. Trop de fixité dans les buts et les sentiments peut apporter des complications majeures. Une Lune en signe plus léger aidera; reste à savoir si tel est le cas...

Les six premiers mois de l'année sont nettement plus agréables. Agir en Lion, non en mouton, augmente les possibilités heureuses et favorise l'expansion sociale et professionnelle.

Des ennuis familiaux et au foyer sont possibles, mais Jupiter entrant dans votre signe ascendant à la fin d'octobre, la fin de l'année est beaucoup plus productive en ce qui concerne les biens matériels. Cela atténuera les conflits familiaux.

Il ne faut pas faire d'extravagances, surtout en décembre, mois difficile, mais à l'aide des prévisions qui suivent, vous serez en mesure de profiter des bons moments et minimiserez les mauvaises tendances. Tout un avantage!

Lion-Sagittaire

Le feu de votre chaude nature est à exploiter en début d'année, mais à compter de juillet mieux vaut mettre la pédale douce sur vos passions et vos désirs excessifs. La mégalomanie est un danger, surveillez cette tendance.

Communications et amitiés sont le sel de l'année. Si vous soignez vos relations et travaillez dans ce domaine ou dans un domaine connexe, l'année sera meilleure. Le cas échéant, vous ne serez pas seul pour pleurer.

Réduisez la vitesse de croisière en juillet et prenez vos distances. Sans vous éteindre, n'alimentez pas le feu qui vous embrase: il est suffisamment ardent. Boire de l'eau et vous baigner dans de l'eau fraîche vous fera du bien.

Si votre vie n'est pas une sinécure, de bons coups vous feront oublier le reste. Vous devrez apprendre l'humilité. Ce n'est pas votre vertu préférée, mais il le faudra bien. Connaître les prévisions qui suivent vous rendra service.

Lion-Capricorne

Une année mixte s'annonce pour vous. Exerçant votre libre arbitre tout en tenant votre orgueil sous contrôle, vous arrivez à vous tirer d'affaire mieux que d'autres. C'est un défi à relever; vous adorez.

Les six premiers mois vous incitent à mettre de l'avant votre côté Lion. Action, ambition, dynamisme, sens du devoir, goût des jeux et des sports sont vos forces. Le succès découle de ces énergies positives.

La part de Capricorne en vous rend toute forme d'excès nuisible. Jupiter aidant, à compter de la fin d'octobre les amis et relations concourent à votre avancement. Tout se remet au beau.

Mieux vaut réduire les activités et s'occuper de sa santé à compter de juillet. Non que vous soyez nécessairement malade, mais des éclipses vous touchent à quelques reprises. Être averti et prévenir vous permettra de rester en meilleure forme.

Lion-Verseau

Meilleure année pour ceux qui profitent de cette combinaison plus heureuse. Le côté Verseau surtout est à utiliser. Il apporte l'insouciance et la liberté, qualités qui rendent invincible.

Des affaires intéressantes se dessinent en mars, puis en août et en septembre. Vous terminez l'année plus riche matériellement et peut-être spirituellement que vous ne l'avez commencée.

À compter de juillet, la santé physique devient prioritaire. Faites ce qu'il faut pour conserver la forme ou pour regagner le terrain perdu. Décembre s'annonce difficile ; le prévoir vous mettra à l'abri de pertes importantes.

Année à négocier adroitement, donc, mais qui pourrait comporter plus de gains et de profits que de malheurs. Afin de protéger votre intégrité physique, morale et financière, les prévisions de la section suivante seront très utiles…

Lion-Poissons

De Feu et d'Eau, vous avez intérêt à recourir principalement aux qualités flexibles et mouvantes du Poissons. Votre côté Lion, lui, est fiable de janvier à juillet. « Agissez, vous réfléchirez après » s'applique durant cette période.

Vous avez la chance de pouvoir passer d'un extrême à l'autre sans que personne ne s'en formalise. N'hésitez pas à changer de but et de destination, quitte à passer pour une tête légère. Vous êtes au poste de contrôle.

Mars, août et septembre incitent à agir promptement, faisant preuve d'autorité dans la conduite des affaires. Novembre est superbe ; vous n'avez qu'à suivre votre intuition. Décembre est moins faste, prudence.

Rien n'est simple cette année, mais vous pouvez en retirer des bénéfices dans la vie privée, au travail et dans les affaires d'argent. Suivre les indications données dans les prévisions vous renseignera plus à fond.

Lion-Bélier

L'année s'annonce bien de manière globale, mais des zones de moindre résistance physique s'inscrivent à l'horizon. Les cibler permettra de réduire les risques pour la santé et la sécurité personnelle.

Le Lion est à privilégier pendant les six premiers mois de l'année. Agir avec fierté et noblesse en négligeant la vengeance et les sentiments négatifs vous place dans une catégorie à part. La réussite vient par ce biais.

Foi et inspiration sont disponibles et en quantité. Avoir recours aux qualités dynamiques mais réalistes de vos chaudes tendances fera osciller la balance de votre côté.

Côté matériel, le Lion porte chance, mais à compter de la fin d'octobre le Bélier prend le dessus. Décider en quelques minutes est de son domaine. Décembre est rude ; lire attentivement les prévisions qui suivent servira vos intérêts.

LION-TAUREAU

La combinaison est bonne en début d'année mais tout se complique à partir de juillet. Utiliser les six premiers mois pour se fabriquer des réserves de santé, de sécurité matérielle et d'équilibre moral est conseillé.

Deux signes fixes sont en jeu. La volonté peut devenir entêtement, les sentiments prendre le dessus sur la raison et tout faire basculer. Utiliser votre énergie adroitement et ne pas céder à la déprime vous sauvegardera.

L'opposition à vos désirs se joint à un besoin de ménager votre santé. Cœur, dos, yeux, gorge et seins sont les points faibles. Si tout va bien, tant mieux. Vous transgressez les préjugés et tabous, c'est bon signe.

Être informé fera de vous une personne plus consciente de ses forces et de ses faiblesses, donc plus heureuse. Les prévisions qui suivent vous seront doublement utiles. Bonne chance !

LION-GÉMEAUX

L'union de ces deux signes en vous constitue à la fois une force et une faiblesse. Séducteur-né, séductrice sans équivoque, vous avez de la difficulté à vous brancher côté cœur. Trop de blé au moulin sans doute…

Les accidents bêtes sont à surveiller. Tout va assez bien de janvier à juillet, moment où la santé et la sécurité personnelle requièrent une prudence de tous les instants. Les voyages, surtout en avion, sont à limiter.

Le côté Gémeaux de votre nature est responsable de succès marquants sur le plan matériel. Le travail s'avise agréable et valorisant; des gains substantiels surviendront en mars et en août, tandis que septembre ne décevra pas.

Pour de meilleurs résultats, ayez recours à la légèreté légendaire de votre ascendant Gémeaux et évitez la tendance dramatique du Lion. Décembre étant plus dur, s'en remettre aux prévisions qui suivent sera sage.

LION-CANCER

L'année se décline au conditionnel pour les natifs d'une telle engeance astrologique. Les deux signes exposent à des pertes financières et à des revers de fortune sous différentes formes, mais il ne faut pas dramatiser.

Si vous utilisez votre force de Lion de janvier à juillet, vous arriverez plus en forme au moment décisif dans plusieurs domaines dont la vie privée, le travail, la famille et les affaires d'argent. Rugissez, c'est l'heure!

Ce sera plus intéressant aussi si vous refusez de vous laisser dominer par les événements et faites place au courage, à la détermination et dans certains cas à la bravoure. Vous avez du tempérament, montrez-le.

Parenté et entourage portent chance en début d'année. La famille fait des gains qui mettent à l'abri de la nécessité et peuvent vous enrichir. Lire les prévisions de la section suivante vous donnera une longueur d'avance sur le destin, c'est utile…

Prévisions mensuelles

JANVIER

La clémence ne se commande pas. Elle tombe du ciel comme une pluie douce ; elle fait du bien à celui qui la donne et à celui qui reçoit.

WILLIAM SHAKESPEARE

TOMBER EN AMOUR

Janvier favorise la bonne santé et les bonnes affaires, mais il met surtout l'accent sur l'amour et sur la sexualité. Si vous êtes disponible et avez le cœur libre de toute attache sérieuse, janvier peut vous trouver en amour. On dit « tomber en amour » pour des raisons qu'il vaut la peine d'analyser, à plus forte raison quand on est Lion comme vous. Un Lion, une Lionne qui tombe en amour, ça fait du bruit !

GRANDS SENTIMENTS

En espérant que ce soit le cas, je vous souhaite de belles amours et vous informe que le début de janvier est propice aux grands sentiments. Il peut s'agir d'un nouvel amour ou d'un amour retrouvé, mais c'est l'Amour avec un grand A. Ne rigolez pas, il ne s'agit pas de passade mais de symbiose avec une personne psychologiquement et intellectuellement compatible avec vous. Le fait est rare ; j'espère que vous ne raterez pas l'occasion de manifester de l'intérêt pour cette espèce d'oiseau en voie de disparition !

EN CAGE

Vous qui adorez les oiseaux, ça ne pouvait mieux tomber. Vous avez le goût de le mettre en cage, mais résistez à la tentation. Il est trop tôt pour de telles entreprises mais certains plus jeunes et plus « fous » céderont à la tentation. Un mariage, une union vite conclue est possible. Peut-être en voyage, c'est entièrement possible… Le principal étant d'être heureux, ce que vous êtes en ce bon début d'année.

DIMINUER LA VAPEUR

À compter du 19 janvier, réduisez les activités exigeant trop de force musculaire et physique. Le Soleil passant en Verseau invite à plus de prudence en regard de la santé et de la sécurité personnelle. De petits risques d'accidents existant pour vous ou votre conjoint, ce qui vous causerait des désagréments, recommandez à l'autre de diminuer la vapeur et faites de même.

ÉNERGIE FULGURANTE

Par chance, l'énergie est fulgurante. Persuasif et chanceux en affaires, vous pouvez vendre ce que vous voulez et à bon prix, acheter dans des conditions idéales ou échanger des biens et des produits essentiels à votre bien-être personnel. Des gains sont possibles grâce à votre investissement total dans une affaire qui semblait douteuse. Vous réalisez que vous avez bien fait d'y croire ; c'est un succès, bravo !

Comme vous le voyez, janvier est un bon mois. Profitez-en pour voyager et pour mettre de l'ordre dans votre vie privée, familiale et sociale. Côté métier et travail, c'est intéressant aussi, mais la vie sentimentale, les enfants, les plaisirs ainsi que les jeux et les sports occupent la première place. Tout à fait à votre goût !

HOROSCOPE HEBDOMADAIRE

Le 1er janvier : Vous affrontez la nouvelle année sûr que tout se passera au mieux. Cette attitude positive et optimiste est justifiée : vous avez ce qu'il faut pour être heureux en ce premier de l'an. Bonne année !

Du 2 au 8 janvier : Vous avez le goût de vous amuser et de vous divertir et vous pouvez le faire dans des conditions agréables. Capable de déployer du charme pour faire une conquête, vous pouvez envisager un grand amour. Laissez-vous emporter sur les ailes du bonheur, c'est doux…

Du 9 au 15 janvier : La nouvelle Lune du 10 janvier en Capricorne parle de retour au travail et de sens du devoir. Pas aussi drôle que les jours précédents mais valorisant. Le niveau d'énergie est élevé, la vie sexuelle trépidante.

Du 16 au 22 janvier : Conformément à vos expectatives, le moment est crucial. La santé peut requérir des soins particuliers, mais rien qui puisse inquiéter. Les amis et relations marqués par le Capricorne, la Balance et le Sagittaire sont bien placés pour vous aider.

Du 23 au 29 janvier: Vous progressez grâce à des études ou à une formation professionnelle plus ciblée. La pleine Lune du 25 janvier en Lion accentue le charme et apporte une recrudescence de popularité. Profitez-en pour vous mettre en vedette et pour attirer l'attention de qui vous savez...

Du 30 janvier au 5 février: Ce n'est pas votre meilleur temps de l'année. Limitez les risques en ménageant votre santé, vos nerfs surtout, et en évitant les affrontements et les confrontations avec l'autre et les autres. Soyez discret.

CHIFFRES CHANCEUX

3 - 13 - 14 - 22 - 38 - 39 - 45 - 46 - 47 - 62

FÉVRIER

Une foi qui ne doute pas est une foi morte.

M. DE UNAMUNO

CULTIVER L'HARMONIE

L'opposition et la contrariété font partie du décor en ce février favorable du côté financier, mais tarabiscoté dans le domaine du sentiment. Vous êtes aux prises avec le doute et c'est un ennemi redoutable. Trop exigeant, exclusif et sans doute jaloux, vous êtes divisé. Une partie de vous croit ou veut croire les histoires compliquées qu'on lui raconte, l'autre refuse de se faire berner. Laquelle a raison et laquelle a tort? Il vous appartient de trouver la solution.

SAINT-VALENTIN

Cultiver l'harmonie est la clé qui fera de ce mois un temps de joie ou de peine. Au lieu de vous rebeller contre toute forme d'autorité et de contrer toute volonté s'opposant à la vôtre, cultivez l'harmonie. Vous prendrez plaisir à faire la paix avec vous-même et à semer la paix autour de vous. Ce sera votre façon de célébrer la Saint-Valentin!

RELATIONS INTERPERSONNELLES

Qu'il s'agisse des enfants ou des petits-enfants, de jeunes personnes avec qui vous transigez, de rapports strictement professionnels ou d'affaires, les relations interpersonnelles seront meilleures à compter du 16 février. En cas de papiers à signer, d'engagement fixe à prendre, de conversation sérieuse à avoir avec une personne de l'entourage, remettre à des temps plus propices serait préférable. Les mots et gestes auront plus de sens à partir de là. Caprice du sort peut-être, mais vous serez à même de vérifier ces affirmations.

FAUTE DE VÉNUS

Si vous devez parler d'amour et de sentiments, choisissez de retarder l'échéance au 16 février ou après. Vous trouverez maintes raisons d'excuser le retard et vous réjouirez de l'avoir fait. Tout est la faute de Vénus, planète d'amour par excellence. Elle cesse de s'opposer à vous à la mi-février : vous ne manquerez pas de constater que Vénus aimable est supérieure à Vénus fâchée !

Sur ce, bonne Saint-Valentin, cher Lion !

HOROSCOPE HEBDOMADAIRE

Du 6 au 12 février : Pour faire avaler des couleuvres aux naïfs et en particulier au conjoint ou à l'associé, vous êtes génial, mais la nouvelle Lune du 8 février en Verseau conseille de ne pas aller trop loin. Si l'une des deux parties est une femme, la crise de larmes n'est pas loin.

Du 13 au 19 février : Les rapports avec les frères et sœurs sont stimulants. Des relations nouées au cours d'un voyage incitent à mettre plus d'ardeur au travail. Celui-ci est payant et valorisant ; ne négligez pas ce qui rapporte. Célébrer la fête des amoureux après le 16 serait préférable, voyez plus haut....

Du 20 au 26 février : Il est plus difficile d'établir des relations saines basées sur la confiance avec votre conjoint, votre associé et les autres en général. On semble se méfier de vous. Souhaitons que ce soit à tort... La pleine Lune du 23 février en Vierge confirme que l'argent est à la clé.

Du 27 février au 5 mars : Vous vous penchez avec intérêt sur les sujets liés à la mort, mais aussi, plus prosaïquement, aux impôts, taxes, testaments, mandats en cas d'inaptitude et considérations du même ordre. Vie et mort sont liées il est vrai…

CHIFFRES CHANCEUX

1 - 5 - 12 - 25 - 26 - 33 - 39 - 40 - 55 - 68

MARS

Gèle, gèle, ciel rigoureux,
Ta morsure est moins cruelle
Que celle d'un bienfait oublié.

William Shakespeare

PÂQUES ET LE PRINTEMPS

Pâques est célébré le 27 mars et le printemps est officiellement parmi nous à partir du 20. Deux fêtes, deux moments tendres pour vous du Lion. La fin du mois vous rapproche de l'être aimé et tend à vous rendre passionnément amoureux. Est-ce le printemps ? Il semble que votre chaud tempérament soit au zénith.

BON VOYAGE

Un peu jaloux, peut-être, mais qui n'a pas un brin de jalousie en lui n'est pas vraiment en amour. En ce moment, c'est la jouissance totale de l'autre que vous souhaitez, et le plus souvent votre vœu est exaucé. Il se peut que la romance ait pris naissance à l'étranger, ou qu'il s'agisse d'un étranger, d'une étrangère. La proposition n'est que plus exaltante. Vous aimez ce qui vient d'ailleurs ; un beau voyage d'amour et d'affaires n'est pas exclu. Bon voyage !

RETARDS ET LENTEURS

Même si des retards sont possibles à cause d'arrêts de travail et de grèves et lenteurs qui entravent certains projets, ne démissionnez pas. La persistance que vous montrez ou omettez de montrer fera que vos plans fonctionneront ou échoueront. Tout repose sur vous, mais les chances sont bonnes que votre conjoint ou associé soit impli-

qué autant que vous dans la réussite ou l'échec. Souhaitons que vous sortiez tous victorieux de l'affaire...

CHANCE POUR CERTAINS

Un temps de chance s'inscrit vers le 14 mars pour ceux dont l'ascendant est Balance, Verseau ou Gémeaux. Si tel est le cas, n'hésitez pas une seconde et empressez-vous de saisir l'occasion. Même si le mois de mars en entier vous favorise, un mois est vite passé... Ayant prévu ce moment précieux, donnez le maximum dans vos études, votre métier, votre carrière. Un succès majeur est promis par Jupiter et par Neptune, et ils tiennent toujours parole.

FAIRE LA PAIX

Ascendant favorable ou non, un bon coup est plus que probable. Pour peu que vous fassiez la paix avec le conjoint, l'associé, les gens avec qui ou pour qui vous travaillez, la réussite sera à la hauteur de vos attentes. Le bon aspect entre un Jupiter aimable et un Neptune adverse n'étant actif que si vous montrez de la bonne volonté et de la tolérance, les concessions à faire peuvent sembler énormes sur le coup, mais quand vous comprendrez qu'il y va de votre intérêt, plus rien ne vous arrêtera. Succès assuré!

FOI ET HONNEUR

Des possibilités faramineuses s'ouvrent à vous. Au moindre clin d'œil du sort, tombez dans ses bras et laissez-vous porter par lui. Foi et honneur ne déçoivent jamais. Grâce aux sentiments d'appartenance à la race humaine et à la mansuétude que vous montrez et devant laquelle on doit s'incliner, aucun ennemi ne reste invaincu, aucune cause perdue.

Joyeuses Pâques, bon printemps et bonne chance!

HOROSCOPE HEBDOMADAIRE

Du 6 au 12 mars: Démarches, déplacements et voyages d'affaires sont réussis, agréables et sécuritaires. La nouvelle Lune du 10 mars en Poissons favorise l'eau, le bateau, les produits de la mer, chimiques et synthétiques, le pétrole. Gains provenant directement ou indirectement de ces domaines.

Du 13 au 19 mars : Bons rapports avec les frères et sœurs, les cousins, la parenté et l'entourage favorisant les gains providentiels. Vous êtes plus chanceux en groupe que seul ; cette information peut valoir son pesant d'or.

Du 20 au 26 mars : La santé est bonne, les réflexes sûrs, vous travaillez et faites du sport sans risque. Mettez vite de l'ordre dans vos rapports humains. Une mésentente pouvant s'aggraver, faites la paix. La pleine Lune du 25 mars en Balance est idéale pour pareil rapprochement.

Du 27 mars au 2 avril : L'énergie flanche un peu. L'autre et les autres exigent trop d'attention et de travail ; expliquez-leur que vous ne pouvez tout faire seul. S'ils consentent à assumer leur part de responsabilité, c'est bien ; autrement, refusez d'autres engagements.

CHIFFRES CHANCEUX

1 - 5 - 14 - 27 - 28 - 30 - 31 - 47 - 52 - 53

AVRIL

C'est dans la contemplation de la nature et dans l'étendue de son propre cœur qu'il faut chercher ses réflexions et ses pensées.

O. PIRMEZ

CHANGEMENTS

Cher printemps, tu nous fais bien plaisir avec tes neiges fondantes et ton ciel plus lumineux, mais tu nous obliges à procéder à des changements. Vous n'aimez pas beaucoup le changement, cher Lion. Il peut s'en produire qui ne sont pas désirés, ce qui est encore plus déstabilisant.

Ne paniquez pas si l'autre et les autres occupent plus de place que vous ce mois-ci, et cela dans tous les domaines et sous tous les cieux. Il est un temps pour se mettre à l'avant-plan, un autre pour s'éclipser des feux de la rampe. Il se peut qu'avril soit l'un de ceux-ci.

ÉCLIPSES

L'éclipse solaire totale du 8 avril en Bélier n'altère pas beaucoup votre résistance physique, mais l'éclipse lunaire du 24 avril en Scor-

pion s'avère plus coriace. Par chance, elle est partielle, donc mineure et de moindre intensité. Ses effets restrictifs au point de vue de la santé morale sont moins importants. Quand même, une éclipse en carré à notre signe solaire fait mal. Mieux vaut être averti, ainsi vous saurez à quoi vous en tenir.

LES PLUS FRAGILES PHYSIQUEMENT

Les plus fragiles côté santé et sécurité personnelle sont Lion ascendant Bélier, Cancer, Capricorne ou Balance. Si vous êtes de ceux-là, ne négligez pas les symptômes et soignez le moindre rhume. Une épidémie étant possible en pareil temps, protégez votre santé de votre mieux. En cas de chirurgie, ne craignez rien mais demandez l'aide de votre partenaire de vie et de votre associé. Ces derniers vous aideront à passer ce moment moins aisé.

LES PLUS FRAGILES MORALEMENT

Les plus fragiles moralement sont les Lion ascendant Scorpion, Taureau, Verseau et Lion. Si tel est votre cas, redoublez d'attention et, en cas de chute grave du moral, faites-vous aider par un professionnel de la santé. Rien d'irréparable n'est à prévoir, mais la déprime peut s'infiltrer sournoisement et causer du dommage. Pourquoi ne pas prévoir la chose quand on a la chance de le faire?

LES PLUS FORTS

Les plus forts en avril sont Lion ascendant Gémeaux, Vierge, Sagittaire ou Poissons. Si vous n'avez mal ni au corps ni à l'âme, c'est trouvé: votre ascendant est dans l'un de ces quatre signes. Pas moyen de faire autrement! Tant mieux, il faut des Lion en santé pour remédier à ce qui se passe en ce mois-ci dans le monde et autour de nous. Nous vous sommes reconnaissants de l'aide que vous nous apportez dans les domaines où vous œuvrez. Bravo et merci!

HOROSCOPE HEBDOMADAIRE

Du 3 au 9 avril: La semaine n'est pas négative du fait de l'éclipse solaire totale du 8 avril en Bélier, mais elle suggère de s'en tenir à la routine. À vous de décider, mais à votre place je ne provoquerais pas le sort en pareilles circonstances…

Du 10 au 16 avril : En cas de problème affectif ou sentimental, réglez vite toute mésentente. Les rapports avec les jeunes et les enfants étant harmonieux, profitez-en pour faire une mise au point avec eux. Ils comprennent mieux que vous ne le croyez.

Du 17 au 23 avril : Éclipse lunaire de pénombre le 24 avril en Scorpion exigeant plus d'attention côté santé morale et psychique. L'équilibre peut avoir temporairement des ratés. Voir des gens sains, optimistes et droits vous fera retomber sur vos pattes.

Du 24 au 30 avril : La nostalgie vous prend lorsqu'une chanson joue à la radio ou qu'une personne aimée ressasse ses souvenirs. Les femmes du Cancer, du Capricorne et du Poissons sont merveilleuses ; avec elles, vous passez de bons moments.

CHIFFRES CHANCEUX

5 - 6 - 15 - 25 - 26 - 34 - 35 - 44 - 59 - 68

MAI ET JUIN

Une chose de beauté est une joie éternelle.

RUDYARD KIPLING

BONS MOIS POUR LES AFFAIRES

Mai et juin sont deux bons mois pour les affaires. Volubile et adroit, vous passez vos messages. Ils sont bien reçus et portent fruit, en particulier durant les 11 premiers jours du mois. Profitez-en pour faire des gestes, prendre des décisions, étudier les propositions et contrats ainsi que pour voyager. Comme il est certain que ce que vous fabriquez aura des répercussions profondes sur votre avenir, l'importance du moment est criante. Ouvrez grandes vos oreilles, questionnez vos professeurs, vos clients, vos interlocuteurs et laissez la porte ouverte à la nouveauté ; vous ferez ainsi d'excellentes affaires.

COMMUNICATIONS

À compter du 12 mai, les communications se font moins cordiales. Il faut soigner les paroles et les écrits et porter attention à ce

qui relève de la réussite sociale et professionnelle. Prudence lors de la signature de contrats, d'engagements fixes. Les fines lignes en bas de page vous renseigneront sur les obligations auxquelles vous souscrivez. Un notaire ou un avocat vous éclairera. Ne vous engagez pas par sentiment, mais à la suite d'une mûre réflexion et nanti de garanties solides à l'effet que vous serez payé et remboursé.

PORTES DE SORTIE

Vous hypothéquer le moins possible tout en gardant des portes de sortie serait idéal. Un «en-cas» étant utile, en avoir plusieurs sous la main vous sécurisera. On vous demande de rendre service, de prêter de l'argent, d'avancer des fonds, bien, mais s'il faut prêter ou emprunter des sommes faramineuses, refusez. C'est dans votre intérêt, vous comprendrez bientôt pourquoi. Voyez du côté des placements sûrs, d'un travail à temps partiel mais valorisant. Il est possible que vous obteniez une nouvelle source de revenus à la suite d'une relation d'amitié ou d'amour ou encore grâce à un art ou à un artisanat.

INVESTIGUER

À la mi-juin les événements se bousculent, la vie adopte un rythme plus trépidant. Vous fourmillez d'idées et de projets que vous désirez réaliser immédiatement. Vous défendez vos idées et points de vue avec ardeur et parfois avec une rage contenue. Votre attitude dynamique force l'admiration et le succès; vous vous montrez bon combattant non seulement en amour, mais aussi au travail, dans le métier, la profession que vous exercez.

L'ÉTRANGER

Les étrangers ainsi que les transactions faites à l'étranger – import-export, etc. – sont au cœur d'une belle réussite. Un voyage égayé par des rencontres stimulantes s'annonce. Dites oui à tout, vous ne pouvez pas vous tromper. Vous avez beaucoup à gagner à lorgner de l'autre côté de l'océan. De bien belles choses semblent vous y attendre. Bon voyage!

C'est la fête des Mères le 8 mai, la fête des Pères le 19 juin et la fête nationale le 24 juin. Bonnes fêtes à tous!

HOROSCOPE HEBDOMADAIRE

Du 1er au 7 mai : La période tend à vous humaniser, à vous attendrir. Le cœur est un peu sec ; les sens sont ébranlés. L'énergie dont vous débordez attire les gens de qualité intéressés aux mêmes sujets que vous. Ensemble, vous faites bonne équipe.

Du 8 au 14 mai : Nouvelle Lune du 8 mai en Taureau rendant hypersensible. Ne pleurez pas, madame Lion, ni vous, monsieur Lion, du moins pas longtemps, c'est mauvais pour les yeux et le cœur que vous avez fragiles. Reste le dos : n'en prenez pas trop sur le vôtre, divisez les responsabilités.

Du 15 au 21 mai : Bonne semaine pour faire le ménage printanier à l'intérieur et à l'extérieur : vous avez besoin de renouveau. Les amitiés et amours se déroulant bien, vous ronronnez tel un gros chat satisfait de son sort. La personne aimée est choyée par vos bons soins. Ah ! l'amour !

Du 22 au 28 mai : La pleine Lune du 23 mai en Sagittaire vous en met plein la vue. Vie sentimentale et érotique passionnante, joie qui vient par les enfants, spéculations boursières et financières payantes, gains aux jeux de hasard, que vouloir de plus ?

Du 29 mai au 4 juin : Plus souple, vous vous faites des amis parmi les étudiants, les intellectuels, les hommes et femmes d'affaires. Votre grande capacité d'action utilisée positivement permet des gains importants. Vous savez faire du neuf avec du vieux, c'est du grand art.

Du 5 au 11 juin : La nouvelle Lune du 6 juin en Gémeaux met l'accent sur les relations sociales et professionnelles. Cultivant l'amitié de gens influents, vous vous assurez une protection en haut lieu. En cas de besoin, ils voleront à votre secours ; c'est de l'argent en banque.

Du 12 au 18 juin : Tout arrive en même temps. Vous avez à peine le temps de réaliser ce qui se passe mais c'est avantageux, il n'y a pas lieu de vous plaindre. On ne peut être à deux endroits à la fois ; dommage, vous aimeriez bien…

Du 19 au 25 juin : Pleine Lune du 21 juin en Capricorne parlant santé et travail. Ces domaines sont directement responsables des décisions que vous prenez actuellement, et qui vous suivront longtemps. Le temps est à la réflexion…

Du 26 juin au 2 juillet : Vous aimez l'été. Quoi de plus beau qu'un Lion étendu paresseusement au soleil ? J'espère que vous donnez libre cours à votre nature. Prenez du bon temps, faites l'amour ou du sport, tout semble possible en cet heureux moment.

CHIFFRES CHANCEUX

1 - 5 - 11 - 25 - 26 - 30 - 45 - 46 - 59 - 60

JUILLET

La santé est le plus grand des dons ; le contentement est la meilleure des richesses.
DHAMMAPADA

ARRIVÉE DE SATURNE

C'est ce chaud juillet que la froide Saturne a choisi pour visiter votre signe. Elle demeurera chez vous pendant deux ans et demi, son cycle normal. Si ce n'est pas nécessairement mauvais, c'est l'indice qu'il faut s'arrêter, prendre le temps de réfléchir et faire le point sur son existence. La chose se fera de gré ou de force, aussi bien en prendre son parti et faire contre mauvaise fortune bon cœur. Ce n'est pas si terrible, mais mieux vaut être averti.

SAVOIR

Saturne passant sur le Soleil natal, donc sur soi, indique le besoin de faire le point sur son état de santé. Sans pessimisme excessif, mais systématiquement, mieux vaut faire les examens nécessaires et procéder à un bilan de santé réaliste et objectif. Un bon médecin fera l'affaire, mais si vous devez avoir recours à un spécialiste, n'hésitez pas à payer si nécessaire. Rien n'est plus important que votre sécurité, soyez-en conscient.

Vous devez connaître la vérité au sujet de votre corps, de ce qu'il peut subir ou non, des soins et traitements appropriés et nécessaires pour que vous puissiez recommencer un autre cycle de 28 ans sans problèmes irrésolus. Savoir et agir de façon responsable fera toute la différence.

RICHESSE

Si vous tenez la forme, sachez que les mois d'août et de septembre prochains exigeront de l'énergie, mais la récompense de vos efforts dépassera vos espoirs les plus fous. Les plus chanceux pourraient obtenir une grande richesse. La chose se fera dans un court laps de temps, admettant le fait que l'ascension promise ne soit pas déjà commencée…

MOIS D'ANNIVERSAIRE POUR CERTAINS

Si c'est votre anniversaire de naissance, vous êtes concerné par Saturne qui se trouve au début du signe. Natifs du premier décan (du 24 juillet au 2 août), soyez attentifs à vos besoins et agissez sans tarder. Plus vous tarderez à faire ce qu'il faut, plus ce sera dur. Faites-le maintenant, alors que le Soleil vous visite. Cela correspondant à un temps de renouveau, les moyens pris pour améliorer votre condition n'en sont que plus appropriés. Courage, vous n'avez jamais eu peur de rien, pourquoi commencer aujourd'hui ?

Joyeux anniversaire, cher Lion ! C'est la fête du Canada le 1er juillet et la fête nationale en France le 14 juillet : bonne fête à tous !

HOROSCOPE HEBDOMADAIRE

Du 3 au 9 juillet : Mercure et Vénus étant dans votre signe en harmonie avec Jupiter, des unions et mariages sont célébrés. Le cœur et les sens en effervescence, vous êtes passionnément amoureux de la vie, et d'une personne en particulier. La nouvelle Lune le 6 juillet en Cancer favorise le secret ; soyons discrets.

Du 10 au 16 juillet : Vous aimez avec la tête et le cœur suit. Accepter l'autre tel qu'il est implique moins de domination et plus de tolérance. Vous êtes capable de tout quand l'amour vous motive. Saturne vous assagit, un grand bonheur s'annonce.

Du 17 au 23 juillet : Moments magiques dans la vie sentimentale et sexuelle. Satisfaction, gratification, valorisation, le compte y est. Vous engager par passion serait favorable, mais la pleine Lune du 21 juillet en Capricorne porte à réfléchir. Que décider ? Dire oui serait bien.

Du 24 au 30 juillet : Vous êtes un peu moins fougueux mais toujours amoureux. Entiché pourrait être un mot plus juste, mais vous détestez croire que les sentiments sont éphémères. Pourquoi crever votre ballon rouge ? Il est si beau…

Du 31 juillet au 6 août : Le Soleil dans votre signe vous allume, mais attention, le 31 est survolté, il faut redouter les conflits et acci-

dents dus à un excès d'agressivité. La nouvelle Lune du 4 août en Lion attire l'attention sur vous. Si vous jouez un rôle important dans la société, mieux vaut baisser le ton.

CHIFFRES CHANCEUX

5 - 9 - 19 - 20 - 31 - 32 - 44 - 45 - 59 - 63

AOÛT

C'est la conscience humaine qui différencie le Beau du Laid.

LAO-TSEU

TEMPS DE CÉLÉBRER

Août est le mois de votre anniversaire pour la plupart. Celui-ci promettant d'être plus excitant que jamais, vous êtes dans la période la plus jouissive de l'année. Profitez de l'abondance et de la plénitude qui s'offrent et déployez tous vos sens, allant chercher le meilleur de ce que la vie a à offrir. C'est aujourd'hui le temps de célébrer!

APPRÉCIER LA CHANCE

N'allez pas croire que l'arrivée de Saturne empêche toute bonne chose de se manifester. Elle porte au contraire à mieux apprécier la chance que vous avez, tout en rendant plus circonspect et critique vis-à-vis de ce que vous croyez être indispensable à votre bonheur. Vous serez à même de constater au cours des prochaines semaines que des personnes ou éléments qui semblaient terriblement importants n'ont pas la valeur que vous leur accordiez. Ne serait-ce que pour cela, août est profitable. Mais il y a plus, beaucoup plus...

ACCORD CÉLESTE

Un accord céleste entre Jupiter et Neptune vous permet de régler avantageusement des affaires d'argent. Celles liées aux matières synthétiques, gaz, pétrole, mazout, pétrochimie, caoutchouc, huiles et autres liquides sont particulièrement satisfaisantes. Non seulement vos transactions sont intéressantes dans l'immédiat, mais elles seront productives dans le futur. Vous pouvez aussi vous orienter dans des secteurs sociaux, politiques ou religieux, participer à des groupes et sceller des relations agréables dans ces domaines. Une progression sur le plan spirituel est notable.

ASCENDANTS FAVORISÉS

Les Lion qui ont un ascendant favorisé sont particulièrement chanceux en affaires. Brillants dans les choix qu'ils font, ils ont pour signe ascendant la Balance, le Verseau, le Gémeaux et ils progressent grâce à une formation professionnelle améliorée. Profitant de certains voyages de spécialisation ou d'études dans leur domaine, ils donnent une impulsion nouvelle à leur travail et perçoivent une récompense matérielle plus élevée. Les rapports avec les frères et sœurs et avec l'entourage sont stimulants et heureux.

Même si votre ascendant n'est pas mentionné, soyez optimiste. La tendance demeure positive pour chacun, surtout que les grandes vacances battent leur plein. Joyeux anniversaire et bonnes vacances à tous!

HOROSCOPE HEBDOMADAIRE

Du 7 au 13 août: Il y a lieu de se méfier d'une tendance à se faire des illusions. La santé peut nécessiter des soins, l'eau présenter des risques. Prudence si vous nagez et dans tous les sports. Ralentir au volant de tout véhicule, surtout le 13, est conseillé.

Du 14 au 20 août: Relations agréables avec l'entourage, les frères et sœurs. Goût de faire des petits voyages pour le plaisir. La pleine Lune du 19 août en Verseau montre de l'opposition à vos désirs. Si vous brassez de grosses affaires, ce qui est fort possible, vous ne le remarquerez même pas.

Du 21 au 27 août: Mars en Taureau vous rend exigeant, autoritaire et agressif. Pour ne pas vous faire d'ennemis, diminuez la vapeur et défoulez-vous le plus sainement possible. Pour vous rafraîchir le corps et l'esprit, buvez beaucoup d'eau et baignez-vous, mais soyez attentif aux risques d'accidents.

Du 28 août au 3 septembre: L'énergie manque ou est mal employée. Refaites le plein grâce au yoga, à la méditation. Au travail, ne faites que ce qui vous branche. En amour, gare à la jalousie, à l'obstination, à la colère. La nouvelle Lune du 3 septembre en Vierge parle argent et vous rassure.

CHIFFRES CHANCEUX

1 - 8 - 9 - 17 - 24 - 38 - 39 - 40 - 59 - 67

SEPTEMBRE

Il y a beaucoup moins d'ingrats qu'on le croit, car il y a bien moins de généreux qu'on ne pense.

SAINT-ÉVREMOND

MEILLEUR MOIS DE L'ANNÉE

Le meilleur mois de l'année pour vous est certainement septembre. Malgré les embûches, vous réagissez sainement à toute proposition négative et tenez en laisse le « malin » qui tente de vous asservir. Passions trop vives, sens exacerbés, sentiments extrémistes, ces attitudes nocives se modifient et se calment grâce à la bonne influence céleste. Cela permet à tout ce que vous avez de beau et de bon en vous de s'extérioriser. Vous êtes définitivement « top niveau » et ne pouvez échapper à la chance, impossible!

AIDE DE PARTOUT

L'aide vient de partout. On vous entoure de toutes parts, on vous courtise, vous n'avez que l'embarras du choix tant les offres se multiplient et sont intéressantes. Les meilleures viennent de vos frères et sœurs, de vos enfants, de votre associé mais surtout de votre conjoint particulièrement brillant et chanceux actuellement. Moment à choisir pour signer des contrats, envisager un mariage ou une association d'affaires et pour résoudre les conflits d'intérêts.

BIEN ENTOURÉ

Bien entouré, vous opérez des changements et des transformations majeures dans votre travail, votre entreprise. Tout bouleversement étant avantageux, n'hésitez pas à tout laisser tomber et à recommencer sur des bases plus solides et convenant mieux à votre état ou à votre désir. Faire les virages nécessaires s'impose. Procédez immédiatement, vous me serez reconnaissant de ce conseil. Ne serait-ce qu'à cela, mon livre vous aura servi.

ASCENDANTS AVANTAGEUX

Parce qu'ils génèrent une énergie optimiste et audacieuse, les ascendants avantageux sont Balance et Sagittaire, signes où Jupiter et Pluton séjournent, mais le Lion et le Verseau en profitent de façon remarquable. L'harmonie entre ces deux géants du ciel accroissant la chance dans la spéculation boursière et financière, des transactions spontanées et chanceuses apportent l'abondance à qui le désire et y travaille avec confiance et persévérance.

AUTORITÉ, JUSTICE

Les autorités et directeurs d'entreprise vous voient d'un bon œil, vous ne pouvez rien faire de mal à leurs yeux. Une troisième personne s'effaçant et vous laissant la place libre, rien ne retient le succès. Vous obtenez la juste récompense de votre travail laborieux et de vos efforts passés. Les sacrifices consentis ont valu la peine, vous jubilez ! Autre bonne nouvelle : la justice aussi est de votre côté. Si vous avez à contacter un homme de loi, religieux, politicien ou autre personnage influent ou à débattre une cause devant la cour, choisissez septembre, vous êtes sûr de gagner et d'obtenir justice.

DU POIDS

Il faut dire, cher Lion et chère Lionne, que vous prenez du poids dans la société, la famille, l'entourage familier ou professionnel. Vous êtes le patron respecté, le chef de famille aimé, l'ami qui sait témoigner son amitié par des gestes concrets. Guidé par un instinct sûr et un bel optimisme, tout vous réussit. Ceux qui vous suivent s'en félicitent, vos conseils valent de l'or !

C'est la fête du Travail le 5 septembre, bon congé et bonne rentrée !

HOROSCOPE HEBDOMADAIRE

Du 4 au 10 septembre : Le grand amour est disponible vers le 4. Si vous êtes libre, ne laissez pas passer cette chance sans tenter quelque chose : il se peut que ce soit la personne rêvée. Pour le reste, tout se déroule selon vos souhaits : vous n'avez qu'à émettre un vœu et il est exaucé.

Du 11 au 17 septembre : Vous êtes sur un coup superbe. Compétent, vous remportez le premier prix. Voyage utile, promotion,

proposition qu'on ne peut refuser, vos espoirs se réalisent. La pleine Lune du 17 septembre en Poissons incite au calme et à la réflexion.

Du 18 au 24 septembre : Tirez parti des circonstances qui se présentent sur les plans matériel, professionnel et financier. Des personnages de premier plan vous appuient. Vous pouvez compter sur eux, ils vous donnent un coup de pouce dans la bonne direction.

Du 25 septembre au 1er octobre : Analytique et sérieux, pointilleux au besoin, vous exigez de la fermeté, de la régularité, de l'ordre dans tout ce que vous entreprenez. Vos employés doivent être à la hauteur sinon vous les congédiez. Vous avez raison, s'ils ne sont pas satisfaits, qu'ils partent !

CHIFFRES CHANCEUX

5 - 6 - 10 - 26 - 27 - 34 - 41 - 42 - 50 - 65

OCTOBRE

Il est bon quelquefois de s'aveugler soi-même,
Et bien souvent l'erreur est le bonheur suprême.

DESTOUCHES

OUI ET NON

Mois alternatif que cet octobre. Oscillant entre le oui et le non sur lequel vous avez à vous prononcer, vous allez d'un extrême à l'autre sans grande conviction. Le mieux à faire est de ne rien changer dans votre façon de penser ni dans vos options politiques, sociales et financières. Rien à rien ! Vous en tenir à la routine sécurisante vous protégera d'ennuis évitables.

ÉCLIPSES ET SANTÉ

Malgré l'éclipse solaire du 3 et l'éclipse lunaire du 17 octobre, vous êtes en forme et parti sur une bonne lancée. Rien ne peut vous arrêter sauf la maladie. Mars voyageant en Taureau depuis la fin de juillet dernier peut causer des soucis de santé. Si vous avez reculé l'échéance des consultations, chirurgies ou soins appropriés, il est temps de remédier à la situation.

Gorge, cou et seins sont vos points faibles. Ne négligez rien qui puisse améliorer votre qualité de vie. C'est essentiel, surtout que Saturne se promène dans votre signe. Vous ne voulez pas vieillir précocement; prenez les mesures qui s'imposent en évitant soigneusement les chirurgies esthétiques. Ce n'est pas le moment de recourir à ces extrêmes, surtout en éclipses.

Vous recevez l'aide bienveillante de Jupiter jusqu'au 26 octobre, hâtez-vous d'en profiter. C'est l'Action de grâce le 10 octobre, bon congé!

HOROSCOPE HEBDOMADAIRE

Du 2 au 8 octobre: Éclipse solaire annulaire le 3 octobre en Balance. Rien à signaler de contraignant mais en cas d'ascendant Balance, Cancer, Capricorne ou Bélier, surveiller la santé physique et ne pas s'esquinter au travail.

Du 9 au 15 octobre: Chance dans la vie amoureuse. Les sentiments sont vifs et intenses; la passion vous envahit, l'amour vous porte sur ses ailes. Bon moment pour demander à ceux qui vous aiment de vous aider en cas de fatigue ou de maladie; ils le feront avec plaisir et promptitude.

Du 16 au 22 octobre: Éclipse lunaire partielle le 17 octobre en Bélier ne vous touchant que si vous avez un ascendant Bélier, Cancer, Capricorne ou Balance. Et encore, l'effet déprimant est assez faible. Sinon tant mieux, vous voguez en eaux calmes, ça repose de l'excitation des derniers mois.

Du 23 au 29 octobre: Temps correspondant au besoin d'un régime de vie plus strict. Saine alimentation, exercice raisonnable et suppléments vitaminiques combleront les manques. Un vaccin antigrippal serait utile surtout si vous avez entre 37 et 43 ans ou entre 57 et 63 ans.

Du 30 octobre au 5 novembre: Nouvelle Lune le 1er novembre en Scorpion mettant l'accent sur le besoin de s'occuper de sa santé. Épidémies et épizooties revenant en force, luttez contre les microbes et les virus en mangeant bien, en dormant plus et en éliminant les dépenses d'énergie inutiles. Ça ira.

CHIFFRES CHANCEUX

1 - 11 - 12 - 22 - 30 - 31 - 45 - 46 - 56 - 66

NOVEMBRE

Aimez, et dites ce qui vous plaira.

SAINT AUGUSTIN

SE METTRE AU PAS

Ce qu'il faut au Lion à partir de maintenant et pour un temps, c'est se mettre au pas. Dans le sens d'adoucir son fort caractère, de liquéfier son tempérament bouillant, d'écouter au lieu de commander. La tâche n'est pas facile mais vous constaterez que votre intérêt personnel dépend directement de l'attitude conciliante que vous adopterez ou non pendant les mois à venir.

À vous de jouer, mais à votre place je me ferais moins rugissant et plus langoureux. Cela vous va bien puisque se relaxer et laisser aller fait partie de votre nature de Lion, mais on en verra se rebeller, tenter de briser leurs chaînes et défier la loi. Grand bien leur fasse, nous soulignons leur courage mais les avertissons des risques encourus à cause de tels agissements.

NATIFS DU 24 JUILLET AU 6 AOÛT

Défier le sort est déconseillé en particulier aux Lion nés entre le 24 juillet et le 6 août. Directement dans la mire de Jupiter en colère, Dieu et vous savez pourquoi, vous seriez bien avisé de rendre à César ce qui est à César, ne touchant pas à un sou qui ne vous appartienne en propre, ni à une créature qui ne vous soit pas destinée. La justice serait cruelle, ne jouez pas avec le feu !

ASSOCIATIONS RECOMMANDABLES

Ces recommandations faites, vous associer à ceux qui ont du Poissons, du Cancer, du Scorpion ou du Capricorne par le signe ou l'ascendant est fortement conseillé. Ces personnes vous rapprochent de la protection de Jupiter. Tant mieux s'il s'agit de votre signe ascendant, vous pouvez faire fi des mauvais présages, mais user de discrétion et de modération reste la chose à faire.

BONNE SURPRISE

Nouvelles entreprises rémunératrices, voyages d'affaires ou d'études avantageux, rencontres de gens stimulants, gains réalisés grâce à une intuition géniale, une bonne surprise vous attend. Décidez en quatre minutes d'un projet à réaliser. Tout fonctionnera selon votre désir et dans les meilleures conditions.

C'est la Toussaint le 2 et le jour du Souvenir le 11.

HOROSCOPE HEBDOMADAIRE

Du 6 au 12 novembre: Prenez soin de votre santé et n'hésitez pas à demander de l'aide aux proches. Ils vous assisteront discrètement, sans blesser votre orgueil. Vous êtes aimé, cher Lion, ne sous-estimez jamais la puissance de l'amour.

Du 13 au 19 novembre: Santé et travail sont difficiles à équilibrer, réduisez la vapeur. La pleine Lune du 15 novembre en Taureau expose à des revers. Gardez le contrôle le 18, ce jour présente des risques en ce qui touche la sexualité et dans tous les domaines; protégez-vous.

Du 20 au 26 novembre: Vous semblez plus raisonnable, je vous félicite et vous incite à continuer dans cette veine. Un profil bas vous convient mieux que les feux de la rampe; prenez un temps d'arrêt pour revamper votre image.

Du 27 novembre au 3 décembre: Nouvelle Lune le 1er décembre en Sagittaire indiquant un temps plus intéressant. Ascendant ou associé avec les signes suivants, un coup de chance vous échoit. Poissons, Cancer, Scorpion, Capricorne, avec vous c'est meilleur.

CHIFFRES CHANCEUX

2 - 4 - 12 - 13 - 28 - 33 - 40 - 52 - 53 - 69

DÉCEMBRE

Prie pour mon âme. La prière a un plus grand pouvoir que les hommes ne l'imaginent. Que ta voix s'élève donc vers le ciel.

TENNYSON

PRIER

Si vous savez prier, il est temps de le faire, sinon apprenez. Même sans avoir la foi, il semble que les vibrations des sons de la voix émettent des décibels plaisant aux oreilles du Très-Haut. Les paroles que vous prononcez, si elles sont tristes et négatives, provoquent au même titre des réactions mais de type beaucoup moins désirable. Avant de nier toute corrélation entre le fait et le résultat, tentez l'expérience. Vous en jugerez vous-même...

EST-CE SI GRAVE...

Le moment est-il si grave qu'on doive avoir recours à la prière pour résoudre les problèmes? Pas pour tous les natifs du Lion, mais aux prises avec le mauvais aspect de Jupiter à Saturne certains n'ont pas le sourire facile. Il faut dire que la vie est inégale, dérangeante, même cruelle pour certains. Aidons-les en leur conseillant ce qui suit...

PRUDENCE

Décembre est difficile pour les personnes qui traitent d'affaires importantes ou occupent des postes prestigieux. Éliminer toute responsabilité trop lourde et se libérer de charges encombrantes est le meilleur conseil à donner en pareil cas. Des dépenses imprévues peuvent survenir, des réserves sont nécessaires. Il convient d'être prudent dans les contacts avec la haute administration, les banques, la justice.

PILULE AMÈRE

Natifs de la fin de juillet ou du début d'août, vous êtes exposés à des revers de fortune durs à avaler; la pilule risque d'être amère. Prévenus à temps, vous atténuerez les retombées négatives à défaut de les éviter complètement. C'est un plus. Retirer des placements semblant sûrs mais devenant risqués s'impose de toute urgence. Dès que vous lirez ce texte, protégez vos arrières en évitant de vous endetter, d'investir dans de nouveaux fonds et surtout de faire confiance à des gens dont la réputation est entachée. Vous serez à l'abri des foudres de Jupiter et de Saturne.

ASCENDANT PROTECTEUR

Si ces sombres pronostics ne vous affectent guère, cela prouve que vous avez un ascendant protecteur. Moins porté à vous entêter dans l'erreur, vous avez su le reconnaître à temps et avez sauvé ce qu'il y avait à sauver. Plus que les meubles sans doute... c'est déjà cela d'assuré !

Je vous souhaite une fin d'année calme et un ascendant compatissant. Ne perdez pas courage : l'an prochain apportera du réconfort, promis !

HOROSCOPE HEBDOMADAIRE

Du 4 au 10 décembre : L'énergie est difficile à gérer, ce qui attise les problèmes de comportement. Si vous n'avez pas commencé à vous économiser et à économiser votre argent il est grand temps d'y songer. Fêtes ou non, rien de bon à retirer des dépenses excessives ; limitez-les.

Du 11 au 17 décembre : Vous comprenez soudainement des choses importantes. À travers les nouvelles décevantes, la lumière jaillit de l'obscurité. La pleine Lune du 15 décembre en Gémeaux favorise le raisonnement et non le sentiment ; c'est la tangente à suivre.

Du 18 au 24 décembre : Intelligence brillante, optimisme sans excès, regain des forces nerveuses ; ça va mieux, mais l'autre et les autres s'opposent à vos désirs. Peut-être ont-ils raison... Ne fêtez que si vous en avez le goût et les moyens ; autrement, reposez-vous.

Du 25 au 31 décembre : Choisissez de vivre un Noël à votre convenance. Ne vous laissez pas manipuler, ne vous épuisez pas au travail et n'attisez pas la colère. La paix est tout ce dont vous avez besoin. La nouvelle Lune du 30 décembre en Capricorne favorise la solitude meublée de livres, d'objets d'art, de musique. Rien de mieux pour cicatriser les plaies...

Bonne année 2005, cher Lion !

Vierge

DU 24 AOÛT AU 23 SEPTEMBRE

1er DÉCAN : DU 24 AOÛT AU 2 SEPTEMBRE
2e DÉCAN : DU 3 SEPTEMBRE AU 12 SEPTEMBRE
3e DÉCAN : DU 13 SEPTEMBRE AU 23 SEPTEMBRE

Prévisions annuelles

EN DEUX TEMPS

Une année en deux temps se profile pour vous de la Vierge. Comme votre signe est double, la chose ne doit pas vous surprendre : vous êtes habitué à vivre sur deux plans. Le fait est que dans les petites choses tout va pour le mieux, alors que les grands engagements sont déconseillés parce qu'ils sont risqués. L'idée vous fera sourire, surtout que vous êtes dans une période où tout vous semble écrit d'avance, prédéterminé.

FATALISTE

Comme vous adoptez une approche assez fataliste, la vie vous paraît routinière et parfois ennuyeuse. Un peu blasé, déphasé peut-être, vous avez besoin d'être secoué. Possible que la secousse se produise cette année ; prenez garde, rien ne sera plus comme avant. L'ennui disparaît, faisant place à l'action, et ça vous plaît.

ACTION ET NOUVEAUTÉ

Pour ce qui est de l'action et de la nouveauté recherchées, l'année 2005 ne vous décevra pas. Ce qui se projette sur l'écran planétaire ayant un impact immédiat sur votre avenir, les chances de répéter les mêmes gestes et de garder vos habitudes se raréfient. Vous n'apprécierez peut-être pas le menu dans son entier, mais de bons éléments vous feront oublier les mauvais choix faits en toute bonne foi, mais vous menant à des situations moins bien que prévu. N'en concevez pas d'amertume, il arrive à tous de se tromper…

ESTIME DE SOI

Se pardonner est essentiel pour garder son équilibre cette année, mais il faut une haute estime de soi pour se sentir bien dans sa peau. Heureux, comme disent certains moins férus d'exactitude dans le verbe…

Être heureux, c'est-à-dire avoir le sentiment de vivre pleinement, voilà ce que je vous souhaite en cette nouvelle année. Avec un peu d'effort et en découvrant la direction des planètes dans ce livre, vous y parviendrez. C'est l'unique raison d'être de cet ouvrage.

EXPÉRIENCE ET SAGESSE

Vous pouvez compter sur l'expérience acquise et sur une grande part de sagesse provenant de vos antécédents. Saturne y pourvoira pendant les six premiers mois de l'année. Court ou long, votre passé guide vos actes et vos décisions. De ce fait, les incidents imprévus et les événements perturbateurs perdent de leur importance. Vos tendances casanières s'avèrent salvatrices, les cultiver sera un plus.

ÉCONOMIE ET PRÉVOYANCE

Le sens de l'économie et de la prévoyance sont des qualités innées dont vous faites bon usage. Visant à stabiliser vos vieux jours, vous privilégiez à raison les possessions foncières et immobilières. Un conseil: n'hypothéquez pas et ne vendez pas à moins d'être absolument forcé de le faire, et encore, trouvez des moyens de prolonger les échéances, de conserver vos acquis. Vous y arriverez sans trop de peine en particulier en octobre et novembre 2005.

AMIS ET RELATIONS

Vous pouvez nouer d'excellentes relations avec les milieux officiels, entreprendre des démarches auprès de l'administration, vous ménager des appuis politiques et exercer une saine influence dans les conseils d'administration mais aussi dans le milieu, la famille, le clan.

Amis et relations sont d'une importance capitale cette année. Vous pouvez compter sur ceux qui exercent des postes de confiance, ils vous soutiendront en temps opportun. De plus, on se réjouira d'avoir suivi vos conseils. Quant à vous, cher Vierge, si vous pouvez seulement ne pas vous fier à votre intuition mais à votre raisonnement logique, vous êtes sauf.

NATIFS DU 24 AU 31 AOÛT

Uranus s'opposant à vous en Poissons m'oblige à vous mettre en garde contre les décisions prises en quatre minutes ou moins. Les natifs du début du signe surtout (du 24 au 31 août) sont touchés par cette opposition qui rend instable, insatisfait de tout. Ils ne

savent plus s'ils préfèrent la liberté ou l'attachement durable. À ceux-ci, un conseil: ne brusquez rien, vous le regretteriez pendant 21 ans. Si cela ne vous rend pas prudent, qu'est-ce qui le fera?

CHANCE PURE

La part de Chance Pure voyageant en Bélier ne vous avantage que si vous avez un ascendant Bélier, Lion, Sagittaire, Gémeaux ou Verseau. Les auspices sont alors plus favorables. Des gains sont possibles aux jeux de hasard, en spéculation, dans les rapports avec les enfants ainsi que dans la vie sentimentale et érotique. Autrement, ne comptez pas sur la Chance Pure, mais sur vous. C'est souvent la meilleure solution…

ÉCLIPSES

Aucune éclipse n'affectant négativement votre signe cette année, votre résistance physique et morale semble accrue. Selon l'ascendant qui peut faire fluctuer les énergies et renverser la vapeur, nous aviserons. Entreprendre de nouvelles activités en temps d'éclipse étant déconseillé, vous avez intérêt à en tenir compte. Le sujet sera analysé dans les prévisions mensuelles qui suivent.

ANGE PROTECTEUR

L'ange protecteur qui vous accueillera favorablement cette année se nomme Vasariah. Il est à l'écoute des doléances et permet d'entrer en rapport avec les gens qui détiennent le pouvoir, les politiciens et magistrats. Maires et conseillers municipaux sont aidés dans leur tâche par cet ange qui a pour mission de faire respecter les droits de chacun. Il donne force et réussite à qui doit plaider sa cause, aide à prendre les bonnes décisions et à frapper aux bonnes portes.

Avec l'aide de Vasariah, vous êtes protégé des agresseurs. Contre la maladie, son action est puissante. L'invoquer souvent vous placera en position de force face à l'ennemi. Il mettra aussi un large sourire sur vos lèvres. Comme ça vous va bien, vous n'en serez que plus beau.

Bonne année, chers natifs de la Vierge!

Coup d'œil sur la Vierge de tout ascendant

Vierge-Vierge

Vierge ascendant Vierge, donc né au lever du soleil, vous vivez cette année entre ciel et terre. Vous impliquant peu dans ce qui se passe ailleurs, vous semblez retiré sur vous-même. Peut-être est-ce nécessaire…

L'accent est mis sur l'entourage. Frères, sœurs et parenté jouent un rôle déterminant dans la réussite sociale et matérielle. Sans eux, vous perdriez un temps précieux à soigner les détails tout en négligeant l'essentiel.

Ce n'est que vers la fin d'octobre que vous mettez tout en branle pour réussir dans vos études et vos travaux personnels. Le succès couronne vos efforts et l'année se termine sur une note heureuse.

Seule chose à redouter: un problème de santé pouvant affecter le cœur, les yeux, la pression artérielle, le système nerveux, les intestins, poumons, jambes et hanches. Consulter les prévisions est indispensable.

Vierge-Balance

Vous avez une longueur d'avance sur les autres par le côté Balance de votre nature. Le mettre en valeur vous fera gagner de l'argent tout en augmentant votre prestige personnel et votre popularité.

Même si vous hésitez par moments, décidez de ne pas tâtonner et passez aux actes sans plus de réflexion. Vous avez suffisamment cogité, il est temps de passer à l'action. Visez haut, le moment est bien choisi.

En début d'année surtout, la santé peut laisser à désirer, en particulier chez les natifs du 3 au 12 septembre. Sans s'inquiéter outre mesure, soigner tout symptôme évitera des répercussions douloureuses.

Les affaires que vous brassez sont tellement rémunératrices que rien ne peut assombrir votre plaisir de vivre. Surveiller les prévisions mensuelles vous rendra encore plus fort et sans doute plus riche…

Vierge-Scorpion

Vous avez avantage à tirer parti de vos tendances Vierge. Inventif, pratique, logique, vous trouvez solution à tous les problèmes et entretenez des liens étroits avec les gens influents. C'est un plus.

Le côté critique étant habilement utilisé, vous demeurez confiant et optimiste et apportez des idées nouvelles permettant de vaincre la monotonie. On apprécie votre tendance à rendre service et votre ingéniosité.

Votre côté Scorpion vous attirant des ennuis, mieux vaut contrôler cette facette de votre personnalité jusqu'à la fin d'octobre. Novembre sera excellent mais décembre sera dur ; prévoyez la chose.

Uranus s'opposant à votre signe conseille de réduire les voyages en avion. L'électricité, l'auto et tout véhicule moteur peuvent présenter des risques. Les prévisions et horoscopes vous instruiront sur les soubresauts de l'année.

VIERGE-SAGITTAIRE

Double dualisme se révélant cette année profitable. Vous assumez pleinement le fait d'être seul à plusieurs, et plusieurs quand vous êtes seul. Cela ne vous dérange en rien, et c'est bien ainsi.

Les 10 premiers mois de l'année favorisent l'ascendant Sagittaire au détriment de la Vierge. Vous avez intérêt à être optimiste, audacieux, libre et indépendant et à voyager, sinon vous vous ennuierez…

Ne vous mettez pas à tout compliquer, à tout analyser, vous ne réussirez qu'à devenir confus, frustré. Vous en tenir au présent d'ici la fin octobre est conseillé. Vous serez alors en position de force face au destin.

La santé est prioritaire, sinon il devrait en être ainsi. Pas question de vous faire peur mais de vous rendre attentif aux signaux émis par votre corps. Les prévisions qui suivent vous renseigneront utilement à ce sujet.

VIERGE-CAPRICORNE

Deux signes de Terre donnent sens pratique et économie. S'ajoutent à ces tendances la détermination, la patience et la persévérance. Ces qualités font votre succès cette année ; en faire ample usage vous enrichira.

Mettez de l'avant votre côté Capricorne. Sérieux, stabilité, force de caractère, ambition et volonté pourraient transformer votre vie. Le jeu est serré, mais vous pouvez remporter la partie.

N'assumez pas plus de responsabilités que nécessaire en début d'année mais en juillet des offres intéressantes vous parviendront. N'hésitez pas à dire oui à toute proposition honnête, vous ne le regretterez pas.

Il est des secrets qu'il faut garder, des dons qu'il vaut mieux taire, mais d'autres sont à exploiter. Des amis vous aideront à faire le bon choix. Les prévisions de la section suivante vous ouvriront des horizons ; ne négligez pas de les lire.

VIERGE-VERSEAU

Combinaison plus stimulante. Les deux côtés de votre nature incitent à soigner votre santé d'abord et à ne pas prendre de risques insensés, mais l'ascendant Verseau est bien placé financièrement.

Des occasions uniques se présentant, il faut être prêt à tout changer pour puiser dans l'abondance promise. Très avantagé par l'ascendant Verseau, vous devez maximiser son influence sur le plan social et professionnel.

Les grands mois sont mars, août et septembre, mais décembre promet d'être financièrement éprouvant. Miser tout sur ces mois et retirer vos mises en décembre serait à contempler sérieusement.

Les prévisions mensuelles et hebdomadaires vous tiendront au courant des bons et des mauvais courants. Pour ne pas commettre d'erreurs, fiez-vous à ces indications, elles sont pertinentes.

VIERGE-POISSONS

À l'opposé de vos tendances Vierge se trouve l'équilibre qui porte aux nues dans les moments de grâce et vous attriste par temps pluvieux. L'inconscient du cosmos est en vous, c'est un poids considérable.

Avoir recours à l'ascendant Poissons vous rendra plus intuitif et vous actualisera. Chance dans les métiers liés à l'électricité et à l'électronique. Ces branches sont pour vous, la compétence en ces secteurs vous enrichira.

Pour que l'année soit réussie, vous avez besoin de la participation de l'autre. Seul, vous ferez de bonnes affaires, mais vous vous ennuierez. La Vierge qui s'ennuie fait des sottises ; entourez-vous.

Le temps faste de l'année vient en novembre et au début de décembre. Pendant que d'autres s'embrouillent, vous donnez dans les splendeurs ; le succès est important. Lire les prévisions qui suivent augmentera votre chance.

VIERGE-BÉLIER

La santé est fragile de janvier à juillet, moment où tout s'allège. À surveiller: tête et organes de la tête, estomac, seins, reins et vessie, foie et vésicule, système nerveux et gastro-intestinal.

Il ne s'agit pas de déprimer mais d'évaluer correctement le capital-santé, l'âge et les besoins réels, le tout avec réalisme. Pourquoi s'investir exagérément si on n'a plus de temps à soi?

Il semble que vous vouliez trop de choses en même temps, rien ne vous satisfait pendant la première partie de l'année. Revirement du sort en juillet: vous retrouvez sagesse et bon sens. Ce sont de bons compagnons.

L'amour, les enfants, les jeux de hasard et les spéculations sont source de joie. La Chance Pure veillant sur vous, faites ce qu'il faut pour conserver votre santé intacte et le destin fera le reste. Bonne chance!

VIERGE-TAUREAU

Cette combinaison invite à faire preuve de circonspection et de prudence, surtout en début d'année. La vie vous éprouve et vous fait passer un test, souhaitons que vous le réussissiez!

Rien de tragique, rassurez-vous, mais il est possible que vous soyez affecté par des incidents et accidents déplaisants. Prendre les mesures nécessaires pour contourner le sort en ne provoquant aucun événement malheureux serait sage.

La faculté vous protégeant de vous-même et de la malignité d'autrui se nomme «intuition». La première idée est la meilleure; même si la Vierge en vous n'est pas d'accord, décider en quatre minutes est préférable.

Le Taureau vous aidera en début d'année, mais en juillet, mettez-le sagement au rancart et soyez Vierge à plein temps. Les prévisions qui suivent vous sont indispensables, lisez-les souvent. Bonne chance!

VIERGE-GÉMEAUX

Double dualité compliquant le quotidien mais apportant plus de bonnes choses que de mauvaises. L'une de vos deux natures étant comblée en tout temps, vous tirez le maximum de ce que la vie a à donner.

Le bonheur est un bien grand mot, mais vous vous accommodez des différents modes de vie qui s'offrent. L'entourage vous accepte sans critiquer, tel que vous êtes. Cela favorise les bons rapports humains.

Vos désirs aussi variés que changeants sont satisfaits à la suite de gains substantiels réalisés en mars et en août, mais septembre et novembre offrent également de bonnes occasions de faire fortune.

Suivre les prévisions mensuelles et horoscopes hebdomadaires vous avantagera. À moins de céder à des impulsions malheureuses, si vous êtes physiquement en forme, l'année vous enchantera.

VIERGE-CANCER

Les six premiers mois de l'année favorisent la Vierge au détriment du Cancer. Vous seriez bien avisé de privilégier les tendances pratiques de votre signe et d'atténuer l'aspect trop sensible et romanesque de votre ascendant.

L'autre partie de l'année est nettement plus favorable aux qualités du Cancer. Foyer, famille, amis, patrie, idéal, romance, musique, poésie et sens des affaires s'entremêlent; la vie se fait plus douce.

Des pertes sont possibles surtout en septembre, mais des avantages financiers s'inscrivent en novembre et en décembre. Faites-vous des réserves, mais sans vous priver. À quoi cela servirait-il?

Trois éclipses affecteront votre santé physique et morale; le savoir vous aidera à prévenir les risques. Vous trouverez ces informations dans les prévisions qui suivent. Lire les prévisions concernant les deux signes et adopter le meilleur est la solution idéale.

VIERGE-LION

Bon début d'année, mais à compter de juillet vous manœuvrez en terrain peu familier. Vous autodiscipliner et agir conformément à l'enseignement millénaire des astres vous mettra à l'abri.

Sans vouloir dramatiser, il est vrai que vous avez eu de la facilité jusqu'ici. Le temps est venu de rendre des comptes et d'en régler quelques-uns dont vous redoutez l'issue. Courage, ça ira.

Si vous avez négligé votre santé, vos amours, vos amitiés, votre travail, il faut regagner le temps perdu, vous occuper des personnes aimées et retrouver la forme. Tout un programme!

Les prévisions qui suivent vous sont indispensables. Si j'avais le moindre doute à ce sujet, je n'écrirais plus de livre d'astrologie. Lire calmement ce qui vous concerne ne peut que vous aider. Bonne chance!

Prévisions mensuelles

JANVIER

Ce n'est pas tout de faire des pas qui doivent un jour nous conduire au but, chaque pas doit être lui-même un but en même temps qu'il nous porte en avant.

GOETHE

DÉBUT D'ANNÉE CAPRICIEUX

Un début d'année capricieux s'annonce pour vous de la Vierge, mais rassurez-vous, ça ne durera pas. Les recommandations qui suivent vous permettront de vivre les huit premiers jours plus agréablement. Le Soleil vous est aimable, ce qui est indice de santé, de magnétisme et de rayonnement, mais Mercure, Mars, Uranus et Pluton convergeant en Sagittaire, signe dissonant par rapport au vôtre, vous rendent instable, irréfléchi, téméraire et parfois imprudent. De grâce, ne le soyez pas!

QUESTION D'ÉNERGIE

L'énergie nerveuse et sexuelle mal utilisée peut provoquer des blocages et des malaises responsables de l'atmosphère tendue au foyer. Un fait est sûr: mieux vaut procéder lentement et sûrement que de foncer tête baissée sur l'obstacle. Vous possédez des trésors de patience, il est temps d'y avoir recours et de faire mentir les planètes en ce début d'année déstabilisant.

Si vous désirez absolument voyager, assurez-vous d'avoir quelques planètes, la Lune ou l'ascendant en Balance ou en Verseau. Mais pour tout dire, je préférerais que vous vous absteniez. Des raisons de famille intervenant et compliquant les choses, vous seriez mieux de rester au foyer.

ÊTRE UTILE

Défoulez-vous en cuisinant (gare au feu, aux brûlures et aux morsures) ou en aidant une personne moins autonome, seule ou âgée. Vous rendre utile vous fera oublier vos petites misères de ce début d'année malencontreux, mais qui tourne vite en votre faveur. Voyez plus loin...

CHANGEMENT DE COULEUR

Le 9 janvier, la vie change de couleur. Bénéficiant de la faveur de Vénus, planète d'amour, d'art et de beauté, vous recevrez des cadeaux et des douceurs inespérés. Mercure vous faisant aussi des grâces, vous êtes séduit par l'intelligence de la personne aimée. Malgré l'usure du temps et les difficultés que vous avez connues ensemble, l'amalgame fonctionne.

Vous êtes en amour ou retombez en amour. L'amour prédomine, à défaut de quoi la stimulation intellectuelle tient lieu de consolation. Rien de mieux pour un ou une Vierge en manque d'amour que de vivre par l'esprit. Vous êtes un intellectuel du ventre, mais un intellectuel tout de même et souvent d'envergure. La nourriture de l'esprit vous est aussi indispensable que l'air que vous respirez. Prenez un bon livre, ça ira.

SAGESSE

La sagesse de Saturne étant à votre disposition, il ne reste qu'à se respecter soi-même et à prendre ses responsabilités pour faire de janvier un mois plus qu'acceptable. Des amis sont aptes à vous conseiller utilement et habilement; en cas de doute, n'hésitez pas à leur faire confiance, ils se feront un plaisir de voler à votre secours.

HOROSCOPE HEBDOMADAIRE

Le 1er janvier: Bonne année! Si possible, ne fêtez ni trop fort ni trop tard en soirée. Remettez les splendeurs à plus tard, vous aurez amplement le temps de vous éclater. Il est possible que vous n'en ayez pas envie, tant mieux!

Du 2 au 8 janvier: Semaine à vivre en douce. Tant mieux si la santé tient et que les nerfs sont solides, mais au travail et dans les sports réduisez la vitesse et les risques. En cas de malaise, de douleur lancinante, consultez sans tarder.

Du 9 au 15 janvier: La nouvelle Lune du 10 janvier en Capricorne apporte les nouvelles espérées, mais le carré de Mars parle de conflits avec les membres de la famille. Prudence avec le feu au foyer. Le 15 est superbe sur les plans intellectuel et affectif; tirez-en le maximum.

Du 16 au 22 janvier : La période apporte des satisfactions d'ordre sentimental. Travail, métier, carrière permettent une saine extériorisation de l'énergie ; si vous en manquez, reposez-vous et faites le plein. Le 21 est fascinant, n'en perdez pas une seconde.

Du 23 au 29 janvier : Pleine Lune le 25 janvier en Lion favorisant ceux et celles dont c'est l'ascendant. La tendance est au secret, tout se passe en catimini. Personne ne sait qui est responsable de votre bonheur, sauf vous et moi, naturellement…

Du 30 janvier au 5 février : Force, courage, volonté et énergie vous envahissent de la tête aux pieds. La sensation est délicieuse. Hiver ou non, rien ne vous dérange, vous êtes capable de vous autosuffire, c'est doux comme impression.

CHIFFRES CHANCEUX

9 - 10 - 11 - 23 - 24 - 39 - 40 - 41 - 50 - 67

FÉVRIER

Vingt fois sur le métier remettez votre ouvrage ;
Polissez-le sans cesse et le repolissez.

NICOLAS BOILEAU

LIBERTÉ ACCRUE

Vous n'appréciez pas toujours la Saint-Valentin, mais cette année fait exception. Grâce à une foule de petits événements chanceux et heureux, vous reprenez le gouvernail et faites comme bon vous semble sans attirer la convoitise, la jalousie, la colère de l'autre et des autres. Cette sensation de liberté accrue vous fait grand bien.

COURANTS POSITIFS

L'amélioration se voit à l'œil nu. Meilleure santé, allure plus jeune, démarche au pas de course que vous adoptez allègrement au travail, à la maison et dans tous vos mouvements, tout cela fait que vous rajeunissez. On vous en fait compliment et ça vous flatte, c'est normal.

La mine réjouie et le verbe haut, vous émettez des courants positifs que les autres s'empressent d'emmagasiner. Vous êtes branché sur un haut voltage, mais ne soyez pas trop généreux avec votre énergie. Garder des réserves est utile surtout quand, comme vous, on se dépense sans compter et à cœur de jour. Quand même, il est bon de se retrouver en pareil état.

FORMIDABLE SAINT-VALENTIN

Formidable Saint-Valentin ! Il risque de se produire vers le 14 février des surprises dont vous n'avez pas idée au moment où vous lisez ces lignes, soit avant le temps prévu, comme il se doit. La personne aimée vous fait un bien joli cadeau, le plus beau que l'on puisse imaginer. Je vous laisse deviner la suite...

Bonne Saint-Valentin à tous et à toutes !

HOROSCOPE HEBDOMADAIRE

Du 6 au 12 février : Les affaires périclitent mais pas de façon inquiétante. Tout traîne en longueur mais la nouvelle Lune du 8 février en Verseau raffermit les cœurs et donne l'audace d'aller jusqu'au bout. Ne lâchez pas la proie pour l'ombre. Bonne chance !

Du 13 au 19 février : Moment idéal pour pratiquer des sports d'agrément, s'occuper de sa vie amoureuse et sentimentale et traiter d'affaires d'argent avec le conjoint ou associé. L'intuition est géniale, vous êtes le guide, le gourou, mais aussi l'amant, la maîtresse par excellence.

Du 20 au 26 février : Vous avez besoin des autres pour réaliser vos désirs et projets. L'intuition venant de deux sources différentes, le travail doit être divisé pour que ça rapporte. Un voyage peut se révéler plaisant et avantageux. La pleine Lune du 23 février en Vierge serait idéale pour partir ou revenir.

Du 27 février au 5 mars : Vous êtes aux prises avec l'opposition. Il faut négocier, faire des concessions, sinon rien de bon n'arrivera. Soyez conciliant mais sans perdre la face. Votre dignité doit être protégée, vous avez les atouts qu'il faut pour réussir ce prodige.

CHIFFRES CHANCEUX

5 - 6 - 11 - 22 - 23 - 30 - 35 - 41 - 55 - 69

MARS

Le bruit est la plus importante des formes d'interruption. C'est non seulement une interruption, mais aussi une rupture de la pensée.

A. SCHOPENHAUER

LE PRINTEMPS

Nous entrons dans une saison que vous aimez inconditionnellement : le printemps. Si le tout début du mois est moins sympathique, vous avez beau jeu à compter du 4 mars dans les études, les affaires d'argent, les voyages et les communications. Les examens passés avec succès, les vacances distrayantes vous reposent des temps d'effort que vous avez généreusement consentis. Au nom de tous, félicitations !

RELATIONS

Les relations avec les jeunes et les enfants sont particulièrement agréables et sympathiques. Comme vous savez leur parler sur un ton personnel, mais sans trop de familiarité, ceux-ci vous aiment et vous respectent. Rares sont les professeurs, parents et éducateurs qui peuvent prétendre à tant de chance…

REJETON

L'énergie vitale et nerveuse est disponible en quantité ; bien distribuée et dépensée, elle porte à initier des comportements inhabituels et à tenter de nouvelles expériences non seulement sexuelles, mais également au travail et dans la famille. Un rejeton peut être envisagé, ou arriver sans prévenir…

DATES ET ASCENDANTS FAVORABLES

Pour vous déplacer et pour rencontrer des personnalités influentes, choisissez de préférence la mi-mars. Ce moment met à votre disposition l'aide providentielle dont vous avez besoin pour réussir à vous implanter dans un nouveau milieu, ou pour vous confirmer dans un emploi, un titre, un rôle dont vous n'avez pas l'habitude.

Pour dégager la superbe énergie positive disponible, vous avez besoin d'un ascendant Balance, Verseau ou Gémeaux. Si tel est le cas, le ciel s'incline devant vos vœux et désirs, mais hâtez-vous d'en tirer profit, les bonnes choses ne durent jamais assez longtemps ! Notez que les natifs et natives de ces signes solaires ou de ces ascendants vous seront très utiles. N'hésitez pas à faire appel à eux.

AFFAIRES DE SENTIMENT

Vénus favorise les affaires de sentiment à compter du 22 mars, mais c'est vers la mi-avril qu'elle déversera sur vous sa magnificence. En attendant, flirtez, faites la cour, amusez-vous à tenter de séduire mais sans aller jusqu'au bout. Avant de passer aux actes et de vous engager sérieusement, exigez une période d'essai amoureux, de fiançailles si vous aimez. Il va falloir faire un choix entre deux ou plusieurs personnes, cela demande réflexion...

AMOUR ET HARMONIE

Ce mois-ci, amour et harmonie se conjuguent pour alléger vos peines et vos ennuis. Musique, peinture, sculpture et artisanat vous font passer de bons moments, sans compter que vos passe-temps favoris peuvent devenir payants. Vers la fin du mois, vous obtenez ce pour quoi vous luttiez depuis des Lunes. Ça peut n'être que la paix et la sérénité, mais c'est divin. Vous avez gagné votre pari, reste à conserver votre avance. Beau printemps que celui-ci : vous avez de multiples raisons de l'apprécier. Faites-vous beau et belle, changez d'image, de « look » comme on dit. Ça vous amusera.

Pâques se célèbre le 27 mars, joyeuses Pâques à tous et à toutes !

HOROSCOPE HEBDOMADAIRE

Du 6 au 12 mars : Vous vous penchez avec intérêt sur les questions liées à la mort, mais aussi aux taxes, impôts, testaments, successions, assurances. Vous trouvez des solutions à vos problèmes financiers, mais la nouvelle Lune du 10 mars en Poissons contrarie vos plans. Patience, ça passera.

Du 13 au 19 mars : Avec l'aide de personnes de l'extérieur, vous trouvez à satisfaire vos ambitions personnelles. Un ascendant favorable tel que décrit plus haut vous met en position de force. Qui vous résiste s'en mord les doigts !

Du 20 au 26 mars : Vous pouvez décider impulsivement de vous impliquer socialement ou politiquement, d'investir dans un projet quitte à vous casser le nez, rien ne vous arrête. La pleine Lune du 25 mars en Balance favorise les affaires d'argent. Tout va pour le mieux de ce côté.

Du 27 mars au 2 avril: Vous avez assez de sagesse dans votre petit doigt pour qu'elle dure toute une vie, mais le problème est que vous ne l'utilisez pas toujours. Aimant provoquer le sort, vous êtes une personne difficile à cerner et à qualifier. Je ne tenterai pas le coup, je me perdrais en conjectures…

CHIFFRES CHANCEUX

5 - 9 - 27 - 28 - 29 - 33 - 46 - 47 - 59 - 60

AVRIL

Tu supportes des injustices ; console-toi, le vrai malheur est d'en faire.
DÉMOCRITE

MALGRÉ LES ÉCLIPSES

Malgré l'éclipse solaire totale du 8 avril et l'éclipse lunaire de pénombre du 24 avril, vous trouvez ce mois intéressant et productif. Si vous n'êtes ni ascendant Bélier, Cancer, Capricorne ou Balance (pour la première éclipse), ni ascendant Scorpion, Lion, Taureau ou Verseau (pour la deuxième), vous êtes encore plus solide. Libre à vous, mais à votre place j'exercerais quand même une certaine prudence dans mes choix de vie et de travail.

POINTS SENSIBLES

Si vous êtes touché par l'éclipse solaire, une baisse du niveau de santé est probable une quinzaine avant et après le 8 avril. Tête et organes de la tête, système gastro-intestinal et bas-ventre sont fragilisés. Ne négligez rien pour assurer votre sécurité. L'autre éclipse étant moins virulente, vous noterez un affaiblissement du moral vers le 24 avril. Cela devrait être chose du passé vers le début de mai ; sinon, consulter est toujours utile.

ASCENDANTS DOUBLES

Les ascendants doubles, Gémeaux surtout, mais aussi Sagittaire, Poissons et Vierge, sont bien placés pour faire face aux événements dérangeants apportés par ces éclipses auxquelles nous ne pouvons pas grand-chose. Ce sentiment d'impuissance passé, vous vous passionnez pour une personne ou pour une idée. Cet exercice a pour effet d'améliorer votre qualité de vie. Une grande passion est possible, du genre que l'on n'oublie pas aisément. Vous laisser aller à ce sentiment serait bon; pourquoi vous refuser ce bonheur?

LE DERNIER MOT

Indécis d'habitude, vous décidez qui vous plaît ou non en quelques instants et prenez une décision cruciale quant au mariage, à la rupture d'une union ou d'une association d'affaires, à un déménagement majeur ou à toute autre chose d'importance. Une fois la décision prise, personne ne vous fera changer d'idée. Pour une fois, et que vous ayez raison ou tort, c'est vous qui avez le dernier mot!

HOROSCOPE HEBDOMADAIRE

Du 3 au 9 avril: La semaine est favorable aux entreprises déjà en cours. Idéal pour terminer des études, un travail, un projet, pour coucher sur papier ses idées et les peaufiner. L'éclipse solaire totale du 8 avril en Bélier est expliquée plus haut; c'est à voir.

Du 10 au 16 avril: Un déblocage important se fait vers le 12, apportant la solution d'ennuis mineurs mais qui causaient problème. Vous êtes capable de fournir des efforts considérables sur le plan travail, métier, profession, capable aussi d'améliorer votre état de santé. Tirez profit de la situation.

Du 17 au 23 avril: L'amour vous porte sur ses ailes argentées. Vous n'avez de trêve de vanter l'autre à ceux qui vous entourent. Cessez d'en parler, on cherchera à vous voler votre trésor. Possible que l'objet de votre amour soit un étranger ou que vous l'ayez rencontré lors d'un voyage à l'étranger. Super!

Du 24 au 30 avril: Éclipse lunaire de pénombre le 24 avril en Scorpion expliquée plus haut. La semaine est de ce fait moins exaltante que prévu. Rassurez-vous, les chances sont bonnes que vous soyez solide moralement.

CHIFFRES CHANCEUX

10 - 11 - 26 - 27 - 29 - 39 - 40 - 51 - 52 - 64

MAI ET JUIN

Vous voulez qu'on croie du bien de vous ? N'en dites pas !

VOLTAIRE

DIFFICILES À NÉGOCIER

Mai et juin sont plus difficiles à négocier. Il en est souvent ainsi quand Mars transite le Poissons, votre opposition, ce qui se produit du début de mai au 12 juin. Les résultats n'étant pas très harmonieux, il faut du savoir-faire pour que les énergies contradictoires ne se bousculent pas de façon irrévérencieuse et pour que la paix continue à régner en vous et autour de vous.

SENS EXACERBÉS

L'un des principaux problèmes réside dans le fait que vos sens sont exacerbés. Tous vos sens sont en éveil et la sexualité prédomine. Vous avez des désirs charnels ultrapassionnés et ils peuvent atteindre une violence extrême. C'est ce à quoi vous devez porter le plus attention. Il peut s'agir d'amour, mais aussi de haine et de vengeance. Dangereux, ces sentiments…

VENGEANCE

La vengeance est un plat qui se mange froid, mais c'est vous qui aurez froid au cœur si vous donnez libre cours à vos tendances maladives et obsessives. Attention, le mot est dit. Attendez des augures plus favorables pour faire l'amour. Un fait demeure : ce que vous ferez ou éviterez de faire au cours de ces mois fera toute la différence sur l'ensemble de votre vie future. Je ne blague pas à ce sujet, sachez-le. Cela dit, il semble que les amis et relations soient de bon conseil. Prenez-moi comme amie et suivez l'avis des planètes, vous ne le regretterez pas.

À FAIRE

Si vous êtes un ange de douceur et de tolérance, tant mieux. Quand même, les tendances décrites ci-après vous protégeront de vous-même et de vos excès. Goûts gastronomiques, bon appétit, talent pour la cuisine et pour l'œnologie, bienveillance, hospitalité, générosité envers les membres de la famille et du clan, amour de la culture en général et de la terre en particulier, recherche du confort au foyer, imagination optimiste, désir d'accroissement du patrimoine et confiance en l'avenir sont vos portes de sortie.

MOINS DANGEREUX

Il y a là de quoi vous occuper un bon moment et vous faire passer un début d'été plus agréable et surtout moins dangereux, ce que je vous souhaite tout en vous invitant à la prudence dans l'eau et sur l'eau, et avec l'air que vous respirez. Un poison est vite avalé ou respiré ; méfiez-vous des paradis artificiels, cher Vierge de tout âge, voilà un précieux conseil. Certains téméraires en quête d'émotions fortes feraient bien de le suivre…

C'est la fête des Mères au Québec le 8 mai, la fête des Pères le 19 juin et la fête nationale du Québec le 24 juin. Bonne fête à tous et à toutes !

HOROSCOPE HEBDOMADAIRE

Du 1er au 7 mai : La santé est bonne, les nerfs solides, les réflexes sûrs, vous pouvez faire du sport sans risque mais gare à l'eau, à l'alcool et à la drogue. Ces substances peuvent être traîtresses dans certaines circonstances.

Du 8 au 14 mai : Nouvelle Lune du 8 mai en Taureau favorisant la sensibilité, l'imagination, la mémoire. Ces facultés bien utilisées sont source de bonheur personnel. Arts, artistes, créateurs et esthètes sont en effervescence.

Du 15 au 21 mai : La tromperie en amour ne vous avance pas. Elle expose à des peines et à des revers d'une ampleur considérable. Trop de monde dans votre vie et peut-être dans votre lit, sexuellement, c'est dangereux. Très dangereux.

Du 22 au 28 mai : Pleine Lune du 23 mai en Sagittaire exaltant la sensibilité jusqu'à la sensiblerie. La pitié est un sentiment vil et moche ; ne vous y adonnez pas, vous perdriez au change. On se fait parfois avoir, possible que ce soit votre tour…

Du 29 mai au 4 juin : Votre conjoint peut être jaloux, autoritaire et provoquer de graves conflits. Ne vous laissez pas emporter

par la colère et, s'il est agressif et violent, méfiez-vous. Limitez les risques en vous éloignant pour un temps du feu de la passion qui semble vous brûler tous les deux.

Du 5 au 11 juin : Nouvelle Lune le 6 juin en Gémeaux incitant à la nervosité et à l'hypersensibilité. Problèmes possibles au travail ; éviter le bavardage et les cancans. Si on répand sur vous de fausses rumeurs, réagissez, défendez-vous.

Du 12 au 18 juin : C'est presque l'été, il est temps de vous détendre, de vous distraire. Le niveau d'énergie grimpant brusquement vous donne envie de participer à des fêtes, noces, célébrations et spectacles. La période est propice pour ces choses.

Du 19 au 25 juin : La pleine Lune du 21 juin en Capricorne affine les sens et apporte les changements souhaités. Bonne bouffe, bons vins, atmosphère plaisante, beau décor plus santé et amour, vous avez tout pour être heureux, profitez de chaque instant. N'oubliez pas que la fertilité est accrue.

Du 26 juin au 2 juillet : Bons rayons solaires, mercuriens, vénusiens et saturniens, vous faites le plein de santé et d'énergie positive. Nerfs solides, réflexes sûrs, intellect solide, cœur à la bonne place, que désirer de plus ? Vive l'été et vive la vie !

CHIFFRES CHANCEUX

5 - 6 - 8 - 13 - 19 - 20 - 34 - 40 - 56 - 61

JUILLET

Le ciel, la terre, mille et mille choses sont nés de l'existence et l'existence est née du néant.

LAO-TSEU

BONHOMIE

La saison vous convient, vous aimez le soleil et êtes à l'aise sous ses rayons ardents. Il faut dire que vous prenez les précautions d'usage en portant une protection solaire maximale, un chapeau et des lunettes de soleil, sinon il est temps de vous y mettre. L'attirail vous va bien ; vous êtes sportif et la tenue de rigueur ajoute à votre charme.

Vous affichez un large sourire et la bonhomie vous embellit. Juillet promet de bons moments aussi en affaires, tout pour vous égayer !

BONNE HUMEUR

La bonne humeur règne, mais vous conservez une attitude sage et prudente dans le choix des amis et de l'entourage, ainsi que dans les sports et loisirs. Vous préférez ceux-ci sans trop de risques, ce qui est contraire à vos habitudes, surtout dans le jeune âge. Vous amuser sans endommager vos muscles et votre ossature semble être votre but ; vous y parvenez sans peine et êtes content de découvrir de nouvelles façons d'avoir du plaisir, c'est-à-dire sainement et sans risques excessifs. Ceux qui vous aiment sont rassurés.

CHANGEMENT D'OPTIQUE

Pour que la sécurité et la bonne santé soient durables, un changement d'optique s'impose à compter de juillet. Le bon sens d'hier n'est plus suffisant. Vous devez faire des efforts constants pour garder en tête l'image de la personne fragile que vous êtes sous des dehors invincibles. Vous êtes vulnérable *comme tout le monde*, et même un peu plus côté système nerveux et gastro-intestinal. Dès que vous vous énervez, ces points faibles écopent. Prenez des mesures pour assurer le bon fonctionnement du foie et des intestins.

Cela dit, la fin du mois est bourrée d'énergie positive. Pour régler ce qui compte, choisissez ce mois et le mois suivant. Août sera plus stimulant, plus impressionnant encore, vous le préférerez pour vos vacances d'été.

HOROSCOPE HEBDOMADAIRE

Du 3 au 9 juillet : Favorable surtout si vous avez un ascendant Bélier, Lion, Balance ou Verseau. Avec les personnes de ces signes, vous entretenez des rapports exceptionnels. La nouvelle Lune du 6 juillet en Cancer favorise l'amitié et les réunions d'affaires.

Du 10 au 16 juillet : Vous pensez loisirs. La Vierge travaillant souvent dans les milieux estudiantins, hospitaliers, bancaires et gouvernementaux, il est probable que vous soyez en vacances. Les sports nautiques, le golf et le tennis sont parmi vos préférés ; je vous souhaite bien du plaisir !

Du 17 au 23 juillet : Si vous n'avez rien en Bélier, Lion, Sagittaire, entourez-vous de ceux qui en ont. Ils réchaufferont votre Terre, vous donneront de l'énergie supplémentaire et vous feront rire. La pleine Lune du 21 juillet en Capricorne rend économe mais pas trop ; l'amour rend généreux.

Du 24 au 30 juillet : Vénus dans votre signe accroît la santé, le charme, la beauté. Si vous êtes libre, le temps est propice à une rencontre amoureuse pouvant avoir des suites intéressantes. Libre à vous, mais à votre place je tomberais ou retomberais en amour.

Du 31 juillet au 6 août : L'énergie physique et sexuelle abonde. Vous êtes sous le charme d'une personne captivante de votre signe ou Taureau, Capricorne, Cancer, Scorpion. La nouvelle Lune du 4 août en Lion parle mariage, naissance, réceptions, randonnées, camping et jardinage. Bonne récolte !

CHIFFRES CHANCEUX

7 - 10 - 13 - 29 - 30 - 41 - 42 - 43 - 59 - 70

AOÛT ET SEPTEMBRE

On a conscience avant. On prend conscience après. Ou plutôt c'est elle qui nous prend !

OSCAR WILDE

OCCASIONS D'AFFAIRES

Pour bénéficier pleinement des occasions d'affaires qui abondent en août et en septembre, il faut avoir recours à la participation active de diverses personnes qualifiées, compétentes et désireuses de travailler dans le même esprit que vous. Leur bonne volonté est essentielle à la réussite de vos objectifs. Les points forts se situent vers le 17 août et le 18 septembre. Averti, vous serez plus éveillé et plus opportuniste, mais dans un sens positif et utile.

CONTACTS

Les contacts soigneusement entretenus dans le passé sont extrêmement utiles et profitables ; vous avez intérêt à vous entourer de ceux et de celles que votre domaine intéresse vivement, et dont la renommée est acquise. Les amateurs ne feront pas l'affaire ; quelle que soit votre marque de commerce ou votre domaine de travail, vous avez besoin de professionnels.

RAMIFICATIONS

Vos entreprises nécessitent une grande dépense d'énergie, de temps et d'argent. Aidé en cela par les plus vernis actuellement, soit les Balance, Verseau et Gémeaux, vous obtiendrez les crédits et le support des instituts financiers et des divers paliers de gouvernement, à plus forte raison si les ramifications touchent une partie sinon toute la population.

ASCENDANTS SOUHAITABLES EN AOÛT

En août, les ascendants les plus souhaitables parce qu'ils rendent lucide et réaliste sont Balance, Verseau, Gémeaux. La dimension spirituelle de la vie ne leur fait pas défaut pour autant ; certains développent des forces occultes remarquables qui les guident dans leurs choix. Inspiration, idéal et génie se côtoient et sont responsables de leurs plus grandes réussites.

ASCENDANTS SOUHAITABLES EN SEPTEMBRE

En septembre, les ascendants les plus souhaitables sont Sagittaire, Bélier et Lion. Ils brillent par leur efficacité, leur rapidité et leur instinct sûr. Leurs idées apportent la richesse, surtout à l'âge mûr. Ils jouent un rôle éducatif important et leurs dons occultes leur permettent de voir le futur aussi clairement que sur un écran de cinéma. À défaut d'avoir ce coup de pouce additionnel, vous trouverez moyen de tirer profit des opportunités qui frappent à votre porte. La débrouillardise est l'un de vos plus grands atouts, cher Vierge, l'acte manqué est rarement votre fait.

POUR LES AMOURS

En ce qui concerne les amours, la grande chance va du 1er au 16 août. À compter du 17 août, vous êtes trop pris par vos ambitions et par vos affaires pour accorder aux sentiments l'attention qu'ils méritent. Attention de ne pas négliger la personne aimée, elle pourrait s'intéresser à quelqu'un d'autre, ça ne vous plairait pas…

Bonnes vacances et joyeux anniversaire si c'est votre tour! C'est la fête du Travail ici le 5 septembre, bon congé!

HOROSCOPE HEBDOMADAIRE

Du 7 au 13 août: Belle planète d'amour, de talent et de chance, Vénus visite votre signe, apportant avec elle de splendides cadeaux. La vie est agréable, l'amour rend généreux, la générosité vous va bien. Jouissez sans retenue des plaisirs de la vie et choyez-vous, vous l'avez mérité.

Du 14 au 20 août: L'activité grandit, les forces physiques et sexuelles sont en recrudescence et la fertilité est accrue. Procréer peut vous tenter, sinon créer est un bon dérivatif. La pleine Lune du 19 août en Verseau rend indépendant et avant-gardiste. Un voyage peut s'annoncer et s'avérer distrayant.

Du 21 au 27 août: La semaine apporte un regain de santé et de rayonnement. Votre magnétisme est envoûtant. Gare à ceux qui sont sous le charme: vous pouvez tenter de séduire plusieurs personnes en même temps, qu'adviendra-t-il de votre cœur s'il s'éparpille autant?

Du 28 août au 3 septembre: Gains sur le plan des amitiés et des relations. On s'intéresse à vous, à vos capacités et à vos talents. Travailleur et perfectionniste, vous impressionnez des gens influents. La nouvelle Lune du 3 septembre en Vierge accroît votre popularité.

Du 4 au 10 septembre: Vous vous attirez des sympathies en haut lieu. Patrons, collègues et employés vous trouvent unique et vous font confiance. Continuez de la mériter en étant soucieux du détail et en présentant un travail bien fait.

Du 11 au 17 septembre: Le Soleil dans votre signe donne santé et charisme et rend votre personnalité plus chaleureuse. On vous croit froid; faites mentir la légende en sympathisant aux malheurs des autres. La pleine Lune du 17 septembre en Poissons peut vous faire verser quelques larmes…

Du 18 au 24 septembre: Grande force de caractère permettant d'atteindre ses objectifs. Le tempérament est sensuel et sexuel, mais l'énergie se contient et la libido est contrôlée. Vous avez de grands besoins d'argent, mais tendance à la prodigalité. Les petits cadeaux renforcent l'amitié.

Du 25 septembre au 1er octobre: Ne commencez rien de nouveau et terminez le travail entrepris. Les études commerciales et techniques de haut calibre sont avantagées. Vous pouvez réussir dans la branche choisie, ce n'est pas le travail qui manquera.

CHIFFRES CHANCEUX

1 - 5 - 6 - 19 - 23 - 24 - 33 - 41 - 55 - 68

OCTOBRE

L'homme qui apprend doit croire; celui qui sait doit examiner.

ROGER BACON

BONNE MINE

Malgré les deux éclipses d'octobre, vous avez remarquablement bonne mine. Les fonctions du cœur et la circulation sanguine enrichissent le sang et assurent un apport supplémentaire de globules rouges et de fer, ce qui vous donne un teint de rose. L'énergie se renouvelle sans que vous ayez d'efforts particuliers à fournir. Dormant bien, vous êtes frais et dispos le matin. Sinon vous vous doutez bien que quelque chose n'est pas normal, consultez de préférence deux médecins ou spécialistes. Toutes les chances de guérir et de récupérer après une chirurgie sont de votre côté; vous recouvrerez la santé.

LE SEXE OPPOSÉ

Les rapports avec le sexe opposé n'ont rien de platonique. Vous êtes tout ce qu'il y a de sexué et entendez avoir une vie sexuelle complète, intense et passionnée. Votre attrait dépassant les normes, vous faites des conquêtes faciles. Attention, trop de facilité est redoutable. Vous pourriez vous prendre pour Don Juan, c'est le seul os!

MORAL

Au point de vue moral, vous êtes volontaire, autoritaire, courageux, plein d'assurance en vos moyens. Vous avez confiance en votre force et vous savez capable des plus grands efforts pour réaliser vos

désirs et ambitions. Allant droit au but avec vigueur et franchise, vous désarmez l'adversaire et remportez des victoires dont vous n'êtes pas peu fier, et avec raison. On vous croyait perdant et on vous trouve gagnant.

ÉCLIPSES À SURVEILLER

Il y a éclipse solaire partielle le 3 octobre en Balance. Vierge ascendant Balance, Cancer, Capricorne et Bélier, prenez garde à votre santé. C'est l'automne, il fait plus frais et les virus et microbes commencent à affluer.

Des vitamines supplémentaires et un vaccin antigrippal seraient utiles. À vous de considérer votre âge et votre état et de prendre les décisions qui s'imposent.

À l'éclipse lunaire du 17 octobre en Bélier, surveiller l'état psychique est essentiel pour les ascendants cités plus haut. Ne négligez pas la moindre déprime, celle-ci pouvant s'aggraver si vous n'y prenez garde.

Si le moral flanche, consulter un thérapeute ou un psychologue vous aidera à traverser cette période moins agréable.

CHAPEAU

Ne regardez pas l'éclipse lunaire sans porter un chapeau, ce serait dangereux pour les coups de Lune que l'on prend sur la tête et qui nous rendent un peu «gaga»... Vous riez? Vous pouvez tenter l'expérience mais vous aurez été prévenu, tant pis pour vous, sceptique tous azimuts.

C'est l'Action de grâce le 10 octobre et l'Halloween le 31. Vous déguiser vous plaît; pourquoi ne pas rester jeune de cœur en participant à ces traditions?

HOROSCOPE HEBDOMADAIRE

Du 2 au 8 octobre: L'éclipse solaire annulaire du 3 octobre en Balance a été analysée plus haut. Revoyez ce qui est écrit à ce sujet et observez ce qui se passera autour de vous et dans le monde. Vous trouverez cela fascinant.

Du 9 au 15 octobre: Rester en terrain connu demeure la meilleure chose à faire entre deux éclipses. Les tentatives et nouveautés étant décevantes, pourquoi s'exposer à des échecs ? Même en amour, rester sage et fidèle est l'option la plus valable.

Du 16 au 22 octobre : L'éclipse lunaire partielle du 17 octobre en Bélier n'affecte pas votre signe solaire natal, mais un ascendant tel que décrit plus haut peut vous rendre amorphe, sans ressort. Rassurez-vous, ça ne durera pas.

Du 23 au 29 octobre : Les affaires de cœur risquent de se compliquer. Trop de personnes dans votre cœur et possiblement dans votre lit. Fluctuation dans les sentiments : ne décidez rien concernant la vie amoureuse et familiale, les risques d'erreurs sont grands.

Du 30 octobre au 5 novembre : Nouvelle Lune le 1er novembre en Scorpion favorisant la prise en charge des pulsions sexuelles et le contrôle de la libido. Possibilité d'avoir un enfant ou de décider d'en avoir. Le samedi 5 accroît les risques d'accidents ainsi que de tremblements de nerfs et de terre.

CHIFFRES CHANCEUX

9 - 10 - 19 - 20 - 25 - 36 - 45 - 46 - 59 - 69

NOVEMBRE

La connaissance vient, mais la sagesse traîne.

LORD ALFRED TENNYSON

CHARME ÉCLATANT

Le charme éclatant que vous dégagez depuis quelque temps vous gagne les cœurs les plus rebelles et attire des sympathies agréables autant qu'utiles. Populaire et recherché dans les milieux branchés que vous fréquentez par curiosité autant que par goût naturel, vous rencontrez une personne originale et excentrique dont vous devenez épris.

HONNÊTETÉ EN AMOUR

Vos sentiments semblent payés de retour, mais vous devrez investir temps, énergie et sans doute argent dans cette relation. Beaucoup d'amour et de confiance vous sont demandés, de la fidélité aussi. N'oubliez pas que chose promise est chose due, ne vous impliquez

pas si vous ne croyez pas pouvoir tenir promesse. Être honnête est crucial ; étrangement, cela se produit au moment même où vous êtes parfaitement capable d'exclusivité en amour.

PERSONNE SÉRIEUSE

Cette personne est sérieuse, elle exige de vous la même fidélité qu'elle est prête à vous jurer. Ces conditions remplies, l'être convoité vous fera une déclaration d'amour d'ici quelques semaines, ou au début de 2006 au plus tard. Un grand bonheur vous attend, mais assurez-vous de mettre vos efforts au bon endroit, sinon vous perdrez tous les deux un temps précieux !

PATIENCE

Pour que l'autre vous aime autant que vous l'aimez, il faudra du temps, mais si elle est basée sur le principe de l'égalité et du respect, il vaut la peine de bâtir sur cette relation. Pourvu que la question de l'argent ne soit pas une attrape : vous n'avez pas besoin de gobe-sous dans l'entourage, les profiteurs et manipulateurs sont passés par là, vous ne vous ferez plus avoir.

SIMPLEMENT

N'ayez crainte, même si vous êtes riche, vous êtes aimé pour vous, non pour votre argent, votre pouvoir, votre prestige. Il faut y croire, autrement vous resterez seul *ad vitam aeternam*. Faites confiance à la vie. Tout joue en votre faveur, pourquoi ne pas savourer les instants de bonheur qui s'offrent sans questionner ni analyser, simplement, pour une fois ? Ce serait divin !

QUESTION D'ARGENT

Les questions d'argent se règlent au mieux en novembre, la fin du mois étant propice à des gains et rentrées spectaculaires. La période est constructive, la situation matérielle avantagée par des événements subits et inattendus. Les décisions prises rapidement et dans des conditions favorables saisies au vol sont vraiment les meilleures. L'intuition est fulgurante, les idées géniales abondent, il faut construire, bâtir, démolir et refaire mieux s'il le faut, mais ne laissez pas passer ce mois sans lancer quelque chose de nouveau dans vos affaires de travail et d'argent, ce serait un péché !

ASCENDANTS CHANCEUX

Les ascendants particulièrement chanceux sont Scorpion, Poissons et Cancer. À ceux-là rien n'est refusé. Les voyages en avion et en bateau sont sécuritaires et propices aux affaires d'argent autant que d'amour. Pourquoi ne pas les réunir et faire un succès des deux choses qui vous occupent le plus en ce moment : l'amour et l'argent ? Bonne chance !

HOROSCOPE HEBDOMADAIRE

Du 6 au 12 novembre : Favorise les voyages, les rapports avec les étrangers, les hautes études militaires, la technologie industrielle, les nouveaux moyens de communication. Accroît l'intensité des relations sexuelles et la fertilité. Amitié de gens d'action, sportifs et promoteurs dont l'enseignement est précieux.

Du 13 au 19 novembre : Vous êtes sûr de votre charme, de votre pouvoir sur les autres, de votre force de persuasion auprès de l'être aimé. La pleine Lune du 15 novembre en Taureau insuffle la passion nécessaire à l'accomplissement de votre désir le plus cher. Triomphe des rivalités dans la vie intime.

Du 20 au 26 novembre : Le 21 rend nerveux et expose à des accidents d'auto et d'avion. Ne voyagez pas, sauf avec la personne aimée. Celle-ci vous protège et vous met à l'abri des erreurs de jugement. Prenez soin de votre foie, de vos poumons et de vos voies respiratoires. Côté matériel, tout va pour le mieux.

Du 27 novembre au 3 décembre : Réussite brillante facilitée par la collaboration de l'amour de votre vie ou par une personne étrangère possédant une vaste culture. La nouvelle Lune du 1er décembre en Sagittaire montre de l'agitation inhabituelle. Indécis, ne signez rien. Ascendant Scorpion ou Poissons, action !

CHIFFRES CHANCEUX

6 - 9 - 14 - 28 - 34 - 35 - 50 - 51 - 52 - 67

DÉCEMBRE

Les gens diront sans pudeur du mal d'un chef-d'œuvre parce qu'ils croient qu'on a l'air de s'y connaître quand on dit du mal d'un ouvrage – mais du bien, s'enthousiasmer, attention ! Ils ne veulent pas être ridicules.

SACHA GUITRY

CRITIQUE

On dit que la critique est facile mais que l'art est difficile. Cette envie de critiquer vous anime en cette fin d'année en accent circonflexe. Le fait d'appuyer sur les défauts de votre travail ou de votre œuvre sans convenir de sa beauté et de son utilité serait injuste et fâcheux. Voyez plutôt les choses d'un œil objectif: vous avez fait de votre mieux et le plus souvent, vous avez réussi.

INGÉNIOSITÉ ET MATÉRIALITÉ

Vous autocritiquer peut être valable dans la mesure où vous ne détruisez pas en vous toute créativité, toute initiative. Il serait dommage de ne voir que vos manques et non vos qualités, cher Vierge. En décembre, par exemple, on est à même d'apprécier votre ingéniosité, votre curiosité intelligente, votre audace en affaires et votre sens inné de la matérialité. Grâce à votre intervention, nous évitons des bévues de taille en tant que groupe ou individu. Merci !

NOUVELLES

Tenez-vous au courant des nouvelles, vous constaterez à quel point les Vierge sont comme vous des éveilleurs de conscience, des équilibreurs d'énergie, des chercheurs remarquables. Leurs découvertes nous laissent bouche bée d'admiration. Pourquoi n'y a-t-on pas pensé avant? disent certains. Il est probable que vous connaissiez depuis longtemps la réponse…

TOUT EST BIEN

Vos compétiteurs et détracteurs ne se privent pas de vous mettre au défi, de piquer votre orgueil, de vous provoquer pour que vous cassiez. Certains vous craignent ; n'ajoutez pas à l'affaire en vous rendant insupportable par votre critique acerbe. Personne n'est parfait, dites-vous ; pensez au contraire que tout est bien qui finit bien. Cette fin d'année en fait la preuve.

LES MOINS CHANCEUX

Les moins chanceux en affaires ce mois-ci ont l'ascendant ou sont des signes suivants: Lion, Verseau, Taureau, Scorpion. Dans le cas où votre ascendant se trouve impliqué dans le carré de Jupiter à Saturne qui se fait le 17 décembre en Scorpion et en Lion, limitez les pertes et ennuis en prévoyant le coup et en prenant autant que possible des mesures protectrices. Prudence avec ces natifs ou ascendants!

PERTES

Les intérêts familiaux peuvent se trouver au cœur d'une controverse, les patrons et associés être impliqués dans un scandale ou subir des pertes majeures, les dépenses imprévues, taxes ou frais généreux croître de façon excessive, les biens fonciers et immobiliers perdre de la valeur, la Bourse chuter de façon importante. Ce ne sont pas de bonnes nouvelles...

À RISQUE

Retirer certains placements pourrait s'avérer prudent dans les circonstances. Mieux vaut éviter les conflits d'autorité et les procès, les chances de gagner étant minces, et ne pas provoquer d'affrontement. Gardez-vous de prendre position en faveur d'un parti ou d'un autre, ce serait mettre votre situation à risque. Il faut beaucoup de prudence dans les rapports avec l'administration, les banques, les sociétés d'actions et les grandes entreprises financières. Période peu favorable aux placements à long terme, mieux vaut penser court terme.

TANT MIEUX

Huit chances sur douze que vous n'ayez pas l'ascendant dans l'un de ces signes. Si tel est le cas, tant mieux, vous êtes moins affecté par ce qui se passe ici et ailleurs dans le monde. Remerciez la Providence d'être épargné et partagez cet avertissement avec vos parents, enfants, petits-enfants et amis. Ils seront heureux d'avoir prévu de tels bouleversements et vous seront reconnaissants de les en avoir avertis.

FLUCTUATIONS

Côté matériel, social et politique, continuez d'être attentif et circonspect, mais ne vous affolez pas. Ces fluctuations boursières et

financières se produisent régulièrement et nous finissons toujours par en sortir. À partir de ces informations, vous serez en mesure de faire de décembre un mois décent. Les plus malins en retireront même des profits inattendus.

INSTINCT

L'instinct vous guide correctement. Le bruit du sang qui coule dans vos veines vous instruit quant à la promptitude nécessaire à l'action et à la puissance de volonté qu'il faut démontrer et dont vous disposez en abondance en ce moment. Vous ne vous laisserez pas abattre sans livrer un dur combat, le fait est sûr. Avec l'instinct de conservation dont vous jouissez actuellement, aucune maladie ne restera invaincue, aucun problème irrésolu.

Bonne fin d'année, cher Vierge, et bonne chance dans les choix que vous faites. N'ayez crainte, vous prenez la bonne route!

HOROSCOPE HEBDOMADAIRE

Du 4 au 10 décembre: L'intellect est rationnel, le jugement sûr, les réflexes solides, le système nerveux capable de gérer les crises plus ou moins graves qui se produisent. Soigner la santé est important: cœur, poumons, hanches, foie et vésicule. Côté affection et sentiment, tout va bien.

Du 11 au 17 décembre: Guidé par l'amour, vous évitez de graves ennuis mais l'appât du gain peut intervenir dans une décision importante. Si l'offre est trop belle, méfiez-vous, il y a un os. Préparez les fêtes et détendez-vous. La pleine Lune le 15 décembre en Gémeaux porte au mensonge; exigez la vérité.

Du 18 au 24 décembre: Vous tenez la forme, mais les nerfs sont fragiles. En cas de doute, ne décidez rien. Votre esprit est indécis, capricieux, irrésolu. Entre deux personnes, deux invitations, deux propositions, vous ne savez que faire. Simplifier en éliminant les deux serait une solution…

Du 25 au 31 décembre: Joyeux Noël! Vous êtes le clown, l'amuseur. Vos moqueries nous déridert. La nouvelle Lune le 30 décembre en Capricorne accroît la chance aux jeux de hasard. Tenter le sort pourrait être avantageux. Quoi qu'il en soit il sera bon être avec vous pour célébrer le nouvel an!

CHIFFRES CHANCEUX

1 - 11 - 13 - 29 - 30 - 44 - 45 - 50 - 60 - 62

Bonne année, cher Vierge!

Balance

DU 24 SEPTEMBRE AU 23 OCTOBRE

1er DÉCAN : DU 24 SEPTEMBRE AU 2 OCTOBRE
2e DÉCAN : DU 3 OCTOBRE AU 13 OCTOBRE
3e DÉCAN : DU 14 OCTOBRE AU 23 OCTOBRE

Prévisions annuelles

EXCELLENTES PERSPECTIVES

L'année s'ouvre sous d'excellentes perspectives pour les natifs de la Balance. La fin de l'an dernier les a favorisés, mais s'ils n'en ont pas profité pleinement, ils bénéficient de 10 bons mois pour se reprendre. Le ciel se montrant particulièrement généreux sous tous les rapports, ils n'ont pas à s'inquiéter. Les perspectives sont bonnes, reste à suivre les bons courants.

JUPITER DANS VOTRE SIGNE

Jupiter séjournant dans votre signe depuis la fin d'octobre 2004 continue son périple à travers les 30 degrés de la Balance. Il habitera le signe jusqu'à la fin d'octobre 2005, moment où il déménagera ses pénates dans le signe suivant. Les natifs de tous les décans se trouvent placés sous sa légendaire protection. Ce n'est pas dire que tout est parfait, mais selon toute probabilité, vous seriez malvenu de vous plaindre. Le Grand Bénéfique ne lésine pas sur les cadeaux qu'il offre ; vous en apprécierez la valeur cette année.

GRANDES RÉJOUISSANCES

Si vous êtes Balance, et à plus forte raison si vous avez un ascendant Balance (ce qui se produit chez ceux qui sont nés au lever du Soleil), le temps est aux grandes réjouissances. Les bons présages annoncés se réaliseront et concourront à faire votre joie et votre bonheur. La vie se chargera peut-être de vous apporter la richesse en boni ; ce ne serait pas à dédaigner…

MEILLEURS MOIS

Les meilleurs mois pour faire des gestes qui rapporteront sur le plan humain, mais aussi matériellement et financièrement, sont mars, août et septembre. En ces périodes bénies des dieux, rien ne vous sera refusé.

Reste à tendre la main et à cueillir l'abondance qui se décharge sur vous, mais sans craquer sous l'avalanche de présents somptueux que les astres vous destinent. Trop d'abondance nuisant parfois, il faudra faire le tri et apprécier sans gloutonnerie les plaisirs que la vie vous proposera. Savoir vivre est un art que vous possédez naturellement ; sinon, apprenez, il le faudra bien.

VOTRE ÉTOILE

Quand on a Jupiter pour ami, on doit être digne de ses dons et cadeaux, sinon il retient au lieu de donner. Pour cela, il faut être juste et droit, équilibré dans ses jugements, clément pour les fautes et les sottises d'autrui, sociable et souriant aussi. Utiliser vos talents d'artiste et de créateur et vous enthousiasmer pour la chose culturelle fera monter d'un cran l'estime que les gens influents ont pour vous. Grâce à leur soutien, vous rejoindrez votre étoile.

BONNE VOLONTÉ ET EFFORT

Un minimum de bonne volonté et d'effort est requis pour que l'influence jupitérienne déverse sur vous sa splendeur, mais vous participerez au travail sans rechigner, sûr que l'aventure se terminera sur un petit nuage rose et bleu. Vous avez raison, ce qui est entrepris sous le signe de la foi, de la confiance et de l'idéalisme réussira.

ASCENDANTS ET SIGNES FAVORABLES

Les Verseau, Gémeaux, Sagittaire et Balance de signe solaire ou ascendant vous sont extrêmement utiles. S'impliquant dans votre travail, ils ajoutent à vos connaissances et comblent vos manques. Vous priver de leur participation serait folie ; ne le faites sous aucune considération. Si tel est votre signe ascendant, quelle chance énorme vous avez ! L'année sera encore plus faste, vous l'adorerez !

NID DOUILLET

À l'intérieur du nid douillet que vous bâtissez et fignolez avec amour, vous êtes choyé, bichonné, aimé. C'est sûrement à deux pas du paradis… La maison est votre port d'attache, c'est un lien avec l'infiniment précieux que vous portez en vous tel un flambeau. L'âme ou esprit se reconstruit et se revigore au contact de ceux que vous aimez.

Contentement de soi, respect de l'autre et des autres, tolérance, pardon et acceptation de la réalité sont les richesses dont vous dis-

posez. Le reste est secondaire, bien que vous soyez très occupé cette année à faire des affaires et à engranger. Une attitude à la fois réserviste et exploratrice n'est pas contraire à votre nature ; l'équilibre est souvent à ce prix...

RÈGLE D'OR

Insatisfaits parce que trop exigeants, certains trouveront peut-être à redire, mais de façon compulsive ils seront comme les autres enchantés de vivre les moments intenses et variés que le destin leur propose. Ceux-ci n'ayant rien de lassant ni de répétitif, vous vivrez une année en tout point conforme à vos désirs.

Des clichés que tout cela ? Allez voir... La fin de l'année prouvera à quel point les planètes incitent, sans toutefois obliger. Telle est la Règle d'Or.

ÉCLIPSES À SURVEILLER

Trois éclipses sur quatre sont à surveiller. La santé physique et morale pouvant chuter pendant ces périodes, vous en serez informé le temps venu. Vous avez suffisamment de protection céleste pour vous mettre à l'abri de tout danger grave. Cela en soi est une belle assurance. Vous l'avez en main et saurez l'utiliser le temps venu.

Bonne année et bonne lecture, cher Balance. Au féminin ou au masculin, la chance sourit tout autant. Peu importe le sexe pourvu que l'âme soit forte !

UN ANGE APPROPRIÉ

Un ange approprié du nom de Michael vous aidera à régler les problèmes de justice et d'équité qui vous seront soumis. Sous sa directive, vous pourrez agir en tant que médiateur, négociateur, conseiller en ressources humaines, rétablir l'ordre et vous libérer de l'oppression et de la tyrannie.

Michael possède le pouvoir de donner force et courage à qui en manque. Il allège le fardeau d'un destin trop sombre. Avocats, politiciens, religieux, diplomates, ambassadeurs de paix et conciliateurs dans les sphères internationales et nationales seront plus habiles et plus heureux s'ils ont souvent recours à sa protection.

Coup d'œil sur la Balance de tout ascendant

Balance-Balance

Vous escaladez la montagne et grimpez les échelons sans repos, mais la bonne humeur réduit les antagonismes. Qui ne vous aimait pas avant ne vous aime pas plus, mais on vous respecte.

Une énorme chance se manifestant, mettez à profit votre séduisante personnalité en adoptant une attitude sympathique. Jupiter nous visite une fois tous les 12 ans, il faut se presser d'agir.

Mariage, naissances, contrats, procès, entreprises gigantesques, tous sont menés à bien et heureux. N'hésitez pas à vous engager, toutes les chances de réussite sont réunies, vous avez le feu vert!

Gare à vous si vous faites des jaloux. Provoquer l'envie et attiser les mauvais sentiments pourrait nuire. Les prévisions qui suivent vous seront utiles; lorsqu'on est soutenu par la chance, on tend à relâcher la vigilance, ce qui est déconseillé.

Balance-Scorpion

L'année est plus que confortable. Elle promet de vous porter sur les ailes du temps et de vous mettre à l'abri de tout souci économique et matériel. Pour quelqu'un de votre astralité, c'est majeur.

La santé peut requérir des soins particuliers durant les périodes d'éclipses dont nous parlerons dans les prévisions mensuelles; celle d'avril surtout exige de la considération supplémentaire. Nous aviserons le temps venu.

Le mieux serait de poser les bases d'un projet ou d'une affaire dès le début de l'année. Saturne exigeant plus de repos en juillet, mieux vaut diminuer l'effort pour reprendre à fond la caisse en novembre. Ce serait idéal.

Novembre apporte le succès sur un plateau d'argent! Vous n'avez jamais rien connu d'aussi riche ni d'aussi valorisant. Préparez-vous à vivre une année extraordinaire et suivez les prévisions pour mieux en profiter.

Balance-Sagittaire

Combinaison astrale on ne peut plus désirable. Elle accorde des qualités dynamisantes et optimales et exacerbe le côté honnête et justicier. Juge, avocat, politicien ou personne tirant les ficelles, vous êtes sans égal.

Toute l'année est favorable, mais septembre vole la vedette. Il semble que tous les efforts pour bâtir, constituer et créer aboutissent vers cette date. Tout converge, et dans le bon sens du terme.

Ayant le goût de tenter de nouvelles expériences, vous n'hésitez pas à couper les ponts derrière vous et sans laisser d'adresse. Autant du point de vue personnel que professionnel, l'année sera mémorable.

Une attitude indépendante attire le succès, mais vous êtes capable de faire les concessions nécessaires pour atteindre votre but. Les prévisions vous aideront à ratisser plus large encore…

Balance-Capricorne

Agir en Balance jusqu'à la fin d'octobre avantagera considérablement votre vie et vos affaires. Aidée par les événements extérieurs, la situation financière est en progrès ; vous faites de bonnes transactions et êtes satisfait.

Voyant clair et étant logique, vous tirez parti des circonstances et profitez d'un regain de popularité impressionnant, à condition de faire abstraction de votre côté Capricorne en début d'année.

Si vous êtes divisé, malheureux de l'intérieur, cela transparaîtra et vous perdrez de belles occasions d'affaires et de bonheur. N'hésitez pas à consulter un thérapeute ou un psychologue, il ou elle vous aidera.

En harmonie avec votre nature complexe, il ne reste qu'à cueillir le fruit de votre patient labeur. Vous avez durement bossé, peinant parfois jusqu'à des heures impossibles. Le temps de récolter est venu.

Balance-Verseau

Vous détenez la combinaison gagnante. N'hésitez pas à changer votre vie et à transformer vos conditions de travail, votre qualité de vie n'en sera que plus attrayante et plus harmonieuse.

Ce que vous commencerez ou mettrez au point fonctionnera au-delà de vos espérances. Selon votre âge et les circonstances, jouer le tout pour le tout serait une bonne idée.

Mars et août sont les grands mois de l'année. Ils vous placent en situation privilégiée et vous inspirent des idées géniales sur le plan matériel et financier. La foi transporte les montagnes, c'est vrai !

Septembre est favorable, mais décembre apporte des difficultés. Rien de tragique, mais avoir pris des précautions avant la fin de l'année pourrait être salvateur. Vous trouverez dans les prévisions mensuelles des conseils habiles.

BALANCE-POISSONS

Combinaison favorisant la réussite de la vie privée et le succès dans le monde du commerce et des affaires. Révolutionnaires, vos idées choquent au départ mais on s'aperçoit vite que vous aviez raison.

À la recherche de la nouveauté, vous innovez dans le domaine artistique et créatif. Vos travaux se révèlent économiques, mais ils excitent les sens. Vous nous donnez des sensations fortes cette année…

Toute la période est prodigieuse, mais novembre apporte des surprises qui n'ont pas fini de faire jaser. Vous-même êtes renversé. Voyages, avion, électricité et ondes de toutes sortes font votre fortune.

Votre santé devrait être bonne, mais il est possible que vous soyez affecté par l'hypoglycémie ou l'hypothyroïdie. Trois éclipses touchent la Balance. Reins, vessie et organes génitaux sont à surveiller. Les prévisions qui suivent vous seront utiles à ce sujet.

BALANCE-BÉLIER

Portant votre complémentarité ou contraire, vous êtes le miroir de vous-même. C'est parfois difficile mais cette année atténue les risques. La Chance Pure passant en Bélier vous protège de vos propres excès.

Deux composantes bien distinctes vous habitent. L'une va vers les autres ; c'est celle que vous devez privilégier cette année, l'autre reste coincée sur elle-même. Cette dernière est à neutraliser.

Manœuvrez habilement de janvier à juillet, puis en août ouvrez grands vos ailes et prenez de l'altitude. Le large vous appelle, partez au loin si tel est votre désir. Vous trouverez une dimension à votre mesure.

Vous associer à ceux qui ont du Verseau, du Gémeaux ou de la Balance comme vous serait heureux. Seul, vous serez chanceux aussi, mais vous rencontrerez plus de problèmes. Les prévisions qui suivent vous aideront à faire le tri…

Balance-Taureau

Le début d'année est nettement supérieur. Pour agir avec le maximum de facilité, de plaisir et de profit, vous avez de janvier à juillet. Six bons mois, donc, pour utiliser les deux facettes de votre nature.

Si votre côté Balance est plus propice côté matériel et financier, votre nature artistique fortement Taureau influe directement sur votre succès. Travailler avec persévérance s'avère indispensable.

La sagesse joue un rôle déterminant cette année dans votre existence. Ou vous en faites preuve et vous décrochez le gros lot au jeu de la vie, ou bien vous en manquez et c'est plus inquiétant.

Connaissant votre bon sens, vous jouerez sûr et suivrez les conseils indiqués dans les prévisions mensuelles. Mettant la protection de Jupiter à profit, vous ne connaîtrez pas d'ennuis majeurs.

Balance-Gémeaux

Combinaison harmonieuse vous plaçant un cran au-dessus de la moyenne et de la compétition. Bravant le sort, vous avancez droit devant et sans vous retourner ainsi qu'il convient de le faire.

La grande chance vous accompagne cette année. Vous le pressentez et le savez instinctivement, le vent est propice. Le grand moment que vous attendiez depuis longtemps est sur le point d'arriver : bravo !

Les meilleurs mois sont mars et août ; septembre se défend très bien. Gains par investissements et spéculations, coups de chance providentiels favorisant les liquides, pétrole et autres produits synthétiques.

Terminer le gros du travail pour octobre serait conseillé, ce mois étant moins favorable à cause d'éclipses dont nous reparlerons dans les prévisions que vous ne manquerez pas de lire…

Balance-Cancer

Cet amalgame astral n'est pas toujours harmonieux, mais il vous avantage cette année sur les deux plans. Le « soi-même profond » et la personnalité étant tous les deux bien positionnés, cela favorise l'équilibre.

Chanceux en matière de travail et d'argent, vous êtes en grande forme à compter de juillet. La santé étant plus solide, vous effectuez des transferts et prenez mieux la vie. Ce n'est pas un mince progrès...

Votre image se trouvant améliorée par vos propres efforts et par un sort heureux, vous brillez de tout votre éclat et remportez des succès inespérés dans votre domaine de travail probablement lié aux arts et aux artistes.

Vous allez connaître une année magnifique. Trois éclipses atténuant occasionnellement ces bons pronostics, suivre les indications données dans les prévisions mensuelles sera d'une grande utilité.

BALANCE-LION

Grande force d'action et de résistance s'alliant pour votre plus grand bonheur. Propulsé par une tonne de dynamite, vous nous donnez envie de vous suivre jusqu'au bout du monde.

Débuter l'année en Lion s'impose. Vous ne pouvez rater l'opportunité d'assurer votre sécurité physique, morale et financière. La chance se manifeste dès janvier, mais mars remporte le morceau.

Août est un autre grand mois et septembre favorise votre côté Lion. Pourvu que vous travailliez en équipe, le succès est aisé. Conjoints et associés doivent participer à l'effort, autrement ce sera un peu plus ardu.

En juillet, vous devez commencer à prendre soin de vous et de votre santé. C'est barbant mais nécessaire. Les prévisions mensuelles vous en apprendront plus au sujet des éclipses et de votre santé.

BALANCE-VIERGE

Les deux côtés de votre nature sont complémentaires, mais privilégier la Balance de janvier à octobre sera beaucoup plus profitable socialement et matériellement. Adresse, jugement, répartie vive, au travail!

Les mois qui répondent le mieux à vos attentes et favorisent le succès social et professionnel sont mars, août et septembre. À la suite d'événements chanceux, vous encaissez des profits importants et êtes satisfait.

Le soutien désiré vient d'amis et de relations vous aidant en temps opportun et vous témoignant de l'affection quand vous en manquez. Cela vous donne un sentiment profond de sécurité affective.

Le côté Vierge peut rendre instable et survolté ; savoir doser les choses vous stabilisera. Le mot d'ordre est celui-ci : Soignez votre santé, hypoglycémie, thyroïde, etc. Les prévisions qui suivent vous aideront à mieux vivre votre vie.

Prévisions mensuelles

JANVIER

Souffle, souffle, vent d'hiver:
Tu n'es pas si cruel
Que l'ingratitude de l'homme.

William Shakespeare

IL EN SERA AINSI

En ce formidable début d'année, l'attention semble captée par l'entourage immédiat. Frères, sœurs, cousins et amis intimes font partie de vos fêtes et de vos célébrations, pour votre plus grand plaisir, mais vous brûlez d'envie de vous retrouver sous des latitudes plus chaudes. Cela dit, vous êtes aussi à l'aise ici qu'ailleurs. La détermination se lit sur votre visage : vous passerez une année exceptionnelle, vous l'avez décidé et il en sera ainsi !

LE HIC

Le hic vient de Saturne qui amène un aspect déplaisant au portrait. Mercure et Vénus se joignant à lui les 9 et 10 janvier, ces jours sont moins agréables, surtout si vous avez un ascendant Cancer, Balance, Capricorne ou Bélier. Prévoir des travaux, des études, des sports et des passe-temps moins à risques et moins astreignants serait bon.

DÉBORDEMENTS SENSUELS

Mettre le clapet sur les débordements sensuels serait également utile. Protéger votre vie amoureuse et familiale importe, mais c'est votre vie sociale et professionnelle qui écoperait le plus. Les odeurs de scandale ne sont jamais propices aux affaires ; il faut tenir compte des règles et des conventions, cela fait partie du jeu, vous le savez mieux que personne…

NATIFS DU 13 AU 20 OCTOBRE

Les natifs du 13 au 20 octobre se trouvant dans la mire d'une Saturne aride, mieux vaut ne courir aucun risque et prendre soin de sa santé et de sa sécurité. Il n'y a pas lieu de dramatiser et de penser que tout ira mal, mais prévoir des temps de repos entre les heures d'études et de travail afin de retrouver de l'énergie est conseillé. Remis en condition, vous travaillerez mieux et plus rapidement, ce qui fait que vous n'aurez pas perdu de temps.

INTERDIT

Quels que soient votre date de naissance et votre signe ascendant, aller jusqu'à l'épuisement de vos forces est interdit. Vous n'avez pas la puissance du Lion ni la force du Bélier, vous en rendre compte et ne pas vous en demander trop semblerait naturel. Chose certaine, ce serait beaucoup plus sage.

AIDE DE JUPITER

Jupiter dans votre signe contribue à votre bonne santé mais il ne peut tout faire à lui seul, vous devez l'aider. Le moindre effort en vue de consolider votre santé sera récompensé. Vous verrez qu'un simple coup de pouce du sort fait parfois une grande différence en matière de santé et de bien-être...

Côté travail et affaires, vous débordez d'enthousiasme et de bonnes idées. Le travail nuit peut-être à vos amours, mais vous devez vous investir complètement dans ce que vous faites. Un travail à moitié fait ne vous satisfera pas. Il ne plaira pas non plus à votre employeur, à vos associés ni même à votre conjoint. Mettre de l'ardeur au travail mais sans se faire mourir, voilà la recette gagnante pour passer un très bon mois de janvier. Bonne chance !

HOROSCOPE HEBDOMADAIRE

Le 1er janvier : Cinq planètes agréables plus Jupiter, vous ne pouviez passer un meilleur jour de l'an. Un petit rhume, de la fatigue peut-être, rien qui nuise au parfait bonheur. Je vous souhaite une bonne année, cher Balance !

Du 2 au 8 janvier : Les sentiments gagnent en qualité et en intensité pendant que l'intellect prend des décisions rapides. Ce sera tout ou rien. Persuasif et charmeur, ce sera oui. Les négociations aboutissent en votre faveur ; vous êtes ravi de la tournure des événements.

Du 9 au 15 janvier : La nouvelle Lune du 10 janvier en Capricorne expose à des revers blessants pour l'orgueil. N'exagérez pas, un désaccord en affaires, une peine de cœur, ce n'est pas la fin du monde. Vous vous en remettrez.

Du 16 au 22 janvier : Votre santé se raffermit. Vous êtes prêt à passer à l'attaque. Vous savez vendre vos idées mais aussi votre personnalité. Vous êtes extrêmement efficace dans les transactions. Le 22 rend nerveux ; restez calme.

Du 23 au 29 janvier : Pleine Lune du 25 janvier en Lion vous plaçant devant une évidence flagrante, mais à laquelle vous ne pensiez pas. On est parfois sourd et aveugle par choix... En fin de semaine, c'est tout réfléchi, vous passez aux actes.

Du 30 janvier au 5 février : Nets progrès dans la progression de vos plans et projets personnels autant que professionnels. Vous avez le goût de rire, de vous amuser, d'aimer. Ne vous privez pas d'amour, c'est ce qui vous sustente.

CHIFFRES CHANCEUX

6 - 7 - 16 - 24 - 25 - 39 - 40 - 41 - 55 - 67

FÉVRIER

Forte est votre emprise, ô chair mortelle !
Forte est votre emprise, ô amour.

WALT WHITMAN

PRÉPARATIFS

Les préparatifs vont bon train. De grandes choses se concoctent pour vous dans l'espace-temps. Commencez dès maintenant à placer vos pions sur l'échiquier et à aplanir les angles ; tout doit être prêt et mis en marche le mois prochain. Le marketing peut dire ce qu'il veut, un fait est sûr : vous agissez en temps propice, les résultats ne peuvent qu'être intéressants.

RENDEMENT

Ce que vous démarrez ce mois-ci a toutes les chances d'aboutir et de bien fonctionner. Le rendement étant ce qui compte, vous êtes satisfait du travail accompli autant par l'entourage que par vous-même. On collabore avec vous en y mettant du cœur; les résultats sont étonnants. L'union faisant la force, vous devenez plus fort, plus crédible. Cela incite les financiers, les banques et les grandes entreprises à miser sur vous et à vous faire confiance. Vous avez bien travaillé, la récompense sera à la hauteur.

AMOUR AMOUR

Amour amour, février est le mois des amoureux. La Saint-Valentin et vous êtes un peu fâchés cette année. Pas le temps, pas la possibilité peut-être... La vie amoureuse est exceptionnelle par sa qualité et par l'inspiration qu'elle vous apporte, mais la passion est portée à son paroxysme et la sexualité est problématique. Tout cela n'empêche par l'amour, mais l'urgence de travailler peut l'emporter, surtout que vous disposez d'une somme d'énergie limitée. Ce cher saint Valentin, j'espère qu'il ne vous fait pas trop souffrir!

PARTIR

Le froid de l'hiver ne favorise pas la bonne santé. Passer quelques jours au soleil serait bon, mais trouverez-vous le temps? À la moindre occasion, partez vous reposer mais prenez garde aux coups de soleil nocifs pour la peau. Prenez soin de votre cœur, le surmenage étant à éviter. Hypertension, hémorragies, blessures, brûlures, inflammations, ulcères et troubles de la vue à surveiller.

SE CONCENTRER SUR LE POSITIF

Mars en Capricorne accroît les risques d'agressivité et de conflits au foyer, dans la famille. Exercer un bon contrôle sur vous-même vous protégera des courants négatifs d'autrui, tout en vous donnant la force de vous concentrer sur le positif de l'affaire qui occupe vos pensées. Cessez de vous inquiéter, la réponse sera celle que vous espériez.

Bonne Saint-Valentin, cher Balance!

HOROSCOPE HEBDOMADAIRE

Du 6 au 12 février: Patience les 6 et 7, la nouvelle Lune du 8 février en Verseau est porteuse de bonnes nouvelles et le 10 est exceptionnel. Chance par spéculation et jeux de hasard. Utilisez les rentrées d'argent pour tonifier et rajeunir l'entreprise; avec le reste, voyagez.

Du 13 au 19 février: Les décisions prises avec hardiesse sont rentables. Vous savez être très persuasif et très efficace dans toute négociation. En affaires, vous avez le dernier mot, mais vous ne manquez pas de souplesse ni d'adresse.

Du 20 au 26 février: Pour vous, la fête des amoureux a lieu le 21 février cette année. Jamais comme les autres est votre devise... Le grand amour pourrait être au rendez-vous. Vous avez fait le bon choix, la pleine Lune du 23 février en Vierge le confirme.

Du 27 février au 5 mars: Avoir un ami ou collaborateur Poissons par le signe solaire ou ascendant serait idéal. Si tel est votre ascendant, votre intuition se trouve décuplée. Sinon, prenez garde, les 1er et 3 mars sont fatidiques; ne vendez rien et n'achetez rien ces jours-là.

CHIFFRES CHANCEUX

2 - 4 - 6 - 19 - 20 - 37 - 38 - 42 - 59 - 60

MARS

De même que celui qui aime la vie évite le poison, le sage évite l'iniquité.

UDÂNAVARGA

LES 10 PREMIERS JOURS

Les 10 premiers jours du mois de mars indiquent une baisse de vitalité et de résistance qu'il faut respecter, sinon la maladie peut retarder votre travail et empêcher la réalisation de vos désirs pourtant si proche qu'on pourrait la toucher du doigt. Vous ne voudriez pas tout remettre en question pour une perte d'énergie temporaire. Savoir que vers le 10 du mois vous serez en meilleure forme vous aidera à passer ce temps légèrement moins agréable.

ASPECT REVITALISANT

L'aspect revitalisant que vous ressentez fortement vient de Jupiter en Balance se plaçant en harmonie avec Neptune en Verseau, signe complémentaire et ami. La rencontre au sommet se faisant entre le géant Jupiter et la nébuleuse Neptune est peu fréquente, ce qui accroît sa puissance et excite l'imagination quant aux effets positifs qu'elle produira sur votre vie privée, sur vos amours et sur vos affaires d'argent.

RÉJOUISSEZ-VOUS

Vous ne risquez pas de manquer de santé, d'amour ni d'argent durant cette période faste, ce serait un non-sens. Un ascendant traversant une mauvaise période pourrait peut-être jeter un léger voile sur votre bonheur, mais vous ne pouvez pas échapper au bon sort qui vous attend. Réjouissez-vous, le temps de donner la pleine mesure de vos forces et moyens est venu. Ce qui en ressortira vous convaincra de la validité de l'astrologie sérieuse que je pratique.

PERSONNALITÉ ET VIE SENTIMENTALE

La personnalité et la vie sentimentale jouent un rôle de premier plan dans le film de votre vie telle qu'elle se déroule actuellement. Le dévouement que vous partagez avec l'amour de votre vie pour une bonne cause est source de rapprochement. Le sens de la psychologie accru permet d'analyser ses propres sentiments et de comprendre ceux des autres. Cela constitue un gros avantage dans la vie privée, mais également dans les affaires d'argent et de commerce. L'empathie témoignée à autrui est constructive et sympathique ; on n'a jamais trop d'amis, de relations utiles…

AMITIÉ ET HUMANISME

Les qualités qui consolident vos négociations et arrangements sont l'amitié et l'humanisme. Une sorte de mystique de l'unité vous habite, transformant vos habitudes égocentriques en une plus grande intégration des autres dans la vie quotidienne ainsi que dans le travail et les affaires. Ce partage des tâches est du meilleur effet sur votre santé physique et morale ; les névroses ou psychoses sont rares et guérissent le plus souvent sans intervention extérieure.

IDÉALISME ET SPIRITUALITÉ

Guider les autres vers la connaissance élargie des nouveaux courants d'idées, de religions et de philosophie vous paraît important. Le simple fait d'aborder des sujets plus élevés vous permet d'attirer les acheteurs. La chance matérielle vient automatiquement grâce à une implication sociale. Comme vous alliez idéalisme et spiritualité, vous atteignez aisément vos buts.

SUCCÈS MAGISTRAL

Sachant transmettre de l'enthousiasme aux autres, vous réussissez à les convaincre d'adopter votre façon d'envisager les choses et de les présenter au public, à la société. Votre clairvoyance associée à l'inspiration créatrice de l'autre conduisent à la réussite. Vous prenez un beau risque et ils embarquent avec vous. Tout le monde gagne au change, le succès est magistral. Il ne reste qu'à vous féliciter!

Joyeuses Pâques à tous le 27 mars!

HOROSCOPE HEBDOMADAIRE

Du 6 au 12 mars: Le temps coule comme le sable dans le sablier. Vous voudriez l'arrêter, mais il file à toute allure. La nouvelle Lune du 10 mars en Poissons favorise la santé et le travail. Vous prêchez l'économie mais vous voyez grand.

Du 13 au 19 mars: Le 14 mars, Jupiter est en trigone exact à Neptune. Avec les Verseau, Gémeaux et Balance de signe solaire ou ascendant, vous accomplissez monts et merveilles. Si tel est votre signe ascendant, la plénitude des moyens vous est offerte; à vous de puiser dans l'urne sacrée de la connaissance.

Du 20 au 26 mars: L'énergie printanière arrive en rafale et vous transporte dans un univers où l'action est seule maîtresse. Vous êtes en pleine forme; le moment est idéal pour pratiquer des sports d'agrément et pour faire l'amour. À la pleine Lune du 25 mars en Balance, rien n'est impossible. Quelle chance vous avez!

Du 27 mars au 2 avril: Progéniture en tête ou non, vous avez une bonne relation d'autorité avec les jeunes, ils adorent se trouver en votre compagnie. Organisateur de jeux et de sports, enseignant, parent, vous êtes la personne qui sait le mieux stimuler l'intérêt des jeunes pour les études. Le défi vous allume.

CHIFFRES CHANCEUX

7 - 12 - 24 - 30 - 31 - 48 - 49 - 57 - 64 - 70

AVRIL

La femme idéale pour l'homme est une colombe qui a les qualités de la fourmi et l'homme idéal pour la femme est un lion avec la patience de l'agneau.

ANONYME

ÉCLIPSE SOLAIRE À SURVEILLER

Une éclipse solaire et totale obscurcit le ciel du 8 avril en Bélier, signe opposé au vôtre. Cela peut avoir des conséquences négatives sur votre santé. Il importe de soigner le moindre malaise et de prendre au sérieux les avertissements du corps ; d'ailleurs, vous l'avez négligé depuis quelque temps en accomplissant des tâches inouïes. Les résultats valent la peine, mais attention de ne pas passer outre ces recommandations.

Points sensibles : cœur, dos, yeux, tête et organes de la tête, dents et calculs biliaires. Si tout va bien, tant mieux, l'ascendant vous protège et un moral stable accentue la protection.

ÉCLIPSE LUNAIRE MINEURE

Une éclipse lunaire mineure se fait le 24 avril dans le ciel du Scorpion. Avec un peu de chance, le moral tient bon mais un ascendant Scorpion, Lion, Verseau ou Taureau risquerait de le faire chuter. Évitez de vous braquer et de provoquer des conflits avec la mère et avec les femmes de votre vie, celles-ci surtout étant atteintes puisque la Lune est le symbole féminin par excellence.

RIEN NE VOUS ABAT

Pour la plupart, vous êtes psychiquement solides, rien ne vous abat. Il faut dire que la vie se charge de vous stimuler et de vous garder éveillé. Ce n'est pas une petite éclipse lunaire qui vous jettera par terre. Vous en avez vu d'autres, mais ne rien entreprendre d'important entre le 25 mars et le 1er mai serait préférable. Ce qui est commencé en temps d'éclipses tendant à rater lamentablement, pourquoi investir temps, argent et énergie dans des aventures sans lendemain ? Cela vaut autant sur le plan amoureux que sur les plans personnel et professionnel.

ÉNERGIE ET VIE SENTIMENTALE

Le niveau d'énergie est élevé, la vie sentimentale et érotique prend de l'ampleur. Côté affectif et amical, c'est plus intéressant à compter du 15, les relations se resserrant entre vous et les enfants, mais aussi avec les plus âgés de la famille. Vous abordez les problèmes de la mort d'un parent ou d'un proche avec sérénité et pouvez discuter de l'après-vie sans trancher sur son existence ou non. Investiguer les grands mystères de la vie vous fascine.

Malgré les éclipses, vous passez un très beau mois d'avril. Jupiter déversant sur vous son abondance, vous êtes là pour rester longtemps, et en bonne santé !

HOROSCOPE HEBDOMADAIRE

Du 3 au 9 avril : Franchise dans les amitiés qu'il est bon de cultiver ; attrait pour le domaine de l'électricité, des ondes, radio, télévision, cinéma, pour l'avion et pour l'automobile nouveau genre. L'éclipse solaire totale du 8 avril en Bélier a été analysée plus haut.

Du 10 au 16 avril : Originales et imprévues, vos façons d'agir font jaser. Laissez dire et suivez votre intuition. La recherche du progrès a été boudée de tout temps ; vous ne faites pas exception à la règle. Comme le disait Einstein : « Le génie a toujours été décrié par les esprits de moindre valeur. »

Du 17 au 23 avril : Amélioration de la santé et des conditions de vie au quotidien. Le travail est plus approprié et habilement étalé sur diverses périodes ; l'énergie économisée permet de se faire des réserves, ce qui est toujours prudent.

Du 24 au 30 avril : L'éclipse lunaire de pénombre le 24 avril en Scorpion est analysée plus haut. En réalité, vous négociez cette semaine plus adroitement que d'autres. Votre perspicacité vous aide à voir clair dans la noirceur. Comme le chat, vous retombez sur vos pattes.

CHIFFRES CHANCEUX

1 - 10 - 16 - 23 - 27 - 34 - 41 - 55 - 56 - 61

MAI ET JUIN

Chaque joie est un gain
Et un gain est un gain, si petit soit-il.

R. BROWNING

BEAU PROGRAMME

Les doux mois de mai et de juin ont chacun des avantages, mais vous préférerez sans doute le mois de mai cher au cœur des amants et des maîtresses. Vous avez envie de relâcher la machine, de prendre du bon temps. Ce n'est pas défendu, loin de là ; à certains d'entre vous, il faut même le recommander.

Respirer l'air printanier, l'odeur des premières floraisons timides, admirer la couleur des feuilles nouvellement écloses et respecter la nature afin qu'elle nous le rende : voilà un beau programme que vous accomplissez sans discuter. Il faut dire que Vénus aimable rend adorable, charmeur et charmant et que Mercure ajoute du piquant à la relation amoureuse qui fait votre bonheur. Comment vous résister quand vous êtes ainsi disposé ? Impossible !

UN MOT GENTIL

Rien de tel qu'un mot gentil de votre part pour réconforter et faire plaisir. On l'apprécie d'autant plus que vous le faites rarement. Trop rarement, ne trouvez-vous pas ? Un peu plus de générosité côté compliments et félicitations ferait du bien au cœur des autres et ne coûterait pas cher. Pensez au rapport qualité-prix, vous serez fier de la bonne affaire que vous faites en passant une remarque aimable sur l'allure, la cuisine, le travail, les succès scolaires et autres réussites des personnes de votre entourage. À croire que vous détenez un pouvoir magique sur leur capacité de bien faire…

VOYAGE À DEUX

Sachant que tout a un prix, vous êtes prêt à assumer le coût d'un voyage à deux pour des fins de rapprochements intimes. Ce n'est pas superflu, mais nécessaire. À défaut de mieux, quelques jours feront l'affaire. Bon voyage. Surtout ne parlez pas travail, distrayez-vous, intéressez-vous à des choses futiles, rien de mieux pour capter l'esprit d'une Balance l'espace de quelques heures. La détente que vous en retirerez vaut la peine ; essayez, vous aimerez.

JUIN MOINS FAVORABLE

Juin est moins favorable côté affection, tendresse, amitié et sentiment.

La possibilité de relations multiples avec différentes personnes et dans des contextes obscurs existe et elle est décevante. D'autant plus que cette façon de vivre peut nuire à votre réputation sur le plan social et professionnel ; méfiez-vous de l'aventure romantico-sexuelle, c'est la plus dangereuse. Vous êtes trop curieux pour votre propre bien. Résister à la tentation peut être difficile, mais ça vaut mieux que d'y céder, croyez-moi.

C'est la fête des Mères le 8 mai, la fête des Pères le 19 juin et la fête nationale du Québec le 24 juin. Bon congé et bonne fête à tous et à toutes !

HOROSCOPE HEBDOMADAIRE

Du 1er au 7 mai : La frénésie se calme, vous avez plus de latitude. Prenant le temps de vivre et de faire du cocooning, vous reprenez contact avec ceux que vous aimez et que vous négligez souvent. Ils vous pardonnent parce qu'ils vous aiment.

Du 8 au 14 mai : La nouvelle Lune du 8 mai en Taureau parle d'argent dû ou que l'on vous doit, d'impôts, de papiers importants concernant les assurances, testaments, mandats en cas d'inaptitude, successions et héritages. Pas gai, mais il faut que ces choses soient faites.

Du 15 au 21 mai : Goût de ramener la paix autour de soi, de cultiver l'harmonie, d'aimer et d'être aimé. Les étrangers jouent un rôle déterminant dans la vie affective et amoureuse. Tout va pour le mieux dans le meilleur des mondes.

Du 22 au 28 mai : Pleine Lune du 23 mai en Sagittaire vous mettant en contact avec les natifs de ce signe. Cultiver leur amitié rapporte des dividendes. Vous avez des choses à accomplir ensemble ; ça doit faire des étincelles entre vous !

Du 29 mai au 4 juin : Les contacts et transactions faits à l'étranger sont audacieux mais profitables. Le 1er juin indique une grande chance grâce au bon jugement, aux nerfs solides et aux bons réflexes que vous montrez. Signez !

Du 5 au 11 juin : La nouvelle Lune du 6 juin en Gémeaux met l'accent sur les relations familiales que vous entretenez soigneusement depuis quelque temps. De nos jours, il faut réunir pour régner, le temps de diviser est révolu. Prudence le 10 en amour, trop étant pire que pas assez !

Du 12 au 18 juin : La température plus clémente convient à votre nature frileuse. Non que vous soyez poltron, mais vous aimez avoir vos aises. Entretenir la maison, jardiner, planter des arbres et des fleurs vous plaît mais gare aux sirènes, elles peuvent dévaster votre cœur en moins de deux.

Du 19 au 25 juin : La pleine Lune du 21 juin en Capricorne jette un froid sur vos humeurs. Trop sentimental, pas assez, la notion de juste milieu reste introuvable. Naviguer prudemment en eaux douces et houleuses serait un plus.

Du 26 juin au 2 juillet : Vous favorisez la paix universelle, mais sans vous impliquer. Vous semblez plus à l'aise dans le monde du matériel et du concret ; les envolées utopiques ne sont pas votre fort. Vous aimez être au courant de ce qui se passe ici et ailleurs dans le monde, mais sans vous mouiller.

CHIFFRES CHANCEUX

6 - 7 - 16 - 27 - 28 - 34 - 35 - 42 - 59 - 60

JUILLET

La gloire se donne à ceux qui l'ont toujours rêvée.

CHARLES DE GAULLE

IL SE PASSE QUELQUE CHOSE

En juillet, il se passe quelque chose de très important. La lourde Saturne qui voyageait en Cancer, votre carré, passe le 16 du mois dans le signe ami du Lion. Ce changement est ce qui vous est arrivé de mieux depuis deux ans et demi. Il annonce une meilleure santé, une plus grande liberté d'action et plus de facilité à imposer ses idées et décisions d'affaires.

Les politiques qui vous barraient la route font place à une belle ouverture d'esprit, les obstacles fondent comme neige au soleil, les freins se relâchent, vous pouvez vivre à votre rythme sans avoir à vous cacher, à mentir, à tricher, ce que vous détestez plus que tout mais qui était nécessaire à cause de lois et de principes démodés, pour ne pas dire caducs. Fini, terminé!

LA ROUTE EST LIBRE

Respirez un bon coup, la route est libre. Retenez cependant la sagesse de Saturne qui vous inspire de bons sentiments envers vos amis et relations. Blâmer qui que ce soit serait pur gaspillage. Prenez vos responsabilités et avancez bravement, des profits plus grands qu'escomptés sont votre lot. Autorité, sens de l'honneur, fidélité en amitié et sens de l'organisation font votre fortune. À vous d'en user consciencieusement et sans lésiner. Prenez congé, prenez le large, vous l'avez mérité!

HOROSCOPE HEBDOMADAIRE

Du 3 au 9 juillet: Nouvelle Lune le 6 juillet en Cancer vous rendant tristounet. Vos humeurs changeant rapidement, vous redevenez vous-même et reprenez le contrôle de vos émotions pour le plus grand plaisir de la personne aimée et de ceux qui vous entourent.

Du 10 au 16 juillet: Le cœur est heureux mais la vie sexuelle peut avoir des ratés. Rien de grave, mais l'opposition à vos désirs vous laisse renfrogné, vous êtes de mauvaise humeur quand vous n'avez pas ce que vous désirez sexuellement. Pour vous faire plaisir on sait quoi faire, mais est-ce possible?

Du 17 au 23 juillet: Risques de conflit à la suite d'un désaccord sexuel. Minimisez les dégâts en vous montrant patient. La pleine Lune du 21 juillet en Capricorne ajoute à l'agressivité; défoulez-vous pour ne pas craquer. Vous baigner et boire beaucoup d'eau adoucira vos humeurs.

Du 24 au 30 juillet: La lumière se fait dans votre esprit. Vous connaissiez la réponse au problème, mais vous n'y pensiez pas. C'est comme l'œuf de Christophe Colomb. Profitez bien de l'été et cessez de bousculer vos neurones, eux aussi ont besoin de repos.

Du 31 juillet au 6 août: Vous êtes dur le 31. Si vous ne voulez pas perdre la face, retenez votre bouillant caractère et calmez votre chaud tempérament. À la nouvelle Lune du 4 août en Lion, mettez de l'ordre dans vos débordements.

CHIFFRES CHANCEUX

2 - 3 - 9 - 11 - 29 - 30 - 33 - 41 - 56 - 61

AOÛT

Faire aisément ce que d'autres trouvent difficile à réaliser, c'est du talent; faire ce qui est impossible au talent, c'est le génie.

HENRI FRÉDÉRIC AMIEL

FABULEUX

Août est fabuleux. Comme il ramène les mêmes bons pronostics que ceux annoncés en mars dernier, une chance supplémentaire vous est accordée. Si vous n'avez pas suffisamment profité des aubaines de l'hiver dernier, le temps est venu de passer à l'action. Pour plus de renseignements à ce sujet, relisez ce qui a été dit en mars, cela confirmera que l'euphorie actuelle n'est pas factice mais basée sur des possibilités réelles. Actuellement, nul n'est mieux placé que vous pour agir dans son intérêt. Si vous ne le faites pas, tant pis, mais ce serait dommage de rater d'aussi bonnes occasions.

ÇA NE TROMPE JAMAIS

Ce que vous commencez, mettez à point ou terminez ce mois-ci a toutes les chances de réussir. N'ayez crainte, vous avez le soutien de Jupiter et de Neptune, ce sont des poids lourds dans le système solaire. Vous pouvez vous faire confiance, votre inspiration est propulsée par des forces supérieures, ça ne trompe jamais.

NE RATEZ PAS LE COCHE

Les mêmes atouts qu'en mars se trouvent dans votre jeu, mais avec plus d'impact. À vous de jouer correctement et d'ajouter à votre bonne fortune antérieure. Produits chimiques et pétrolifères, eaux, huiles, liquides, produits de la mer, médicaments, drogue, alcool et distilleries peuvent faire votre fortune. Ce que vous avez négligé de faire redevient possible et avec plus d'éclat. Ne ratez pas le coche, il ne repassera pas avant longtemps avec un si bel attelage!

Bonne chance, qu'elle vous accompagne à bon port!

HOROSCOPE HEBDOMADAIRE

Du 7 au 13 août: Les meilleurs amis et associés sont Verseau, Gémeaux ou Balance par le signe ou l'ascendant. Si votre ascendant est de ces signes, vous profitez d'une double chance. La Providence est généreuse, suivez son exemple.

Du 14 au 20 août: En progressant matériellement, vous comprenez que la spiritualité a sa place. Cette évolution vous avantage. La pleine Lune du 19 août en Verseau confirme que vous êtes chanceux en affaires et en amour.

Du 21 au 27 août: Évitez de vous entêter avec les Lion, Taureau, Scorpion et Verseau, vous n'aurez pas le meilleur. Le 26 surtout est délicat à ce sujet. Ils se braquent; vous détestez. Mettre de l'eau dans votre vin serait une idée…

Du 28 août au 3 septembre: Les sports nautiques vous font du bien. Vous êtes en sécurité mais vous avez l'amour critique; par chance, l'autre est aguerri. La nouvelle Lune du 3 septembre en Vierge accentue la tendance, gare à vous!

CHIFFRES CHANCEUX

8 - 9 - 17 - 28 - 29 - 30 - 41 - 53 - 63 - 69

SEPTEMBRE

La puissance et le charme de l'espérance, c'est de contenir toutes les possibilités de plaisir. Elle constitue une sorte de baguette magique transformant toute chose.

GUSTAVE LE BON

GRANDE FÊTE

Une grande fête se prépare dans le ciel du 18 septembre entre le grand Jupiter en Balance et la redoutée Pluton en Sagittaire. Bien

que lointains, ces deux géants émettent une résonance à laquelle vous ne pouvez rester sourd. Ils ont décidé de servir vos intérêts, vous n'avez qu'à vous féliciter d'être né sous une bonne étoile. Si par hasard le ciel se prêtait peu à la fête, ce qui est improbable mais tout de même possible, décidez de célébrer vous-même la vie, votre vie. Vous le constaterez, on n'est jamais mieux servi que par soi-même.

RENTRÉE EXCEPTIONNELLE

La rentrée est exceptionnelle. Toutes voiles dehors, vous filez au zénith sans vous arrêter pour regretter le passé ; cette attitude sans gêne peut passer pour de l'insouciance ou de la provocation, mais en vérité c'est de la synergie. Conjuguant vos forces avec d'autres aussi malins que vous, vous provoquez le déclic qui va activer les choses et faire en sorte que tout fonctionne selon vos plans. Celui qui vous fera rater pareille aubaine n'est pas de ce monde !

ACCORD PROFOND

En accord profond avec l'équipe avec qui vous travaillez, vous savez que chaque membre du groupe ou de la compagnie est responsable de sa part du succès remporté jusqu'ici. Vous savez aussi qu'ils participent activement à votre avancement et à votre succès. Comment ne pas leur témoigner de la gratitude ? On dit bien des choses sur vous, mais on ne dira pas que vous êtes un ingrat, une ingrate, jamais !

COMMUNICATION, VOYAGES

Les communications avec l'entourage quotidien se révèlent très satisfaisantes. Il y a des voyages d'affaires et d'études, des déplacements au cours desquels vous pouvez faire des rencontres décisives et favorables pour l'avenir. Une personne en place peut partir et vous céder sa place volontairement ou involontairement, peu importe, le fait est que vous récoltez ce que d'autres ont semé. Aucune honte à cela : si ce n'est pas vous, d'autres le feront. Aussi bien qu'il en soit ainsi.

MEILLEURS COLLABORATEURS

Les meilleurs collaborateurs ont du Sagittaire, de la Balance, du Verseau ou du Gémeaux soit par le signe solaire, l'ascendant ou le signe lunaire. Tous sont doués pour les affaires et pour la politique.

Si votre ascendant est de l'un de ces signes, vous visez dans le mille et atteignez la cible. Opérant des redressements de dernière minute, vous revitalisez votre affaire et donnez du poids au portefeuille qui s'allégeait dangereusement. Ce mois est un grand cru, vous en sortez grandi et sans doute plus riche.

C'est la fête du Travail au Québec le 5 septembre, bon congé à tous ! Joyeux anniversaire aux natifs du premier décan de la Balance !

HOROSCOPE HEBDOMADAIRE

Du 4 au 10 septembre : Voyant clair, vous allez instinctivement vers les choix de vie qui vous conviennent. Ce qui est honnête, optimiste, artistique et esthétique vous attire. Suivez votre impulsion, elle vous guide adroitement.

Du 11 au 17 septembre : Préparant le grand jour, vous ne vacillez pas. Sûr de vous, vous persistez et signez. La pleine Lune du 17 septembre en Poissons favorise la santé et le travail, la douceur, la patience et la tendresse aussi…

Du 18 au 24 septembre : Le moment est crucial, mais votre chance dépasse l'entendement. Établissez de bons contacts et faites des concessions. Cela aura pour effet de vous humaniser. On vous croit sans cœur, prouvez le contraire.

Du 25 septembre au 1er octobre : Goût de faire les virages nécessaires pour réussir à vous imposer dans votre milieu de travail. Même si cela nécessite des efforts, vous êtes prêt à tout pour parvenir à vos fins. Dépêchez-vous, c'est urgent.

CHIFFRES CHANCEUX

1 - 16 - 17 - 29 - 30 - 46 - 47 - 55 - 56 - 60

OCTOBRE

Car jamais il n'y eut philosophe
Qui, patiemment, pût endurer mal de dent.

William Shakespeare

MAL DE DENT

À l'instar du grand Shakespeare, nous pourrions dire que les éclipses, c'est comme un mal de dent. Tellement agaçant que ça finit par nous mettre en rogne. C'est un peu ce que cet octobre présage pour vous. Le prévoir vous incitera à remarquer l'impact négatif des éclipses sur les humains, les animaux et la nature. Cela se vérifie sur toute la Terre. Le hasard seul fait-il que les choses déstabilisantes se produisent souvent sinon toujours en périodes d'éclipses ? C'est peu probable ; en tout cas, ça porte à réflexion.

ÉCLIPSE SOLAIRE À SURVEILLER

Deux éclipses vous affectent ce mois-ci. L'éclipse solaire et annulaire du 3 octobre se tient en Balance, votre signe, puis l'éclipse lunaire du 17 octobre partielle en Bélier s'oppose à votre signe. Il n'y a pas lieu de s'inquiéter outre mesure, mais l'éclipse solaire du 3 est plus sérieuse. Une baisse de santé peut survenir vers cette date, en particulier si cela correspond à votre anniversaire de naissance. Surveiller cœur, reins, appareil génito-urinaire, prostate et vessie. Si vous êtes en bonne forme, vous le resterez en n'abusant pas de vos forces et en vous ménageant.

ÉCLIPSE LUNAIRE

À son tour, le psychisme est affecté vers le 17 octobre lors de l'éclipse lunaire en Bélier. Les femmes et les natifs des environs de cette date ne doivent pas s'étonner d'une chute du moral affectant le caractère et portant à l'agressivité. Tout cela rentrera dans l'ordre vers le 25 octobre. Les personnes des deux derniers décans du signe seront bien avisées de célébrer leur anniversaire en douce, les grands éclats devant être réservés au mois prochain.

MOURIR D'AMOUR

Votre « mal de dent » aura servi, j'espère, à vous tenir loin des initiatives de trop grande envergure pour vos moyens financiers et pour vos capacités physiques. Balance, vous n'avez rien d'un Tarzan. Pour vivre longtemps et en santé, agissez en conséquence. Mourir d'amour serait une autre option, mais nous n'en sommes pas là... Jupiter entre dans le signe voisin le 26 octobre. Ne pleurez pas son départ, les bienfaits vous parviendront par d'autres canaux.

Joyeux anniversaire, cher Balance !

HOROSCOPE HEBDOMADAIRE

Du 2 au 8 octobre : Voir plus haut pour les explications sur l'éclipse solaire annulaire du 3 octobre en Balance. Vos intérêts sont protégés par un intellect brillant. Le 3 et le 5 sont exceptionnels ; la justice décide en votre faveur, bravo !

Du 9 au 15 octobre : Les meilleurs amis et conseillers sont Poissons et Scorpion, mais les Cancer apportent quelque chose de nouveau et d'intéressant à l'affaire. Leur hypersensibilité vous énerve, mais ils ont de bonnes idées.

Du 16 au 22 octobre : Éclipse lunaire partielle le 17 octobre en Bélier indiquant une lutte de pouvoir, un conflit avec le partenaire de vie ou d'affaires, de l'opposition à vos désirs. Le 21 favorise l'amour, le 23 la chance et la santé.

Du 23 au 29 octobre : Vous avez la sagesse de reconnaître vos torts, évitant ainsi des complications sans fin et vous réservant des atouts pour la partie qui n'est pas terminée. Tant qu'il reste des joueurs, vous êtes participant.

Du 30 octobre au 5 novembre : Nouvelle Lune le 1er novembre en Scorpion dirigeant les actes et les énergies vers les choses matérielles. L'argent prédomine dans vos pensées et motive vos décisions. Vous avez raison, il faut ce qu'il faut.

CHIFFRES CHANCEUX

8 - 10 - 14 - 16 - 26 - 34 - 41 - 42 - 59 - 60

NOVEMBRE

De l'audace, encore de l'audace, toujours de l'audace !

DANTON

BESOIN DES AUTRES

Vous êtes capable de faire preuve d'une audace considérable dans toutes les sphères d'activité que vous favorisez, mais sans les autres vous n'arrivez nulle part. Cette constatation ne devrait pas vous déprimer, en réalité elle vous humanise. Avoir besoin des autres n'est pas

un crime mais un bonheur, surtout en ce novembre nébuleux où vous vous perdez en conjectures, ne sachant plus que penser ni que faire.

FROIDEMENT ET LOGIQUEMENT

Quelqu'un de fortement marqué par le Poissons ou le Scorpion (et pourquoi pas les deux?) désire se joindre à vous et participer à votre travail ou à votre entreprise. Son apport serait considérable; ne refusez pas son offre, vous le regretteriez. Le Cancer peut aussi se révéler utile. Écoutez ses suggestions et ne prenez pas de décisions hâtives avant d'avoir évalué la situation froidement et logiquement. Surtout, ne mêlez pas le cœur à ces considérations. Quand il s'agit d'affaires, aucune faiblesse n'est permise.

Par ailleurs, des personnes relevant de ces influences astrales vous apportent le support moral nécessaire en ce moment difficile et incertain. Un parent, un enfant, un ami peut-être... La motivation principale vient par ces canaux, c'est indiscutable.

ASCENDANT SCORPION OU POISSONS

Si vous avez un ascendant Scorpion, Poissons ou Cancer, novembre fait grandir votre réputation et fait de vous un as, une sommité, qui sait une célébrité? On parle de vous en bien; cela vous donne un crédit plus large et plus substantiel. Qui n'a pas besoin de crédit de nos jours?

Excellent novembre. Vous l'apprécierez pour les bonnes occasions qui se précipitent sur votre chemin. Osez, l'audace est ce qui vous démarquera des autres.

HOROSCOPE HEBDOMADAIRE

Du 6 au 12 novembre: Adopter un profil bas conviendrait à la présente période. Mettre les autres en évidence finira par attirer l'attention sur vous mieux que les coups d'éclat. Sans tambours ni trompettes, faites votre chemin.

Du 13 au 19 novembre: Prises de décisions rapides et sûres. Travaux liés à l'informatique, à l'aviation, à l'hydroélectricité, au cinéma, à la télévision, au cinéma, à la radio. La pleine Lune du 15 novembre en Taureau favorise le secret.

Du 20 au 26 novembre: Appuis soudains se manifestant à votre surprise. Vous pensiez avoir des ennemis, or ce sont des amis. Cette découverte est à la source de succès majeurs. Préparez le terrain afin que tout se passe au mieux.

Du 27 novembre au 3 décembre : Le grand moment est arrivé. Mettez à profit ce que vous avez appris sans négliger l'expérience des gens de votre entourage. La nouvelle Lune du 1er décembre en Sagittaire parle d'études et de voyages.

CHIFFRES CHANCEUX

4 - 8 - 16 - 29 - 30 - 44 - 45 - 50 - 69 - 70

DÉCEMBRE

On peut beaucoup plus largement se passer des hommes que des femmes, c'est pourquoi ce sont eux qu'on sacrifie à la guerre.

George Bernard Shaw

PLUS SOMBRE

Décembre est plus sombre. Ce n'est pas la grande noirceur pour vous personnellement, mais vous pouvez souffrir indirectement des nouvelles peu réjouissantes annoncées par nos dirigeants et nos gouvernements. Garder le moral et ne rien brusquer dans vos affaires d'argent est recommandé.

SIGNES FIXES TOUCHÉS

Jupiter en Scorpion se braque contre Saturne en Lion, annonçant du brouhaha social, financier et politique. Si vous n'avez pas d'ascendant, rien de majeur dans ces signes ni en Verseau ni en Taureau, vous êtes moins touché par les lois et règlements que l'on passe en catastrophe et qui n'ont rien de rassurant. Tant mieux, mais surestimer votre pouvoir d'achat serait une erreur. Préserver vos acquis serait plus conforme à l'enseignement des planètes.

HAUSSES DE TAXES

Hausses de taxes sur les produits de consommation, habitation, essence, voiture, chauffage, électricité ; nouvelles taxations sur l'eau et sur des produits et services exempts jusqu'ici. Tout le monde vit au-dessus de ses moyens. Le système absorbe le crédit pour le moment, mais ce n'est pas encourageant pour les jeunes qui devront assumer les frais dans les années à venir…

FAUSSE NOTE

Inquiétude et insatisfaction prédominent. Des éléments échappent à notre contrôle, provoquant des suites défavorables menant à un pessimisme excessif. L'ordre établi peut se trouver menacé temporairement. Les conflits légaux sont plus sérieux ; par conséquent, ils sont à éviter le plus possible.

L'année se termine sur une fausse note qui dérange votre oreille fine. Les affaires d'argent allant assez mal globalement, vous en subissez les répercussions et cela affecte vos projets. Soit, vous trouverez de quoi vous réconforter en étant près de ceux que vous aimez.

FÊTES DE FIN D'ANNÉE

Frères et sœurs, cousins, parenté, amis intimes, voisins et entourage immédiat font partie de vos fêtes de fin d'année qui demeurent amusantes et agréables. Oublier les problèmes pour un temps est la recette ; rien de mieux que le plaisir pour détendre le cœur d'un ou d'une Balance. Bonne fin d'année !

HOROSCOPE HEBDOMADAIRE

Du 4 au 10 décembre : On s'entête, on se révolte, on est en désaccord les uns avec les autres, mais le temps arrange les choses et pacifie les esprits. Le 9 est excellent pour les négociations ; il favorise les arrangements hors cours.

Du 11 au 17 décembre : Les cordes de toutes les bourses se resserrent. On tend à devenir pingre, allant jusqu'à se priver de petits luxes utiles et plaisants. La pleine Lune du 15 décembre en Gémeaux parle d'enfants, de jeux et de rires.

Du 18 au 24 décembre : Vous figurez parmi les plus choyés du moment. Vous n'êtes pas trop stressé par les événements extérieurs ni trop brusque dans l'expression de vos idées et de vos sentiments. L'approche de Noël vous rend tendre et romantique.

Du 25 au 31 décembre : Joyeux Noël ! Le jugement fait de vous un gagnant, mais la nouvelle Lune du 30 décembre en Capricorne met du brouillard dans vos yeux. Ne soyez pas triste : certains arrivent, d'autres partent, ainsi va la vie…

Bonne année nouvelle, cher Balance !

Scorpion

DU 24 OCTOBRE AU 22 NOVEMBRE

1er DÉCAN : DU 24 OCTOBRE AU 2 NOVEMBRE
2e DÉCAN : DU 3 NOVEMBRE AU 13 NOVEMBRE
3e DÉCAN : DU 14 NOVEMBRE AU 22 NOVEMBRE

Prévisions annuelles

ALTERNANCE

Une année en deux temps se profile pour le Scorpion. Jamais comme les autres, celui-ci se permet de nous compliquer la vie en se trouvant tour à tour en forme et moins en forme, chanceux puis malchanceux, heureux puis moins heureux. Rien n'étant entièrement clair dans sa vie privée ni dans sa situation sociale et professionnelle, tout se joue en alternance. Les bons coups du sort succèdent aux mauvais. Comme salade, c'est réussi !

PREMIÈRE PARTIE

La première partie de l'année se révèle constructive et plaisante. Elle transmet au Scorpion un bon apport de force physique et assez de santé pour vaquer à ses travaux quotidiens et à ses entreprises financières de façon régulière et normale. Il reste du temps pour le plaisir, le sport et le bénévolat. Voyages et croisières sont envisagés, ce qui est stimulant et possiblement nouveau.

RÉCOLTE

Les circonstances de la vie et votre propre énergie travaillent bien ensemble. On respecte votre opinion et on admire le sérieux avec lequel vous travaillez. Employeurs et collègues sont impressionnés par votre rendement au travail. Jamais fatigué ni blasé, vous allez directement au but et le succès couronne vos efforts.

Vous arrivez au temps de la récolte, et celle-ci est remarquable. Vous êtes enchanté par les résultats obtenus jusqu'ici et la fin de l'année promet de vous trouver plus influent encore, et sans doute plus riche aussi. Le prestige croissant, vous agrandissez le cercle de vos amis. C'est du meilleur effet sur votre vie privée, familiale, sociale et professionnelle.

DEUXIÈME PARTIE

La deuxième partie de l'année contient des aspects moins agréables à conjurer pour limiter les dommages, mais elle accorde aussi des forces intérieures venant au secours de vos manques et de vos faiblesses.

Saturne passant en Lion contrecarre le Scorpion et fait ressortir l'importance de ralentir les activités, de diminuer l'effort et de réduire les dépenses d'énergie vitale afin de protéger la santé et la sécurité. La vitalité est à un bas niveau ; mieux vaut ne pas se battre contre l'adversité et attendre patiemment la suite. Savoir se mettre à l'abri du danger est une qualité intrinsèque au Scorpion, qui pourrait vous sauver la vie.

DIFFICULTÉS OUI, DRAMES NON

Le ciel n'abandonnant jamais complètement ses ouailles, le grand bénéfique Jupiter entre en Scorpion à la fin d'octobre allégeant la situation. C'est loin pour lui, mais proche vu de l'extérieur. De l'aide est en route et quand c'est Jupiter qui l'apporte, il faut s'attendre à tout, y compris à l'extraordinaire. La deuxième partie de l'année comporte des difficultés, oui, des drames, non !

NOVEMBRE

Novembre présente des avantages majeurs, d'origine matérielle, sociale et professionnelle, ce qui vous mettra le sourire aux lèvres. L'amour partagé est impliqué de façon positive dans les événements réjouissants qui se produisent inopinément. Des changements pourraient transformer votre existence mais dans un sens ascendant et positif. De quoi réjouir votre cœur sensible.

DÉCEMBRE

Décembre s'avère plus coriace. Mieux vaut vous ménager des coins tranquilles pour réfléchir calmement, des jardins secrets à explorer pour chasser la mélancolie, de l'argent pour assurer votre sécurité matérielle, des zones d'énergie sous-jacentes et des amis chers pour vous comprendre et vous aimer, des couvertures.

Les nouvelles annoncées à la radio et à la télévision ne sont pas toujours exactes. Faire preuve de discernement vous préservera des chutes boursières, foncières et immobilières « soudaines ». Comme vous aurez prévu la chose, décembre vous trouvera prêt. Quand tout se précipitera, vous serez fier d'avoir réagi à temps.

VRAIS SENTIMENTS

Ce dont vous avez le plus besoin cette année, c'est de vrais sentiments, d'équité et de justice. Menteurs et hypocrites, tenez-vous loin: les natifs du signe ne vous ont pas en odeur de sainteté. Si vous vous approchez trop près, vous en subirez les conséquences, qui risquent de vous perturber gravement.

VENGEANCE ET CLÉMENCE

Ce n'est pas de vengeance dont vous avez soif, mais l'opportunité d'assouvir votre rancune s'offre sur un plateau d'argent. Comment résister à la tentation de prouver que vous aviez raison et l'autre tort? Il convient de réfléchir quant à la décision que vous prendrez et qui sera sans appel.

Opter pour la clémence est ce qu'enseigne la sagesse de Saturne depuis des siècles; souhaitons que vous soyez réceptif à son influence. En plus de montrer votre supériorité, cette attitude vous attirera la faveur céleste. À cause de ce que vous prévoyez d'ici la fin de l'année, mieux vaut vous assurer des secours qui seraient d'une grande utilité en des temps moins généreux…

DÉCISION MAJEURE

Il vous appartient de décider, mais de la décision majeure que vous prendrez en début d'année dépendent beaucoup de choses à venir. Vous en mesurerez la portée au fil des mois qui suivront, qui ne seront pas de tout repos. Grâce à Dieu, vous avez la force de caractère nécessaire pour déjouer les mauvais plans du sort et pour installer un nouveau régime: le vôtre!

INTUITION PHÉNOMÉNALE

Si votre décision – et toutes les autres que vous prendrez cette année – est basée sur l'intuition phénoménale dont vous êtes gratifié vous n'avez rien à redouter, c'est la bonne! Uranus, aimable et fort actif, fortifie votre intuition et la rend quasi infaillible. Sauf en de rares occasions, ce que vous prévoyez et pressentez arrive.

RECHERCHE OCCULTE

Effectuer un travail ou une recherche dans le domaine de l'occulte serait génial. À vous de décider, mais à votre place, je ne gaspillerais pas vainement ce don de la Providence. Il paraît que tous nos talents doivent être utilisés. Vous en possédez de précieux qu'il serait dommage de négliger autant pour vous-même que pour ceux à qui vous rendriez service. Au travail, cher ami!

PATIENCE ET PERSÉVÉRANCE

Prouvant à tous que vous avez de la suite dans les idées, vous ne lâchez jamais le morceau, c'est votre signature. Patience et persévérance vous aident à traverser les déserts arides et à rejoindre la mer fertile, ça ne rate jamais. Vous n'aurez de cesse de vous surprendre des transitions auxquelles votre vie et vos affaires seront soumises cette année. Celles-ci mettront du piquant dans une existence qui promet d'être cousue d'imprévus.

ANGE À INVOQUER

L'ange à invoquer cette année se nomme Veualiah. Prononcer chaque voyelle simplifiera la chose, mais cet ange n'a de compliqué que le nom. En réalité, il symbolise la prospérité et la libération des craintes, des angoisses existentielles inhérentes aux difficultés liées aux choix et aux actes de la vie courante.

Veualiah vous guidera dans des voies pratiques et vous donnera la force de traverser les moments de fatigue et de découragement. Il vous fera comprendre les faiblesses de la nature humaine. Cet ange de miséricorde agit pour aider les gens qui œuvrent dans les domaines suivants: la discipline, la rigueur, les postes de décision, l'économie, la politique, l'armée et les grandes entreprises humaines.

IMPORTANCE DE L'ASCENDANT

L'importance de l'ascendant n'a jamais été aussi évidente que cette année. Il fait foi de tant de choses et apporte la couleur qui vous différencie de l'autre Scorpion à côté de vous... Une fois l'année terminée, relisez la section qui suit. Si vous ignorez votre signe ascendant ou si vous en doutiez, vous le découvrirez, parole d'Andrée D'Amour!

Coup d'œil sur le Scorpion de tout ascendant

Scorpion-Scorpion

Début d'année régi par l'expérience et par la sagesse, deux qualités dont vous ferez bon usage tout au long de 2005. Même à 20 ans, vous en savez long sur la vie, c'est un avantage.

Tout va bien de janvier à juillet, mais à compter de l'été il faut user de prudence côté santé. Points sensibles: organes génitaux, anus, reins, vessie, formule et pression sanguine ainsi que maladies de la gorge.

Fumer, trop boire et trop manger, se brûler au travail, faire des prouesses sexuelles avec ou sans l'aide de produits chimiques ou d'autres excitants est proscrit. Vous courez des risques à agir de la sorte, soyez averti.

Cela dit, vous profitez de six bons mois dans votre vie intime et privée. L'intuition aidant, vous faites de bonnes affaires. Novembre est brillant mais décembre est dur. Les prévisions contenues dans ce livre vous aideront à négocier le parcours...

Scorpion-Sagittaire

Divisez vos énergies de façon à miser sur votre côté Scorpion pour les choses personnelles, puis transférez vos actions du côté du Sagittaire pour ce qui est de la vie sociale, matérielle et professionnelle. C'est un signe gagnant.

Votre personnalité Sagittaire inspire confiance. Plus gai et plus léger sous cette instance, vous vous montrez sympathique et enthousiaste. Ces qualités attirent le succès; ne négligez pas d'y avoir recours.

Travaillant sur deux tableaux et souvent doublement fort, vous réussissez à vous ménager une place de choix dans la famille et la société. Les mois de mars, d'août et surtout de septembre sont vos mois de prédilection.

Votre chance transparaît et vous rend attrayant. Sans en faire étalage, n'oubliez pas de la souligner et de remercier la Providence. Décembre est à négocier prudemment; les prévisions de la section suivante vous guideront adroitement.

SCORPION-CAPRICORNE

Vous devez faire confiance à votre savoir et à votre expérience pour vivre la nouvelle année avec le maximum de plaisir et de sécurité. Vous comporter légèrement serait la dernière chose à faire...

Rien de tragique, rassurez-vous, mais disons que votre côté Capricorne n'est pas dans les bonnes grâces de Jupiter. Par chance, le Scorpion recevra sa visite à la fin d'octobre et sauvera l'année. Novembre sera super!

Ce sera un peu les montagnes russes, pensez-vous non sans raison... Oui, mais avec une énorme part d'intuition qu'il conviendra d'utiliser au maximum et sans discuter. Difficile pour quelqu'un de votre facture, je sais...

La première idée est la meilleure. Vous devrez apprendre à vous faire confiance et à ne pas hésiter. Les prévisions vous aideront à minimiser les mauvais moments et à maximiser les temps forts. Bonne chance!

SCORPION-VERSEAU

L'année est prometteuse pour les deux facettes de votre caractère entier et exclusif. Vous pouvez utiliser les forces positives du Scorpion et faire des gains sur vous-même. Ce sont toujours les plus difficiles...

Vous êtes quelqu'un de déterminé qui peut aller jusqu'à l'entêtement farouche; vous ferez bien cette année de ne pas faire étalage de ce trait de caractère et de montrer de la tolérance.

La personnalité Verseau est extrêmement favorable dans la vie sociale, matérielle et professionnelle. Travail, métier, carrière sont menés avec art. Les revenus augmentent, certains atteignent les sommets.

Les meilleurs mois sont mars, août, septembre et novembre; décembre est difficile. Bien lire les prévisions annuelles qui suivent vous rendra conscient des risques et vous protégera. Bonne chance!

SCORPION-POISSONS

Conformément à vos expectatives, les six premiers mois de l'année se négocient à vitesse moyenne. Satisfait des résultats obtenus jusqu'ici, tout en espérant mieux pour l'année qui débute, vous êtes heureux.

Vous caressez de grands projets; cela vous tient éveillé. Vous trouverez moyen au cours des mois qui suivent d'exprimer vos idées et d'atteindre certains buts qui vous tiennent à cœur.

Les deux côtés de votre nature sont doués pour l'occultisme. Vous pouvez vous autoguérir et pratiquer les arts divinatoires de façon honnête et rémunératrice. Pourquoi pas, si vous en avez l'inclination ?

L'idée s'imprimant dans le cerveau à la vitesse de l'éclair est la bonne. Novembre est fabuleux, la richesse ou tout autre désir peut se réaliser. Décembre est moins aisé ; les prévisions de la section suivante vous guideront correctement.

SCORPION-BÉLIER

La situation est passionnante mais parfois corsée. Pour mieux vivre l'année, il faudra cacher votre côté Bélier et le mettre à l'abri des regards indiscrets, mais la Chance Pure attire l'attention.

Poussé par une énergie débridée, vous allez d'un point à l'autre sans répit ni satisfaction réelle. Il est possible que vous ne sachiez pas ce que vous voulez, mais cet éparpillement est sans doute nécessaire...

Famille et travail peuvent occasionner des ennuis, créer de l'inquiétude due à l'instabilité des temps que nous vivons. N'allez pas croire que c'est le désastre, mais il faut viser juste ; sinon, tout peut craquer.

Le principal est de veiller sur votre santé et d'assurer votre sécurité. Nous reparlerons des mesures à prendre dans les prévisions de la section suivante, celles-ci vous mèneront à bon port. La Chance Pure vous protège, c'est belle assurance !

SCORPION-TAUREAU

Vous bénéficiez d'une large part d'expérience grâce à la vision que vous avez de la vie et des choses. Rien ne vous fait peur, personne ne vous fait reculer ; c'est un atout.

Saturne harmonisant votre nature contradictoire, vous faites preuve de sagesse de janvier à juillet puis cet avantage s'atténue jusqu'à disparaître. Que se passe-t-il donc chez vous ?

Saturne passant en Lion accroît les problèmes sociaux et professionnels : votre conjoint ou votre associé vous cause de l'inquiétude. La deuxième partie de l'année n'est pas facile et doit être vécue avec soin.

Vous trouverez des indications utiles dans les prévisions qui suivent. Les lire attentivement ajoutera à vos pressentiments et vous rendra plus circonspect. Ainsi, l'année sera meilleure. Bonne chance !

Scorpion-Gémeaux

Cette combinaison a plus de potentiel. Elle offre la possibilité de se dépanner en toute occasion et assure une meilleure santé physique, morale et mentale. Le tout est d'aller chercher les forces là où elles sont…

La personnalité Gémeaux est à privilégier. Le côté léger et amusant du signe vient au secours de la lourdeur du Scorpion en temps opportun, chasse la déprime et accroît la chance.

Dans la vie courante, l'intuition géniale du Scorpion est à privilégier au détriment de la logique, mais en ce qui concerne les affaires d'argent, le côté Gémeaux s'avère supérieur. Rapide et chanceux, il est opportuniste.

Si vous êtes de cet amalgame, les prévisions qui suivent vous aideront à mettre le cap sur le port le plus près. Suivant le courant du destin sans partir à la dérive, vous amarrerez sans problème et serez satisfait.

Scorpion-Cancer

Belle astralité, mais qui présente des pièges. De janvier à juillet, Saturne nuit à la personnalité Cancer et contrarie les affaires d'argent. Le mettre de côté le plus possible serait bien avisé.

En juillet, le décor change, il faut s'adapter aux nouvelles tendances, revenir sur ses idées, remettre ses projets à plus tard. Le temps est aux remises en question, il faut se donner le temps de vivre.

Des concessions sont nécessaires pour aller chercher le bien attendu ; mais, armé de patience et de persévérance, vous y parviendrez. Novembre promet de vous faire oublier le reste.

Grâce à la bonté dont vous faites preuve, on vous pardonne bien des choses. Beaucoup vous est donné. Les prévisions de la section suivante vous sécuriseront et apaiseront vos craintes. Bonne lecture !

Scorpion-Lion

J'aimerais vous dire que votre vie sera paradisiaque, mais je mentirais. Ce n'est pas mon rôle ni mon habitude. Je vous dois la vérité : l'année semble vouloir être inégale et capricieuse.

Trop de fixité dans les buts et les idées nuit. Trop de passion, de jalousie, d'ambition nuit. Pour vivre en paix, il faudra faire des concessions importantes. Cela ne vous plaira pas mais vous gagnerez au change.

Bien entouré, vous avez plus de chances de trouver bonheur et succès. Mal entouré, la déprime, la défaite vous guettent. Choisir vos associations selon des critères élevés s'impose, autrement vous prenez des risques.

Septembre et novembre favorisent les affaires d'argent, les voyages et les grands changements, mais décembre est piégé. Les prévisions qui suivent vous aideront à passer les meilleurs moments possible. Bonne chance!

SCORPION-VIERGE

Année très intéressante à condition de faire preuve d'autonomie et d'autorité. Vous devez décider de forcer le destin à tourner en votre faveur pendant que vous en avez le pouvoir.

De janvier à juillet, les amis, l'étranger et les étrangers font partie de la combinaison gagnante. Bien entouré, vous pouvez réussir des coups de chance impressionnants et vous gagner des appuis, voire des amitiés.

Diminuez la vapeur en deuxième partie d'année afin de faire reposer votre côté Scorpion qui a beaucoup travaillé. Prudence en affaires et en voyage en septembre; mieux vaut s'abstenir.

Mettre à profit le tact et la diplomatie du Scorpion plus le savoir-faire de la Vierge fera de vous une personne comblée en novembre. À cet effet et pour bien d'autres raisons, les prévisions de la section suivante vous guideront.

SCORPION-BALANCE

La combinaison est heureuse cette année. Jouer Balance, donc se montrer rapide, futé, amusant et honnête de janvier à juillet vous attirera la confiance de personnages influents tout en vous avantageant matériellement.

Les mois de mars, d'août et de septembre vous laissent un goût de miel. Si ce n'est pas l'apothéose ni le nirvana, c'est socialement, matériellement et professionnellement très proche de cela.

En novembre, mettez de l'avant les qualités de votre signe natal. La personnalité Balance a fait une grande partie du travail, mais c'est le côté Scorpion qui bouclera la boucle.

Vous n'avez pas été aussi riche depuis longtemps. Faites profiter les autres de vos connaissances et de votre belle intelligence. Les prévisions vous donneront une idée plus juste de la situation.

Prévisions mensuelles

JANVIER

Il y a deux baisers au monde que je n'oublie pas : le dernier de ma mère et le premier que je t'ai donné.

COPLA ESPAGNOLE

AUSPICES HOSPITALIERS

L'année débute sous des auspices hospitaliers pour les natifs du Scorpion des deux sexes. Bien que certaines limites doivent être respectées, la santé se porte bien et l'élan et l'énergie ne manquent pas. Vous passez des fêtes agréables en famille et avec les enfants et petits-enfants, sachant qu'ils sont indispensables à votre équilibre et à votre bonheur. Aimable et généreux, vous êtes aimé et respecté.

PHILOSOPHIE DE VIE

Votre philosophie de vie a beaucoup changé depuis deux ans et elle continuera à évoluer au cours des six prochains mois. Bien que certains se posent des questions quant à savoir si vous allez ou non dans la bonne direction, vous envisagez les choses différemment et dans un sens plus constructif. Laissez dire et suivez votre ligne directrice ; c'est celle de la sagesse et elle ne vous fait pas défaut.

AVENIR

Envisageant l'avenir avec moins de méfiance, vous aimez revivre les expériences passées afin d'établir solidement des projets à long terme. Concerné par la politique, par la vie publique et par les problèmes que cela pose, vous prenez vos responsabilités sociales à cœur et agissez en bon citoyen. Le recyclage, la protection de l'environnement, les ressources d'eau potable, la propreté des lacs et des rivières, tout cela vous passionne. Votre discours sur ces sujets est enflammé, véhément mais nécessaire, continuez !

FAMILLE

Attaché au foyer et à la famille, vous avez une mémoire fidèle des temps passés. Photos, coupures de journaux, anciennes lettres, vous gardez tout. Sans être ringards ni amer, vous aimez vous rappeler les bons souvenirs, laissant de côté les choses moins plaisantes et vous concentrant sur ce qui a fait de vous la personne que vous êtes devenue. L'expérience acquise est sans prix ; vous en retirerez de grands bénéfices cette année.

REVENIR SUR LE PASSÉ

En ce début d'année 2005, c'est avec profit que vous revenez sur le passé et pensez famille au sens large du terme. Source de stimulation et parfois de compétition, vos parents et aïeuls vous ont légué une solide hérédité. La génétique prenant de l'essor et nous aidant à conjurer nos maux par une saine prévoyance, savoir d'où l'on vient est essentiel dans le traitement de plusieurs maladies. Au courant des bienfaits que cela apporte à l'humain, vous n'hésitez pas à fouiller pour découvrir les maillons manquants de la chaîne à laquelle vous appartenez. L'hérédité explique bien des choses…

SENTIMENTS

Vous établissez de bons rapports familiaux mais ce n'est que vers le 8 que votre cœur trouve vraiment à se satisfaire. Vénus vous faisant des faveurs, les sentiments affectifs et amoureux sont mesurés et sans bruit, mais ils sont sincères. Vous recherchez la qualité, non la quantité. Terminant le mois en amour, vous demeurez discret sur vos amitiés et sur vos désaffections. Quand on n'a rien de bon à dire d'une personne, aussi bien se taire, voilà une façon de penser qui recèle beaucoup de valeur.

HARMONIE

Les relations parents-enfants sont un des éléments de base de l'année à venir. Le pressentant, vous tentez de réconcilier les récalcitrants, de pacifier les adversaires, de minimiser les tensions internes. Si vous réussissez cet exploit, vous aurez de quoi vous féliciter. Mettre de l'eau dans votre vin aidera à calmer vos ardeurs intempestives et à arrondir les angles droits. L'harmonie qui en résultera vous rendra heureux pendant tout le mois.

HOROSCOPE HEBDOMADAIRE

Le 1er janvier : Bien luné et d'humeur joyeuse, vous commencez l'année du bon pied. Les gens sont portés à la critique ; ne les imitez pas. Les bons mots pour remercier ceux qui vous reçoivent sont appréciés autant que les cadeaux.

Du 2 au 8 janvier : Vous vous intéressez plus à votre travail et à vos affaires et êtes déterminé à gagner de l'argent, à résoudre des problèmes financiers. Vous y parvenez aisément et rapidement. La question réglée, vous pensez à l'amour.

Du 9 au 15 janvier : La nouvelle Lune du 10 janvier en Capricorne rend l'esprit sérieux et le cœur fidèle. Vénus et Mercure apportent des cadeaux sous forme d'argent et d'autres douceurs. Le 14 est jour de chance ; voyages et études procurent du plaisir, parfois des gains.

Du 16 au 22 janvier : Démarches et communications se font sous le signe de la discrétion et du succès. Les amours se portent bien, vous préférez les amitiés anciennes aux nouvelles rencontres, la vie est routinière mais plaisante.

Du 23 au 29 janvier : La pleine Lune du 25 janvier en Lion rend orgueilleux. Prenez garde, ce défaut peut vous valoir des pleurs. Blessure d'amour-propre possible. Ne dramatisez pas, vous trouverez moyen de réparer les pots cassés.

Du 30 janvier au 5 février : Surveillez les infections et la pression sanguine et consultez au besoin. Si la santé va, aucun problème ne restera irrésolu. Vous avez l'intelligence du cœur et de l'esprit, cet alliage est porteur de sérénité.

CHIFFRES CHANCEUX

8 - 9 - 13 - 22 - 23 - 39 - 40 - 47 - 55 - 67

FÉVRIER

Ton amitié m'a fait souvent souffrir;
Sois mon ennemi, au nom de l'amitié.

WILLIAM BLAKE

INSTABILITÉ

Mois des amoureux, février porte à l'instabilité affective et amoureuse. S'il est agréable de façon globale, il ne répond pas à vos attentes sentimentales et blesse votre sensibilité. L'énergie est florissante, la vie sexuelle fougueuse et passionnée, mais le cœur n'est pas heureux. Du moins pas entièrement...

CONTROVERSE

En contrôle de vos impulsions et de vos instincts, vous choisissez de canaliser vos énergies dans des voies pratiques, évacuant ainsi le ressentiment.

Ce qui donne des résultats immédiats vous satisfait, autrement vous laissez tomber. Cette attitude est défendable, mais dans le cas qui nous occupe vous attirez la controverse. Habitué à ne pas faire l'unanimité, cela ne vous déplaît pas mais vous auriez intérêt à ne pas blesser la susceptibilité de certaines personnes en poste d'autorité.

DÉCEPTION, DÉSILLUSION

Ce qui frappe chez vous, c'est la volonté forte de dominer votre destin et de régler votre vie au quart de tour, pensant sans doute éliminer ainsi toute forme de déception et de désillusion. Malheureusement, la vie vous rattrape.

Vénus en Verseau rejoint Neptune et les deux corps célestes s'unissent pour contrecarrer vos sentiments. Doute, incertitude, rien de viable à l'horizon...

14 FÉVRIER

Il se produit vers le 14 février, jour de la Saint-Valentin, des choses déplaisantes. On vous a menti, joué, lésé de quelque façon. Vous êtes furieux mais surtout blessé. Peut-être avez-vous misé sur des chimères et voilà que l'auto-illusion se dissout. Il ne reste plus rien que des regrets.

Une peine d'amour ou d'amitié est possible. Ne soyez pas consterné, il arrive de perdre des affections auxquelles on tenait. L'essentiel est de ne pas trop romancer la situation et de demeurer réaliste comme l'exige votre nature. Les pieds bien ancrés au sol vous garderont équilibré et vous éviteront les attractions à sens unique responsables de souffrances inutiles.

TÊTE FROIDE

Gardez la tête froide et évitez d'avoir recours aux médicaments, à l'alcool et à la drogue si vous vous sentez déprimé, cela ne ferait qu'aggraver la situation. Faire du sport, de l'exercice, faire appel à un ami, à une relation optimiste pour sortir du marasme vous rappellera que vous n'êtes pas seul. Cette pensée vous réconfortera et vous permettra de passer à autre chose. Rien de mieux que de se changer les idées en pareil cas.

VOYAGES ET ÉTUDES

Intérêt pour les voyages à l'étranger. Certains envisagent la possibilité de s'installer à l'étranger, mais des raisons d'ordre sociopolitique peuvent les empêcher de donner suite au projet. Suivre votre intuition vous amènera à prendre la décision la plus intéressante pour vous.

Intérêt aussi pour les études sérieuses, la philosophie et l'histoire en particulier. Des travaux personnels ou professionnels concernant la recherche vous garderont l'esprit droit et favoriseront la cicatrisation de certaines plaies plus superficielles que vous pouvez le croire. À preuve, il ne se passera pas trois mois avant que tout soit oublié.

Bonne Saint-Valentin ! Un bon ascendant aidant, il est possible que rien de négatif ne se produise. Je le souhaite et vous embrasse pour compenser…

HOROSCOPE HEBDOMADAIRE

Du 6 au 12 février : Semaine intéressante pour le travail, le métier, la carrière, mais la nouvelle Lune du 8 février en Verseau vous rend hypertendu et déplaisant. Jalousie, entêtement, caractère inflexible, attention de ne pas vous couper de ceux que vous aimez.

Du 13 au 19 février : Nous avons parlé de déceptions possibles aux environs du 14 février, mais vous avez de la volonté, du courage

et un instinct sûr. Ces pulsions saines vous mettent à l'abri des petits et grands drames.

Du 20 au 26 février: Capacité de s'entourer de collaborateurs jeunes et dynamiques et d'entreprendre des voyages rapides, décidés en un instant et agréables. La pleine Lune du 23 février en Vierge parle d'amitiés retrouvées.

Du 27 février au 5 mars: Excellent sur le plan affectif et amoureux. Le cœur retrouve sa chaleur et sa capacité d'aimer sans rien exiger en retour. Vous traitez les affaires d'argent avec sérieux, les comptes sont payés, les coffres renfloués.

CHIFFRES CHANCEUX

9 - 10 - 14 - 19 - 28 - 29 - 31 - 44 - 50 - 61

MARS

Puissé-je être entièrement pénétré de bienveillance et montrer toujours une disposition charitable, jusqu'à ce que ce cœur cesse de battre.

INSCRIPTION DANS LE TEMPLE DE NAKHON VAT

COUP DE FOUDRE

Le début de mars apporte une rafale de surprises dont le coup de foudre pour une personne inconnue n'est pas le moindre. Le plus extraordinaire de l'affaire est que vous êtes passible de connaître l'amour véritable à la suite d'une rencontre fortuite dont vous n'attendiez rien de particulier. La vie nous réserve parfois des choses étonnantes, c'est pourquoi il faut la vivre jusqu'au bout en savourant chaque instant.

RENDEZ-VOUS

Il peut s'agir d'un rendez-vous à la suite de mots échangés sur Internet, d'un rendez-vous du genre *speed dating*, d'une personne qui vous est présentée par hasard, possiblement pendant vos loisirs, aux jeux et sports d'hiver, au casino, au cinéma, qui sait? Chose certaine, la chance était au rendez-vous!

SUITE HEUREUSE

La suite pourrait être heureuse et durer. Il n'en tient qu'à vous de garder le contact, d'alimenter les relations et de déclarer votre flamme avant de prendre peur et de changer d'idée, ce qui serait indigne d'un être de votre trempe. Vous êtes capable d'aimer sans supporter de chaînes, de jouir de la vie avec spontanéité et sans arrière-pensées. Votre jeunesse de caractère attire les personnes plus jeunes que vous. Vous êtes 20 ans avant votre temps. Qui se soucie de la différence d'âge de nos jours?

LES PHÉROMONES

À votre place, je n'hésiterais pas à revoir l'être qui vous fait battre le cœur à toute vitesse et palpiter les narines. L'attrait est mutuel; nul doute, les phéromones sont compatibles et le sexe est bon. Ce n'est pas tous les jours que pareille opportunité se présente. Libre à vous, mais si vous êtes prêt à faire des concessions au cours des six prochaines semaines, son cœur sera aussi disponible que le vôtre.

Vous pouvez être heureux ensemble pendant un long moment. Les dés sont jetés, à vous de déchiffrer le message des astres et de profiter de l'aubaine que Vénus et Uranus mettent sur votre passage, question de vous compliquer un peu la vie, mais aussi d'y mettre de l'inédit.

CHANCE

Si la personne convoitée et aimée est Balance, Verseau ou Gémeaux ou si tel est votre ascendant, une grande chance matérielle et sociale vous échoit. Des gains providentiels sont possibles, les profits venant surtout des liquides, pétroles, huiles, eaux diverses, produits synthétiques, objets d'art ou de culte. Collections diverses, cadeaux somptueux et parfois mystérieux font partie de l'héritage qui semble devenir vôtre. Félicitations!

Joyeuses Pâques le 27 mars!

HOROSCOPE HEBDOMADAIRE

Du 6 au 12 mars: Une croisière serait plaisante. Prenez le large, rien de mieux pour raccourcir l'hiver. La nouvelle Lune du 10 mars en Poissons apporte de bonnes nouvelles concernant les enfants, la vie amoureuse, la spéculation.

Du 13 au 19 mars : Période idéale pour orienter vos actions vers les activités sociales, politiques ou religieuses de groupe. Des rencontres agréables et intéressantes sont scellées, des gains chanceux viennent égayer l'hiver.

Du 20 au 26 mars : Branle-bas dans le domaine de la santé et du travail, mais c'est positif. L'énergie n'est pas illimitée ; ne vous épuisez pas au travail. Lorsque vient la pleine Lune du 25 mars en Balance, gardez vos secrets. Silence, on tourne !

Du 27 mars au 2 avril : L'amour continue son périple dans votre cœur tendre et aimant. Des retards et lenteurs sont possibles. Ne vous découragez pas, ça finira par s'arranger. Mars incite à la colère et à l'agressivité. Défoulez-vous sainement, sinon ça va barder !

CHIFFRES CHANCEUX

2 - 4 - 19 - 20 - 25 - 35 - 41 - 42 - 59 - 60

AVRIL

L'artiste doit aimer la vie et nous montrer qu'elle est belle. Sans lui, nous en douterions.

ANATOLE FRANCE

LA VIE EST BELLE

Oui, la vie est belle. Malgré les éclipses dont l'une se tient dans votre signe, ne dites pas le contraire. Rien n'est parfait, mais grâce aux précautions que vous avez prises en prévision de ces jours moins roses vous êtes épargné par les remous qui bousculent nos coutumes et nos habitudes. Vous acceptez l'inévitable et restez sagement réservé quant à vos projections personnelles sur les sujets controversés tels l'euthanasie, l'utilisation de cellules humaines dans des buts discutables, l'avortement, le clonage et autres. Oui, la vie est belle !

ÉCLIPSE SOLAIRE

Rien ne vous menace en lien avec l'éclipse solaire totale du 8 avril. Comme elle se tient en Bélier, vous êtes épargné. Rarement maladif, vous tenez la forme, mais un ascendant Bélier, Cancer,

Balance ou Capricorne vous fragilise. Si tel est le cas, consultez et suivez les conseils de votre médecin. Fait pour durer, vous ne devriez pas subir d'intervention chirurgicale mais si ça se produit, soyez rassuré, tout se passera bien. En cas d'urgence, ne remettez pas à plus tard; sinon, remettez au mois de mai et après. La récupération sera plus rapide.

ÉCLIPSE LUNAIRE

L'éclipse lunaire de pénombre du 24 avril en Scorpion est plus significative. Le moral peut chuter temporairement. Si vous tendez déjà à la déprime ou au *burnout,* attention, cela peut avoir des répercussions plus sérieuses. Prévenu, vous prendrez garde de bien vous entourer et de ne pas présumer de vos forces psychiques et morales. Fréquenter des gens jeunes, équilibrés et optimistes empêchera la déprime de s'installer. Réagir sainement et à temps vous permettra de garder le tonus moral à un niveau convenable.

MARS MALHABILE

Mars malhabile complique les choses. À éviter afin que tout se passe bien au travail et dans la vie sexuelle: brusquerie, rébellion contre toute autorité, irritabilité, impatience fébrile suivie de précipitation imprudente, goût exagéré du risque, crises subites de violence, audaces insensées. Prudence avec le feu, les armes, l'eau, l'air et le sexe.

En gardant ces tendances négatives sous contrôle, vous passerez un bon mois d'avril. Consolez-vous en pensant que mai sera meilleur, c'est on ne peut plus vrai.

HOROSCOPE HEBDOMADAIRE

Du 3 au 9 avril: Autant que possible, ne rien changer dans sa vie et ses affaires, l'éclipse solaire totale du 8 avril en Bélier le déconseille. Voir plus haut pour plus de renseignements à ce sujet.

Du 10 au 16 avril: Les choses traînent en longueur, mais il y a un déblocage, ça redémarre et cela, à votre grande satisfaction. Régler les affaires d'argent et les problèmes avec les jeunes et les enfants avant le 16 serait préférable.

Du 17 au 23 avril: Entre deux éclipses, il faut ménager la chèvre et le chou. Ne rien entreprendre de nouveau et s'en tenir à la

routine vous sécurisera. Vous entourer de gens positifs dont l'affection vous est acquise vous aidera à récupérer.

Du 24 au 30 avril: L'éclipse lunaire de pénombre du 24 avril en Scorpion est expliquée plus haut, vous y trouverez plus d'information. En cas de réel malaise, consulter serait une solution. On est toujours plus futés à plusieurs.

CHIFFRES CHANCEUX

6 - 13 - 14 - 22 - 23 - 24 - 34 - 40 - 50 - 69

MAI ET JUIN

Il est d'étranges soirs où les fleurs ont une âme.

A. Samain

DES FLEURS ET DES FÊTES

Mai et juin sont des mois de fleurs et de fêtes. C'est la fête des Mères le 8 mai et la fête des Pères le 19 juin, puis les grandes fêtes de la Saint-Jean du 24 juin marquent le solstice d'été. Sous nos latitudes froides, nous attendons impatiemment le soleil et sa chaleur. Vous portez à ces mois habituellement doux une tendresse particulière.

BON JARDINAGE

En tant que natif du Scorpion, vous êtes forcément intéressé par la nature et sa richesse. La culture de la terre et la pisciculture vous passionnent. Cultiver un jardin, semer des plantes, planter des arbres et des fleurs figurent parmi vos passe-temps préférés. Rien de meilleur pour votre santé que de palper la terre et de pétrir du pain. Je vous souhaite bon jardinage et bon appétit!

TOUT VA BEAUCOUP MIEUX

Remarquez-le, tout va beaucoup mieux pour vous. Votre vie se déroule harmonieusement, votre santé reprend de la force et de l'énergie, vos désirs sont aisément satisfaits et votre caractère se fait plus égal et plus conciliant. Tout coule sur vous comme l'eau sur le dos d'un canard. À croire que rien ne vous dérange, mais ce serait présumer…

L'AMOUR

L'amour joue un rôle majeur au cours de ces mois. Les sentiments que vous éprouvez et inspirez sont d'une rare qualité. Aimable et aimé, une passion secrète peut vous animer, mais vous n'en dites mot préférant garder ce jardin secret. Il est vrai que vous tendez à donner plus qu'on en voudrait, mais il est dans votre nature d'être excessivement généreux quand vous aimez. Quand vous n'aimez pas, c'est le contraire, on préfère ne pas en parler…

BÉNÉVOLENCE

Vous fournissez avec générosité temps, argent et travail à des organismes ae charité ou religieux et ces activités vous valorisent. Peut-être avez-vous quelque chose à vous faire pardonner, mais quelle que soit la raison de votre indulgence envers autrui, vous réussissez à vous attirer la sympathie de personnes venant de l'étranger ou ayant une culture différente de la vôtre. Cela met de l'exotisme dans votre vie et c'est bienvenu. Vive la différence !

Bonne fête des Mères, bonne fête des Pères et bonne fête nationale du Québec à tous et à toutes !

HOROSCOPE HEBDOMADAIRE

Du 1er au 7 mai : Ou vous entretenez des relations intimes passionnées et mouvementées, ou vous dépensez votre énergie en travaillant dur et en ayant des loisirs exigeants. Bouger constamment semble nécessaire à votre bonheur.

Du 8 au 14 mai : La nouvelle Lune du 8 mai en Taureau vous rend hypersensible et sentimental ; quelques larmes sont versées, mais vous retrouvez vite le sourire et l'entrain qui vous caractérisent. Vous avez droit à un moment de faiblesse…

Du 15 au 21 mai : Quelle semaine ! De quoi vous donner envie de la vivre deux fois ! Mars rencontre Uranus en Poissons, signe ami. Coup de force et d'énergie qui vous avantage en amour, aux jeux de hasard et dans la spéculation financière.

Du 22 au 28 mai : La pleine Lune du 23 mai en Sagittaire augure bien. Il est question d'argent mais qui vient de façon originale et inattendue. Vous êtes de bonne humeur quand les gains sont substantiels ; c'est le cas cette semaine.

Du 29 mai au 4 juin: Vous trouverez la période douce et tendre. Vénus aimable apporte des cadeaux somptueux sous forme d'amour profond que vous partagez avec votre conjoint. Vous aimez les mêmes choses, ça vous rapproche.

Du 5 au 11 juin: Nouvelle Lune du 6 juin en Gémeaux mettant l'accent sur les dettes et les impôts, les testaments, actes d'achats et de ventes et autres papiers importants. Le mystère plane sur certains gains. Cachez-vous quelque chose?

Du 12 au 18 juin: Vous débordez d'enthousiasme à l'idée des vacances, d'un voyage possible. Vos relations sont basées sur la confiance. Les étrangers vous affectionnent, vous échangez avec eux sans préjugés ni tabous, ils sont séduits.

Du 19 au 25 juin: Profitez de la belle température pour nager et faire des sports nautiques, ce sont ceux qui vous conviennent le mieux. La pleine Lune du 21 juin en Capricorne parle de biens terrestres et des produits de la terre.

Du 26 juin au 2 juillet: L'alimentation est source de plaisir et de contentement. Cuisinant bien, vous utilisez des produits frais et mangez sainement. C'est un avantage de pouvoir puiser directement à la source; j'espère que tel est le cas...

CHIFFRES CHANCEUX

8 - 12 - 13 - 27 - 28 - 29 - 39 - 40 - 57 - 63

JUILLET

J'ai combattu jusqu'au bout le bon combat, j'ai achevé ma course, j'ai gardé la foi.

2 Timothée 4,7

RESPONSABILITÉS

En gros, tout est conforme à vos souhaits mais à compter de la mi-juillet, Saturne passant en Lion, votre carré, peut commencer à vous alourdir, en particulier si vous êtes du début du signe. Ce n'est pas rigolo d'avoir à supporter des responsabilités supplémentaires mais que vous ne pouvez esquiver. Il faut faire face à la musique; par bonheur, vous êtes capable d'assumer ce qu'on vous confie, et par surcroît d'en tirer une certaine satisfaction.

ABONDANCE

Prendre trop de responsabilités et vous hypothéquer davantage est déconseillé. Le temps d'acheter et de dépenser sans compter est terminé pour un moment. Rassurez-vous, la pauvreté ne vous guette pas : octobre ramène le grand bénéfique Jupiter dans votre signe et promet l'abondance. Quelques petits mois de sevrage ne feront que protéger votre portefeuille et votre santé, parce que bien sûr vous devez travailler pour pouvoir dépenser. C'est l'été, prenez du repos, de longues vacances ; tout l'été serait encore mieux.

UN PEU DE CALME

C'est dans les petites choses de la vie courante que vous connaissez des difficultés. Essayez de limiter les sorties tardives, d'éviter les personnes qui ont le don de mettre vos nerfs en boule, les situations corsées où vous devez vous battre pour obtenir ce que vous désirez. Privilégiez les réceptions intimes avec des parents et amis chers dont vous connaissez la sincérité et appréciez la présence rassurante. Tout se déroulera au mieux pourvu que vous ne preniez pas le mors aux dents. Un peu de calme fera toute la différence.

HOROSCOPE HEBDOMADAIRE

Du 3 au 9 juillet : Les amitiés et amours s'avèrent décevantes. Vous vous entêtez avec l'être aimé et avec tout le monde. La tolérance limitera les ennuis et dégâts. La nouvelle Lune du 6 juillet en Cancer favorise les voyages, l'exotisme.

Du 10 au 16 juillet : Vous apprenez ou découvrez qu'on vous a menti et raconté des histoires sans queue ni tête. Les sentiments que vous éprouvez sont durs à qualifier. Rage, rancune, jalousie, frustration, ces états d'âme sont à repousser.

Du 17 au 23 juillet : Il y a de l'apaisement dans l'air, plus de patience, d'endurance et d'amour, mais les nerfs encore fragiles exigent du ménagement. La pleine Lune du 21 juillet en Capricorne fait primer la raison sur la passion.

Du 24 au 30 juillet: Si vous êtes né aux environs du 24 octobre, libérez-vous le plus possible et prenez soin de votre santé. Sinon, tant mieux, mais préparez-vous à agir pareillement d'ici quelques semaines ou quelques mois. Je vous aviserai.

Du 31 juillet au 6 août: Vous êtes heureux en amour et en amitié. Vos talents artistiques et esthétiques sont mis en valeur et bien rémunérés. La nouvelle Lune du 4 août en Lion demande du tact et de la diplomatie; par chance, vous en avez.

CHIFFRES CHANCEUX

1 - 2 - 10 - 18 - 26 - 27 - 34 - 42 - 43 - 67

AOÛT ET SEPTEMBRE

Le cœur se resserre chez bien des gens dans la mesure où leur bourse s'enfle.

E. BANNING

MOIS JUMEAUX

Août et septembre sont pour ainsi dire des mois jumeaux, en ce sens qu'ils présentent les mêmes bonnes occasions de vous démarquer et de sortir du peloton. Les avis suivants seront utiles. J'espère que vous trouverez de quoi vous mettre sous la dent, il semble que vous ayez de l'appétit ces temps-ci…

SIGNES FAVORISÉS

Pour réussir ce que vous envisagez, vous avez besoin d'aide extérieure. Elle vient par certains courants d'énergie provenant de natifs et d'ascendants de certains signes dont vous feriez bien de vous entourer côté travail. Ils sont quasi indispensables à votre réussite.

Favorisés par Jupiter et Neptune, puis par Jupiter et Pluton, les personnes de la Balance, du Gémeaux, du Verseau et du Sagittaire ont de quoi s'enorgueillir: leur force d'action s'avère remarquable. Prêts à partager avec vous leurs bonnes idées, ils vous feront gagner de l'argent et ajouteront à votre prestige auprès de personnes que vous désirez impressionner ou gagner à votre cause. Suivre de près leurs agissements et ajouter à leur effort pourrait faire votre fortune.

ASCENDANT, CONJOINT, ASSOCIÉ

Si vous avez la chance d'avoir un des ascendants indiqués ci-dessus ou encore un conjoint ou un associé de ces signes solaires ou ascendants, les gains seront très importants. Vous pourriez conquérir le monde, mais souhaitons que ce ne soit pas là votre but principal. Les conquérants ne rencontrent pas beaucoup de sympathie de nos jours...

Limiter votre goût pour l'argent et chercher à équilibrer les énergies en cultivant la spiritualité vous empêchera de sombrer dans l'excès d'ambition commun aux natifs du signe. C'est seulement une remarque en passant ; ne prenez pas la mouche, vous savez que c'est un trait de caractère à surveiller.

VOYAGE

Un beau voyage combinant bateau et avion serait salutaire. Vous avez besoin de vous changer les idées ; rien de mieux qu'un dépaysement total pour ce faire. Osez partir, rien ne s'envolera durant votre absence au contraire, vous reviendrez plus en forme et plus choyé par le sort qu'avant. Mieux, vous êtes protégé et en sécurité. Bon voyage !

HOROSCOPE HEBDOMADAIRE

Du 7 au 13 août : N'intervenez pas dans la vie privée et les amours d'autrui, vous pourriez être tenu responsable des décisions erronées qu'ils prendront. Vous baigner, oui, mais avec un gilet de sauvetage. En ce qui concerne la sexualité, prudence.

Du 14 au 20 août : L'amitié et l'amour vous font passer de bons moments. On vous pardonne les commentaires peu flatteurs que vous lancez pour faire rire la galerie. La pleine Lune du 19 août en Verseau accroît la susceptibilité ; gare aux autres s'ils rient de vous !

Du 21 au 27 août : Votre santé se porte de mieux en mieux ; l'énergie n'est pas régulière, mais vous avez des moments de grande force physique qui vous permettent de travailler et de vous amuser sans vous user précocement.

Du 28 août au 3 septembre : Semaine à vivre précautionneusement, sans chercher noise à qui que ce soit. La nouvelle Lune du 3 septembre en Vierge apporte des nouvelles rassurantes au sujet de votre partenaire ; vous respirez mieux.

Du 4 au 10 septembre : Du répit enfin. À croire que les grandes vacances vous ont épuisé. Recherchez le calme, la discrétion, les économies de temps et d'argent. Pour vous faire du bien au cœur, confectionnez des confitures et des marinades.

Du 11 au 17 septembre : Vos bonnes actions vous gagnent des sympathies. Entouré de Gémeaux, de Balance, de Verseau et de Sagittaire, vous brassez d'excellentes affaires. La pleine Lune du 17 septembre en Poissons vous met en évidence.

Du 18 au 24 septembre : Vénus dans votre signe vous donne un attrait particulier tout en accroissant vos qualités naturelles. Plus vous êtes vous-même, plus on vous aime. C'est la rentrée ; vous êtes la coqueluche du groupe, du clan.

Du 25 septembre au 1er octobre : Succès en tant qu'artiste professionnel ou amateur, gains par votre travail et vos œuvres originales. L'intuition est digne d'être mentionnée, vous êtes peu nombreux dans votre catégorie…

CHIFFRES CHANCEUX

3 - 9 - 12 - 13 - 26 - 27 - 30 - 40 - 51 - 67

OCTOBRE

Dieu a fait l'aliment, le diable l'assaisonnement.

JAMES JOYCE

ANNIVERSAIRE

Natifs du premier décan du Scorpion, octobre ramène le Soleil à la position qu'il occupait lors de votre naissance. C'est votre tour. Vous reprenez l'élan et l'énergie que vous aviez alors, la santé est meilleure, le teint plus beau, mais il faut garder en mémoire le carré que Saturne vous fait du Lion où il transite et ne rien prendre pour acquis.

ATTENTION SUPPLÉMENTAIRE

De l'attention supplémentaire n'est pas superflue. Vous avez raison de célébrer de façon raisonnable, surtout si vous avez l'âge des multiples de 7 donc 14, 21, 28, 35 ans, etc. Vous devenez plus vulnérable et êtes susceptible de céder à la déprime, au vieillissement précoce et aux malaises qui en résultent. Même jeune, on peut se trouver vieux, penser et agir de manière rétrograde. Si tel est le cas, changez vite d'optique. Vous êtes jeune, trop jeune pour vous en rendre compte, justement!

NE RIEN CHANGER

L'éclipse solaire du 3 octobre en Balance n'affecte pas la résistance physique et l'éclipse lunaire du 17 octobre en Bélier ne vous touche pas non plus. Votre résistance morale et psychique devrait se maintenir à un haut niveau. Ne rien changer de la fin de septembre à la fin d'octobre vous préservera des erreurs que trop de gens commettent. Commencer du nouveau en temps d'éclipse étant voué à l'échec, optez pour une routine sécurisante. Elle vous rendra plus heureux que les échecs cuisants survenant à cause des éclipses.

ARRIVÉE DE JUPITER

C'est le 26 octobre que Jupiter a choisi pour venir visiter votre signe alors qu'il n'était pas venu chez vous depuis 12 ans. C'est de la belle visite ; vous en retirerez maints bienfaits au cours de l'année qui vient. Comme cette planète habite le Scorpion jusqu'à la fin de novembre 2006, vous aurez le temps de vous faire à ses humeurs optimistes et de tirer parti de la chance qui sera la vôtre pendant l'année.

UN PEU DE PATIENCE

Avec Jupiter, nul n'est perdant, voilà belle assurance. Si vous aviez des ennuis juridiques ou légaux, des problèmes de couple ou d'argent, vous serez en mesure de les régler au mieux. Un peu de patience vous est demandé, mais la récompense vaudra la peine, croyez-en mon expérience.

C'est l'Action de grâce le 10 et Halloween le 31 du mois. Bon congé et n'oubliez pas de vous déguiser en squelette, ce déguisement vous va comme un gant!

Natifs du premier décan, c'est votre tour. Joyeux anniversaire!

HOROSCOPE HEBDOMADAIRE

Du 2 au 8 octobre : L'éclipse solaire annulaire du 3 octobre en Balance ne vous touche pas directement, mais lire la section précédente vous renseignera sur les effets nocifs du phénomène. Ne changez rien, restez fidèle à votre routine habituelle.

Du 9 au 15 octobre : Mercure et Vénus dans votre signe disent que c'est bientôt votre anniversaire. Actif et amoureux de la vie, vous partagez des moments intimes avec votre partenaire amoureux, vos parents, vos amis et vos relations.

Du 16 au 22 octobre : L'éclipse lunaire partielle du 17 octobre en Bélier ne vous concerne pas personnellement, mais le moral de l'entourage chute. Vous encouragez vos proches de votre mieux et devenez précieux en tant que soutien et ami.

Du 23 au 29 octobre : Le Soleil, Mercure et Jupiter entrant en Scorpion le 26, vous avez le vent dans les voiles. Santé, énergie nerveuse, sociabilité et chance sont de la partie. Le moindre effort sera largement récompensé. Au travail !

Du 30 octobre au 5 novembre : La nouvelle Lune du 1er novembre en Scorpion attire l'attention sur votre personne. Les sentiments d'affection et d'amour sont bien vécus, l'amitié aide à trouver des qualités indéniables à la vie.

CHIFFRES CHANCEUX

5 - 7 - 19 - 20 - 34 - 35 - 44 - 45 - 57 - 67

NOVEMBRE

L'homme supérieur, c'est celui qui d'abord met ses paroles en pratique, et ensuite parle conformément à ses actions.

CONFUCIUS

ANNIVERSAIRE

Pour la plupart d'entre vous, novembre est le mois qui marque votre arrivée sur Terre. Vous ne pouvez que l'aimer, c'est naturel. Il correspond à votre anniversaire de naissance, temps de réjouissances et de célébrations en votre honneur renforçant la santé, la force de frappe et la popularité.

Contrairement à d'autres, vous aimez être fêté ; vous vous faites une joie de souffler les bougies, de trouver un « désir » et de déguster votre gâteau de fête. Quelques calories en plus ne vous empêcheront pas de vous délecter. Que ce désir soit plus grand que nature cette année ! Vous risquez fort qu'il se réalise !

SURPRISES

Préparez-vous à des surprises de taille : Jupiter, quand il fait des cadeaux, ne s'en tient pas à des peccadilles. Il fait les choses en grand, vous serez à même d'en juger. Fiançailles, mariage, naissances, invitations de prestige, réceptions fastueuses, spectacles d'envergure, nouvelle maison, nouvelle voiture, voyages de luxe, tous les espoirs sont permis, tous les rêves appropriés.

AFFLUENCE

Il y a affluence dans votre signe. Non seulement le grand bénéfique Jupiter est chez vous, mais il se place en harmonie avec Uranus en Poissons le 27 novembre exactement. Toute la période est extrêmement bénéfique et enrichissante. La chance qui vous est dévolue est remarquable et exceptionnelle ; peu peuvent se targuer d'en avoir plus que vous.

ÉNORMES PRÉSENTS

Il n'arrive pas souvent à quiconque de vivre pareils événements. J'espère que, la surprise passée, vous apprécierez à leur juste valeur les énormes présents que ces deux planètes de grande taille et de grande influence déversent non seulement sur vous mais sur l'univers entier. À ce rythme, nous n'avons pas fini d'en discuter ni d'écrire sur le sujet !

DÉMARCHE PERSONNELLE

Ce qui se produit à l'échelle mondiale a de quoi surprendre ; pourtant, cela vous étonne peu. Le clonage humain, la guérison de maladies jadis incurables, les vaccins à toute épreuve, les réparations de parties de corps humain comme on le faisait naguère avec l'automobile *(body parts)*, rien de toutes ces découvertes ne semble vous surprendre. À croire que vous aviez tout prévu !

Par ailleurs, vous vous intéressez à la mort sur laquelle on commence à peine à soulever le voile. Vous avez fait de grands pas en avant depuis un an et le mois de novembre permet de mesurer l'ampleur et la qualité de la démarche personnelle que vous avez entreprise dans le but d'actualiser vos options sur le monde extérieur et sur les sujets existentiels. La démarche aura porté fruit.

INTUITION GÉNIALE

Intuition géniale, idées avant-gardistes et nouvelles, voyages en avion, travail permettant de l'avancement en informatique, télévision, radio, publicité, cinéma, ondes de tout genre, électricité, automobile, aéronautique, Internet, etc., tout ce qui demande à être relancé est bien placé entre vos mains expertes. Vous arriverez à dénouer l'énigme, à résoudre le problème, à faire des gagnants avec ce qui semblait être perdant sur toute la ligne.

METTRE DE L'ORDRE

Novembre offre aussi l'occasion de mettre de l'ordre dans tout ce qui se rattache à vous-même, à votre demeure, à vos papiers d'affaires, à votre cabinet de travail, au garage et à tout ce qui fait partie de votre vie. L'énergie cosmique étant avantageuse pour ce genre d'entreprise, profitez-en pour apposer votre signature au bas d'un document. Ce sera fait correctement.

INSTRUISEZ QUELQU'UN

Instruisez quelqu'un des changements que vous apportez à votre testament, à votre mandat en cas d'inaptitude, à vos assurances et à toute autre paperasse. Non que vous soyez en danger, mais il est souhaitable de régler ces choses en temps propice.

Quand l'esprit est clair et que tout va bien, il faut faire des gestes, prendre des décisions définitives et régler ce qui est en suspens. Alors tout est fait selon notre volonté et notre désir, nous ne risquons pas de regretter quoi que ce soit. D'autres occasions seront propices, mais vous ne serez peut-être pas aussi libre que maintenant. Tout est là.

Joyeux anniversaire, cher Scorpion!

HOROSCOPE HEBDOMADAIRE

Du 6 au 12 novembre : Période constructive où la situation sociale et matérielle s'améliore considérablement. Vous êtes avantagé par des décisions prises à la hâte sans avoir réfléchi. L'intuition est la clé de votre succès ; ne discutez pas.

Du 13 au 19 novembre : La pleine Lune du 15 novembre en Taureau rappelle que rien n'est parfait. Il est possible que votre conjoint connaisse des problèmes. Cela vous peine et vous empêche d'avoir des ailes. Tant pis, ce sera pour plus tard.

Du 20 au 26 novembre : Des opportunités s'offrent soudainement à vous sans que vous l'ayez cherché. Ne refusez aucune offre raisonnable, sauf en ce qui concerne votre vie sexuelle. En ce domaine, il faut de la retenue et de la prudence.

Du 27 novembre au 3 décembre : Réglez toute affaire traînante et prenez des précautions en prévision du mois de décembre (voir plus loin). La nouvelle Lune du 1er décembre en Sagittaire traite d'argent, vous y excellez.

CHIFFRES CHANCEUX

9 - 13 - 26 - 27 - 33 - 34 - 41 - 55 - 63 - 70

DÉCEMBRE

Mon Dieu ! le plus souvent l'apparence déçoit.
Il ne faut pas juger sur ce que l'on voit.

MOLIÈRE

TRACAS FINANCIER

Tout allait si bien, et voilà que le ciel du 17 décembre montre un Jupiter en Scorpion contrecarrant Saturne en Lion. Que d'entêtement dans l'audace, que de détermination à mal agir. Vous allez devoir faire des miracles pour échapper à ce tourbillon malheureux, mais une fois averti vous ne vous laisserez manipuler ni par le sort ni par qui que ce soit.

Il faut du caractère pour s'opposer à l'autorité quand elle erre, du courage pour surmonter les tracas financiers qui se produisent inopinément. Par bonheur, vous ne manquez ni de l'un ni de l'autre. La partie promet d'être dure mais belle. Comme vous adorez relever les défis, je parierais sur vous.

À VOUS DE JOUER

Les choses se passent ainsi : ou vous réagissez à temps et sauvez tout ce que vous pouvez sauver, ou vous attendez la suite et il se peut qu'il soit trop tard. La décision vous appartient : c'est de votre argent qu'il s'agit. Reste à savoir si vous ferez confiance à l'astrologie et à l'astrologue que je suis. Tout ce que je souhaite, c'est de ne pas me tromper, mais selon les statistiques et probabilités basées sur cette science fort ancienne, les chances de faire une telle erreur sont minces… Tout est entre vos mains, à vous de jouer !

REMOUS ET CONFLITS

Nous subissons tous plus ou moins les retombées malheureuses des remous sociaux et des conflits possiblement guerriers qui se produisent dans le monde. La chute des Bourses et des marchés et la hausse vertigineuse des prix sur les produits essentiels est quasi inévitable et dans certains cas fatale. Bien que la dévaluation soit de courte durée, vous êtes de ceux qui risquent d'écoper si vous n'avez pas pris vos précautions à temps. Pourquoi ne pas prévoir et éviter le pire ?

Souhaitons que l'effet de cette situation impossible ne soit que matériel et financier. Ce serait un demi-mal dont nous nous remettrions vite.

SUR UNE NOTE JOYEUSE

Peut-être aussi pour des raisons personnelles, un décembre tristounet semble s'annoncer, mais vous terminez quand même l'année sur une note joyeuse, entouré de ceux que vous aimez. Ce qui ressort c'est que l'an prochain sera un cru exceptionnel. Penser à ces belles prévisions vous fera passer de belles fêtes de fin d'année.

P.-S. J'espère ne pas vous avoir effrayé, mais il est préférable d'avoir plus de peur que de mal que le contraire. Bonne fin d'année !

HOROSCOPE HEBDOMADAIRE

Du 4 au 10 décembre : La vente est difficile. Ne vendez que des produits qui répondent aux normes et sont de qualité. Prudence aussi avec la justice et les gens en poste d'autorité. Le 5 présentant des risques, la prudence est de mise.

Du 11 au 17 décembre : Idéal pour les préparatifs des fêtes. La pleine Lune du 15 décembre en Gémeaux rend enfant et invite au rire et au plaisir, mais le 17 avec son carré Jupiter-Pluton conseille la prudence dans les affaires d'argent.

Du 18 au 24 décembre : Ne relâchez pas trop les cordons de la bourse ; exigez des garanties pour prêter et n'empruntez que si nécessaire. Si vous avez anticipé les choses et pris vos précautions, tout ira bien. Bon magasinage de dernière minute !

Du 25 au 31 décembre : Joyeux Noël ! La santé est bonne, le moral solide. Vous retrouvez l'équilibre, c'est bon de se sentir aimé et appuyé. La nouvelle Lune du 30 décembre en Capricorne annonce un jour de l'an un peu froid côté cœur et sentiment, mais il y a des compensations.

Bonne année nouvelle, cher Scorpion !

Sagittaire

DU 23 NOVEMBRE AU 22 DÉCEMBRE

1er DÉCAN : DU 23 NOVEMBRE AU 1er DÉCEMBRE
2e DÉCAN : DU 2 DÉCEMBRE AU 11 DÉCEMBRE
3e DÉCAN : DU 12 DÉCEMBRE AU 22 DÉCEMBRE

Prévisions annuelles

SPLENDIDE ANNÉE

Vous êtes, cher Sagittaire, au seuil d'une splendide année. Déployant sur vous ses ailes brodées d'argent, de turquoises et de grenats, elle promet d'être prolifique et féconde, la plus chère à votre cœur depuis longtemps.

Vous apprécierez surtout les nouvelles possibilités qu'elle met à votre disposition. Plus libre et plus large, une nouvelle route s'ouvre devant vous. Il ne vous reste qu'à choisir la destination et à prendre le volant.

QUATUOR DIVIN

Quatre grandes planètes de notre système solaire sur cinq évoluent dans un sens harmonieux par rapport à votre signe, ce qui est rare. Jupiter, Saturne, Neptune et Pluton en harmonie avec le Sagittaire forment un quatuor divin. Leur musique est douce à vos oreilles avides de décibels plaisants. Grâce à l'influx bénéfique de ces corps célestes, la vie devient plus attrayante.

GÉNÉROSITÉ PLANÉTAIRE

Me faire l'interprète de tant de générosité planétaire m'enchante. Depuis le temps que vous devez être sur vos gardes et limiter les transports d'allégresse, soumis que vous étiez à un avenir incertain, le moment est venu de répandre à la ronde vos sentiments de grâce et de bonté. Dépenser temps, argent et énergie libéralement et vivre selon vos goûts et désirs devient possible cette année. J'espère que vous ne vous en priverez pas.

RALLUMER LA FLAMME

Signe de Feu, il est temps de rallumer la flamme qui vacillait depuis trop longtemps. Le feu sacré n'est pas mort, la flamme n'est pas éteinte, elle ne demande qu'à rejaillir. Votre nature passionnelle et charnelle reprend le dessus. Le ciel vous offre l'occasion de montrer de quel bois vous vous chauffez, vous n'allez pas la rater !

JOIE DE VIVRE

Musicien, vous composez un chef-d'œuvre ; écrivain, votre bouquin a la cote ; éducateur, vos enseignements font école ; juge, avocat, religieux, vos réformes sont appropriées. Tout est rendu possible à ceux qui désirent accomplir quelque chose de grand et de noble. Vive les planètes quand elles sont aussi harmonieuses ! La joie de vivre est retrouvée !

RÉPIT

Se tenant dans le signe des Poissons, Uranus boude, mais la puissance des forces cosmiques positives dépasse largement les petits ennuis possibles. Votre vie sera plus douce et plus agréable, le fait est sûr. À travers quelques nuages clairsemés, le Soleil luit pour votre plus grand bonheur. N'ayant pas été très chanceux depuis quelques années, vous apprécierez cette période faste. Pour être franche, vous méritez ce répit.

AUX OUBLIETTES

Pourvoir à vos besoins et vous offrir du luxe sans avoir à faire et à refaire votre budget et à vous casser la tête vous changera. Rassurez-vous, il restera de l'argent pour choyer les personnes aimées, en particulier celles qui vous auront suivi et aidé au fil des dernières années pas toujours faciles que vous avez connues, mais que vous mettrez sagement dans la boîte aux oubliettes.

PROMESSE

Les opportunités sont nombreuses, vous n'avez qu'à tendre la main pour qu'elles s'y blottissent et y fassent leur nid. Un geste de votre part et le tour est joué. À moins d'un manque total d'opportunisme et de bon sens, ce qui ne saurait se produire vu votre état d'esprit, vous ferez des progrès énormes et votre qualité de vie se trouvera grandement améliorée. C'est une promesse formelle que je vous fais ; elle se réalisera.

ARMES NOUVELLES

Il n'est pas dit que vous aurez une santé parfaite, que vous filerez le parfait amour et que vous deviendrez riche du jour au lendemain sans avoir à peiner pour y parvenir, mais il est certain que le ciel

met à votre disposition des armes nouvelles pour vous permettre de sortir du pétrin et de tout marasme où vous avez abouti de plein gré ou non. Les événements extérieurs à votre volonté et parfaitement gratuits se multiplient pour vous faciliter la tâche ; il ne reste qu'à faire acte de foi et à y croire.

RÉPERCUSSIONS HEUREUSES

Plaçant sur votre route des personnes dignes de confiance et d'intérêt, la vie fait en sorte que l'attachement que vous avez pour elles se concrétise par des actions qui amélioreront votre sort au point de vue physique, matériel et spirituel. Savoir que ce que nous faisons aura des répercussions heureuses sur notre avenir est réconfortant. Quoi que vous fassiez, une chose est sûre : vous ne risquez pas de vous tromper !

FAMILLE, AMIS ET RELATIONS

Famille, amis et relations jouent un rôle extrêmement bénéfique dans votre vie privée et dans vos affaires d'argent. Ils ont bénévolement aidé votre cause dans les temps passés et continuent de le faire avec amour et tendresse, mais à maintes occasions c'est à vous qu'il incombe de soutenir l'entourage cette année. Vous en avez la force et la possibilité ; les rôles sont légèrement inversés mais vous êtes à l'aise dans votre nouveau rôle.

GRATITUDE

Le cœur généreux, débordant de compassion et d'empathie, vous faites le maximum pour faire plaisir à ceux qui vous ont aidé à traverser les périodes difficiles. Vous remettez les services rendus et des bénéfices marginaux accompagnent vos dons de temps, d'énergie et d'argent. Vous rendez 100 dollars pour 10. Votre gratitude est touchante et votre façon de l'exprimer met fin aux inimitiés et aux sentiments négatifs qui ont pu ternir vos relations humaines au cours des deux ou trois dernières années. Il est bon pour le cœur au sens propre et au sens figuré, de se réconcilier, du moins de pardonner.

RÉCONCILIATIONS

Des réconciliations sont possibles. Initiées par vous, des concessions majeures semblent requises afin de parvenir au but. À vous de déterminer s'il vaut la peine ou non de faire ces compromis. La réponse semble être oui, mais venant des opposants c'est moins sûr... Sachant à qui vous avez affaire, vous n'aurez plus de doute quant à leur motivation.

Si elles vous aimaient vraiment, ces personnes vous aiment encore; sinon, laissez tomber et n'y pensez plus. Vous êtes suffisamment sollicité pour vous désintéresser des gens qui n'en valent pas la peine. Le temps est au grand ménage pour ce qui est des affections, des amitiés, des amours, de la vie de couple et de famille, vous l'aurez compris.

AUTOSUGGESTION

Laissons au passé ce qui est de son domaine et plongeons résolument dans l'avenir puisque c'est ce vers quoi vous tendez. Tout se joue sur le plan de l'esprit, vous n'êtes pas sans le savoir. Il importe de vous autosuggestionner tous les jours à l'aide de mots prononcés à haute voix qui vous rapprochent de l'état idéal dans lequel vous voudriez vous trouver. Répéter souvent des phrases du genre de celle-ci vous réussira:

«Je suis beau et bien dans mon corps et dans mon esprit. Je vis la vie que je désire vivre, avec des gens qui m'aiment et que j'aime. J'ai les moyens de vivre selon mes standards et mes besoins. Je suis libre et heureux, je suis d'essence divine.»

VISUALISATION

La visualisation positive s'apprend. La pratiquer dans les moments critiques mais aussi tous les jours vous rendra de grands services. Vous visualiser dans le contexte dans lequel vous voulez vivre, en santé, souriant, détendu et heureux, dans un décor choisi par vous, des couleurs que vous aimez et un entourage approprié vous rapprochera de votre idéal. Ce que vous voyez se matérialisera, ayez-en l'assurance. Aussi bien voir la vie en rose.

PETITS BONHEURS

Il serait souhaitable de prévoir un ensemble de petites choses vous rendant heureux et de vous en entourer le plus possible. Il ne s'agit pas de rechercher les grandes explosions de bonheur, mais une foule de petits bonheurs tricotés à la main et faits sur mesure pour vous. Ceux-ci ont le don de vous rasséréner et de préserver votre équilibre. Être

comblé et heureux quotidiennement est la plus simple prescription de bonheur qui soit, mais elle fonctionne, vous serez à même d'en juger.

CHANCE PURE

En plus de la chance dont vous héritez parce que vous l'avez mérité, la Chance Pure et gratuite est également disponible toute l'année. Tenter la vôtre aux jeux de hasard peut s'avérer fructueux, spéculer à la Bourse, sur les valeurs mobilières et dans l'immobilier peut être très rémunérateur. Pourvu que ce soit raisonnable, aucun problème. Bonne chance !

ASCENDANTS PROPICES

Bélier, Lion et Sagittaire font bonne équipe avec vous, mais c'est avec des gens qui ont de la Balance, du Verseau ou du Gémeaux que vous gagnerez beaucoup d'argent s'il y a lieu. Vous entourer de ces signes solaires, ascendants et lunaires vous avantage sérieusement. Si votre ascendant est de ces signes, bénissez le sort. Les plus chanceux pourraient gagner le gros lot.

SEPTEMBRE INCROYABLE

Mars, août et surtout septembre s'avèrent exceptionnels. Du jamais vu sous forme d'opportunités dont il faut rapidement tirer parti. La chance est volage et demande à être saisie au vol. Vous serez bien inspiré d'embarquer dans l'aventure qui se présente. Bien qu'elle paraisse incertaine et qu'elle menace de vous emmener en des lieux éloignés, vous serez heureux de l'avoir fait. Préparez-vous mentalement à un septembre incroyable et bon voyage !

ANGE GARDIEN

L'ange gardien des natifs du Sagittaire le plus utile cette année se nomme Nanael. Tous profiteront de ses connaissances et de ses aspirations vers un monde supérieur où la conscience s'élève par la prière et la méditation.

Non dogmatique, Nanael enseigne qu'il y a « plusieurs demeures dans la Maison de Dieu ». Avec son soutien, vous rechercherez la part du divin qui se trouve en chaque être humain, mais aussi les élans du cœur, l'amour et les sentiments que vous exprimerez avec chaleur. Les enseignants, juges, avocats, religieux, théologiens et philosophes qui l'invoqueront seront privilégiés.

Coup d'œil sur le Sagittaire de tout ascendant

Sagittaire-Sagittaire

Très belle combinaison astrale apportant des changements souhaités dans le déroulement de votre vie privée, sociale, familiale et professionnelle. Vous trouverez à la nouvelle année des qualités indéniables.

La chance croissante que vous expérimentez prudemment au début, puis à laquelle vous croyez de plus en plus, vous épate. Il y a longtemps que vous n'avez pas eu autant de bonne fortune, profitez-en bien.

Les mois de mars, d'août et de septembre surtout sont très avantageux sur les plans travail, argent et prestige personnel. La mort d'une personne peut vous propulser au premier plan.

Des événements inattendus vous donnent une position importante dans l'éducation, la fonction publique, les dons occultes. Le progrès accompli est immense. Les prévisions qui suivent vous en diront plus long à ce sujet.

Sagittaire-Capricorne

L'année a de quoi vous encourager et vous stimuler. Les perspectives heureuses se multiplient, les bonnes occasions s'empilent, les opportunités de progrès social et matériel se font nombreuses.

Votre personnalité Capricorne attire les gens sérieux et ambitieux que votre côté Sagittaire rejetterait. Vous avez raison de suivre cette inclination, surtout en août et en septembre. Ces personnes vous portent chance.

Sous le coup d'une inspiration soudaine vous développez vos dons occultes. Les dons d'intuition et de pressentiment sont utiles pour déjouer les jaloux et les envieux. Ils servent aussi de support à la réussite.

Écoutez votre intuition et suivez votre première idée. C'est à la suite d'une impulsion foudroyante que vous réussissez vos meilleures affaires d'argent. Vous avez du génie, les prévisions de la section suivante le confirmeront.

Sagittaire-Verseau

Année fracassante bouleversant tout ce que vous aviez escompté et ce pour quoi vous avez travaillé. Les choses se développant dans un sens positif, vous n'avez rien à regretter, que la Providence à remercier.

Ce qui est ultramoderne, ultrarapide et nouveau vous passionne. Vous avez du talent pour l'innovation ; ne ratez pas l'occasion de faire votre marque, quitte à froisser des susceptibilités au passage.

Pas de temps à perdre, il faut mettre en pratique vos idées et projets. Ils sont ingénieux, il ne reste qu'à les faire accepter. Sinon, réalisez-les vous-même, vous mettrez l'adversaire K.-O.

Toute l'année est formidable, sauf décembre qui exige de la prévention côté matériel et financier. Les prévisions qui suivent vous en diront plus long à ce sujet mais *grosso modo,* vous détenez le gros lot. Bravo !

Sagittaire-Poissons

Belle année en perspective pour les natifs de cette combinaison astrale pas toujours harmonieuse, mais qui se trouve aidée par un sort généreux. Progresser matériellement vous semble naturel, mais il faut du doigté.

Durant presque toute l'année, le côté Sagittaire remporte la palme. Il doit prendre la préséance pour vous permettre de faire des gains importants, mais en novembre, il faudra changer de tactique...

Novembre sourit à votre personnalité Poissons. Utiliser ses qualités de réceptivité, d'écoute et de bonne volonté vous permettra de remporter des victoires éclatantes autant sur le plan personnel que social et professionnel.

Les prévisions de la section suivante vous guideront adroitement dans le choix des temps propices ou moins favorables. Aucune éclipse n'assombrissant votre ciel, ces périodes devraient être peu nombreuses.

Sagittaire-Bélier

Cette association fougueuse donne de bons résultats sur le plan social et économique, mais il faut prendre des précautions pour la santé et la sécurité. Limiter les dépenses d'énergie devient essentiel.

Le côté Bélier étant souvent peu sérieux en ce sens, il vous faut apprendre à prendre soin de vous ; ça ne vous vient pas naturellement. Casse-cou, les sports extrêmes vous sont totalement déconseillés cette année.

Le côté Sagittaire doit prévaloir dans le travail et les affaires d'argent. Ce qu'il fait est intelligent et rémunérateur, ses idées rapportent, son optimisme vient à bout de toutes les résistances.

Trop de feu nuisant, lire attentivement les prévisions qui suivent sera utile au Sagittaire ascendant Bélier à la recherche d'une période exceptionnelle depuis longtemps. La Chance Pure aidant, les gains seront faramineux.

SAGITTAIRE-TAUREAU

Privilégier le côté Sagittaire de votre nature fera de cette année un temps de détente, de paix et de bonheur. Chanceux en affaires, vous ferez des gains qui guériront bien des blessures.

La personnalité Taureau vient à votre secours de janvier à juillet, mais à partir de là, mieux vaut faire taire les sentiments et écouter la raison. Ainsi, la fin de l'année sera plus agréable.

Vous avez de quoi vous tenir occupé avec votre Sagittaire, n'ajoutez pas à la confusion en vous montrant trop sensible et trop romanesque. De nos jours, cela n'a plus sa place, vous l'avez sans doute remarqué…

La grande chance vient en août, en septembre et même en octobre. Décembre étant moins favorable pour ce qui concerne les choses matérielles, prendre des précautions adoucira les angles. Les prévisions mensuelles qui suivent vous renseigneront adéquatement.

SAGITTAIRE-GÉMEAUX

Deux signes doubles opposés l'un à l'autre, ce n'est pas commode, sauf que cette année diffère et comporte des avantages d'envergure vous réconciliant avec votre nature complexe et multiple.

Les opportunités viennent de deux directions, de deux personnes ou compagnies, de deux factions de la société. Vous avez le choix, cela en soi est dur, mais vous prendrez la bonne direction si vous suivez le guide.

Points forts : avion, transport, voyage, automobile, ordinateur, Internet, éducation, jeux d'enfants, sports, gérontologie, laser, électricité, électronique, cinéma, télévision, publicité, multinationales.

Vous pouvez aussi réussir en créant votre propre entreprise ou industrie, en étant acteur, cinéaste, producteur ou dans toute autre position de prestige. Les prévisions de la section suivante vous aideront à démêler le tout.

Sagittaire-Cancer

Belle combinaison d'influences planétaires vous parvenant cette année et inclinant à une forte amélioration de votre sort en général. Un peu de patience est requise, mais le résultat en vaut la peine.

Vous décrochez le morceau en août et septembre se révèle fabuleux. Saturne quittant votre signe ascendant en juillet, vous recouvrez la liberté nécessaire à l'affranchissement. Vous êtes libre, enfin!

Agir dans le meilleur de votre intérêt devient facile à partir de ce moment précieux qui vous apporte l'indépendance souhaitée. Remerciez la Providence et mettez-vous au travail.

La chance étant omniprésente et la santé plus forte à compter de juillet, des gains substantiels seront réalisés côté travail mais aussi argent. Il est possible d'obtenir un héritage. Les prévisions qui suivent vous renseigneront.

Sagittaire-Lion

Comme vous êtes d'une nature enflammée mais réaliste et ambitieuse, rien de banal ni d'ordinaire ne vous satisfait. Vous visez le sommet, rien de moins. Cette année, vous l'atteignez presque…

Profitez des six premiers mois pour agir avec le plus de liberté possible. Les projets grandioses et les conjonctures d'envergure sont à privilégier. Plus vous voyez grand et beau, mieux ça vaut.

À compter de juillet, Saturne entrant en Lion atténue la force physique de votre signe ascendant. Il faut faire attention à vous et à votre santé et voir à économiser vos énergies pour éviter le *burnout*.

Réduire les heures de travail serait préférable à tout quitter, mais s'il le faut, prenez du repos. La vie se charge de veiller à ce que vous ne manquiez ni du principal ni même du luxe. Lire les prévisions de la section suivante éclairera votre lanterne.

Sagittaire-Vierge

Personne complexe, personnalité difficile à cerner, vous n'êtes pas facile d'approche mais l'effort vaut la peine d'être tenté. En dessous de votre carapace, on vous découvre d'une fragilité étonnante.

L'année vous réserve de belles surprises pourvu que la santé tienne le coup. Carré de Pluton exige de l'attention, carré d'Uranus foudroie qui n'est pas averti. Vous l'êtes, reste à agir en conséquence.

Sans vouloir vous inquiéter outre mesure, un bon examen médical complet serait de mise dès le début de l'année. Rassuré par les résultats, vous cesserez peut-être de vous faire du mauvais sang, ce qui serait bien.

Les gains matériels vous consoleront de quelques déboires possibles. On est moins malheureux avec de l'argent que sans, c'est indéniable. Les prévisions vous guideront vers les moments les plus propices.

SAGITTAIRE-BALANCE

Bel équilibre entre deux énergies différentes mais compatibles. Vous êtes en parfaite harmonie avec vous-même ; c'est ce qui fait votre succès. Votre renommée peut dépasser les frontières.

En affaires et au travail, l'inspiration coule de source. Votre imagination est féconde, votre sensibilité présente en temps opportun, votre mémoire infaillible et votre créativité à son comble. Avec cela, comment ne pas réussir ?

Audacieux, optimiste, adroit et physiquement fort par le Sagittaire, vous êtes artiste jusqu'au fond de l'âme par la Balance. Vos dons et talents sont appréciés et bien rétribués.

Si on ne vient pas à vous, vous allez vers votre bien de façon déterminée mais souple. Le charme aidant et la chance terminant le travail, les prévisions qui suivent le soutiendront : vous connaîtrez une année mémorable.

SAGITTAIRE-SCORPION

Belle rencontre de deux natures contraires mais qui travaillent bien ensemble cette année et dont les résultats dépassent la moyenne. La Chance Pure aidant, il est possible que vous fassiez des gains.

Les six premiers mois sont utiles pour les questions touchant la famille et les sciences occultes. Sérieux et patience s'unissent pour surmonter les obstacles ; rien ne résiste à la volonté des Sagittaire ascendant Scorpion.

Argent, commerce, études supérieures et voyages jouent un rôle majeur. Les mois les plus fastes sont mars, août et surtout septembre qui promet d'être exceptionnel. Le côté Sagittaire accroît la chance en affaires.

En novembre et en décembre, la personnalité Scorpion peut nuire. Têtue et bornée, elle vous fera perdre de l'argent si vous n'y prenez garde. Consulter les prévisions mensuelles vous instruira sur les choix qui feront la différence.

Prévisions mensuelles

JANVIER

Paix sur la constellation chantante des eaux
Paix dans la mer aux vagues de bonne volonté
Paix sur la dalle des naufragés
Et si je suis le traducteur des vagues
Paix aussi sur moi

V. HUIDOBRO

DÉPART FOUDROYANT

Vous connaissez un départ foudroyant en cette nouvelle année. Il faut s'incliner devant votre détermination et votre persistance : un Sagittaire décidé et motivé ne connaît pas de limites. Vos qualités dynamisantes sont à la source de vos progrès ; on n'a pas fini de s'extasier devant vos accomplissements !

ESPOIR D'UNE VIE MEILLEURE

Plein d'une ardeur nourrie par l'espoir d'une vie meilleure, espoir que les propos optimistes tenus précédemment n'ont fait qu'encourager, vous êtes prêt à changer ce que vous n'aimez pas en vous et autour de vous, prêt à consentir les efforts nécessaires pour vous régénérer et vous rebâtir une vie conforme à vos ambitions légitimes. La vie meilleure, c'est pour maintenant.

VOLONTÉ ET PERSÉVÉRANCE

Advenant le cas où votre vie actuelle soit inadéquate et insatisfaisante, vous êtes capable, quitte à tout renverser sur votre passage, de forcer le destin à tourner en votre faveur. Grâce à votre volonté et à votre persévérance, vous forcez les autres à croire en vous et à vous faire confiance. Le ciel se prête au jeu et appuie vos décisions ; rien n'arrêtera votre démarche vers le haut, qu'on se le dise pour de bon !

ÉNERGIE, AMOUR, CONTRATS

Parents, enfants, amis et entourage, tous sont sidérés par l'énergie concentrée que vous laissez soudainement exploser. Et dire qu'on ne se doutait de rien... Dans votre signe, Mars ne vous permet pas de rester en place plus de 24 heures. Vénus, aussi chez vous, rend le cœur sensible et aimant et accroît la chance en amour et en amitié, Mercure, également dans votre signe, accroît l'esprit et l'intelligence, donne de bons réflexes et permet la signature d'ententes et de contrats intéressants. Pluton en Sagittaire termine le portrait : il ne saurait être plus stimulant.

EFFET RÉGÉNÉRATEUR

Avec toutes ces planètes en visite dans votre signe, si vous ne ressentez rien de particulièrement heureux il est possible que vous viviez dans un monde à part ; sous l'effet constant de l'alcool, de médicaments, de drogues diverses, rien de bon ne nous atteint. Vous libérer de vos béquilles, si la chose est possible, vous rendra perméable aux bonnes influences qui se profilent cette année. Il serait dommage d'y rester indifférent.

Le cas est rare, vous ressentez sûrement un effet régénérateur et bienfaisant dans toutes vos veines et artères, c'est délirant !

Bon début d'année, cher Sagittaire !

HOROSCOPE HEBDOMADAIRE

Le 1er janvier : Le jour de l'an est bon, mais la Lune en Vierge vous contrarie. Évitez la critique acerbe, l'éparpillement des idées et des sentiments, les gens nerveux et malhabiles. Restez calme, vous passerez un bon jour de l'an.

Du 2 au 8 janvier : Les 3 et 4 sont superbes. Possibilité de vivre le grand amour et de jouir de la vie sans arrière-pensée. Simplicité dans la façon d'exprimer les sentiments d'amour et d'amitié. Chance unique dans les affaires d'argent, le commerce, les voyages, les études et les enfants.

Du 9 au 15 janvier : La nouvelle Lune du 10 janvier en Capricorne parle de choses pratiques et d'économie. Relativisant toute chose, vous revenez à des normes plus acceptables pour l'entourage qui tendait à s'inquiéter de vous et de vos projets.

Du 16 au 22 janvier: Le 19 apporte de l'amélioration côté santé et donne des forces nouvelles à ceux qui en manquaient. Période dynamique rendant capable d'efforts considérables. Travail, sport, vie sexuelle, ventes, achats, bons rapports avec la justice.

Du 23 au 29 janvier: La pleine Lune du 25 janvier en Lion accroît la fierté. Recherche de l'apparat, du confort, du luxe. Le 29 annonce un coup de théâtre. Vos forces sont décuplées, votre instinct est sûr; vous utilisez votre force de persuasion dans le but de réaliser votre désir. Bravo!

Du 30 janvier au 5 février: Dépêchez-vous de faire des gestes pendant que le temps est propice. Les 2 et 3 surtout sont chanceux. Ce que vous réalisez aura de longues répercussions, n'hésitez pas à vous engager. L'instinct animal et l'instinct supérieur sont d'accord: action!

CHIFFRES CHANCEUX

3 - 4 - 6 - 12 - 24 - 25 - 37 - 45 - 59 - 65

FÉVRIER

Il y a des gens qui parlent, qui parlent – jusqu'à ce qu'ils aient trouvé quelque chose à dire.

SACHA GUITRY

SAINT-VALENTIN

Voyons les grandes tendances de février, mois des amoureux, qui pourrait bien vous trouver en amour et heureux de l'être, ou à tout le moins aimant et généreux. Vénus aimable en Verseau accroît la beauté, donne de l'éclat et du charme et accorde de la chance en amitié et en amour. Les relations avec les frères et sœurs, les cousins, la parenté et l'entourage sont au beau fixe. Tout pour passer une belle Saint-Valentin!

JUSTICE ET INJUSTICE

La justice étant partiale à votre égard, n'hésitez pas à réclamer le respect de vos droits et ce qui vous est dû. Vous obtiendrez gain de cause et recevrez votre juste part. Le temps de donner sans attendre en retour est révolu, celui de récolter arrive. Cherchez à obtenir justice, même si cela comporte des incertitudes et provoque des animosités. On n'a rien sans peine, dit l'adage ; c'est réaliste.

N'hésitez pas non plus à protester contre l'injustice dont vous êtes témoin. Personne ne vous en tient rigueur ; au contraire, vous suscitez l'admiration et le respect des hautes instances auxquelles vous vous adressez. Vos actions résolument constructives font en sorte que personne n'est indifférent à vos propos ; on vous écoute, parlez haut et fort !

JEUNESSE ET ENTHOUSIASME

Votre jeunesse de caractère séduit, votre capacité d'étonnement surprend. En ces temps où l'on tend à voir tout en noir, votre enthousiasme ravit. Une éternelle jeunesse semble illuminer votre être, vous resplendissez et attirez les gens à votre suite. Suivant votre exemple, les enfants tendent à étudier, à apprendre, à se développer constamment afin de progresser dans le domaine qui les intéresse. Votre encouragement leur est indispensable.

ASCENDANT PRIVILÉGIÉ

Si votre ascendant est privilégié, espérez le meilleur, il se produira. Des choses d'une telle ampleur que je ne saurais les traduire se produiront dans votre vie privée, votre santé, vos amours et vos affaires. Tout ce qui se rattache à vous et à votre personne est favorisé. Vous seul comprenez la portée de ce message des astres ; n'étant que leur humble interprète, je ne peux que signaler l'énorme impact qu'auront sur vous les événements de février et de mars qui vient, sans compter la suite. Vous aurez l'avantage d'être préparé.

DEUX AS

Vous avez le sixième sens très aiguisé et celui du marketing est exacerbé par des énergies inconnues mais très efficaces. Ces deux as dans votre jeu, vous gagnez la partie haut la main.

Bonne Saint-Valentin, cher Sagittaire !

HOROSCOPE HEBDOMADAIRE

Du 6 au 12 février : La nouvelle Lune du 8 février en Verseau accentue la Chance Pure et favorise la vie sentimentale et érotique sans négliger le côté pratique de la vie de tous les jours. Victoire importante, félicitations!

Du 13 au 19 février: Période favorable au travail intellectuel, aux démarches pour le choix d'un emploi, aux études, au sport, à la sexualité. Voyages d'amour et d'affaires productifs et agréables. Facilité pour régler les affaires financières.

Du 20 au 26 février: Prudence le 20, les risques d'accidents étant accrus. Idem les 25 et 26, le moindre symptôme devant être traité. La pleine Lune du 23 février en Vierge suggère d'éviter la critique et de rester attentif en amour.

Du 27 février au 5 mars: Votre santé peut requérir des soins supplémentaires. Trouver les médecins qui savent traiter le mal dont vous souffrez s'avère plus facile que vous ne l'auriez cru. Profitez-en pour vous soigner et pour guérir.

CHIFFRES CHANCEUX

1 - 3 - 12 - 13 - 20 - 33 - 34 - 49 - 50 - 67

MARS

On apprend plus par ce que les gens disent entre eux ou par ce qu'ils sous-entendent, qu'on pourrait le faire en posant bien des questions.

RUDYARD KIPLING

GROS CANONS

Mars arrive en trombe, préparez vos gros canons. Il va falloir faire des gestes rapides et inspirés pour en tirer tout le profit possible. Des situations avantageuses se présentent; vous n'avez pas beaucoup de temps pour prendre des décisions. La meilleure idée serait de vous en remettre à votre instinct et d'agir un peu à l'aveuglette. Si vous cogitez trop longtemps, l'occasion passera et vous en serez quitte pour regretter de ne pas avoir agi à temps. Mieux vaut regretter ce que l'on a fait que regretter de ne pas l'avoir fait. L'expérience m'a appris cette leçon. Jetez-vous dans l'action les yeux fermés, ça vaut mieux que de rester les bras ballants.

SIGNES ET ASCENDANTS FAVORABLES

Traiter des affaires importantes et d'envergure avec ceux qui ont de la Balance, du Verseau, du Sagittaire comme vous ou du Gémeaux soit par le signe solaire ou ascendant servira de tremplin à vos ambitions et remplira votre portefeuille, mais cela mettra aussi vos qualités morales en valeur. Vous avez beaucoup à gagner en entretenant de telles relations, cela autant sur le plan personnel que social et professionnel.

FACULTÉS SUPÉRIEURES

Vos facultés exacerbées d'inspiration et de foi font en sorte que votre vie spirituelle prend une dimension particulière. Grâce à un développement heureux de votre conscience, vos pressentiments s'avèrent d'une rare justesse. Prévoyant les choses, vous savez comment prendre action et vous retirer le moment venu pour vous occuper à des projets plus intéressants.

Poussé presque malgré vous à suivre le bon filon, celui pour lequel vous avez été créé et mis au monde, vous obtenez une réussite personnelle et matérielle qui est le résultat logique de l'application pratique de vos croyances spirituelles. Le succès couronne vos entreprises, il ne peut en être autrement.

GAINS CHANCEUX

Gains importants en spéculation, dans les affaires avec les trusts, les grandes sociétés, les compagnies maritimes et pétrolifères, les compagnies de gaz, les produits synthétiques et les liquides, l'eau, les pêcheries, les vins et alcools, les arts de la table, les produits naturels et du terroir.

Cadeau de la Providence : des gains aux jeux de hasard ou provenant d'origines mystérieuses rendent votre chance éclatante. Vous n'en revenez pas de la facilité avec laquelle tout se passe. Pour le moment, construisez, érigez, placez vos pions et attendez la suite, elle promet d'être époustouflante.

VOYAGES, CROISIÈRES

Voyages et croisières sont entrepris dans une excellente période. Un pèlerinage, un séjour de repos au bord de la mer, des vacances en un endroit tranquille et isolé, une retraite en lieu saint, quel que soit votre souhait, il se réalisera. Nul doute, vous traversez une période heureuse et cela se fait sentir dans tous les domaines, y compris la santé. Continuez dans cette veine!

Joyeuses Pâques à tous le 27 mars!

HOROSCOPE HEBDOMADAIRE

Du 6 au 12 mars: Vous comprenez bien les enfants et êtes capable de discuter de leurs problèmes et de trouver des solutions. La nouvelle Lune du 10 mars en Poissons vous attriste, mais vous reprenez votre élan. Sentiments amoureux et amitiés sont valorisés.

Du 13 au 19 mars: Grande sûreté de jugement permettant des réussites hors de l'ordinaire. Papiers et contrats sont signés dans des conditions propices. Les gains sont facilités par les bons contacts entretenus avec les autres. À deux ou plus, vous faites des prodiges.

Du 20 au 26 mars: Vous faites rire l'assemblée dans le but d'amener les gens à penser comme vous et ça réussit. On ne peut vous résister tant vous avez de conviction et de sincérité. Ceux qui embarquent dans l'aventure sont chanceux, la pleine Lune du 25 mars en Balance le confirme.

Du 27 mars au 2 avril: Les transactions financières peuvent se révéler utiles dans l'immédiat mais aussi dans le futur. Vous progressez rapidement dans la voie suivie. Les relations scellées à ce moment – mariage, association d'affaires – seront heureuses et gratifiantes.

CHIFFRES CHANCEUX

3 - 9 - 22 - 23 - 31 - 32 - 40 - 56 - 57 - 62

AVRIL

Un des plus grands bonheurs de cette vie, c'est l'amitié; et l'un des bonheurs de l'amitié, c'est d'avoir à qui confier un secret.

A. MANZONI

AVRIL ÉTINCELANT

Un avril étincelant se pointe à l'horizon du Sagittaire. Brillant de tous ses feux, le soleil printanier réchauffe le corps mais l'intellect vif et alerte prime et fait de ce mois une période à part que vous utiliserez pour combler vos vœux et vos désirs les plus chers.

Sens de la répartie et de l'argumentation, parole facile, sensation d'agir pour son bien mais aussi pour le bien commun, ces éléments poussent à l'action concertée et intelligente dans un but précis qui peut sembler improvisé, mais qui a été longuement prémédité. Rien qui n'ait été pensé d'avance, mais de la fantaisie dans la réalisation de ses buts et objectifs.

SENS DE L'HUMOUR

Le sens de l'humour vient à votre secours au moment où vous en avez besoin ; il dédramatise les situations corsées qui peuvent se présenter. Le rire franc disperse les nuages gris mais jamais noirs qui planent au-dessus de votre tête ; la joie de vivre ne vous quitte pas. Malgré les éclipses, avril s'avère exceptionnel.

Vous figurez parmi les privilégiés du moment ; mieux, vous le savez pertinemment. Cela vous fortifie dans vos convictions spirituelles et religieuses s'il y a lieu. Votre esprit se révèle brillant, enjoué, coquin par moments, mais qui doute de votre jugement se trompe royalement. Il en assumera les conséquences pendant que vous continuerez votre chemin la tête haute.

AFFECTION ET RESPECT

Rares sont ceux qui connaissent autant de grâce en ce moment. Capable de régler les problèmes et de retirer le maximum de plaisir que l'existence met gracieusement à votre disposition, vous faites des envieux, mais la plupart de ceux qui vous entourent sont ravis de vous voir en forme, rayonnant et vainqueur. Vous avez plus d'amis que d'ennemis. On vous aime pour vous, non pour votre pouvoir ni pour votre aisance matérielle. Vous méritez entièrement l'affection et le respect que l'on vous porte.

ÉCLIPSES

L'éclipse solaire totale du 8 avril en Bélier ne vous affecte pas ; votre santé est bonne, votre résistance à la maladie élevée ; l'éclipse lunaire de pénombre du 24 avril en Scorpion ne vous touche pas non plus. Le moral devrait être aussi solide que la santé. Vous avez de la chance, mais autant que possible ne commencez rien d'important en avril. Pourquoi chercher les problèmes ?

HOROSCOPE HEBDOMADAIRE

Du 3 au 9 avril : Les sentiments sont intenses et réciproques. L'éclipse solaire totale du 8 avril en Bélier ne vous affecte que si votre ascendant est Bélier, Cancer, Capricorne ou Balance. Voir un bon médecin pourrait s'avérer utile.

Du 10 au 16 avril : Particulièrement séduisant et magnétique, votre énergie attire des personnes jeunes et de qualité, honnêtes et aimables. L'amour et l'amitié meublent vos jours ; l'argent ne manquant pas, vous êtes satisfait.

Du 17 au 23 avril : L'énergie fuse et se renouvelle sans effort, pendant votre sommeil. En cas d'insomnie, ce qui est assez fréquent chez les natifs de ce signe, consultez une clinique du sommeil. Finis les yeux cernés, les résultats vous épateront.

Du 24 au 30 avril : L'éclipse lunaire de pénombre du 24 avril en Scorpion peut diminuer la résistance morale si vous avez un ascendant Scorpion, Lion, Verseau ou Taureau. Mais cela ne vous arrivera probablement pas et c'est tant mieux, vous en profiterez pour vivre à votre rythme.

CHIFFRES CHANCEUX

2 - 4 - 19 - 20 - 34 - 35 - 42 - 55 - 56 - 67

MAI ET JUIN

Un obstacle au bonheur, c'est de s'attendre à trop de bonheur.

FONTENELLE

RALENTI

Un léger ralenti se fait sentir en mai et pendant la première quinzaine de juin. Rien d'inquiétant : vous continuez à bûcher et à

monter la pente dans la direction envisagée, mais la force physique et le courage vous font un peu défaut. Mars se trouvant en Poissons vous avantage si vous avez un ascendant Poissons, Cancer ou Scorpion ; autrement, vous êtes dans une position qui exige du savoir-faire aussi bien côté santé que dans la famille et au sein de la société qui vous engage. Rien n'est acquis, il faut se montrer tolérant.

RÉSISTANCE MANQUANTE

La résistance physique peut manquer. Il serait déraisonnable de vous demander de faire des efforts considérables pour rénover la maison, aménager le foyer, faire le grand ménage et mettre de l'ordre dans tout l'appartement. Déménager serait un fléau pour votre santé. Faites le nécessaire avant mai ou après le 15 juin, vous éviterez les accidents bêtes dus à la fatigue et au stress. Prudence avec le feu au foyer, avec les enfants, on ne sait jamais…

LOIS DE LA MOYENNE

Il est toujours trop tôt pour être malade ; si vous n'y prenez garde, une maladie courte mais douloureuse peut survenir. Traiter avec sérieux et rapidité tout malaise est indispensable. À surveiller : maladies cardiaques, hypertension, blessures, surtout aux pieds, saignements et inflammation des organes et du foie en particulier. Surveiller également les yeux. Si vous êtes en grande forme, vous défiez les lois de la moyenne, c'est tant mieux.

REGAIN D'ÉNERGIE

À la mi-juin, vous ressentez un regain d'énergie. Les forces dépensées à travailler et à vaquer aux occupations quotidiennes se renouvellent sans difficulté. Comme vous avez la sagesse de ne pas aller jusqu'à l'épuisement, vos ressources se trouvent amplifiées, nourries par la certitude d'être dans la bonne voie et de faire ce qui convient. L'équilibre physique, moral et matériel est protégé. Tout va beaucoup mieux, y compris la vie sexuelle. Cela devrait vous réjouir…

C'est la fête des Mères le 8 mai, la fête des Pères le 19 juin et la fête nationale du Québec le 24 juin. Bien du plaisir et bonne fête aux pères et mères du signe.

HOROSCOPE HEBDOMADAIRE

Du 1er au 7 mai : Quelle déveine, vous êtes moins en forme ! Ne dramatisez pas et consultez des gens qualifiés qui vous guideront vers une meilleure condition physique. Vous fâcher et fustiger votre corps serait puéril ; chérissez-le plutôt.

Du 8 au 14 mai : La nouvelle Lune du 8 mai en Taureau met l'accent sur la santé et le travail. Les deux se portent mieux, mais les affaires de cœur s'avèrent moins heureuses. Deux vies parallèles, deux amours, feu rouge, danger !

Du 15 au 21 mai : Le 15 présente des risques de nervosité, réflexes amochés, jugement erroné, tremblements. Limitez les voyages, surtout en avion, et ne signez rien qui puisse avoir des répercussions sur votre avenir. Une peine de cœur est possible ; ne pleurez pas, allez, ça ira bientôt mieux.

Du 22 au 28 mai : Pleine Lune du 23 mai en Sagittaire vous rendant lumineux et magnétique. Vous attirez l'attention, évitez que ce soit dans un sens négatif. Sensualité et sexualité sont en conflit, réfrénez vos ardeurs.

Du 29 mai au 4 juin : Les affaires de cœur boitent. L'autre s'oppose à vos plans et projets, ça vous fait rager. Vous avez raison, mais le moment est mal choisi pour imposer votre volonté. On vous traiterait de tous les noms… Encaissez !

Du 5 au 11 juin : La nouvelle Lune du 6 juin en Gémeaux donne à penser que les autres sont plus forts que soi. Ça peut n'être qu'une impression, mais c'est déplaisant. Attendez votre moment pour traiter d'affaires sur un pied d'égalité. Côté cœur, les choses s'arrangent remarquablement, c'est consolant.

Du 12 au 18 juin : Vous qui adorez la nature, vous êtes servi. La vie au grand air, le camping, le caravaning, le golf, le tennis, les sports nautiques, tout vous plaît. Les vacances arrivent, il est temps de faire des projets en ce sens.

Du 19 au 25 juin : La pleine Lune du 21 juin en Capricorne parle d'argent. Le 23 accorde santé, dynamisme et optimisme ; vous reprenez le dessus. Sortez, recevez, assistez à des manifestations sportives et remportez le championnat !

Du 26 juin au 2 juillet : Le 28 est jour de chance. Mercure et Vénus vous font des faveurs, il faut en profiter à souhait. L'étranger et les étrangers jouent un rôle majeur dans la vie sentimentale, affective et amicale. Les voyages sont agréables et sécuritaires.

CHIFFRES CHANCEUX

5 - 9 - 10 - 26 - 27 - 39 - 40 - 45 - 51 - 69

JUILLET

Chez moi, le secret est enfermé dans une maison aux solides cadenas dont la clé est perdue et la porte scellée.

LES MILLE ET UNE NUITS

FABULEUX

Juillet est fabuleux, et le terme est faible. Une majorité de planètes voyageant en signes compatibles vous met en lumière et attire sur vous les courants sympathiques embellissant l'existence et la rendant attrayante. Il fait bon vivre cet été 2005. Vous en garderez un souvenir ému et cela pour de multiples raisons allant de la santé meilleure aux facultés affectives plus intenses et aux gains d'argent plus plantureux. De quoi assouvir vos appétits gargantuesques, assurément!

CARACTÈRE AIMABLE

Votre caractère aimable rend les relations sociales et professionnelles plus cordiales ; vous cumulez les bons points et les sympathies. L'effet agréable des événements extérieurs affecte aussi votre vie privée et familiale de façon positive. On ne vous a pas vu aussi gai et drôle depuis des lunes. Votre sens critique est tordant; de quoi rigoler à se briser les côtes. Pourvu que vous sachiez rire de vous-même à l'occasion, c'est acceptable...

EVEREST

Dons, qualités et talents naturels se trouvent multipliés pendant que les occasions de vous démarquer se profilent avec de plus en plus de clarté. Si vous n'atteignez pas le sommet ce mois-ci, ce sera le suivant ou l'autre. Aucun problème, vous savez que vous allez atteindre l'Everest. C'est tout un exploit!

AMOUREUX

Il est possible que vous soyez amoureux au point de penser à vous marier, à vous lier sérieusement ou encore à vous associer en affaires. La chose est intéressante, surtout s'il s'agit d'une personne d'un âge et d'un statut comparables au vôtre. Les trop grandes divergences ont le don de vous exaspérer à la longue ; une grande différence d'âge, par exemple, pourrait vous refroidir. Pensez à vous, mais ne négligez pas de réfléchir aux conséquences que cette union aurait sur votre famille, vos amis, vos relations.

SI LE PAS EST TROP DUR

Si le pas est trop dur à franchir, ne le franchissez pas et attendez d'être tout à fait sûr de vous et des sentiments de l'autre personne. Vous êtes deux dans cette histoire ; reléguer l'autre au second rôle pourrait constituer une erreur.

Ça risquerait d'être mal compris de sa part, mal interprété. Assurez-vous que vos intentions sont partagées avant d'aller plus loin dans la relation.

OSMOSE

Ne provoquez rien pour le moment, mais si le cœur vous en dit et que vous en avez l'âge et les moyens, dites le grand « oui » sans hésiter. Cette complicité deviendra osmose et votre amour se peaufinera au fils des ans. Il faut investir dans une relation de ce type ; si vous êtes prêt à le faire, c'est que vous avez vos raisons. En ce cas, n'hésitez pas une seconde et sautez le pas !

Bonne chance et bonnes vacances !

HOROSCOPE HEBDOMADAIRE

Du 3 au 9 juillet : La baignade, les promenades en sous-bois, l'odeur des roses, rien de mieux pour témoigner son amour. La nouvelle Lune du 6 juillet en Cancer est romantique. Soyez-le et son cœur vous appartiendra. Cupidon veille, soyez heureux !

Du 10 au 16 juillet : Semaine concluante côté matériel et financier. Vos vœux sont exaucés, vous êtes au septième ciel. L'entrée de Saturne le 16 en Lion accroît votre pouvoir décisionnel ; dominer est votre rôle, vous assumez.

Du 17 au 23 juillet: Harmonie entre la sensualité et la sexualité permettant de jouir de l'autre sans complexe. Votre santé est florissante; attention de ne pas prendre du poids. La pleine Lune du 21 juillet en Capricorne jette un léger froid: il faut discuter d'argent, c'est la vie...

Du 24 au 30 juillet: Les grandes vacances vous régénèrent. Beau teint, bon pied bon œil, votre sourire attendrit les cœurs les plus endurcis. On a de la peine à résister à votre charme; il ouvre toutes les portes, c'est une arme utile.

Du 31 juillet au 6 août: Évitez les travaux qui demandent beaucoup d'attention. Il y a du mensonge dans l'air. Alcool, drogue, pilules non prescrites en excès sont à proscrire. La nouvelle Lune du 4 août en Lion accroît l'orgueil bien placé, c'est un avantage.

CHIFFRES CHANCEUX

3 - 9 - 12 - 24 - 25 - 30 - 31 - 47 - 58 - 65

AOÛT

Je sais, quand il le faut, quitter la peau du lion pour prendre celle du renard.

NAPOLÉON 1ER

PROGRÈS GIGANTESQUES

Août est plus fort encore que le mois précédent. Les instances sont en place pour vous permettre d'accomplir des progrès gigantesques, il ne reste qu'à tirer parti des opportunités qui sonnent littéralement à votre porte pour atteindre le but que vous vous êtes fixé cette année. Courage, ça ira.

JUPITER ET NEPTUNE

Jupiter en Balance, signe ami, forme un bel aspect à Neptune en Verseau, autre signe ami. Entre les natifs de ces deux signes et vous, il se passe des choses étonnantes. Ensemble, vous pouvez renverser un pouvoir, détrôner un imposteur, dénoncer les malfaiteurs qui usurpent l'argent des autres, ramener la paix où régnait la discorde. La tâche peut sembler trop lourde pour vos épaules, mais grâce au bon souffle planétaire, vous pourriez y parvenir.

MAGISTRAL

Ce programme magistral, chacun de vous l'exécutera à sa façon, selon ses dispositions et ses moyens, mais surtout selon ses propres croyances et principes. Quelle que soit sa dimension, grande ou minuscule, soyez assuré que votre action ne restera pas sans réponse. Nombre de gens comptent sur vous. Vous ne les décevrez pas en vous dérobant à votre devoir, car c'est de cela qu'il s'agit. En l'accomplissant, vous ferez votre propre bonne fortune. D'une pierre deux coups, c'est dans vos cordes!

PRIER, MÉDITER, CONTEMPLER

Profitez de ces beaux jours pour prier, méditer, contempler selon vos croyances et tendances spirituelles. Ces activités mentales et psychiques vous aideront à discerner l'essentiel du superficiel. Ayant à faire des choix qui auront un impact sur votre vie durant de nombreuses années à venir, vous n'aurez jamais trop de forces morales pour affronter la suite.

C'EST BEAU...

C'est beau, mais c'est dur aussi d'une certaine façon. Le changement est toujours déstabilisant et c'est précisément de cela qu'il s'agit présentement. Vous changez de vie, de maison, de travail, d'emploi, d'études, de direction, d'entourage, de décor, de coutumes alimentaires et autres, vous changez peut-être aussi votre vie intime, amoureuse, sexuelle, personnelle. Ce n'est jamais aisé mais c'est stimulant, revigorant, excitant et pour tout dire exaltant!

Jetez le vieux et faites de la place au nouveau. Il faut tout transformer; cela devrait vous plaire, cher Sagittaire!

HOROSCOPE HEBDOMADAIRE

Du 7 au 13 août: Autorité, sens de l'honneur, dignité, aptitude pour la direction et l'organisation, vous êtes la mère estimée, le père adoré. La sincérité de vos sentiments est touchante. On vous cite en exemple à raison: vous êtes parfait!

Du 14 au 20 août: Goût de prendre des responsabilités et de gérer les affaires de la famille. C'est bon, pourvu que vous n'en preniez pas trop sur les épaules. La pleine Lune du 19 août en Verseau solutionne les énigmes; vous en raffolez.

Du 21 au 27 août : Balance, Verseau, Sagittaire, Lion, Gémeaux, Bélier, Taureau et Poissons sont vos alliés. Ils vous aiment inconditionnellement. Bien entouré, vous accomplissez des prodiges pour réussir. Quelle ingéniosité vous avez !

Du 28 août au 3 septembre : La saveur automnale vous plaît. Comme vous prévoyez partir cet hiver sous des cieux plus cléments, cette idée vous revigore. La nouvelle Lune du 3 septembre en Vierge conseille d'éviter la critique acerbe et dure.

CHIFFRES CHANCEUX

1 - 5 - 12 - 13 - 24 - 28 - 30 - 40 - 59 - 60

SEPTEMBRE

L'habitude est une seconde nature.

SAINT AUGUSTIN

LE MEILLEUR DE L'ANNÉE

Le meilleur de l'année doit se produire ce mois-ci. Vous êtes en droit d'espérer une pléiade d'événements finissant par tourner en votre faveur, et ce malgré les apparences contraires qui tendaient à se multiplier. Attendre et patienter aura été payant ; vous savez maintenant hors de tout doute que vous aviez raison de croire en votre bonne étoile.

L'INACCESSIBLE

Les manifestations de chance ont commencé à se dévoiler dès le début de l'année, mais c'est en septembre que vous atteignez l'inaccessible et que vous dépassez les prévisions. Vos propres limites étant écartées, vous allez directement au cœur d'une affaire passionnante et rapportez des résultats concrets de l'expérience.

DIABOLIQUE OU MIRACULEUX

Voyant clair et demeurant d'une logique implacable, vous faites les concessions qui s'imposent pour parvenir à l'accomplissement de votre idée, de votre but. Vous avez le goût et êtes capable d'effectuer les changements et virages nécessaires pour revitaliser votre situation financière, sociale et professionnelle. Les échéances vous stimulent, vous arrivez à la dernière minute mais respectez le point de chute. Ce qui se produit est « diabolique », mais miraculeux est le terme employé, il n'est pas exagéré de l'affirmer.

APOTHÉOSE

Pluton dans votre signe reçoit l'approbation de Jupiter ; c'est en quelque sorte l'apothéose, le summum de ce que vous réaliserez d'ici longtemps. L'âge et le statut social n'ont aucune importance ; vous ignorez les préjugés et franchissez les étapes avec un cran que l'on ne vous connaissait pas. Rien ne vous arrête ; il ne résulte que du bon de vos actes et décisions. Il faut compter sur une part d'extravagance en ce septembre riche en émotion et en gain matériel ; seul l'extraordinaire vous fait plaisir. Rassurez-vous, il en pleut !

AU DIABLE LES TABOUS

Bâtissez, érigez, créez de l'art, de la musique, des œuvres personnelles, écrivez, innovez, critiquez, améliorez, détruisez ce qui est obsolète et oubliez le passé. Vive la vie ultramoderne et décontractée et au diable les tabous !

Et si rien de tout cela ne transparaît dans votre vie à vous, qu'en est-il au juste ? Vous en serez quitte pour avoir fait une lecture stimulante qui aura le mérite d'avoir servi à quelque chose de positif. Cela aura valu l'effort.

HOROSCOPE HEBDOMADAIRE

Du 4 au 10 septembre : Si vous avez commis des erreurs dans votre vie amoureuse, il faut profiter de la période pour raccommoder les brisures et remettre les choses en place. Plus de générosité et de simplicité aidera.

Du 11 au 17 septembre : Prendre des vitamines et minéraux supplémentaires comblera les déficiences de votre alimentation. Un naturopathe et un médecin seraient utiles. À la pleine Lune du 17 septembre en Poissons, les larmes couleront…

Du 18 au 24 septembre : Malgré la chance que vous avez, des coins sombres persistent. La santé est raisonnable, les nerfs solides,

le jugement et l'équilibre prévalent. Le bonheur semble durable ; n'en demandez pas plus à la vie.

Du 25 septembre au 1er octobre : Le succès obtenu ne vous monte pas à la tête. Vous vous sentez grisé, mais vous sentez que la chance est volage. La sagesse tempère vos goûts extravagants : il faut penser à demain, dit-elle à raison. Écoutez-la.

CHIFFRES CHANCEUX

5 - 17 - 28 - 29 - 34 - 35 - 40 - 41 - 54 - 61

OCTOBRE

On a peine à haïr ce qu'on a bien aimé
Et le feu mal éteint est bientôt rallumé.

CORNEILLE

MOINS D'ENTHOUSIASME

Vous connaîtrez moins d'enthousiasme en octobre du fait de deux éclipses sans effet direct sur vous et votre signe, mais portant tout de même à limiter les grosses dépenses pour le plaisir et la fantaisie. Mieux vaut s'en tenir à la sobriété ce mois-ci. Vous aimerez la stabilité que vous procurera la routine ; rien de tel pour calmer le Sagittaire en effervescence.

ÉCLIPSE SOLAIRE

L'éclipse solaire annulaire du 3 octobre en Balance ne vous affecte pas personnellement. À moins d'avoir un ascendant Balance, Cancer, Capricorne ou Bélier, vous êtes sauf. Si tel est le cas, par contre, soignez votre santé, celle-ci pouvant décliner vers cette date.

ÉCLIPSE LUNAIRE

L'éclipse lunaire partielle du 17 octobre en Bélier n'est guère plus dangereuse. Les mêmes signes étant impliqués, prenez soin de votre état psychique et moral si vous êtes concerné. Mais il y a beaucoup de chances que non et c'est tant mieux : vous pourrez porter secours à ceux qui seront moins résistants que vous. Chez les natifs et ascendants des signes énumérés ci-dessus, ce n'est pas ce qui manquera.

C'est l'Action de grâce le 10 octobre, bon congé à tous!

HOROSCOPE HEBDOMADAIRE

Du 2 au 8 octobre: L'éclipse solaire annulaire du 3 octobre en Balance a été expliquée plus haut. Vénus passant dans votre signe le 7 rend charmant; vous ne risquez pas de manquer d'amour.

Du 9 au 15 octobre: Mettez de l'ordre dans votre vie de couple, dans vos papiers, dans vos affaires d'argent. Testaments, mandats en cas d'inaptitude, legs, tout doit être fait pendant que Jupiter vous favorise. C'est le meilleur temps pour agir.

Du 16 au 22 octobre: L'éclipse lunaire partielle du 17 octobre en Bélier est neutre; l'explication donnée plus haut vous renseignera. Restez ouvert aux suggestions des gens de votre entourage. Ils ont votre intérêt à cœur et vous aiment.

Du 23 au 29 octobre: Jupiter passe en Scorpion le 25; faites en sorte d'avoir réglé vos problèmes légaux et autres conflits avant cette date de préférence. La vie vous apparaît sous un angle séduisant, vous êtes en amour, c'est visible.

Du 30 octobre au 5 novembre: La nouvelle Lune du 1er novembre en Scorpion parle de secrets, d'enquêtes, de recherches diverses que vous effectuez par plaisir ou dans un but caché. Prudence le 5 où il y a risque d'accident; gare à la nervosité.

CHIFFRES CHANCEUX

8 - 12 - 29 - 30 - 31 - 40 - 50 - 51 - 64 - 65

NOVEMBRE

Il n'est rien de plus menaçant que le bonheur, et chaque baiser qu'on donne peut éveiller un ennemi.

M. MAETERLINCK

TRANSFERT

Si vous travaillez en collaboration avec un groupe, un maître, un guide, vous allez devoir changer de registre en novembre et devenir plus récepteur qu'émetteur d'idées et d'actions. Le transfert de votre nature de feu à des courants d'eau doit se faire le plus harmonieusement possible, mais il sera brusque. Prévoyant la chose, vous serez mieux disposé.

D'UN GENRE À L'AUTRE

Que se passe-t-il pour que vous deviez changer d'attitude ? Il arrive que nous devions passer du genre masculin au genre féminin. Ce n'est pas simple. Madame, vous avez moins de difficulté à faire le saut. Monsieur, prenez conscience du besoin de vous « féminiser », sinon vous risquez de n'être plus dans le coup et de passer pour ringard ou, pire, pour un macho fini !

D'endiablée, la musique se fait romantique. La danse n'est plus la même, mais vous suivez bien le tempo. Il faut ce qu'il faut, n'est-ce pas?

ASCENDANTS QUI ONT LA COTE

Les ascendants qui ont la cote sont Poissons, Scorpion et Cancer. Ceux-ci ont une chance incroyable et tout le merveilleux leur arrive, mais l'ascendant Capricorne, Vierge ou Taureau profite aussi d'une chance peu commune. Dans les affaires ayant rapport avec l'électricité, le cinéma, la télévision, la radio, la presse écrite, la publicité et les médias en général, tous ont du génie.

PAYS ÉTRANGERS

Aimables et aimés, les Sagittaire ainsi dotés sont recherchés pour leurs idées nouvelles autant que pour leur expérience de vie et de travail. Voyager en avion est fréquent et agréable. En pays étrangers, ils ne courent aucun risque et peuvent connaître la popularité, traiter d'importantes affaires et faire des gains financiers qui les sécuriseront pour le reste de leurs jours. Pensée magique ? Non, réalité que plusieurs d'entre eux connaîtront. Ils auront la gentillesse de le souligner, j'espère...

CROISIÈRE

Une croisière ou un voyage peut donner lieu à des événements romanesques à souhait. Rencontres fortuites, amour d'un jour, d'une nuit, jeux érotiques et allumeurs, vêtements sexy et inhabituels, tout ce qui altère l'apparence est favorisé. Changer d'allure pourrait s'imposer. Trop masculine, Madame, sortez vos froufrous, ça pourrait changer votre vie ! Lève-tard, levez-vous avec le Soleil, il vous donnera son énergie et guérira vos maux ! Vous voyez, la recette du bonheur est souvent simple, il suffit de l'appliquer...

ARTS DIVINATOIRES

Vous excellez dans les arts divinatoires, mais prédire votre propre avenir est plus difficile, je vis la même expérience tous les jours... Tenter de le faire serait utile en cette fin d'année pas comme les autres. Vous êtes votre meilleur ami, prévoyez des choses intéressantes et qu'elles se réalisent !

Joyeux anniversaire aux Sagittaire du début du signe !

HOROSCOPE HEBDOMADAIRE

Du 6 au 12 novembre : Vous devez faire abstraction de vos propres envies et satisfaire celles de votre partenaire et des autres en général. Rien de tragique, mais ça peut vous indisposer temporairement. Prenez-le en riant, ce sera plus facile.

Du 13 au 19 novembre : La pleine Lune du 15 novembre en Taureau invite à la gourmandise et aux excès de boisson et de nourriture. Recevez, fêtez et célébrez, mais avec modération. Vous ne voulez pas défaire ce que vous avez accompli.

Du 20 au 26 novembre : L'automne commence à vous rendre maussade. Le 21 accroît la nervosité. Réflexes peu sûrs, jugement erroné, ne conduisez que s'il le faut absolument et encore faites-vous conduire, ça protégera tout le monde.

Du 27 novembre au 3 décembre : Poissons, Cancer et Scorpion sont vos amis. Leur intuition est juste, la vôtre aussi si tel est votre ascendant. La nouvelle Lune du 1er décembre en Sagittaire apporte de bonnes nouvelles, bravo !

CHIFFRES CHANCEUX

8 - 12 - 13 - 29 - 30 - 43 - 44 - 50 - 67 - 70

DÉCEMBRE

Vous resterez jeune tant que vous resterez réceptif à ce qui est beau, bien et grand. Réceptif aux messages de l'homme, de la nature, de l'infini.

GÉNÉRAL MACARTHUR

CHANGEMENT DE RYTHME

Vous devez changer de rythme en décembre, en particulier avec la famille et les personnes que vous voyez régulièrement. Être à l'écoute, apprendre, réfléchir, vous débattre avec des principes contradictoires sans pour autant imposer vos opinions, tenter de faire la synthèse des différentes composantes de votre être profond, vous en avez pour des mois et des années ! N'ayez crainte, la transition d'un rythme à l'autre se fera sans trop de heurts.

ASCENDANT EN DIFFICULTÉ

Certains Sagittaire dont le signe ascendant est en difficulté doivent user d'une prudence extrême dans leurs rapports avec l'argent. Les placements ne sont pas sûrs, les investissements à déconseiller, les dépenses folles à éviter pour les ascendants suivants : Scorpion, Lion, Taureau et Verseau. Si cela ne vous concerne pas, tant mieux, vous en profiterez pour aider les personnes de ces signes. Elles ont besoin de vos conseils, de votre soutien. Avoir accompli votre devoir de parent, d'enfant ou d'ami ajoutera à votre satisfaction personnelle.

METTRE LE COUVERCLE

Parce que les signes d'eau prédominent, vous n'allez pas vous éteindre complètement ; ce serait une erreur. Par contre, mettre le couvercle sur trop d'expansion et d'extraversion accroîtra les chances de réussite dans la voie que vous poursuivez. La chance de ces derniers mois ne s'est pas envolée, elle a changé de chemise tout simplement. Envisagée sous cet angle, la vie vous paraîtra plus jolie. Vous terminerez l'année en forme et en beauté !

À ceux dont c'est le tour, joyeux anniversaire !

HOROSCOPE HEBDOMADAIRE

Du 4 au 10 décembre : Laisser la vedette à d'autres et assumer un rôle plus discret vous convient parfaitement. Vous avez eu vos heures de gloire, il est temps de passer la serviette. Vous n'abandonnez pas, vous diminuez la vapeur.

Du 11 au 17 décembre : La vie affective et sentimentale prend de la vigueur, le charme est en croissance, les dons artistiques et esthétiques sont valorisés. La pleine Lune du 15 décembre en Gémeaux s'oppose à vos désirs, ne pleurez pas.

Du 18 au 24 décembre : Les fêtes vous sont plus imposées qu'autre chose, mais vous faites bonne figure. Aimant respecter les convenances, vous n'allez pas vous défiler complètement. Si ? Alors bonne chance, bon voyage, on comprend.

Du 25 au 31 décembre : Joyeux Noël, cher Sagittaire de tout ascendant ! Le bilan annuel est cousu d'événements amusants, tirez les leçons qui s'imposent et, à la nouvelle Lune du 30 décembre en Capricorne, comportez-vous de façon responsable comme il se doit. La fin de l'année est conforme à vos expectatives.

CHIFFRES CHANCEUX

7 - 8 - 12 - 13 - 29 - 30 - 42 - 44 - 54 - 63

Bonne année nouvelle, cher Sagittaire !

Capricorne

DU 23 DÉCEMBRE AU 20 JANVIER

1er DÉCAN : DU 23 DÉCEMBRE AU 31 DÉCEMBRE
2e DÉCAN : DU 1er JANVIER AU 10 JANVIER
3e DÉCAN : DU 11 JANVIER AU 20 JANVIER

Prévisions annuelles

DÉSIRS SECRETS

Bien des changements sont prévisibles dans l'existence du Capricorne cette année. Il doit user de discernement dans sa vie de couple, ses associations d'affaires et ses affiliations sociales et professionnelles. S'associer à des personnes de qualité est essentiel pour le Capricorne. De ces amalgames dépend la réussite ou l'échec de ses désirs les plus secrets. Inutile d'en souligner l'importance.

CHANGER POUR CHANGER

Il ne s'agit pas pour vous de changer pour changer, mais d'effectuer des transitions réfléchies dont l'issue pourrait entraîner votre bonheur ou votre malheur. Changer pour mieux n'est pas évident ; avec l'aide de l'astrologie et de son messager, moi en l'occurrence, vous ferez les bons choix et ce, en temps opportun, évitant ainsi les bévues coûteuses. Ce livre vous sera précieux cette année ; vous en conviendrez en décembre prochain.

SIX PREMIERS MOIS

Les six premiers mois de l'année peuvent s'avérer décourageants. Vos réserves d'énergie vitale étant basses, vous pouvez vous sentir incapable de transiger avec l'adversité qui vous accompagne depuis près de deux ans. Si ce n'est pas la grande déprime qui empêche de fonctionner, vous n'êtes tout de même pas à votre meilleur. Vous acceptez mal de vieillir, sans compter que l'entourage et les amis vieillissent aussi, ce qui peut vous affecter. Voir des personnes en santé, jeunes et optimistes vous obligera à danser sur un rythme plus entraînant.

BURNOUT

Vous pouvez vous sentir fatigué ; peut-être souffrez-vous de *burnout*. En ce cas, vous vous sentez vieux et usé quel que soit votre âge biologique. Rien ne vous amuse vraiment ; vous végétez sans but spécial et le moindre effort vous pèse, vous préféreriez dormir et ne rien faire. Ce sont des signes avertisseurs ; ne négligez pas les symptômes et prévenez les risques en agissant le plus rapidement possible.

En réalité, les choses ne vont pas si mal, mais vous vous plaisez à amplifier vos ennuis. Une demi-sabbatique vous ferait du bien ; si vous pouvez vous l'offrir, n'hésitez pas. Vous reprendrez le collier quand vous serez rétabli.

JUPITER PEU GRACIEUX

Peu gracieux, Jupiter voyage en Balance et vous fait un aspect négatif. Comme il se trouve en carré au Capricorne, vous ne devez pas compter sur la chance qu'il accorde mais uniquement sur vous-même. À la longue, ça use…

Il semble que vous tendiez à faire des erreurs plus souvent que d'habitude ; cela vous contrarie terriblement, vous qui désirez être parfait. Trop de confiance en soi, vanité, excès de toutes natures ; il faut redouter l'hypertension artérielle, de fortes dispositions au diabète et une aggravation due à des troubles congestifs affectant l'estomac, l'ossature, les genoux surtout, les poumons, la peau, les dents, les yeux, le cœur et les organes de la tête. Vous n'avez pas tout cela, mais les risques sont accrus, il faut y voir.

UN ASCENDANT AIMABLE

Un ascendant aimable dans la Balance, le Verseau, le Gémeaux ou le Sagittaire aiderait votre cause ; souhaitons que tel soit le cas, sinon vous aurez à vous débrouiller seul et avec les moyens du bord. Ingénieux et persistant, vous résoudrez les problèmes qui semblaient sans issue et trouverez moyen d'avoir du plaisir à vivre cette année qui sera plutôt difficile pendant les six premiers mois, mais plus agréable et plus douce le reste de l'année.

PATIENCE À BOUT

Sans dramatiser, il semble que votre conjoint, votre associé, les autres en général se liguent pour vous compliquer la vie. Ce n'est pas nécessairement de leur faute sans doute, mais le sentiment d'être impuissant à tout régler vous handicape et vous coupe les ailes. Vous aimez que les choses se règlent rapidement et votre patience est à bout, c'est tout !

FIL À LA PATTE

Certains natifs du 11 au 20 janvier se sentent pris au piège. Un fil à la patte les retient de procéder à leur guise. Juillet les délivrera de leurs soucis et leur redonnera confiance. Quand on est né sous une étoile nommée Saturne, ce n'est pas son opposition qui nous empêchera d'avancer. Un conseil: laissez tomber ce qui date de sept ans et n'apporte pas les bienfaits escomptés et recommencez à neuf. Traîner ce qui est obsolète retarderait votre évolution. Ne vous désolez pas: en juillet, tout ira mieux, Saturne passant en Lion cessera son opposition et vous rigolerez à nouveau.

CHANCE PURE

Ne comptez pas sur la Chance Pure, celle qui est gratuite et vous tombe sur le nez sans que vous ayez le moindre effort à fournir. Cette forme de chance n'est pas pour vous cette année. À moins d'avoir un solide ascendant Bélier, Lion ou Sagittaire, laissez tomber les jeux de hasard, la spéculation boursière et financière, les placements trop audacieux et risqués. Ce n'est pas le moment de tenter le sort; il est plutôt rebelle, vous l'aurez remarqué.

CHANCE DE JUPITER

La chance de Jupiter, celle qui se manifeste sous forme d'opportunités à saisir, vient, elle, à la fin d'octobre. Ça peut sembler loin, mais en réalité c'est tout proche. Tout de suite après, un novembre superbe vient mettre un baume sur vos déceptions et amertumes. Vous terminez l'année beaucoup plus allumé que vous ne l'avez commencée, c'est prometteur pour l'année suivante…

ÉCLIPSES NOCIVES

Trois éclipses vous concernent cette année. Prévoyez moins d'activité physique et psychique au moment de l'éclipse solaire totale du 8 avril en Bélier, puis de l'éclipse solaire annulaire du 3 octobre en Balance et finalement lors de l'éclipse lunaire partielle du 17 octobre en Bélier. Nous en tiendrons compte dans les prévisions mensuelles; vous serez à même d'observer d'un point de vue personnel l'effet nocif de ces phénomènes naturels prédisposant tout ce qui vit sur Terre à des épreuves. La chose promet d'être intéressante…

ANGE DISPONIBLE

Un ange est disponible et désire vous aider à franchir le cap de la nouvelle année le plus joyeusement possible. Il se nomme Poiel et peut vous guider adroitement vers le savoir et le pouvoir. Invoquez-le souvent ; il accorde de l'éloquence et permet d'exprimer ses émotions, de les mettre en mots et de fasciner l'auditoire par les sons que vous émettez.

Poiel vous fera comprendre les choses cachées, il accroîtra votre intuition. Vous découvrirez les sentiments qui animent l'autre, ses besoins affectifs, mais aussi ses mobiles. Il réglera votre comportement de façon à devenir indispensable à l'être qui a besoin d'amour. Compositeurs, musiciens, chanteurs et acteurs seront aidés par Poiel. Il les comprend et les aime.

Coup d'œil sur le Capricorne de tout ascendant

Capricorne-Capricorne

Les six premiers mois sont durs ; vous aurez sans doute besoin d'aide extérieure pour vaincre la maladie et l'angoisse. Au besoin, n'hésitez pas à recourir à des soins spécialisés.

Ce n'est pas la catastrophe mais vous avez connu des jours meilleurs. Une chose demeure intacte, c'est votre intuition. D'une qualité rare, celle-ci vous guide à travers les dédales de l'existence ; écoutez-la.

L'idée qui s'imprime dans le cerveau à la vitesse de l'éclair est la bonne, ne discutez pas. Vous profitez de l'aide d'Uranus, planète de changement et d'inattendu. De ce côté, vous avez de belles joies à escompter.

Suivre les prévisions vous aidera à régler les problèmes réels ou imaginaires. La maladie psychosomatique est aussi douloureuse que l'autre. Prenez soin de vous et tout se terminera bien.

Capricorne-Verseau

Vous avez de la chance, votre côté Verseau vient à votre secours et empêche la déprime de s'installer. Indépendant, autonome et entier dans vos amours et vos haines, vous êtes gagnant.

Utiliser ce côté de vous le plus possible rendra votre vie plus aisée pendant les six premiers mois de l'année. Votre forte personnalité mise au service de votre réussite vous avantagera matériellement.

Les gains substantiels que vous ferez cette année grâce à votre nature audacieuse et avant-gardiste ne doivent pas être dépensés en vain par le Capricorne inhabituel que vous êtes devenu.

Resserrer les cordons de la bourse et surveiller votre santé physique et morale vous permettra de vivre l'année avec le moins de bleus au cœur possible. Les prévisions qui suivent vous sont indispensables.

Capricorne-Poissons

Vous avez beaucoup d'intuition et pouvez l'utiliser habilement dans vos affaires d'argent ainsi que dans le cours de vos relations interpersonnelles avec les patrons, collègues et employés.

Pouvant déterminer qui dit vrai et qui triche, vous avez une longueur d'avance sur l'adversaire et le concurrent. Suivre votre première idée fait de vous un gagnant sur toute la ligne.

Avoir un profil bas vous réussit, mais cette année la personnalité Poissons favorise les manifestations de reconnaissance publique ; la popularité vient obligatoirement. Pourvu que la santé tienne, ça ira.

Novembre réalise deux de vos rêves les plus chers. Un beau voyage par terre et mer vous rend heureux et votre portefeuille est bien garni. Les prévisions de la section suivante vous indiqueront les temps propices au changement.

Capricorne-Bélier

La combinaison de ces deux signes est plus douteuse cette année. Aucun doute, vous avez besoin de soutien et d'aide extérieure. Les événements se bousculent, vous pouvez être au bout du rouleau…

Sans vouloir vous inquiéter, il y a lieu d'être très sérieux au sujet de votre santé et aussi de votre sécurité personnelle, vous assurant de faire le maximum pour vous protéger et assurer votre sécurité.

Aller trop vite et se précipiter est interdit, cela sur tous les plans. Au travail, au volant, en amour, sexuellement, dans le choix d'un partenaire de vie et le choix de devenir parent, prudence !

L'agressivité et la violence sont à contrôler pour ne pas dépasser les bornes. La Chance Pure favorisant le côté Bélier met à l'abri des tragédies. Les prévisions qui suivent vous aideront aussi à réduire les risques d'accidents et autres. Bonne chance !

Capricorne-Taureau

La personnalité Taureau prend le pas sur l'être profond. De janvier à juillet, laissez parler votre cœur au détriment de votre logique et de vos ambitions personnelles. Le cœur, mes chéris, le cœur !

Trop de dépenses pour vous bâtir une niche supposément confortable, trop d'obligations et de sollicitations sexuelles au travail et dans le métier, tout cela vous chamboule les nerfs. Dételer s'impose d'urgence.

À compter de juillet, le Capricorne reprend le dessus. Vous avez raison de privilégier le côté riche et dominant de votre nature, c'est ce qui vous protège des mauvais amis et des relations douteuses.

Trop terre à terre, vous perdrez en décembre. Prévoyez une chute des valeurs, des hausses de taxes exorbitantes et d'autres difficultés monétaires. Les prévisions de la section suivante vous aideront à aller chercher votre bien.

Capricorne-Gémeaux

Vous avez la chance d'avoir une personnalité qui s'adapte facilement. Rien ne trouble le Gémeaux, il réussit aisément, il fait de bonnes affaires et il rit jusqu'à la banque. Écoutez-le, vous serez choyé.

Si la santé tient le coup, vous serez capable d'apporter des changements majeurs dans votre vie privée et familiale. Ces transformations amélioreront remarquablement votre qualité de vie.

La lourdeur altérant la légèreté de l'être, il faut la mettre de côté et opter pour ce qui semble superficiel mais qui répond mieux aux besoins actuels. Rire, vous amuser, voyager serait idéal.

À compter de la fin d'octobre, vous retrouvez votre côté Capricorne avec plaisir, mais en affaires, optez résolument pour le Gémeaux. Les prévisions le confirmeront, c'est lui qui vous porte chance et bonheur.

Capricorne-Cancer

La combinaison est à la fois solide et insécurisante. Il faut vous résigner à choisir entre des tendances contraires qui vous inspirent et vous allument. Entre deux personnes aussi peut-être…

Vous pouvez être physiquement fatigué, voire épuisé, et devoir prendre congé pour un temps, celui de vous refaire une santé physique et morale et de vous rebâtir un présent et un avenir.

Même si vous avez de bons associés et de bonnes intentions, vous semblez bloqué. Le frein imposé par Saturne sur votre ascendant et s'opposant au Soleil natal vous pèse.

Inutile de vous battre contre le sort, mieux vaut abonder dans son sens, vous reposer, prendre une année sabbatique si tel est votre envie. Les prévisions qui suivent vous rendront d'énormes services. Bonne chance !

Capricorne-Lion

Empressez-vous de terminer ce que vous avez commencé et finissez votre boulot avant d'entreprendre quoi que ce soit d'autre. L'orgueil vous pousse dans le dos, tempérez vos ambitions.

La personnalité Lion favorise la réussite sociale et matérielle de janvier à juillet. Le reste de l'année, il faudra mettre le Lion en cage pour l'empêcher de faire des sottises en allant trop loin.

Prendre le moins de responsabilités possible à compter de juillet vous évitera des ennuis. Votre santé pouvant requérir des soins particuliers, il serait bon de procéder à un examen complet de votre état physiologique.

Si des soins sont requis, n'hésitez pas à les obtenir et le plus tôt sera le mieux. Éviter les temps d'éclipses vous fera remonter la pente plus vite et vous sécurisera. Les prévisions mensuelles vous renseigneront à ce sujet.

Capricorne-Vierge

La combinaison est difficile. La personnalité Vierge doit assumer de lourdes responsabilités alors que le Capricorne n'en veut plus. Il faut commencer par faire la paix avec soi-même.

Trop terre à terre, vous risquez de manquer de belles opportunités d'obtenir le travail désiré ou la promotion enviée parce que vous n'y croyez pas suffisamment. Ces choses-là se sentent…

Vous avez intérêt à cultiver l'intellect et la spiritualité, deux fonctions essentielles à la bonne marche de vos affaires. Foi et intuition peuvent manquer ; c'est dommage, mais vous vous reprendrez.

Analysez vos motivations ; ce travail sur vous-même améliorera votre sort tout en vous ouvrant à un monde nouveau dont vous semblez ignorer l'existence. Les prévisions qui suivent vous aideront à faire le tri.

Capricorne-Balance

Par chance, vous avez un ascendant privilégié qui permet une bonne santé, des amours satisfaisantes et des gains d'argent dépassant la moyenne. En utilisant votre côté Balance, vous faites des affaires d'or.

Ne vous laissez pas aller à des sentiments de culpabilité et d'infériorité. Si vous connaissez des conflits intérieurs, réglez-les pour ne pas nuire à vos relations humaines. Vous ne voudrez pas éloigner ceux que vous aimez.

Pas facile d'avoir à la fois un côté Saturne et un côté Vénus. Les deux tendances étant contraires, il faut faire l'harmonie en soi-même. Vous pourrez ensuite contempler l'idée de tomber en amour et d'être heureux.

Lire attentivement les prévisions mensuelles et hebdomadaires qui suivent vous permettra de prévoir les problèmes de santé physique et morale et d'être en sécurité lors des éclipses qui pourraient entraîner des difficultés.

Capricorne-Scorpion

Tiraillé entre des influences de nature assez violente, vous êtes en contradiction avec ce qui se passe actuellement dans le monde. Vous semblez vivre sur une autre planète, indifférent à tout.

Tout coûte trop cher, tout vous agace, rien ne trouve à vous satisfaire ni sensuellement ni sexuellement. Votre santé peut vous préoccuper sérieusement. Un bon médecin vous dira ce qu'il en est exactement.

Limitez les dépenses de temps, d'énergie et d'argent et ne déplacez pas vos fonds en décembre ; si vous devez le faire, que ce soit bien avant. Sinon vous risquez des pertes assez considérables.

La fin d'octobre et la fin de novembre apportent de la gratification sous forme de gains matériels importants. Un voyage est possible mais ne partez pas en décembre, ce serait risqué ; les prévisions qui suivent le confirmeront.

Capricorne-Sagittaire

Vous avez intérêt à mettre en valeur la personnalité enthousiaste, sympathique et sociable de votre côté Sagittaire. Plus vous serez dynamique, plus vous obtiendrez des résultats satisfaisants.

Vos meilleurs mois sont mars, août et surtout septembre ; celui-ci met en valeur vos qualités d'indépendance et d'entrepreneurship. Votre audace n'a d'égal que vos talents de vendeur ; vous êtes un as.

Faire peau neuve permet au Capricorne des réussites exceptionnelles à la fin d'octobre et surtout en novembre. De beaux succès sont promis, il vous appartiendra d'en tirer profit.

Ne faites ni excès ni surmenage et exploitez le côté Sagittaire de votre nature. Laisser de côté la retenue et voir grand est le conseil des étoiles ; cela se vérifiera dans les prévisions.

Prévisions mensuelles

JANVIER

Il est souvent préférable d'être actif plutôt que de penser trop intensément.
LOUIS BROMFIELD

ANNIVERSAIRE EN DÉBUT D'ANNÉE

Célébrer son anniversaire en début d'année peut être fastidieux. D'un côté, il est agréable de voir ceux que l'on aime durant le temps des fêtes, de l'autre on aimerait bien que notre anniversaire soit célébré en lui-même. J'imagine que vous préféreriez un autre temps de l'année, mais les dés sont jetés. Aussi bien en prendre votre parti et apprécier ce que le destin vous a servi. La nourriture est abondante, les vins capiteux, la bonne humeur de mise, c'est votre fête !

HISTOIRE DE NAISSANCE

Naissance karmique, prophétique, symbolique, naissance tout court, le Capricorne a toujours un destin hors du commun et ce n'est pas vous qui direz le contraire. Tout se passe mystérieusement, parfois de façon cachée, à l'insu des parents, de la famille, hors des liens du mariage, en adoption, dans des circonstances que vous n'évoquerez pas souvent... Triste destinée que la vôtre ? Non, mais lourde par l'hérédité, les appartenances, l'encadrement...

SOUVENIRS

Si je me permets d'évoquer certains souvenirs, c'est que vous tendez à ressasser le passé durant les premiers jours de l'année. Sans être obsessionnelles, certaines images tristes et lourdes de conséquences vous reviennent en tête. Vous avez de la mémoire, cher Capricorne, trop pour votre propre bien. Mettez la rancune, l'amertume, les regrets de côté, sinon vous allez tomber malade. Pardonnez, puis jetez aux oubliettes le bagage encombrant nommé souvenir, c'est le mieux à faire.

VIDEZ VOTRE SAC

Si vous avez besoin de vous confier, cherchez une personne amie en qui vous avez confiance et videz votre sac. Cela vaut mieux que de broyer du noir sans fin. Si vous souffrez plus que de raison et avez besoin d'aide, voyez un bon médecin ou soignant, il ou elle vous fera part de ses opinions et vous guidera vers une personne spécialisée qui vous aidera à redresser la situation.

LA VIE EN ROSE

Souriez: dès le 9 janvier vous commencez à voir la vie en rose. Fini le noir, terminé le spleen, virés ceux qui vous dépriment et minent votre énergie. Vous insistez pour que le rose prédomine dans votre vie affective, familiale et sentimentale. Vous avez raison de chasser la déprime à tour de bras. Ce n'est pas cette tendance qui vous rendra heureux mais l'amour, l'amitié, la tendresse, la compréhension et le partage.

RAISON ET PASSION

Vénus et Mercure passant dans votre signe accroissent votre faculté d'aimer et de raisonner. Vous aimez avec le cœur, mais celui-ci n'est pas dépourvu de logique et d'intelligence. Raison et passion sont indissociables. Vous n'avez rien à envier à personne, vous êtes bien pourvu des deux côtés. Charme et beauté, dons et talents, chance en amour mais aussi en argent, vous partez l'année du bon pied. Le droit ou le gauche, dépendant de votre inclination naturelle…

SENTIMENTS SINCÈRES

Les sentiments sont sincères, profonds, réfléchis. Vous ne galvaudez pas votre amitié et vos marques d'affection sont assez rares, mais elles sont d'autant plus appréciées. Seules les personnes qui font partie de votre vie depuis longtemps sont admises dans votre cercle d'intimes, les autres sont rejetées. C'est peut-être une erreur dans certains cas, mais cela vaut mieux que de se faire envahir par des profiteurs. N'entre pas qui veut chez vous et c'est bien ainsi; les voleurs et autres bestioles pestiférées n'ont pas leur place dans votre foyer. Dehors, voilà c'est fait et bon débarras!

RIEN N'EST PERDU

Si vous êtes mal en point physiquement, sachez que rien n'est perdu. Tout se soigne et se guérit quand c'est pris à temps. Cessez de vous apitoyer sur votre sort et sortez du marasme. Il faut vous secouer et c'est ce que je me permets de faire en ce début d'année incertain. J'espère que vous suivrez ce conseil et que les fêtes vous changeront les idées, sinon j'aurai manqué à mon devoir d'astrologue…

JANVIER AGRÉABLE

Si la santé se porte bien et qu'aucun souvenir morose ne hante vos pensées, vous avez la chance d'avoir un ascendant bienfaisant qui annule les sombres pronostics. Inutile de dire que c'est ce que je souhaite ! Les jeunes et les enfants vous aiment et vous respectent, les études et projets fonctionnent relativement bien, le travail ne manque pas et la santé se porte le mieux possible. Après un début tristounet, janvier est agréable.

HOROSCOPE HEBDOMADAIRE

Le 1er janvier : Jour de l'an plaisant. Des considérations reliées à la santé et au travail vous obligent à réduire vos activités mais vous êtes en forme, adroit, bourré d'humour noir, votre spécialité qui nous fait tant rire. Bonne année !

Du 2 au 8 janvier : La semaine contrarie vos plans et vous met en rogne. Pour minimiser l'impact négatif des critiques acerbes que vous émettez sans apporter de solution de rechange, moquez-vous de vous-même, ça tempérera les choses.

Du 9 au 15 janvier : La nouvelle Lune du 10 janvier en Capricorne apporte des nouvelles intéressantes en ce qui concerne la vie privée et la santé. Charme et talent étant accrus, vous aimez et êtes aimé en retour. Le contraire serait navrant et de votre faute, sans doute.

Du 16 au 22 janvier : Une légère mélancolie est possible ; vous n'êtes jamais sûr de plaire et d'être populaire. C'est pourtant ce que vous recherchez le plus. Peut-être faudrait-il atténuer ce besoin, il peut ressembler à de l'érotomanie…

Du 23 au 29 janvier : Vous tendez à être exagérément soupçonneux et jaloux. Si vous laissez l'autre vivre à sa guise, il vous permettra d'en faire autant, c'est le côté plaisant de la chose. La pleine Lune du 25 janvier en Lion le confirme : tout est affaire d'orgueil et blessure d'amour-propre n'est pas mortelle…

Du 30 janvier au 5 février : L'économie peut devenir avarice si vous n'y prenez garde. Vous priver des biens élémentaires vous placerait sur une pente dangereuse. Continuer dans cette veine serait risqué. Discutez du problème, cela rendra cette attitude vide de sens et vous retrouverez le sens droit du fil.

CHIFFRES CHANCEUX

1 - 8 - 14 - 19 - 20 - 35 - 44 - 45 - 51 - 67

FÉVRIER

Vouloir arriver, c'est avoir déjà fait la moitié du chemin.

ALFRED CAPUS

ACTION ET PLAISIR

Mois des amoureux, février apporte au Capricorne de l'action et du plaisir. Visitant l'un des signes qu'il préfère, le vôtre, Mars charrie avec lui des tonnes d'énergie vitale et morale. Il donne le goût et la possibilité de s'épanouir dans l'amour physique et sexuel. L'effet est puissant, vous n'y serez pas insensible.

Courage indomptable, force presque inépuisable, ambition, volonté, ténacité et enthousiasme prennent de la force. Vous sentez que vous pouvez surmonter tous les obstacles, rien ne vous arrêtera. Ne tenant plus en place, vous devez partir, voyager, faire quelque chose de nouveau et d'excitant pour les sens. Vous sentez le besoin pressant de vous exprimer selon vos critères sexuels et autres. Le corps parle, il ne faut pas l'ignorer.

Du plaisir, c'est tout ce que vous désirez, du plaisir ! Vous n'avez pas tort, il est grand temps de penser à vous détendre et à jouir de la vie.

ÉVITER LES BLOCAGES

Pour éviter les blocages d'énergie pouvant survenir, il faut : vous dépenser en travaillant, en faisant du sport, du bénévolat, de l'art, de la peinture, de l'artisanat, de la danse, du yoga. Bouger, vous animer, voir les personnes qui ont l'art de vous stimuler et de vous mettre au défi. Un défi à relever et vous êtes une autre personne, c'est une bonne façon de vous pousser à l'action.

BOÎTE À MALICE

Défoulez-vous sexuellement ou autrement, mais prenez soin de sortir le trop-plein de votre boîte à malice, sinon vous allez faire des sottises. Jouer la comédie serait bien, vous pourriez crier autant que désiré selon la pièce. Vous pourriez aussi sauter en parachute, ce serait du meilleur effet sur vos hormones et sur vos organes vitaux, mais tout dépend de votre âge et de votre condition physique…

TROP DE SEXE

La circulation sanguine étant bonne, vous avez beau teint et tenez la forme. Le tout est de doser vos activités de manière à éviter la fatigue pernicieuse, trop de sexe, par exemple, nuisant à la reproduction normale des cellules. Ainsi, vous vivrez un février passionnant où le plaisir prédominera.

Bonne Saint-Valentin, cher Capricorne !

HOROSCOPE HEBDOMADAIRE

Du 6 au 12 février : Mars arrive dans votre signe. Elle y restera jusqu'au 20 mars. Vous aurez le temps d'apprécier son action revigorante et de vivre la frénésie qu'elle inspire. La nouvelle Lune du 8 février en Verseau parle argent et voyage.

Du 13 au 19 février : Brassez la cage, il faut qu'il se passe quelque chose. Ceux qui ont du Taureau et de la Vierge sont sur la même longueur d'ondes que vous, ça peut faire des flammes durables ou simplement de belles amitiés.

Du 20 au 26 février : Le 20 est avantageux, une surprise heureuse vous attend. Les relations avec frères et sœurs, cousins, parenté et entourage sont cordiales. Vous obtenez de bons résultats quand

vous travaillez avec ceux que vous connaissez, la pleine Lune du 23 février en Vierge en est un exemple.

Du 27 février au 5 mars : La période exige de la prudence. Le 3 présente des risques en ce qui concerne les affaires légales et les accidents. Il faut redouter les affrontements sur le plan des affaires, il peut survenir des conflits ou procès coûteux. Méfiez-vous de vos colères et surveillez votre foie, votre vésicule, votre pancréas.

CHIFFRES CHANCEUX

4 - 5 - 10 - 11 - 29 - 30 - 31 - 49 - 50 - 66

MARS

L'absence est à l'amour ce qu'est au feu le vent ;
Il éteint le petit, il allume le grand.

ROGER DE BUSSY-RABUTIN

SAVOIR NAVIGUER

Même si vous êtes signe de Terre, il va falloir savoir naviguer ce mois-ci pour éteindre une situation potentiellement explosive, mais qui tend à bien tourner. Faire abstraction de votre caractère vif et apprivoiser votre bouillant tempérament vous permettra de vous faire respecter des patrons et employeurs. Cela vous donnera le pouvoir de surmonter les obstacles et les difficultés que vous allez devoir vaincre pour arriver au but fixé. Les chances sont de votre côté.

VOUS AIMEZ GAGNER

Si ce n'est pas demain la veille, tant pis, vous finirez par réussir à vous imposer et à imposer vos idées, c'est l'essentiel. Vous aimez gagner, cher Capricorne, ça fait partie de votre code génétique. Un jour, on mesurera la capacité de chaque signe d'atteindre les sommets. Ce sera intéressant dans votre cas : je suis sûre que vous dépasserez la moyenne.

VOUS ENTOURER

Pour réussir le coup qui vous intéresse en ce moment, vous avez besoin de vous entourer correctement, par conséquent de faire abstraction de vos préjugés sur certaines personnes ou signes et de déroger à vos habitudes conservatrices pour aller vers ceux qui possèdent la chance et le pouvoir. Réussir de façon majeure vaut bien quelques sacrifices…

ASCENDANTS PRISÉS

Les ascendants prisés sont marqués par le signe solaire, ascendant ou lunaire en Balance, Verseau, Gémeaux et Sagittaire. Si tel est votre ascendant, vous baignez dans l'harmonie cosmogonique et pouvez accomplir des merveilles dans le domaine que vous avez choisi. En associant votre travail et vos idées à de telles personnes, tout devient possible. Si vous avez la chance d'avoir un ascendant se trouvant dans les bonnes grâces de Jupiter et de Neptune, votre vie peut s'en trouver améliorée de beaucoup. De plus, des voyages sublimes sont indiqués.

ASCENDANT BALANCE OU VERSEAU

Un ascendant Balance ou Verseau sera du meilleur effet sur vos affaires d'argent, la fortune étant possible grâce à des inspirations géniales qui touchent un groupe important de personnes ou la société en général. Le remède qui guérit tout, la transmission de pensée, l'invention du siècle, tout est possible si vous utilisez bien vos dons ésotériques et spirituels.

Spiritualité et matérialité se confondent pour améliorer le sort des autres et le vôtre ; vous avez la faveur de deux grands corps célestes, faites-leur honneur !

ASCENDANT SAGITTAIRE

Un ascendant Sagittaire allumera l'esprit et suscitera l'admiration de tous, mais c'est vers la réussite matérielle et financière que les énergies seront dirigées. Gains substantiels dans les affaires traitant de liquides, eaux, huiles, pétrole, hydroélectricité, produits de la mer et synthétiques, distilleries, vins et alcools, voyages et agences de voyage. Chance dans les conglomérats, les trusts, les multinationales, la politique, la philosophie, l'étude des langues et des religions. Le menu est varié, mais les intérêts de votre côté Sagittaire étant multiples, il ne faut pas se limiter… Une belle croisière avec ça ? Pourquoi pas !

C'est Pâques le 27 mars. Joyeuses Pâques, cher Capricorne !

HOROSCOPE HEBDOMADAIRE

Du 6 au 12 mars : Raisonnablement en santé, vous recevez des témoignages d'affection qui vous vont droit au cœur. L'entourage, les frères et sœurs, la parenté, tous vous aiment et le prouvent. La nouvelle Lune du 10 mars en Poissons rend sensible et romantique ; vous passez de bons moments.

Du 13 au 19 mars : Accroissement du désir sexuel et énergie incomparable. Vous en avez jusqu'au 20 puis vous vous détendrez, la vie reprendra un cours plus normal. Ce mot n'a pas beaucoup de sens pour vous, mais il existe…

Du 20 au 26 mars : Le corps est fatigué par tant d'émotion et de travail, il faut décompresser. La pleine Lune du 25 mars en Balance accroît le désir sexuel sans donner la possibilité de l'assouvir, ce qui est frustrant. Faire sortir le méchant sans tout casser est un exploit.

Du 27 mars au 2 avril : Tension, stress, manque affectif, rien ne va à votre goût. Les sentiments sont trop chauds ou trop froids, la famille vous oblige à exécuter des travaux que vous détestez. Trouvez-vous un jardin secret et restez-y assez longtemps.

CHIFFRES CHANCEUX

4 - 12 - 26 - 27 - 33 - 34 - 35 - 50 - 51 - 69

AVRIL

La vie est pleine d'absurdités qui peuvent avoir l'effronterie de ne pas paraître vraisemblables. Et savez-vous pourquoi ? Parce que ces absurdités sont vraies.

LUIGI PIRANDELLO

ÉCLIPSE À SURVEILLER

Ne rien initier, ne rien commencer de nouveau qui soit important en avril est fortement conseillé par les luminaires. L'éclipse solaire totale du 8 avril en Bélier est particulièrement à surveiller. Elle porte un potentiel négatif en ce qui vous concerne ; négliger le moindre symptôme physique serait s'exposer à des ennuis sérieux à court et à plus long terme.

BAISSE DE SANTÉ GÉNÉRALE

Sans s'inquiéter outre mesure, il faut souligner une baisse de santé générale s'étendant à toute la planète et à tout organisme vivant et provoquant souvent des épidémies et épizooties, sans parler des catastrophes naturelles en recrudescence et des risques de conflits armés accrus durant les périodes d'éclipses. Le fait est indiscutable, vous l'observerez vous-même, il y a beaucoup de vrai dans ces croyances antiques....

PRÉVOIR, UN AVANTAGE

Cet état de moindre résistance peut vous affecter plus que d'autres parce que votre signe est affecté par l'éclipse. Aussi sûrement que l'éclipse aura lieu le 8 avril, ce mois est à mettre à l'agenda afin de prévoir le coup et d'arriver à cette date le plus en forme possible. Ce sera un avantage majeur. Vous pourriez arriver à déjouer complètement le sort; ce serait digne de mention car ce n'est pas aisé, tout le monde sait cela.

Les points fragilisés sont la tête et les organes de la tête, yeux, nez, oreilles et dents surtout, l'ossature, les poumons, le cœur parfois aussi... Prévoir de limiter vos dépenses d'énergie ce mois-ci préservera votre santé et empêchera l'aggravation d'une maladie dont vous êtes déjà atteint.

BAISSE DU MORAL

L'éclipse lunaire du 24 avril en Scorpion est de pénombre, donc de moindre intensité. Les Capricorne ascendant Scorpion, Lion, Verseau et Taureau observeront une légère chute du moral et un manque de courage. Temporairement à plat, ils remonteront vite la pente. Ce qu'il faut éviter: déménager, changer d'amour ou d'emploi, investir de nouvelles sommes dans une affaire, ouvrir un commerce ou partir au loin pour changer de vie. Au moment d'une éclipse, vous reviendrez bredouille, c'est fatal. La routine vous sécurisera, c'est la panacée la plus simple et la plus efficace.

HOROSCOPE HEBDOMADAIRE

Du 3 au 9 avril: La semaine est satisfaisante mais l'éclipse solaire totale du 8 avril en Bélier est contraignante et peut apporter des peines et douleurs. Voir plus haut vous renseignera sur ce qu'il convient de faire.

Du 10 au 16 avril: Soleil en Bélier carré Saturne en Balance, voilà qui n'arrange pas les problèmes de santé. Soignez votre estomac, votre vessie et vos reins et consultez sans tarder en cas de fièvre ou de saignements inhabituels. Cela dit, du renfort vient le 15, gardez confiance.

Du 17 au 23 avril: L'éclipse lunaire de pénombre du 24 avril en Scorpion jette un voile sur vos aspirations légitimes. Vous n'avez pas envie de vous donner entièrement ni à une personne ni à un travail; restez sur votre quant-à-soi.

Du 24 au 30 avril: L'éclipse lunaire de pénombre du 24 avril en Scorpion est mineure et ne vous touche pas en principe (voir plus haut). L'amour dont vous êtes entouré compense largement les inconvénients. Sur ce plan, la semaine est vraiment formidable.

CHIFFRES CHANCEUX

4 - 11 - 12 - 28 - 29 - 37 - 38 - 44 - 49 - 56

MAI

On admire le monde à travers ce qu'on aime.

ALPHONSE DE LAMARTINE

ÉMINENCE GRISE

Entrer en contact avec le public vous est naturel, mais ces derniers mois vous semblez évoluer plus à l'aise dans des emplois discrets, voire secrets. Passer par un tiers et par un intermédiaire pour négocier vous plaît; vous préférez avoir affaire au valet qu'au roi, c'est du moins ce qu'on peut déduire de vos agissements. Il semble que vous obteniez des résultats plus rapides en prenant action indirectement. Ça fait partie de votre nature, il faut le dire. Vous êtes souvent l'éminence grise derrière la personne en fonction.

TIREZ LES FICELLES

Vous savez tirer les ficelles mieux que personne. Cela vous est naturel. Parfois, vous prenez la direction officielle, la vedette, mais c'est un peu à contrecœur. À moins d'un ascendant de parade, vous n'êtes pas de ce genre-là. Vous excellez en tant que régisseur, infirmier, médecin, chirurgien, gardien de prison, astrologue, vendeur d'assurances et dans tous les métiers où la prévoyance est de mise. Vous pouvez très bien gagner votre vie dans ces métiers, surtout si vous avez un ascendant Poissons, Vierge, Cancer, Taureau ou Capricorne.

MEILLEURE SANTÉ

Après un mois d'avril difficile, vous notez une amélioration de votre vitalité, plus de résistance à la fatigue et à la maladie, un meilleur tonus musculaire et des forces sexuelles accrues. Vous tendez à ne pas compliquer les choses et à chercher des solutions simples à des problèmes complexes. Les mouvements de votre cœur généreux ou de votre instinct commandent des réflexes d'autodéfense salutaires. Les luttes nombreuses ne sont pas pour vous déplaire. Vous ne détestez pas la bagarre, ça fait partie de votre décor, on dirait…

Mai est plus heureux qu'avril. Vous en serez enchanté, promis!

C'est la fête des Mères le 8 mai, bonne fête aux mamans Capricorne!

HOROSCOPE HEBDOMADAIRE

Du 1er au 7 mai: La semaine tend à concrétiser vos désirs secrets et incite à imposer ses points de vue aux autres. On joue son rôle de père ou de parent avec autorité mais justice. Les 6 et 7 sont délicats; prudence, ralentissez.

Du 8 au 14 mai: La nouvelle Lune du 8 mai en Taureau incite aux plaisirs gourmands. Il n'y a rien de trop somptueux ni de trop beau côté vêtements, bijoux, objets de luxe, voitures. J'espère que vous vous choyez sans compter les sous!

Du 15 au 21 mai: Une rencontre intime entre Mars et Uranus en Poissons, signe ami, favorise les occasions de déployer vos forces. Une belle surprise est en vue. Vous gagnez un tournoi, obtenez l'emploi de vos rêves, faites une conquête et avez un coup de foudre sexuel. Bien, mais protégez-vous.

Du 22 au 28 mai: La pleine Lune du 23 mai en Sagittaire avive les sens et donne envie de faire l'amour pour le plaisir de se sentir vibrer. Il se peut que la relation doive demeurer cachée, mais elle n'en est que plus désirable.

Du 29 mai au 4 juin : Vivez votre vie d'artiste un peu bohème ou de personne sérieuse et rangée, mais mettez de la fantaisie dans votre été. Sur le plan des sentiments, réglez tout malentendu afin de passer les beaux mois d'été en paix.

CHIFFRES CHANCEUX

9 - 12 - 24 - 25 - 31 - 32 - 33 - 55 - 69 - 70

JUIN ET JUILLET

Tu es plus belle qu'une fleur d'abricotier, arrosée de lune. Tu es toutes les fleurs, tous les parfums, tu es la splendeur du monde. Lorsque je pense à toi, je n'envie plus les dieux.

CHEN-TEUO-TSAN

C'EST L'ÉTÉ, MAIS…

C'est l'été, mais ce début de saison n'a rien de paradisiaque. Vous devez travailler alors que vous aimeriez être dégagé de toute responsabilité, léger et sans attache, au lieu de quoi vous vous retrouvez avec des personnes qui comptent sur vous pour les dépanner, des enfants et parents à nourrir et à soutenir, une maison à entretenir et des obligations matérielles à respecter.

PAR CHANCE

Mars du Bélier fait une dissonance majeure. Par chance, des amis sont capables de vous assister dans vos charges ; seul, vous n'y arriverez pas. Ne faites pas le fier ni la fière, vous aussi avez des moments de moindre résistance : c'est le cas à compter de la mi-juin et pendant tout juillet. La période exige de la sagesse, du contrôle de soi et de ses pulsions sexuelles ; sinon, le chaos peut s'ensuivre. Ça pourrait être sérieux.

FATIGUE

La fatigue et l'usure se font sentir. Projetez de prendre congé ou de partir en vacances pendant quelque temps, question de vous refaire des forces nouvelles. Limitez vos activités sportives et autres et reposez-vous. Si vous souffrez, consultez sans tarder. Si vous allez à l'encontre de vos intérêts, votre santé peut en souffrir gravement. Ne négligez pas de vous en occuper, de grâce.

OPPOSITION

Comme si ce n'était pas suffisant, Mercure et Vénus vous opposent leurs énergies, provoquant des problèmes de cœur et de sentiment et accroissant les risques de conflits avec les jeunes et les enfants. Si vous avez un jeune amant ou une jeune maîtresse, méfiez-vous, vous pourriez tout saccager par jalousie, briser des liens qui étaient sincères par méprise. Si l'autre vous quitte ou se montre moins amoureux, vous êtes en partie responsable de cet état de chose.

CHARME

Vous avez du charme, mais il ne faut pas croire que cela arrange tout. Mettez de la bonne volonté dans l'union, le mariage, l'association d'affaires ; sinon, ça risque sérieusement de craquer. Maintenant que vous êtes averti, vous prendrez cela en considération et éviterez de faire montre de trop d'orgueil et d'amour-propre. C'est toujours à cela que ça revient, quand on y pense.

Chacun sa fierté ; si vous blessez l'autre, il se vengera et vous souffrirez, ainsi va le jeu de la vie. Donnez la chance à l'amour : si le vôtre est vrai, vous vaincrez ces difficultés et n'en reparlerez jamais. Bonne chance !

C'est la fête des Pères le 19 juin, la fête nationale du Québec le 24 juin et la fête du Canada le 1er juillet. Bonne fête et bons congés à tous !

HOROSCOPE HEBDOMADAIRE

Du 5 au 11 juin : La nouvelle Lune du 6 juin en Gémeaux favorise la discussion, apportant des solutions intelligentes aux problèmes urgents. Le 10 expose à des déceptions et à des peines de cœur ; le mariage peut être en cause. En cas de doute, ne brisez rien ; il ne faut rien précipiter.

Du 12 au 18 juin : La situation est tendue. Si vous vous sentez agressif et violent, attention, la tentation de tout envoyer en l'air peut être forte. Casser quelque chose pourrait vous soulager, mais pas

sur la tête de quelqu'un. Dans votre vie sexuelle, prudence : passion dangereuse, feu rouge !

Du 19 au 25 juin : La pleine Lune du 21 juin en Capricorne vous met en évidence. Au positif ou au négatif, vous attirez l'attention sur votre personne. Souhaitons que ce soit pour des raisons constructives, mais le contraire est aussi possible. Prévoyez, soyez sur vos gardes.

Du 26 juin au 2 juillet : Vous avez le feu et aucune masse d'eau ne peut l'éteindre, il n'y a que vous qui puissiez exercer du contrôle sur votre agressivité et sur votre sexualité ; sinon, ça peut mal tourner. Vous pouvez contrer ou extérioriser vos faiblesses ; réagissez dans votre intérêt.

Du 3 au 9 juillet : Vous n'êtes pas dans votre période préférée de l'année, sauf que vous avez besoin de vacances, de joies simples, d'amitié et d'affection. La nouvelle Lune du 6 juillet en Cancer accroît l'intolérance, en particulier de votre conjoint et de votre associé. Ne pleurez pas, ça ira.

Du 10 au 16 juillet : Admirez la splendeur de la nature et profitez des heures de détente que l'été permet. Une nourriture saine mais copieuse vous fera du bien ; surtout, ne vous privez pas. L'anorexie et la boulimie ne doivent pas faire partie de votre vie. L'opposition de Saturne se termine, vive la liberté !

Du 17 au 23 juillet : La pleine Lune du 21 juillet en Capricorne est traîtresse. Méfiez-vous de ses rayons polarisés, ils sont nocifs pour l'âme et le corps. Le 22 est meilleur et le 23 est super. Vous récupérez vos forces vitales et l'amour teinte en rose votre ciel natal. Ah l'amour !

Du 24 au 30 juillet : Si vous critiquez moins et analysez moins vos sentiments, vous serez heureux. Le questionnement épuise les amours les plus sincères. Laissez-vous porter par l'affection sans faire d'histoire ; c'est ça, le bonheur.

Du 31 juillet au 6 août : Vous êtes prédisposé à la joie et au plaisir. Vous avez des déchirures à recoudre, des liens à ressouder mais la nouvelle Lune du 4 août en Lion apporte des forces nouvelles. Rassurez-vous, le pire est derrière vous. Courage, ça ira.

CHIFFRES CHANCEUX

7 - 10 - 19 - 29 - 30 - 44 - 45 - 58 - 59 - 60

AOÛT

Il y a un âge où le bruit plaît plus que la musique, et l'acidité des fruits verts plus que la saveur des fruits mûrs.

LOUIS VEUILLOT

ENTRAIN CONTAGIEUX

Avantagé par une santé solide, une énergie sans relâche et un intellect du même acabit, vous êtes en possession de vos moyens et pouvez passer du repos au travail sans difficulté. De la pensée à l'acte, il n'y a qu'un pas qu'il vous est facile de franchir. Personne ne résiste à votre entrain contagieux. Nul n'est réfractaire à vos phéromones, vous faites des conquêtes dans tous les sens et domaines, qu'ils soient personnels, amoureux, matériels ou professionnels.

ASCENDANTS FAVORISÉS

Jupiter et Neptune aimables en Balance et en Verseau favorisent les ascendants de ces signes pour ce qui est des choses matérielles et financières. Les Capricorne de ces ascendants pourraient profiter de prodiges, et l'ascendant Gémeaux est également chanceux. À défaut de quoi, un ascendant Sagittaire fera l'affaire mais vous devrez attendre à septembre pour voir de quoi il retourne. Patience, la récompense promet d'être aussi fastueuse qu'inattendue.

VACANCES

Si vous choisissez à l'avance votre période de vacances, choisissez août et aussi septembre ; sans conteste, ce sont les meilleurs mois. Il vaut mieux voyager quand les planètes sont harmonieuses, mais quoi que vous décidiez d'entreprendre ce sera réussi et heureux pendant ces mois bénis des dieux. Une croisière semble s'inscrire au programme ; j'espère que vous n'hésiterez pas à partir…

COMME PAR MAGIE

Mars se promenant dans le signe ami du Taureau facilite les fonctions vitales et sanguines et met du rose sur vos joues pâles. Comme par magie, vous retrouvez votre force de caractère, votre patience et votre persévérance dans l'effort, votre sensualité et votre tempé-

rament amoureux. Vos besoins d'argent sont grands mais vous tendez à la prodigalité et êtes généreux dans le partage.

FORCE PHYSIQUE ET SEXUELLE

Votre force physique et sexuelle est accrue de plusieurs crans. Vous aimez la bonne chère, les bons vins et alcools, mais vous n'abusez pas des bonnes choses de la vie. Un sain équilibre se crée entre le corps et l'esprit, l'âme retrouve la paix et l'harmonie qui lui sont nécessaires, tout va soudainement beaucoup mieux. Une sexualité bien vécue termine le portrait de ce mois digne de mention, sans oublier que l'amour est au rendez-vous. Une rencontre importante peut se faire, à vous de voir si elle sera éphémère ou si elle durera plus longtemps qu'un été.

Respirez, ça n'a pas été aussi bien depuis longtemps. Bonnes vacances à tous et à toutes!

HOROSCOPE HEBDOMADAIRE

Du 7 au 13 août: Belle période pour les amours et les amitiés, chance dans les arts et l'esthétique. Beauté et bonté font votre richesse, vous n'avez qu'à en faire usage pour que les dés se mettent à rouler en votre faveur. Tenter le sort pourrait se révéler avantageux.

Du 14 au 20 août: Semaine très profitable matériellement. Les placements en liquides, eau, pétrole, hydroélectricité, produits de la mer, alcool et produits synthétiques s'avèrent rémunérateurs. La pleine Lune du 19 août en Verseau parle argent, économie, comptabilité, commerce et voyage.

Du 21 au 27 août: La rentrée se fait tel que prévu. Études, recyclage, nouveaux sports et loisirs vous attendent, vous n'avez pas le temps de pleurer les feuilles mortes. Quant à les ramasser, d'autres s'en chargent. Le cœur est heureux, la santé est bonne.

Du 28 août au 3 septembre: C'est le temps de penser à engranger l'abondance de la terre. Pour faire des confitures, des condiments et des conserves, la nouvelle Lune du 3 septembre en Vierge est parfaite. Ce sera beau et bon, et il y en aura pour les parents et amis. Amusez-vous bien!

CHIFFRES CHANCEUX

2 - 4 - 12 - 24 - 30 - 33 - 34 - 49 - 50 - 65

SEPTEMBRE

La plupart des hommes ont un moment dans leur vie où ils peuvent faire de grandes choses, c'est celui où rien ne leur semble impossible.

STENDHAL

À CHOISIR

C'est en travaillant et en bâtissant avec d'autres que vous arriverez à faire de septembre un mois extraordinaire dont vous parlerez longtemps. Vous accomplissez les tâches ingrates pendant que d'autres se la coulent douce ? Pas grave, vous obtiendrez votre récompense et ils seront jaloux.

Les amis, associés et collaborateurs à choisir ont de la Balance, du Sagittaire, du Verseau ou du Gémeaux par le signe solaire, ascendant ou lunaire. Informez-vous, ça vaut la peine. Ayant eu vent d'une bonne affaire, ils vous en font part et c'est vous qui scellez les ententes finales. Vous étant redevables, ils sauront se montrer généreux à votre endroit.

ASCENDANT PRIVILÉGIÉ

Inutile de dire que si vous avez un ascendant parmi ceux nommés plus haut qui se trouve privilégié par le bel aspect de Jupiter à Pluton, vous allez vers un succès monstre. Ne mettez pas les freins, accélérez le mouvement ; il faut battre la concurrence de vitesse, mais vous pouvez le faire. Capricorne ascendant Balance, Sagittaire, Verseau et Gémeaux, je mise sur vous.

ABONDANCE

Rien n'est gratuit, vous méritez chaque sou gagné, chaque privilège accordé. On ne vous fait pas la charité, on vous remercie. Acceptez de bonne grâce ce que l'on vous offre sans arrière-pensée et jouissez de l'abondance nouvelle. Organisez votre vie privée, votre maison, votre environnement de travail selon vos normes et offrez-vous quelques luxes, cela vous fera du bien physiquement, moralement et socialement aussi.

C'est la fête du Travail au Québec le 5 septembre, bon congé à tous !

HOROSCOPE HEBDOMADAIRE

Du 4 au 10 septembre : Il semble que vous deviez vivre à travers des personnes interposées, comme si la vie se jouait sans que vous participiez vraiment. Ce n'est qu'une impression, n'y croyez pas, vous êtes indispensable.

Du 11 au 17 septembre : L'énergie est disponible. Faites un effort et vous verrez se déchaîner en vous des ressources que vous ne pensiez pas avoir. La pleine Lune du 17 septembre en Poissons rend gourmand dans la vie sexuelle aussi.

Du 18 au 24 septembre : Une personne étrangère peut faire partie de votre vie amoureuse. Les différentes cultures se mêlent étroitement de nos jours, personne ne pensera à vous critiquer. Vous pouvez ouvrir votre livre, aucun problème.

Du 25 septembre au 1er octobre : Vos sentiments sont passionnés et ardents, mais votre santé peut requérir des soins particuliers. N'oubliez pas vos vitamines d'automne et dormez plus, les changements de climat vous affectent beaucoup.

CHIFFRES CHANCEUX

5 - 6 - 14 - 19 - 20 - 34 - 35 - 44 - 50 - 61

OCTOBRE

Un homme sans foi : je ne sais ce qu'il faut en faire. Un grand char sans joug, un petit char sans collier, comment peut-on les faire avancer ?

CONFUCIUS

ÉCLIPSE SOLAIRE RESTRICTIVE

L'éclipse solaire annulaire du 3 octobre en Balance, votre carré, est restrictive en ce sens que vos forces physiques sont diminuées. Si vous n'avez pas terminé le travail commencé en septembre, remettez la suite à des temps plus propices à la réussite de vos affaires. Agir en temps d'éclipses signifie temps perdu, énergie perdue, argent perdu. Soignez le moindre rhume mais la baisse de santé devrait être passagère. Les hommes du signe sont plus affectés, le Soleil étant le symbole de la masculinité.

ÉCLIPSE LUNAIRE PARTIELLE

L'éclipse lunaire partielle du 17 octobre en Bélier, votre autre carré, est responsable d'une légère chute du tonus psychique. La résistance morale baisse, le courage diminue, on se sent déprimé. La chose est surtout remarquable chez les femmes du signe, la Lune étant le symbole de la féminité. De toute façon, octobre n'est jamais votre mois préféré. Le Soleil voyageant en Balance ne vous rend pas service. Il ne faut pas dramatiser, Mars du Taureau continue de vous activer et de vous énergiser. Rien de mieux qu'un instinct sûr, c'est ce qui vous guide et vous soutient en octobre. Fiez-vous à votre instinct « animal ». Si vous vous sentez bien quelque part, restez ; sinon, partez.

C'est le congé de l'Action de grâce le 10 octobre, bon congé !

HOROSCOPE HEBDOMADAIRE

Du 2 au 8 octobre : L'éclipse solaire annulaire du 3 octobre en Balance est analysée plus haut. De bons éléments vous rendent capable de vous dépasser. Ce n'est pas un rhume qui vous empêchera de fonctionner mais attention, il ne faudrait pas que ça dégénère en pneumonie !

Du 9 au 15 octobre : Limitez les achats et dépenses importantes et incrustez-vous dans la routine sécurisante, vous éliminerez ainsi les risques de commettre des bévues et de vous fatiguer jusqu'à l'épuisement pernicieux.

Du 16 au 22 octobre : L'éclipse lunaire partielle du 17 octobre en Bélier a été expliquée plus haut. Un conseil : gardez-vous de vous entourer de Bélier, Cancer, Balance et Capricorne ; ils vous déprimeraient.

Du 23 au 29 octobre : Excellente nouvelle : Jupiter entre au Scorpion, signe ami. Vous découvrez des sources nouvelles de stimulation. Fouiller l'inconscient par l'étude des rêves et l'astrologie améliore la connaissance de soi. Au travail !

Du 30 octobre au 5 novembre : La nouvelle Lune du 1er novembre en Scorpion marque un changement de direction improvisé et nécessaire. Saisissez l'occasion : un voyage, une nouveauté dans votre vie, le moment est propice.

CHIFFRES CHANCEUX

8 - 16 - 23 - 24 - 30 - 31 - 42 - 59 - 60 - 70

NOVEMBRE ET DÉCEMBRE

J'ai revu ma forêt, captive des hivers,
S'éveiller mollement à des tièdes haleines :
Déjà, dans l'air plus bleu, les grands arbres sont verts
Et le parfum des bois s'exhale vers les plaines.

F. SEVERIN

MAIN DE MAÎTRE

Grâce à l'aide de Jupiter et d'Uranus, vous terminez l'année au summum. Des événements inopinés font que vous dirigez votre vie de main de maître. Novembre est sensationnel, en particulier pour les ascendants Poissons, Scorpion et Cancer, mais les ascendants Vierge et Taureau sont aussi festifs. Une grande fête se prépare pour vous. Votre situation matérielle et sociale se trouvant avantagée par les circonstances, vous jouissez d'un pouvoir nouveau.

Information, aviation, ordinateur, cinéma, télévision, radio, publicité, l'organisation de votre vie intime et les questions d'intérêt au foyer sont traitées de façon superbe. On pourrait croire que vous vous laissez manipuler, mais ce serait mal vous connaître. C'est vous le capitaine à bord, les autres sont des moussaillons.

COURANTS SOUTERRAINS

En agissant par des courants souterrains, vous arrivez au même point que ceux qui font du bruit, mais sans vous attirer les foudres de la famille, de la société, de la justice. Réglez tout conflit légal, toute divergence entre patrons et employés, toute dispute avec votre conjoint ou votre associé. Une réconciliation peut s'avérer utile à vos affaires ; ne faites pas d'histoires et consentez à faire les premiers pas. On n'attend que cela pour renouer les liens de confiance initiaux.

IMPORTANTES DÉCISIONS D'AFFAIRES

Décembre requiert de la prévoyance. Jupiter contrecarre Saturne, votre planète maîtresse. Vous êtes plus à risque avec un ascendant Scorpion, Lion, Taureau ou Verseau. Alors n'empruntez pas, ne prêtez pas et surveillez vos placements et investissements. D'importantes décisions d'affaires sont à considérer, mais novembre est de loin supérieur à décembre pour ces choses.

CHUTE POSSIBLE DES VALEURS

Possible : chute brutale des valeurs, taxes exorbitantes, essence et eau chères à outrances, nourriture, lait, vins et alcools hors de prix. Des mesures gouvernementales peuvent nuire à la bonne marche des affaires. Certains déplacements de fonds pourraient s'avérer utiles. À vous d'en juger, mais si vous avez le moindre doute, consultez un expert en qui vous avez confiance. Et encore là, suivre votre intuition pourrait être ce qu'il y a de mieux à faire.

L'année a été bonne pour presque tout le monde, mais elle se termine sur une note amère. Souhaitons que la prochaine année soit plus amicale et qu'elle mette un terme à l'appauvrissement de la classe moyenne ; sinon, qui nous fera vivre ? Les riches ? Cela aurait de quoi surprendre…

Bonne fin d'année !

HOROSCOPE HEBDOMADAIRE

Du 6 au 12 novembre : La santé est bonne, l'énergie déborde, la vie amoureuse prend une ampleur considérable et rend le travail quotidien agréable. Les opportunités d'affaires intéressantes s'accumulent, mais il faut agir rapidement.

Du 13 au 19 novembre : Semaine réjouissante et animée. L'exercice et le sport gardent la machine en forme. La pleine Lune du 15 novembre en Taureau parle d'amour, de grande et belle musique, d'art et de beauté. Le 17 est génial pour tout ce qui touche la sexualité et la sensualité.

Du 20 au 26 novembre : Pour signer des papiers et contrats, attendre au 26 serait préférable. En contrôle de votre intellect et de votre instinct, vous sentez jusqu'à quel point vous pouvez faire confiance ; ne dépassez pas la mesure.

Du 27 novembre au 3 décembre : Réglez vite les transactions financières et éliminez celles qui sont à risque. Certaines mesures vous éviteront des ennuis. La nouvelle Lune du 1er décembre en Sagittaire exige la discrétion absolue.

Du 4 au 10 décembre : Faites confiance à l'amour de votre vie. Cette personne vous aime réellement et vous l'aimez, ne mettez pas son opinion en doute ; tant mieux si elle est en accord avec la vôtre. Deux têtes valent mieux qu'une.

Du 11 au 17 décembre : Observez les résultats de la dissonance du 17 entre Jupiter et Saturne, vous verrez que l'astrologie n'est pas de la frime. Si vous n'êtes pas affecté, faites des cadeaux. La pleine Lune du 15 décembre en Gémeaux parle d'enfants et de jeunesse, c'est réconfortant.

Du 18 au 24 décembre : Malgré ces sombres pronostics, vous envisagez les fêtes de Noël avec plaisir. Certains célèbrent leur anniversaire, c'est plus gai ; d'autres célèbrent la vie tout simplement, c'est plus judicieux. Joyeux Noël !

Du 25 au 31 décembre : La fin de l'année s'avère agréable sur le plan personnel. L'entourage peut se sentir moins en forme, mais la nouvelle Lune du 30 décembre en Capricorne vous met en valeur. Donnez une réception, encouragez et stimulez les déprimés, vous passerez des fêtes bien entouré.

Bonne année, cher Capricorne !

Verseau

DU 21 JANVIER AU 19 FÉVRIER

1er DÉCAN : DU 21 JANVIER AU 30 JANVIER
2e DÉCAN : DU 31 JANVIER AU 9 FÉVRIER
3e DÉCAN : DU 10 FÉVRIER AU 19 FÉVRIER

Prévisions annuelles

CASCADE DE RIRES

La nouvelle année s'ouvre sur une cascade de rires. De grands et petits bonheurs abondant dans votre vie, vous n'avez pas les yeux assez grands ni l'imagination assez féconde pour imaginer tout le bien que la période promet de déverser dans votre urne. Rester réceptif et améliorer votre vie spirituelle est tout ce qui vous est demandé. Cela ne devrait pas vous paraître trop difficile…

FESTOYEZ AVEC DÉLICES

Promettant de vous couvrir de cadeaux célestes, le nouvel an vous fait sourire. Pour célébrer la bonne fortune que vous prévoyez à raison, festoyez avec délices, amours et orgues. Solennisez ce début d'année pas comme les autres et prenez des photos des occasions de magnificence qui se présenteront ou que vous créerez de toutes pièces. Il faut conserver des souvenirs concrets de ces instants mémorables.

LA CHANCE VOUS ACCOMPAGNE

Vous avez raison, il se passe des choses exceptionnelles cette année pour le Verseau que vous êtes. N'hésitez pas à partager vos bonnes nouvelles avec la famille et l'entourage. Parce qu'ils vous aiment, ils sont ravis de la chance qui s'abat sur vous comme pour récompenser le labeur que vous fournissez depuis de nombreuses années. Il semble que vous ayez trouvé le bon filon. Bravo et continuez dans cette veine, la chance vous accompagne.

VERTUS ET DISPOSITIONS

Ne reniez pas les vertus et dispositions qui vous ont rendu service jusqu'ici : amour de ce qui est nouveau et projeté dans l'avenir, idéal de fraternité, dévouement à la cause commune, altruisme, humanisme, compréhension intuitive des problèmes psychiques et de la psychologie, mystique de l'unité et prédispositions à la clairvoyance. Comme vous êtes doué pour ces sujets, vos accomplissements seront plus grands encore si vous utilisez vos talents naturels à profusion.

TOUTE L'ANNÉE SAUF DÉCEMBRE

Toute l'année est excellente, mais il faut ralentir les dépenses d'argent à la fin d'octobre et user de prudence en décembre. Après avoir bâti votre statut personnel et érigé votre prestige social et professionnel, il faut prendre garde de ne pas pécher par excès de confiance. Si vous êtes physiquement et psychologiquement préparé à affronter ce décembre fatidique à bien des points de vue, et non seulement matériellement, vous déjouerez le sort et n'aurez pas trop à souffrir des événements ennuyeux qui risquent de se manifester partout dans le monde, mais qui semblent vous attrister plus que de raison.

PAS DE PANIQUE

Pas de panique, vous n'allez ni mourir ni perdre vos amours et vos acquis, mais prévenir valant mieux que subir, vous serez content d'avoir été averti à temps. C'est à cela que sert l'astrologie sérieuse : vous verrez que les grandes planètes comme Jupiter et Saturne mentent rarement…

Rassurez-vous, grâce aux conseils que vous trouverez dans les prévisions qui suivent, vous éviterez le pire et tirerez le meilleur parti possible de la situation. Un petit coup de pouce de la Chance Pure aidant, vous vous en sortirez mieux que d'autres, cela peut vous consoler.

ANGE ACCOMPAGNATEUR

L'ange accompagnateur qui convient le mieux à vos occupations se nomme Mebahel. Il s'incarne dans le monde visible sous la forme d'Uranus, votre planète maîtresse, et incline à la droiture et à la justice. L'invoquer vous préservera de la malhonnêteté des hommes et de l'injustice.

Mebahel vous incitera à prêcher pour les valeurs nobles, l'ordre social et la démocratie. Sans discrimination pour la couleur de la peau et les différences culturelles, il vous incitera à aller vers autrui dans un souci de partage et d'entente. Sensible aux valeurs humaines, il vous fera comprendre la misère des personnes qui sont bafouées. Les organisations humanitaires visant à dénoncer l'oppression et à restaurer la liberté auront votre appui ; cela vous donnera la paix intérieure et le respect de vous-même.

Coup d'œil sur le Verseau de tout ascendant

Verseau-Verseau

Quelle belle année se profile ! Il pourrait vous arriver quelques désagréments mineurs, mais la chance intervient massivement en votre faveur. Si vous êtes habile, vous serez heureux et réussirez en affaires.

Vous n'avez rien connu d'aussi propice depuis quatre années et si vous êtes jeune, c'est la première fois que vous découvrez tant d'opportunités alléchantes. Faire le tri sera difficile.

Trop de facilité nuisant parfois, il faudra vous méfier d'un surcroît d'optimisme. À la fin d'octobre, vous devrez mettre la pédale douce sur vos dépenses.

Les étrangers jouent un rôle déterminant dans vos affaires d'argent. Cultiver les relations d'amitié avec des gens de différentes cultures ouvre des portes. Les prévisions de la section suivante vous aideront à maximiser votre chance.

Verseau-Poissons

Votre côté Verseau est à exploiter durant les six premiers mois de l'année, puis c'est vers les qualités subtiles du Poissons que vous devrez vous tourner pour retirer le maximum de profit de la vie.

C'est du côté matériel que vous évoluez le plus. Vos actes et pensées sont branchés sur un courant positif qui améliore votre qualité de vie et vous accorde une certaine indépendance financière.

Vous possédez les compétences nécessaires pour accomplir les tâches les plus rémunératrices. Gagnez le respect de ceux pour qui vous travaillez et vous terminerez l'année avec des gains moraux en plus.

Les prévisions qui suivent vous indiqueront les bons moments et vous guideront. Verseau ou Poissons, lequel des deux privilégier ? Si vous passez de l'un à l'autre selon les aspects favorables, le succès couronnera vos efforts.

Verseau-Bélier

Opter pour le côté Verseau serait préférable cette année. La personnalité Bélier peut occasionner des prises de bec, sans compter qu'une maladie peut survenir. Vous soigner est primordial.

Ne vous laissez pas tirer vers l'arrière par des sentiments qui n'ont plus leur place dans votre vie. Si rien ne va, oublier le passé, pardonner les offenses et recommencer à neuf est la solution.

Tant mieux si l'ascendant Bélier est faible, vous aurez moins de batailles à livrer, celles contre vous-même étant les plus dures. Vous êtes trop macho pour votre propre bien, Monsieur, attention!

Limiter votre égocentrisme vous fera remporter d'importantes victoires. Financièrement, vous avez tout à gagner à agir en Verseau. Des gains faramineux vous sont promis. Les prévisions de la section suivante guideront votre démarche.

VERSEAU-TAUREAU

Faire abstraction de votre personnalité Taureau et être Verseau vous fera faire des gains matériels majeurs, cela autant sur le plan personnel qu'amoureux, social et professionnel.

Vous le remarquerez sans peine: si vous vous montrez entêté, rien ne va; indépendant, tout fonctionne à merveille. C'est toujours vrai, mais c'est particulièrement visible et impressionnant cette année.

Le Taureau n'est pas mauvais, mais il accepte mal le changement, l'insécurité, l'inconnu. Or, il se trouve que l'année soit tissée de ces éléments que votre Verseau adore, par chance...

Apprivoisez votre côté animal et allez vers des sujets plus élevés. Les astres se montrent excessivement généreux à votre endroit, profitez-en bien. Les prévisions qui suivent vous informeront mieux.

VERSEAU-GÉMEAUX

Excellente période pour les deux côtés de votre nature. De l'intérieur comme de l'extérieur, vous connaissez des moments d'une suprême intensité et importance; à vous d'en tirer profit.

Les huit premiers mois de l'année sont particulièrement utiles et généreux. Ils apportent des opportunités rares qui feront votre bonheur et votre fortune si vous vous laissez tenter.

Succomber à la tentation d'améliorer votre qualité de vie et vos conditions de travail serait divin. N'hésitez pas à tout quitter et à tout recommencer s'il le faut; c'est souhaitable.

Les prévisions vous indiqueront les meilleurs moments pour faire des gestes importants et vous désigneront aussi les temps moins heureux pour effectuer des changements. Les suivre serait bien avisé.

Verseau-Cancer

N'allez pas trop vite en affaires et séparez sagement le bon grain de l'ivraie.

La réussite dépend en grande partie de la façon dont vous établissez vos priorités et de votre inclination à les respecter.

La patience que vous montrez ou non au travail fera toute la différence. Trop pressé de voir des résultats matériels, vous raterez votre coup; trop paresseux pour faire des efforts, ce sera pire.

Mettez votre côté Cancer en berne et agissez en Verseau pendant les six premiers mois. Si vous vous montrez indépendant et autonome, tout vous réussit; craintif et hésitant, rien n'arrivera de bon avant novembre prochain.

Pour savoir exactement ce qu'il en est, lisez les prévisions. Suivre l'avis des planètes vous aidera à cibler les bons et moins bons moments de l'année. Savoir aide à prévoir, c'est un plus.

Verseau-Lion

À l'opposition se trouve votre propre personne. Vous êtes votre miroir, votre image, votre contraire et votre semblable. Difficile à comprendre? Oui, absolument et sans contredit.

L'année offre des possibilités extraordinaires à celui ou celle qui saura utiliser les forces du Verseau. Extériorisation, volonté, intuition, amitié, fidélité et affections sociales feront leur fortune.

Le Lion a ses bons côtés de janvier à juillet, mais il faut dès lors le mettre en cage et ne pas le laisser sortir avant deux ans au moins. Pas facile d'occulter le Lion, mais ce serait un avantage.

Décembre est très dur. Comment tirer le meilleur parti d'une période aussi complexe est la question la plus embarrassante qu'on puisse poser. Les prévisions de la section suivante vous aideront à démêler le tout, du moins je l'espère…

Verseau-Vierge

Vous avez beaucoup à retirer de cette année faste du point de vue matériel et financier. La vie sociale et professionnelle bénéficie d'une chance peu commune, mais il y a des si…

Si vous gardez la personnalité Vierge sous contrôle et n'avez pas recours à la critique acerbe et stérile, vous tenez le bon filon. Critiquer est bon, mais pas quand cela tue toute initiative.

Le Verseau possède les qualités d'audace et d'originalité qui vous avantagent dans votre vie matérielle, sociale et professionnelle. L'utiliser à fond pourrait vous enrichir.

Il vous sera utile de connaître les forces et faiblesses de votre nature avant-gardiste. Cela vous permettra d'agir en temps utile et de retenir l'action quand le vent sera défavorable.

Verseau-Balance

La chance est grandement accrue cette année. Vous pouvez renverser la vapeur, réutiliser des énergies dormantes, vous recycler, vous régénérer, vous refaire une vie, une santé ; tout est possible.

Ce ne sont pas là vaines paroles. Des ouvertures vous seront faites à peu près en ces termes : « Mieux vaut agir et périr que stagner et mourir. » Toute forme d'action est bénéfique.

La bonne fortune est étourdissante en mars et en août, mais septembre aussi est bon. Si vous ne profitez pas des possibilités offertes, tant pis, vous en serez quitte pour le regretter.

Intellectuels de haut calibre, inventeurs, releveurs de défis, vendeurs de chimères ou de vent, rêveurs, artistes, créateurs, vous tenez la chance de votre vie entre vos mains. Bonne chance !

Verseau-Scorpion

Les deux côtés de votre nature doivent être mis à profit pour rapporter le maximum de bénéfices matériels et financiers. Indépendance et avant-gardisme sont à mettre de l'avant cette année.

Les six premiers mois vous apportent de la chance dans votre vie sociale et professionnelle. La vie privée et affective est avantagée par la fidélité et le sérieux que vous mettez dans vos amours et votre travail.

Ces mois favorisent votre côté Verseau, mais novembre met l'accent sur le côté Scorpion de votre personnalité. La détermination est récompensée, les voyages fructueux.

Décembre se révèle extrêmement difficile. Prévoir la chose vous évitera des pertes considérables ; n'oubliez pas de consulter régulièrement les prévisions, cela vous évitera des ennuis.

Verseau-Sagittaire

La part de chance qui vous échoit cette année est époustouflante. Vous avez de multiples raisons de vous réjouir, l'une d'elles étant que vous vivez des expériences que vous n'espériez plus.

La vie prend un sens nouveau, une direction inhabituelle. Ce qui était acquis semble n'avoir aucune importance en rapport avec ce qui vous arrive d'imprévu et de formidable. Tous les espoirs sont permis.

Vous faites de bonnes affaires avec les Balance, Gémeaux et Sagittaire de signe solaire ou ascendant de janvier au mois d'août, mais septembre remporte la palme : vous exultez.

Décembre requiert de la prudence dans les affaires d'argent et avec la justice. Toute dérogation aux lois existantes pourrait coûter cher. Les prévisions qui suivent vous renseigneront de manière plus élaborée.

Verseau-Capricorne

Laissez le Verseau prédominer et mener le jeu, vous serez gagnant sur toute la ligne, en particulier quand il est question d'argent, de placements, de jeux de hasard et de spéculation.

De janvier à juillet, le côté Verseau de votre nature charrie des énergies positives. Des affaires intéressantes sont à escompter dans les liquides, le pétrole, les produits synthétiques et de la mer, l'eau et la nutrition.

Le Capricorne vient à votre rescousse en novembre et vous rapporte des bénéfices et profits inattendus. Les Poissons et Scorpion sont solidaires et vous portent chance et bonheur.

Un voyage, de préférence sous forme de croisière, vous propulsera au septième ciel. Partez en novembre et vous ferez un voyage de rêve. Les prévisions mensuelles vous renseigneront judicieusement.

Prévisions mensuelles

JANVIER

Ceux qui s'appliquent trop aux petites choses deviennent ordinairement incapables de grandes.

LA ROCHEFOUCAULD

L'ASCENSION CONTINUE

Janvier est passionnant. Entouré de gens de talent dont l'ambition égale la vôtre, vous accomplissez des œuvres et travaux de qualité qui ajoutent à votre réputation. Vous êtes connu dans votre domaine, sinon vous le deviendrez. Le statut de «vedette» vous est presque assuré.

Du côté personnel, matériel et professionnel, l'ascension continue sa progression dans la direction que vous privilégiez depuis quelques mois. Il se prépare quelque chose d'exaltant et d'exceptionnel en mars prochain; être prêt à toute éventualité vous protégera des coups au cœur qu'une surprise trop grande peut provoquer.

ATTENTION À VOTRE CŒUR

Votre cœur est sujet à des battements irréguliers, cher Verseau, vous n'êtes pas sans le savoir, j'espère... Vous pourriez souffrir de problèmes d'arythmie et autres; consulter régulièrement un cardiologue pourrait vous éviter la crise cardiaque. Même à 20 ans, soyez prévoyant en ce sens, on ne l'est jamais assez.

ANNIVERSAIRE

Les Verseau du premier décan célèbrent leur anniversaire de naissance. C'est un moment particulier que celui où le Soleil brille sur soi. Il éclaire la personnalité, donne de la santé et rend la vie plus étincelante. Vous aimez être célébré. Nous sommes juste après les fêtes, oui, mais c'est votre moment à vous, vous faites bien de vous l'approprier.

Joyeux anniversaire, cher Verseau dont c'est le tour!

HOROSCOPE HEBDOMADAIRE

Le 1er janvier : Le premier jour de l'année doit être fêté dans les règles. On dit que l'année entière sera à l'image de ce que l'on a vécu ce jour-là ; cela porte à réflexion... Bon jour de l'an !

Du 2 au 8 janvier : Mercure, Vénus, Mars, Jupiter, Neptune et Pluton plus la Chance Pure vous favorisent. Si vous êtes malheureux, posez-vous des questions, il y a un problème quelque part, à vous de le découvrir et de l'éliminer.

Du 9 au 15 janvier : La nouvelle Lune du 10 janvier en Capricorne incline à la discrétion. Gardez vos impressions pour vous, surtout quand il est question de politique, de société, de famille aussi, et pour des raisons que vous connaissez.

Du 16 au 22 janvier : Parfaire la démarche et boucler la boucle est recommandé cette semaine. Le progrès au travail et en affaires s'avère marquant. Lumineux, transparent, généreux, vous forcez l'admiration. L'amitié est parfois préférable à l'amour.

Du 23 au 29 janvier : Tout le monde est nerveux, il y a risque de tremblements de terre et de nerfs mais vous demeurez calme. Par contre, la pleine Lune du 25 janvier en Lion vous émeut. L'autre et les autres prennent plus de place que vous, ça vous désarme. Les larmes viennent aisément...

Du 30 janvier au 5 février : Regain d'énergie nerveuse, réflexes sûrs, parole facile, vous vendez votre salade et entretenez de bonnes relations avec les enfants. Vous les comprenez et les aimez, ils se sentent en confiance avec vous.

CHIFFRES CHANCEUX

1 - 4 - 14 - 21 - 24 - 33 - 40 - 44 - 59 - 67

FÉVRIER

Volonté, ordre, temps : tels sont les éléments de l'art d'apprendre.

MARCEL PRÉVOST

UN HEUREUX ANNIVERSAIRE

Le mois de notre anniversaire s'avère souvent optimal, mais cette année, c'est encore plus significatif. Un heureux anniversaire de naissance vous est promis par le Soleil, Mercure, Vénus, Jupiter, Neptune et Pluton. Six des dix planètes vous étant agréables, vous ne pouvez manquer d'être satisfait de votre sort, à défaut de vous sentir parfaitement heureux, bonheur que connaissent certains privilégiés du signe même s'ils le cachent bien…

GRANDS FAVORIS

Les Verseau ascendant Verseau bien sûr, mais aussi les ascendants Balance, Gémeaux et Sagittaire, sont les grands favoris non seulement de février, mais de l'année. Vous faites des gains spectaculaires à la suite d'investissements qui semblaient risqués. La réussite est non seulement brillante, mais assurée et durable. Si vous engrangez au lieu de tout dépenser, vous vous ferez un coussin digne des plus beaux harems des Mille et Une Nuits !

AUTRES ASCENDANTS CHANCEUX

Ceux dont l'ascendant est Bélier ou Lion comptent aussi parmi les favoris. La chance se présente avec brio sous le couvert d'un ami, d'un amant, d'un associé. Avec la coopération des signes de feu dont l'énergie se rapproche de la vôtre et que l'ambition électrise autant que vous, monts et merveilles s'accomplissent. Rien ne vous résiste, votre magnétisme est invincible. Le progrès vous allume ; plus le temps passe, mieux ça va pour vous, et cela dans tous les domaines. Qui dit mieux ? Personne à ce que je sache !

INTÉRÊTS NOUVEAUX

Février sert de base à des intérêts nouveaux. Vous entretenez des plans et projets que vous voulez réaliser immédiatement. Le mois prochain, vous pourrez conclure l'affaire ; en attendant, il faut besogner dur pour respecter les échéanciers. Doté d'un jugement sûr, d'excellents réflexes et d'un indéniable bon sens, vous allez vers des domaines où vous savez être indispensable. Vos dons naturels étant exacerbés, vous prévoyez le futur aussi clairement que si vous y étiez. Dans les arts divinatoires et les sciences occultes et surtout en astrologie, vous feriez sensation !

MILIEUX BRANCHÉS

Électricité, hydroélectricité, pétrole, eaux, liquides, inventions dernier cri, télévision, Internet, magazine, mode, publicité, voyages, vos tendances artistiques et esthétiques font fureur. Votre goût de briller dans une société sélecte est largement récompensé ; vous êtes accepté et aimé dans les milieux que vous fréquentez, qui sont très branchés comme il se doit.

ADJOINTS ET COMPLICES

Préférez prendre pour adjoints ou complices des personnes influencées par le Verseau, la Balance et le Gémeaux bien que les Sagittaire, Lion et Bélier ne soient pas à dédaigner. Leur bonne humeur et leur sens de l'humour vous seront précieux. Apprendre à dédramatiser une situation chaotique devient un jeu que vous appréciez de plus en plus. Se moquer gentiment de soi-même est tellement sympathique. De plus, personne ne sait le faire comme vous...

MOIS DES AMOUREUX

Mois des amoureux, février vous retrouve au comble de la joie. L'amour vous transforme, vous humanise. Ceux qui vous trouvaient froid se trouvent désemparés devant la passion dont vous transpirez. Aimant et aimé en retour, vous vivez des instants divins. Captez-en l'essence et faites-en un parfum que vous conserverez aussi précieusement que si c'était le plus beau diamant. Pourquoi pas avoir les deux si vous en avez envie ?

Joyeux anniversaire et bonne Saint-Valentin, chers amis du Verseau !

HOROSCOPE HEBDOMADAIRE

Du 6 au 12 février : La nouvelle Lune du 8 février en Verseau consolide votre avance et vous rapproche du but visé. Le cœur est heureux, la santé est bonne, le compte en banque grossit, mais pas vous. Pourtant, vous avez de l'appétit...

Du 13 au 19 février : L'amitié amoureuse et l'amitié pure sont à contempler. Le grand amour, oui, mais avec nuances. Je vous le souhaite, mais il n'est pas dit que ce serait l'ultime bonheur... Question de nature et de caractère, tout simplement.

Du 20 au 26 février : Il est possible que vous donniez dans les activités secrètes, que vous exécutiez une mission confidentielle, que vous soyez dans le secret des dieux, mais le dévouement vous protège des mauvais coups du sort. La pleine Lune du 23 février en Vierge parle de santé, de travail et de choses cachées.

Du 27 février au 5 mars : L'entourage est secoué, cela affecte votre niveau de concentration. Remettez au 5 mars la signature de contrats dont vous attendez beaucoup. Les informations supplémentaires seront percutantes, patience.

CHIFFRES CHANCEUX

1 - 4 - 11 - 22 - 23 - 31 - 32 - 48 - 49 - 50

MARS

Pas de penny, pas de joueur de cornemuse.

PROVERBE ÉCOSSAIS

CHANCE ET FOI

De bons fluides circulant entre Jupiter, planète de Chance, et Neptune, planète de Foi, des opportunités d'une ampleur rare se manifestent en mars et le 14 du mois marque l'apogée du transit. Les deux corps célestes se faisant des amitiés, vous récoltez le fruit de leurs agapes affectueuses. C'est le fruit défendu, mais il est délicieux au goût !

Vous tendez à voir les choses telles qu'elles sont et non comme vous vous plairiez à les imaginer. Ce réalisme vous affranchit et vous donne une longueur d'avance sur la concurrence. Ce bon transit favorise aussi la descendance et accroît la fertilité. Naissance, mariage, guérison, la chance s'unissant à la foi, tout devient possible…

NE PAS OUBLIER

Il ne faudrait pas oublier de prier pour que la Providence continue à exaucer vos vœux de pareille manière. Ne pas oublier non plus de méditer sur la qualité de vie dont vous disposez et sur les bienfaits sans nombre que le ciel déverse abondamment sur votre

personne, sur vos amours et sur vos affaires. Vous refaites le plein, mais le puits était presque vide ; donnez-vous du temps.

CIEL DE NUIT

Contempler un ciel de nuit étoilé vous rebranchera sur le courant positif dès qu'il tendra à diminuer d'intensité. Cela produira un effet bénéfique sur votre santé et sur celle des personnes que vous aimez. Chance et foi étant disponibles en quantité, utiliser ces énergies dans des buts louables et positifs augmentera la fréquence de la chance et votre pouvoir d'agir conformément à votre volonté.

REGARDEZ LES PLANÈTES

Ce que vous déterminerez comme étant essentiel se matérialisera. Armé de justice et d'honnêteté, vous obtenez tout ce que vous désirez. La loi humaine jugera en votre faveur, les conflits conjugaux et familiaux s'atténueront jusqu'à disparaître, le ressentiment fera place à la compréhension et à l'amour. Regardez les planètes, elles scintillent rien que pour vous dans le ciel de nuit !

Joyeuses Pâques à tous le 27 mars !

HOROSCOPE HEBDOMADAIRE

Du 6 au 12 mars : Un beau voyage avion-croisière vous est suggéré. Rien à redouter que du plaisir, des rencontres intéressantes, des relations utiles. La nouvelle Lune du 10 mars en Poissons favorise l'argent et ce qui s'y rapporte.

Du 13 au 19 mars : Si vous ne croyez en rien, croyez en vous-même ; cette forme de foi est aussi inspirante. Suivez votre propre rythme sans vous laisser intimider. Ils ne vous auront pas, vous êtes une fleur de cristal, non un papillon, vous résistez au froid comme à la chaleur, c'est dans vos gènes.

Du 20 au 26 mars : Un changement heureux s'opère sur le plan matériel mais il est aussi physique, moral et psychologique. La santé est bonne, sinon vous pouvez vous soigner efficacement. La pleine Lune du 25 mars en Balance produit une sorte de « miracle ». *Subito presto,* la foi se ravive.

Du 27 mars au 2 avril : La période du 29 au 31 mars profite surtout aux artistes, artisans et créateurs du XXIe siècle. L'harmonie entre l'intellect et l'affectivité se double d'une énergie nouvelle et considérable à dépenser pour les bons motifs, sinon ça risque de faire du fracas.

CHIFFRES CHANCEUX

8 - 11 - 22 - 35 - 37 - 40 - 46 - 51 - 52 - 69

AVRIL

Donnez, riches ! L'aumône est sœur de la prière.

VICTOR HUGO

ÉCLIPSES JALOUSES

Deux éclipses sont jalouses de votre bonheur et viennent ternir la joie tournant en euphorie qui vous gagnait. Un petit retour sur terre s'avérant parfois utile pour remettre les choses en perspective, c'était sans doute nécessaire... Si possible, évitez d'apporter des changements importants dans la vie privée, le travail et les affaires. Moins vous innovez, mieux ça vaut. Déménager, se marier, voyager au loin serait déphasé. Ne vous laissez pas avoir par la jalousie des femmes. De celle-là aussi il y a lieu de se méfier.

ÉCLIPSE SOLAIRE

L'éclipse solaire totale du 8 avril se faisant en Bélier, signe ami, nulle baisse de santé à prévoir à moins d'avoir un ascendant Bélier, Cancer, Balance ou Capricorne, signes touchés par l'éclipse. En ce cas, consultez rapidement un médecin au moindre malaise. Il faut de la prudence car l'éclipse est totale, donc de grande intensité.

ÉCLIPSE LUNAIRE

L'éclipse lunaire de pénombre du 24 avril en Scorpion est plus redoutable, mais comme elle est moins intense, vous ne devriez subir qu'une légère baisse du tonus moral. Un peu de repos de l'esprit et un entourage optimiste, sympathique et équilibré vous redonneront l'entrain et le courage dont vous avez besoin pour continuer votre besogne. Ne vous inquiétez pas trop si vous tendez à la déprime vers le 24 avril, mais si cet état persiste, un ou une spécialiste en la matière sera utile.

L'ÉNERGIE DÉBORDE

L'énergie déborde, attention de voir à bien l'employer sinon ça peut dégénérer. De l'énergie à l'agressivité, il y a peu de distance à parcourir, et de l'agressivité à la violence, la distance s'atténue encore. Monsieur Verseau, si la frustration se galvanise et prend des airs de drame, retenez-vous et quittez la personne qui vous met en pareil état. C'est une question de prévention. En réalité, travail, sport et activités diverses devraient servir d'exutoire. Pourvu que le sexe soit bon, vous serez de bonne humeur et satisfait.

HOROSCOPE HEBDOMADAIRE

Du 3 au 9 avril: La période demande réflexion. N'agissez pas impulsivement et sous le coup de la colère, ce serait à votre détriment. L'éclipse solaire totale du 8 avril en Bélier est analysée plus haut. En principe, vous résistez bien.

Du 10 au 16 avril: Volonté et instinct sûr vous empêchent de faire des sottises. Sentant la soupe chaude, vous feriez bien de vous retirer de l'affaire. La décision vous appartient mais à votre place je ne provoquerais pas le sort.

Du 17 au 23 avril: Vénus en Taureau, votre carré, prédispose à des ennuis amoureux et sentimentaux. Ne soyez pas jaloux, c'est indigne de vous. Optez pour l'indépendance gracieuse et prédéterminée, l'autre craquera pour vous.

Du 24 au 30 avril: L'éclipse lunaire de pénombre du 24 avril en Scorpion peut provoquer une chute du moral à la suite d'un échec sexuel ou d'un rejet sur le plan social ou professionnel. Un entourage aimant et fidèle vous aidera à reprendre confiance en vous et à chercher de nouvelles sources d'inspiration.

CHIFFRES CHANCEUX

9 - 11 - 20 - 22 - 39 - 40 - 44 - 47 - 58 - 65

MAI

M'aimerez-vous en décembre comme en mai ?
Quand mes cheveux seront devenus gris,
M'embrasserez-vous alors et direz-vous
Que vous m'aimez en décembre comme en mai ?

JAMES J. WALKER

AMOUR DE MAI

Amour de mai, qu'il est bon le bonheur ! S'il faut patienter 10 jours pour en sentir l'odeur, tant pis, vous attendrez. Votre sens olfactif est très fin ; activées par la chaleur printanière, vos hormones affluent et parcourent votre corps avide de sensations charnelles. L'amitié doit être amoureuse, sinon elle ne sera pas. À qui la faute ? À mai, voyons, il est responsable de tant de douces folies... Pourvu que ça dure !

NERVEUX ET INQUIET

Vers la mi-mai, vous tendez à être nerveux et inquiet. Mercure du Taureau vous livre à vos passions et empêche la réalisation de votre situation conjugale et familiale. Essayez de vous détendre et de décompresser en faisant du sport et de l'exercice physique. Vous garder en bonne forme physique vous aidera à extirper le mauvais et à conserver le meilleur de ce que ce mois recèle.

LES ENFANTS ET VOUS

Un peu de tranquillité d'esprit ne serait pas mauvais. Il faut l'avouer, les enfants et vous, ce n'est pas gagné. Vous vous comprenez mal, ils vous jugent mal, vous les rendez à leur tour nerveux et inquiet. Peut-être n'est-ce la faute de personne, mais les relations sont tendues et difficiles. Personne ne veut céder d'un cran, il semble que l'orgueil fasse partie du problème...

ENTÊTEMENT FAROUCHE

Des deux côtés, l'entêtement est farouche. Le mieux à faire serait d'éviter les sujets de conversation trop personnels et de vous en tenir aux choses de la vie courante. Vous discuterez sérieusement à la fin du mois, quand Mercure passant en Gémeaux vous redonnera la flamme et que vous serez en mesure d'écouter vraiment, d'échanger, de régler les problèmes et de trouver des solutions intelligentes aux différends qui vous opposent. Ne vous en faites pas, ça ira. Limitez les petits voyages et déplacements et faites l'amour et non la guerre. C'est l'avis des planètes en ce beau mois de mai.

C'est la fête des Mères le 8 mai, bonne fête aux mamans Verseau !

HOROSCOPE HEBDOMADAIRE

Du 1er au 7 mai : Moins agréable côté cœur. Vous semblez souffrir d'insécurité affective et êtes moins aimable. Cela pourrait expliquer bien des choses. Prudence dans la conduite de votre vie conjugale et familiale : vous ne voulez pas perdre ce que vous avez conquis…

Du 8 au 14 mai : La nouvelle Lune du 8 mai en Taureau met de la pluie dans vos beaux yeux de biche. Un rien vous attriste et vous fait pleurer. Essayez de voir un spectacle de comédie, un film amusant ; vous avez besoin de recharger vos batteries, de rire et de décompresser.

Du 15 au 21 mai : Il est possible que vous gagniez beaucoup d'argent. C'est aussi subit qu'inespéré et cela vient sans que vous ayez tellement à travailler. Profitez de l'abondance offerte et minimisez vos heures de travail ; rien ne sert de vous épuiser puisque vous avez de l'aide, profitez-en.

Du 22 au 28 mai : La pleine Lune du 23 mai en Sagittaire accroît la vitalité et provoque une action rapide et concertée. Comme vous savez très bien ce que vous faites et où vous allez, nul n'a à vous donner de conseil. Pas même l'astrologue que je suis, alors imaginez les autres ! Qu'ils se taisent et admirent !

Du 29 mai au 4 juin : Le grand amour n'est pas aussi grand que vous l'espériez ? Et puis après, il s'agit quand même d'un très agréable moment de la vie. Il faut savoir prendre les petits revers et ne pas en faire une montagne ; nul n'est à l'abri d'une petite déception en cours de route…

CHIFFRES CHANCEUX

4 - 7 - 11 - 21 - 22 - 23 - 39 - 40 - 59 - 60

JUIN

Les liaisons sont des serments tacites que la morale peut désapprouver, mais que l'usage excuse et que la fidélité justifie.

ALPHONSE DE LAMARTINE

FÊTE DES PÈRES

Juin est le mois dédié aux pères. Dans votre système des valeurs, le rôle du père est précieux, Il convient de souligner l'importance de ce parent à qui vous devez en partie la vie. Vous vous faites un plaisir et un devoir de le fêter comme il se doit chaque année.

Le géniteur, tel qu'on l'appelle maintenant, n'est pas nécessairement le père. Le père s'entend au sens pur du terme. Nourricier, protecteur, autoritaire et aimant, il est complet. Remplir ce rôle n'est pas facile, il faut en convenir, mais les hommes du Verseau s'acquittent bien de leur tâche de parent. Ils sont un peu sévères, il est vrai, mais l'intérêt qu'ils accordent à leurs enfants est égal à l'amour qu'ils leur portent.

Célébrez dignement votre père et grand-père cette année, il mérite d'être choyé. S'il n'est plus là, vénérez sa mémoire : il a fait de son mieux, on ne peut rien exiger de plus d'un patriarche.

SANTÉ, FAMILLE, TRAVAIL

Ce mois-ci, tout est centré sur la santé, la famille, le travail. La santé se porte bien mais vous avez des concessions à faire pour que tout se passe selon vos exigences à la maison et au travail. Vous en demandez beaucoup à ceux que vous aimez et à ceux qui vous entourent, il serait bon de vous en rendre compte. Cela permettrait de mettre un tampon sur vos réquisitions pas toujours faciles à remplir.

LIBERTÉ

Montrez-vous plus libertaire : vous aimez être libre, accordez aux autres la même latitude. C'est inconsciemment que vous êtes si rigoureux, en être conscient vous attendrira et vous rendra plus clément. D'accord, il faut que les choses soient bien exécutées, mais faire une crise pour un détail serait excessif. Habituez-vous tranquillement à moins de perfectionnisme, cela allégera vos relations humaines à un degré dont vous n'avez pas idée.

De belles qualités compensent pour ces occasionnels débordements. C'est tant mieux, car il serait dommage de perdre l'affection des vôtres pour des peccadilles. Souriez, riez, détendez-vous et amusez-vous, c'est l'été !

C'est la fête des Pères le 19 juin et la fête nationale du Québec le 24 juin. Bonne fête et bon congé à tous.

HOROSCOPE HEBDOMADAIRE

Du 5 au 11 juin : La nouvelle Lune du 6 juin en Gémeaux favorise la vitalité et le dynamisme. Les relations avec les jeunes, les jeux et sports d'extérieur, les spectacles et rencontres sociales vous tenant occupé, vous êtes en forme, beau et efficace au travail.

Du 12 au 18 juin : Votre volonté, votre énergie et votre instinct prennent de l'ampleur. Votre force physique étant accrue, votre capacité de travail dépasse la moyenne. Vous aboutissez à une finale impressionnante ; l'effet est saisissant. Vous remportez une victoire importante, les félicitations sont de rigueur.

Du 19 au 25 juin : Vous avez de la vigueur et de la confiance en vos moyens ; c'est plus qu'il n'en faut pour faire de cette période un temps propice au plaisir des sens. Sports et vie en plein air disposent à l'amour, mettez-vous vite à l'exercice ! La pleine Lune du 21 juin en Capricorne parle tout bas, en secret.

Du 26 juin au 2 juillet : Vous pouvez être efficace en groupe, mais au sein de l'ensemble, vous vous démarquez. On remarque vos qualités de meneur de jeu, de motivateur, d'animateur. En ce sens, vous êtes exceptionnel. Vous pourriez obtenir un emploi dans ces domaines.

CHIFFRES CHANCEUX

1 - 10 - 26 - 27 - 34 - 35 - 40 - 41 - 53 - 68

JUILLET

Si ceux qui disent du mal de moi savaient exactement ce que je pense d'eux, ils en diraient bien davantage.

Sacha Guitry

LE TEMPS DES VACANCES

Le temps des vacances est venu, mais il semble que vous gardiez un pied dans l'action. On pourrait croire que vous possédez des parts et que vous avez des intérêts personnels dans la compagnie pour laquelle vous travaillez tant votre ardeur au travail est intense. C'est l'été, n'oubliez pas de déroger à la routine et de prendre du bon temps.

SEUL LÀ-HAUT

Si votre énergie physique et morale s'avère solide, votre système nerveux et vos facultés affectives ont besoin de reprendre des forces. À cause de divergences de vue et d'opinion avec votre conjoint ou votre associé, vous dépensez beaucoup d'énergie de persuasion pour convaincre les autres d'osciller en votre faveur. Votre esprit tend à se cantonner dans ses vieilles habitudes ; vous retirer dans votre tour d'ivoire ne serait pas pratique… comment feriez-vous pour vivre seul là-haut ?

BESOIN DES AUTRES

Vous avez besoin des autres, cher Verseau. Vous aimeriez bien que le contraire soit vrai, mais ça ne l'est pas. Le mois qui vient exigera de l'entraide, de la collaboration avec autrui. Choisissez bien vos affiliations sur le plan social et spirituel. Si vous prenez des cours d'astrologie ou d'une autre science occulte, de yoga, de méditation transcendantale, vous pouvez devenir accro à un gourou.

Vous laisser envoûter serait dangereux ; ne tentez pas l'expérience.

COURANTS D'AUTRUI

Votre force de résistance aux courants d'autrui étant diminuée, ça peut comporter des risques si vous êtes un dépendant affectif ou en panne sur le plan amoureux. Votre instinct vous guidera vers des personnes dignes de confiance. Dès les premières minutes, vous saurez si vous devez continuer dans cette voie ou arrêter. Suivez votre intuition, elle est géniale ces temps-ci. Vous avez besoin des autres, oui, mais pas de manière compulsive, plutôt de façon rationnelle et autonome.

SATURNE EN LION

Saturne entrant en Lion, votre signe opposé, le 16 juillet, cela devrait rendre les personnes du début du Verseau plus prudentes côté santé et sécurité personnelle. Sans s'affoler, il y a lieu de soigner le moindre symptôme rapidement. Un ascendant Lion, Taureau, Scorpion ou Verseau amplifie l'importance de se montrer attentif à son corps et à ses besoins. Consulter à titre préventif serait bon.

C'est la fête du Canada le 1er juillet et la fête nationale de la France le 14 juillet : bonne fête aux miens, et bonne fête aux cousins !

HOROSCOPE HEBDOMADAIRE

Du 3 au 9 juillet : N'intervenez pas dans les problèmes amoureux d'autrui, cela jouerait contre vous. La nouvelle Lune du 6 juillet en Cancer porte à la douce paresse, au farniente. La baignade et les jus frais gardent en forme, mais le cœur et les nerfs sont fragiles. Par contre, le 7 est super, mettez-le à profit.

Du 10 au 16 juillet : La déception est palpable. On vous ment ou c'est vous qui tentez de le faire, avec peu de succès, il faut dire... Rien n'est clair dans votre vie affective, vos amitiés, vos amours. Gare aux piqûres d'insectes, aux morsures, aux maladies transmises sexuellement, aux saignements et hémorragies.

Du 17 au 23 juillet : Adoucissement dans la vie de couple. Profitez-en pour discuter des éléments de la vie à deux qui ne vous conviennent pas. La pleine Lune du 21 juillet en Capricorne parle de mots doux susurrés à l'oreille.

Du 24 au 30 juillet : Revirement en votre faveur dans la vie affective et amoureuse. Tout fonctionne à nouveau selon votre désir ; vous êtes ravi des changements apportés, heureux de vivre ce bel été avec ceux que vous aimez. Prenez congé, mangez sainement et suffisamment et amusez-vous.

Du 31 juillet au 6 août : Les hauts et des bas alternent à une vitesse folle. Si vous avez des problèmes psychiques, un psy ou un thérapeute vous aidera. Ne souffrez pas en vain, ce serait bête. La nouvelle Lune du 4 août en Lion vous attriste, ne provoquez pas de conflit ce jour-là.

CHIFFRES CHANCEUX

6 - 7 - 17 - 26 - 27 - 34 - 41 - 42 - 55 - 70

AOÛT

Le plaisir de la table est la sensation réfléchie qui naît de diverses circonstances de faits, de lieux, de choses et de personnes qui accompagnent le repas.

ANTHELME BRILLAT-SAVARIN

LA CHANCE

L'aide substantielle qui s'est manifestée en début d'année revient avec plus d'impact encore. Jupiter et Neptune se refaisant des ondes harmonieuses accompagnent votre cheminement. Chance et foi se rejoignent et conjurent le sort de vous faire des faveurs particulières. Le destin fait des bonds prodigieux pour vous rejoindre dans la sphère où vous évoluez, mais il finit par vous rattraper. Vous pouvez vous féliciter, votre sort est heureux.

Où que vous soyez et quoi que vous fassiez, vous ne pouvez échapper à la chance, ni par la suite à une sorte de foi improvisée et intéressée peut-être, mais quand même efficace. Dieu n'a ni sexe ni frontières, il ne connaît que la santé, la générosité, l'abondance. Avouez que vous en avez votre part!

FOUGUE ET AUDACE

Passant rapidement de l'idée à l'acte, le geste rapide, l'esprit adroit, vous dépensez temps, argent et énergie dans un but précis, celui de vous enrichir et d'en faire profiter autrui. Fougue et audace sont vos armes; n'ayant peur de rien, vous prenez de beaux risques et vous remportez la victoire au-delà de vos expectatives les plus optimistes. La chance se comptabilise, elle est réelle.

LE COUSSIN S'ÉPAISSIT

Tout se passe en un clin d'œil. Vous n'auriez pas pensé avoir tant de facilité à précipiter votre avancement personnel et professionnel. Voilà, c'est fait. Votre attitude sereine a convaincu les plus rebelles, vous avez droit à une amélioration majeure sur le plan

matériel et vous atteignez le maximum de ce que vous connaîtrez pendant longtemps. Le coussin s'épaissit, il faudra bientôt utiliser le surplus de matériel...

LES PLUS CHANCEUX

Les plus chanceux parmi vous ont un ascendant Balance, Verseau ou Gémeaux. À ceux-là, aucune faveur n'est refusée. Les associations d'affaires et mariages légaux sont très favorables, les femmes se créent un intérieur confortable, les hommes rencontrent dans l'union un amour quasi maternel qui les rassure. Le bonheur dans le couple est palpable.

AMIS ET COLLABORATEURS

Les meilleurs amis et collaborateurs ont bien sûr de la Balance, du Gémeaux ou du Verseau soit par le signe solaire, ascendant ou lunaire. Vous faites bonne équipe avec des personnes intelligentes, rieuses et blagueuses. Elles ont le don de vous comprendre à demi-mot et vous complètent. Qui s'assemble se ressemble, dit-on, c'est on ne peut plus vrai en août. Profitez de l'abondance qui vous échoit et faites participer au profit ceux qui ont travaillé dur. Ils vous aimeront doublement.

En dehors du cercle de vos affections, peu de gens ont de l'influence sur vous. Nul ne peut s'opposer à votre ascension.

HOROSCOPE HEBDOMADAIRE

Du 7 au 13 août: Vous aimez la vie avec fanatisme et êtes capable de renverser préjugés et tabous pour arriver à vos fins. Votre sensualité est artistique, vos jouissances éclectiques, mais jamais vulgaires. Du jazz au classique, tout vous plaît, mais il faut que ce soit de bon goût et de qualité.

Du 14 au 20 août: La date du 17 août est à inscrire à l'agenda. Il se peut que des choses merveilleuses surviennent avant et après cette date, mais disons que le zénith se situe vers cette date fétiche. La pleine Lune du 19 août en Verseau accroît votre popularité, mais la santé doit garder la priorité. Bonne chance!

Du 21 au 27 août: Vous allez droit devant vous sans vous retourner. Ceux qui se trouvent sur votre chemin sont écartés du revers de la main. Pas de pitié. La fortune recherchée semble être à ce prix. N'oubliez pas de rester humain. Si vous vous sentez devenir frustré et violent, attention, prenez l'air.

Du 28 août au 3 septembre: Risques d'accidents accrus, prudence avec le feu. Le 1er septembre est exceptionnel, c'est le jour à choisir pour se marier, s'associer, tomber en amour. La nouvelle Lune du 3 septembre en Vierge parle de dettes et d'impôts, de papiers à bien lire avant de signer, de secrets à garder.

CHIFFRES CHANCEUX

3 - 9 - 11 - 14 - 22 - 30 - 31 - 46 - 59 - 67

SEPTEMBRE

Le génie n'est qu'une plus grande aptitude à la patience.

BUFFON

BIEN ENTOURÉ

Vous êtes bien entouré par les planètes Jupiter en Balance et Pluton en Sagittaire. Il est à souhaiter que votre entourage terrestre soit aussi fabuleux. Si votre ascendant est de ces signes ou encore Verseau, vous êtes votre propre lumière, le générateur d'ondes positives auxquelles tous sont sensibles. Cette superbe énergie se transmet aisément aux autres. Elle attire la faveur de personnes influentes qui viennent à votre rencontre naturellement, sans que vous le cherchiez. Les bonnes relations ajoutant au succès, ce n'est pas un mince avantage.

NOTE IMPORTANTE

Note importante: À défaut d'avoir un tel ascendant, et même si tel est le cas, les personnes marquées par les signes nommés plus haut sont d'une extrême utilité. Cultiver leur amitié et les traiter dignement ainsi qu'elles le méritent vous attirera des sympathies dont vous aurez besoin quand les choses tourneront moins rond. Prévoir est toujours un avantage…

DOMAINES INTÉRESSANTS

Les domaines suivants sont intéressants: banques et instituts financiers, grandes administrations et compagnies, groupements corporatifs, coopératives et sociétés de coopération, entraide, mouvements tendant à l'unité et à la fraternité, développement d'idées nouvelles, démocratie, solidarité, tendances vers la libération et la culture humaine.

PLUS PROSAÏQUEMENT

Plus prosaïquement: l'aéronautique, les voyages en avion, l'électricité, l'électronique, l'hydroélectricité, la psychologie, l'astrologie, la télékinésie, la vibration, le rythme, les inventions, le progrès, l'ultramoderne, l'avant-gardisme, l'aviation et tout ce qui se rattache à l'air, le monde de la culture, le cinéma, la télévision, le théâtre, la danse moderne, les spectacles à grand déploiement, les costumes et décors, la belle société et les lieux luxueux.

AUTRES SUGGESTIONS

Autres suggestions: les réunions et mondanités, les artistes et le milieu artistique et intellectuel, l'acrobatie, le cirque, la magie, les expéditions lointaines en pays étrangers, les langues et cultures étrangères, les enfants, les jeux et entreprises risquées, le commerce, la vie en plein air, les grands animaux et surtout les chevaux, les paris, la vitesse, la philosophie, l'étude des religions, les choses légales et la prophétie.

Vous trouverez dans tout cela de quoi vous passionner et possiblement vous stimuler à reprendre des études, à vous recycler... Sinon, vous manquez de flamme et cela aurait de quoi surprendre!

Bonne rentrée et bon congé de la fête du Travail le 5 septembre!

HOROSCOPE HEBDOMADAIRE

Du 4 au 10 septembre: Vous tombez ou retombez en amour. La flamme vacillait, voilà qu'elle se ranime. Vous êtes comblé, heureux, satisfait en tout point sauf dans votre vie sexuelle, il semble... Mars s'obstinant à rester en Taureau cause problème. Prudence à exercer dans la vie sexuelle et sportive et au travail.

Du 11 au 17 septembre: Le malin vous pousse à agir dans le sens contraire à vos intérêts. Il faut garder le contrôle de peur qu'un problème d'énergie vous mette dans le pétrin. Frustration, échec sexuel, rejet, vous le prenez mal ; c'est pourtant humain. La pleine Lune du 17 septembre en Poissons parle d'argent.

Du 18 au 24 septembre : Vous terminez l'année avec ce Mars en Taureau. Il serait bon d'apprendre à le contourner afin que votre santé demeure solide et que votre instinct sexuel ne déborde pas. C'est meilleur si vous avez un ascendant Taureau, Vierge ou Capricorne : vous débordez de santé et le sexe est un plaisir.

Du 25 septembre au 1er octobre : L'automne s'étant installé, prenez des suppléments alimentaires pour combler les manques dus au fait que vous mangez souvent à la sauvette et prenez du repos supplémentaire pour récupérer.

Avec un peu d'exercice pour garder la forme, ça devrait aller.

CHIFFRES CHANCEUX

4 - 7 - 11 - 22 - 23 - 32 - 33 - 49 - 50 - 69

OCTOBRE

Trop d'expédients peuvent gâter une affaire ;
On perd du temps au choix, on tente, on veut tout faire,
N'en ayons qu'un, mais qu'il soit bon.

Jean de La Fontaine

VITESSE MOYENNE

Deux éclipses ayant lieu ce mois-ci, mieux vaut s'en tenir sagement au statu quo. Ne rien changer dans votre vie privée, votre travail et vos affaires serait bien pensé. Vous le regretteriez si vous changiez quelque chose. Pourquoi braver le sort ? Vous mettre au ralenti et fonctionner à vitesse moyenne serait idéal en cet octobre peu engageant. Le climat subit des variations qui ont un effet déprimant sur le corps et l'esprit. De plus, les constantes fluctuations de la Bourse et des valeurs monétaires et immobilières ont de quoi alarmer.

ÉCLIPSES

L'éclipse solaire annulaire du 3 octobre en Balance ne risque pas d'affecter négativement votre état physique. La résistance à la maladie est bonne, sauf dans le cas d'un ascendant Balance, Cancer, Capricorne ou Bélier. La situation devenant plus corsée alors, prenez les mesures qui s'imposent pour retrouver la forme.

En cas de chirurgie, si vous le pouvez, ne choisissez pas octobre. Février 2005 serait idéal, si jamais vous pouviez attendre jusque-là. Si l'opération est urgente, n'hésitez pas à procéder, vous ne courez pas de risques sérieux. La récupération sera un peu plus lente, c'est tout. En cas d'accouchement, ne paniquez pas, rien ne vous arrivera de déplaisant, promis.

L'éclipse lunaire du 17 octobre en Bélier ne réduit pas non plus votre résistance morale et psychique. Vous gardez courage et le moral est ferme. D'autres personnes autour de vous peuvent décliner mais pas vous. À moins d'avoir un ascendant Bélier, Cancer, Balance ou Capricorne, vous êtes solide comme le roc.

RENDRE SERVICE

On vient chercher de l'aide auprès de vous. Soyez prêt à rendre service, vous avez déjà bénéficié de la générosité d'autrui, il faut rendre le bien par le bien, c'est normal. Quitte à faire quelques sacrifices donnez de votre précieux temps, de votre écoute et de votre argent au besoin pour soulager la misère d'autrui. Cela vous sera rendu au centuple, j'en fais le serment.

HOROSCOPE HEBDOMADAIRE

Du 2 au 8 octobre: Vous trouverez plus haut les explications sur l'éclipse solaire annulaire du 3 octobre en Balance. Tout devrait bien se passer pourvu que vous assuriez votre santé et votre sécurité. Prendre des risques serait défier le sort; ne le faites sous aucune considération.

Du 9 au 15 octobre: Il se peut que vous soyez habité par une passion violente non payée de retour du genre «attraction fatale». Si la jalousie et le désir de vengeance se manifestent, consultez, vous avez besoin d'aide. Si vos pulsions sont bien comprises et contrôlées, tant mieux, vous avez un caractère d'acier.

Du 16 au 22 octobre : L'éclipse lunaire partielle du 17 octobre en Bélier est expliquée plus haut. En cette période, mieux vaut rester sur place, éviter les départs et les déménagements, les ruptures et les engouements pour une personne, un projet, un objet quelconque. Ça ne saurait durer…

Du 23 au 29 octobre : Famille et foyer sont sous haute tension. Il est possible qu'un des parents subisse une opération chirurgicale. Prudence avec le feu : le système de chauffage doit être vérifié par des spécialistes. Prudence aussi avec les armes et les objets tranchants. Ne pas dépenser le patrimoine et éviter les conflits familiaux.

Du 30 octobre au 5 novembre : La nouvelle Lune du 1er novembre en Scorpion indique de l'hypersensibilité et de la susceptibilité nuisible au bonheur personnel et conjugal. Les amis et relations vous adorent, cela vous console.

CHIFFRES CHANCEUX

3 - 6 - 13 - 28 - 29 - 30 - 45 - 56 - 67

NOVEMBRE

Le cœur du fou est dans sa bouche, mais la bouche du sage se trouve dans son cœur.

BENJAMIN FRANKLIN

CHANGER DE TONALITÉ

Novembre indique le besoin urgent de changer de tonalité. Non que vous détoniez, mais il faut suivre le mouvement des planètes et celles-ci innovent en transférant les bons aspects en signes d'eau. D'un signe d'air, vous n'êtes pas complémentaire avec l'eau ; pourtant, les natifs de ces signes vous plaisent. Ils vous confirment dans un rôle spécifique que vous interprétez à merveille.

Les plus favorisés ce mois-ci par le destin ont pour nom Poissons, Scorpion et Cancer. Si tel est votre signe ascendant, tant mieux, vous continuez votre périple vers le haut et la pente se révèle plus facile à gravir que jamais.

SIGNES D'EAU

Le signe d'eau sait parfois mieux que vous-même ce qui vous convient, ce que vous devez mettre de l'avant et ce qu'il faut occulter. Suivre l'avis de ces natifs ou ascendants sera faire preuve de grande intelligence pratique en novembre. Moi qui suis Poissons, je puis vous être d'une aide précieuse, si seulement vous voulez vous donner la peine d'écouter chanter les planètes…

INSPIRATION PROFONDE

Avec ou sans la contribution des signes d'eau, vous vivrez ce mois avec délice, savourant chaque instant que la vie met à votre disposition et aimant tout le monde, ou presque…

Tout chez vous se passant sur le plan de l'intellect et du système nerveux que vous avez en effervescence, vous étudiez bien les problèmes présentés à votre attention et trouvez des solutions simples mais efficaces. Sous le coup d'une inspiration profonde, vous alliez intelligence et pressentiment avec bonheur. Ce que vous fabriquez a toutes les chances de plaire et de trouver preneur.

PARFAIRE LA DÉMARCHE

Même si le progrès est plus lent, vous continuez votre bon travail. Ce qui se produit inopinément dans votre vie sociale, matérielle et professionnelle est un produit de votre cerveau ; c'est vous qui avez élaboré les plans, mis en marche les projets, trouvé des gens intéressés à vos créations et les fonds nécessaires à leur exécution. Vous êtes en train de parfaire la démarche entreprise et de boucler la boucle. Il s'agit d'un moment clé, bravo !

HOROSCOPE HEBDOMADAIRE

Du 6 au 12 novembre : La période incite à la prudence en auto et avion ; ne pas voyager serait sage. Problèmes avec la terre et l'air ; soyez sûr de bien vous oxygéner, prenez l'air et n'achetez pas d'immobilier. Vos amis sont de bon conseil, écoutez-les.

Du 13 au 19 novembre : La pleine Lune du 15 novembre en Taureau porte à la jalousie. La vôtre ou celle de l'autre, c'est aussi dangereux. Ne sous-estimez pas les membres de la famille ; ils sont capables de tout si vous agissez contre leurs intérêts.

Du 20 au 26 novembre : Le temps n'est pas aux investissements mais à la révision des placements que vous possédez. Des changements sont conseillés en ce sens ; voyez un expert en qui vous pouvez avoir confiance, cela doit se trouver...

Du 27 novembre au 3 décembre : Le 27 est à souligner. Si vous avez l'ascendant ou quelque planète en Poissons, en Scorpion ou en Cancer, vous allez vous régaler. Un voyage, une surprise, quelque chose de rare et de précieux vous attend. La nouvelle Lune du 1er décembre en Sagittaire est parfaite pour partir.

CHIFFRES CHANCEUX

3 - 5 - 16 - 17 - 28 - 34 - 35 - 44 - 45 - 56

DÉCEMBRE

Ne me dites pas que ce problème est difficile. S'il n'était pas difficile, ce ne serait pas un problème.

MARÉCHAL FOCH

SANTÉ ET ÉQUILIBRE

Ce qu'il faut avant tout en décembre : rechercher la santé et l'équilibre. Ce qu'il faut éviter ce même mois : l'excès et l'insouciance. Vous avez connu des heures délirantes où tout était permis ou presque. Voici venu le temps de faire l'inventaire et de ramener vos ambitions à des termes plus acceptables.

N'oubliez pas de penser santé et équilibre, cela autant sur le plan physique que psychologique et mental. De tout, mais dans des proportions raisonnables, voilà le meilleur menu que je puisse vous proposer ces temps-ci.

PERTES POSSIBLES

Jupiter en Scorpion, votre carré, déconseille fortement les placements risqués et les dépenses exagérées. Il faut penser économie pour un temps. Si des investissements vous inquiètent, retirez votre argent quitte à faire des pertes. Si une propriété coûte trop cher pour vos moyens, vendez-la avant décembre quitte à la vendre moins cher que prévu. Mieux vaut perdre un peu que tout perdre, surtout quand il y va de votre santé et de votre sécurité.

Il convient de se libérer le plus possible, de s'alléger, d'éviter de prendre des responsabilités nouvelles et de liquider ce qui entrave votre liberté d'action. Moins vous devez, mieux ça vaut, moins vous jouez avec l'argent, plus riche vous êtes.

POTS CASSÉS

Saturne, du Lion, votre opposition, réaffirme le besoin pressant de vous occuper sérieusement de votre santé et de celle de votre conjoint ou de votre associé. Vous ménager et protéger l'autre de ses mauvaises habitudes et de ses excès est essentiel à la bonne marche du couple. Sinon, chacun ira de son côté; c'est dommage, surtout quand il y a des enfants en cause… Souhaitons que vous n'en soyez pas là et qu'au contraire, vous fassiez tout pour recoller les pots cassés. Ce serait la meilleure idée que vous ayez eue depuis longtemps!

ASPECT DUR

Pourquoi ce branle-bas de combat? Il se crée dans le ciel du 17 décembre une dissonance sérieuse entre Jupiter et Saturne. Ces deux poids lourds entravent votre vie privée et nuisent aux affaires extérieures. Ambition de carrière, métier, emploi, relations interpersonnelles, vie sociale et amicale, situation financière, rien n'est épargné. Sans vouloir vous inquiéter, il y a lieu d'user de doigté et de se montrer vigilant en ces domaines.

C'est un aspect dur que ce carré vous affectant; vous en ressentirez les effets négatifs mais, prévenu à temps, vous pourrez atténuer l'effet dramatique de la situation et contourner le sort qui se fait capricieux, pour ne pas dire méchant.

LA FIN DU MONDE

Que les âmes sensibles se rassurent, ce n'est pas la fin du monde, mais un monde en perdition à la suite d'un trop-plein de matérialisme sans spiritualité pour transmuter les énergies. La planète devient soumise à des drames sociaux et humains de plus en plus fréquents et horribles. Il faudra bien un jour ou l'autre se rendre à la raison: sans l'amour de la nature et du prochain, ça ne vaut guère la peine de se tuer pour gagner de l'argent. Ça n'achète pas le bonheur, la paix, ni même une heure de vie. Ça ne vaut pas grand-chose, quand on y songe…

GARDEZ ESPOIR

Même si bien des choses vont mal dans le monde, gardez espoir. Vous voyez plus clair que les autres et êtes plus impliqué dans les événements actuels, c'est ce qui fait la différence. Ne vous atterrez pas et restez dans l'air, c'est votre source de vie, de fécondité, de créativité. Battez-vous pour que l'air pur soit disponible, imposez les endroits où l'on vend à prix raisonnable de l'oxygène pur, vous serez d'avant-garde et gagnerez peut-être de l'argent en prime.

L'espoir, c'est sur ce mot d'origine divine que je vous quitte en vous demandant de ne jamais en manquer quoi qu'il advienne, promis?

HOROSCOPE HEBDOMADAIRE

Du 4 au 10 décembre: Vous tendez à être nerveux et inquiet. Ne transmettez pas vos craintes aux autres. S'ils ne sont ni Verseau, ni Taureau, ni Scorpion, ni Lion tant mieux, leur optimisme vous rassure. Vous reprenez confiance; souriez, ça ira.

Du 11 au 17 décembre: Quelle belle semaine pour les sentiments, l'affection, l'amour au sens pur du terme! Vénus entrant dans votre signe le 15, vous terminez l'année sur une note heureuse. La pleine Lune du 15 décembre en Gémeaux le confirme: rester enfant est la solution.

Du 18 au 24 décembre: Limitez les dépenses mais choyez les vôtres. Votre charme attire la sympathie, votre beauté resplendit, vous faites des envieux. Ils ne connaissent pas toute l'histoire, mais ça ne les regarde pas, n'est-ce pas?

Du 25 au 31 décembre: Joyeux Noël! Misez tout sur les témoignages d'affection sincère et sur le sourire des enfants. Leurs mots gentils vous caressent l'oreille; c'est la plus douce sensation au monde. La nouvelle Lune du 30 décembre en Capricorne favorise la discrétion. Savoir tenir sa langue s'impose.

CHIFFRES CHANCEUX

1 - 2 - 11 - 22 - 37 - 38 - 40 - 44 - 51 - 62

Bonne année nouvelle, cher Verseau!

Poissons

DU 20 FÉVRIER AU 20 MARS

1er DÉCAN : DU 20 FÉVRIER AU 29 FÉVRIER
2e DÉCAN : DU 1er MARS AU 10 MARS
3e DÉCAN : DU 11 MARS AU 20 MARS

Prévisions annuelles

OSCILLANT MAIS SYMPATHIQUE

Résumer une année en quelques lignes n'est pas aisé, mais l'ensemble du thème annuel présente une uniformité réconfortante : votre ciel astral est oscillant mais sympathique. Rien de prévisible ne se manifestant et l'impossible arrivant souvent, je vous guiderai de mon mieux sur cette route incertaine qu'est la vie. L'année promet d'être animée ; vous l'aimerez.

DOUCEUR ET ÂCRETÉ

Pour ce qui est d'espérer une période calme et sereine, il faut se rendre à l'évidence, les astres tendent à plus de mouvement que de permanence. Adaptabilité, malléabilité et souplesse comptant parmi vos qualités dominantes, vous ne serez pas choqué d'apprendre que la vie vous sert cette année des mets variés allant de l'extrême douceur à l'âcreté.

Double de nature, vous allez d'un point à l'autre sans trouver de repos, mais le trajet est si agréable que vous oubliez de vous plaindre et décidez de jouir de vos déplacements, aussi improbables soient-ils. La destination et le but peuvent demeurer nébuleux, mais vous parvenez à destination indemne, ravi d'avoir fait le transfert.

FACÉTIES D'URANUS

Habitué aux facéties d'Uranus, planète de changement qui habite votre signe depuis mars 2003, vous êtes résigné à ne pas intervenir dans les décisions d'en haut, tout en prenant sur vous les responsabilités qui s'ensuivent. Se résigner à son sort n'est pas toujours vilain, vous aurez maintes occasions de le constater, surtout en octobre, novembre et décembre prochains, mois qui vous réservent des surprises éblouissantes. Curieux ? Je l'espère bien, c'est signe de santé et d'intelligence !

SE CASSER LES DENTS

À compter de la mi-octobre, les événements commencent à se bousculer de façon irrésistible. Vous ne pouvez pas arrêter l'action, ce qui se produit est plus fort que vous. Comme les changements qui surviennent inopinément sont extrêmement bénéfiques et profitables, vous auriez tort de vouloir contrer le sort. N'essayez pas, vous allez vous casser les dents!

NOUVELLE AVENTURE

Laissez-vous aller le plus simplement possible vers votre nouvelle demeure, votre nouvelle aventure, votre nouveau destin. Que vous le vouliez ou non, il faut accepter le changement. Je crois sincèrement que vous allez aimer la démarche menant à un nouveau jour; vous m'en donnerez des nouvelles en m'écrivant au soin de mes éditeurs ou à mon adresse que vous trouverez à la page 4. Bon voyage!

RICHESSE SOUDAINE

Travailleur autonome, vous faites un bond de géant en avant. Vous pouvez faire admettre vos idées et concepts ou les imposer, à la rigueur. La période est liée à la fortune: vous obtenez des biens matériels importants et la richesse soudaine est possible. Elle provient de sources différentes de celles vous attendiez, mais elle est appréciable et procure un sentiment de liberté.

CONTINUER OU ARRÊTER

Travaillant à votre propre compte, vous décrocherez de beaux contrats et recevrez les honneurs qui vous sont dus, sans compter que la rémunération pour vos services augmente, ce qui a pour effet de vous inciter à continuer dans la même veine. Le pouvoir prenant de l'ampleur avec la fortune, vous avez le choix de continuer à travailler ou d'arrêter pour vivre à votre rythme. Les deux options vous étant favorables, la décision reposera sur votre âge et sur votre amour du métier ou de la profession exercée.

CHANCE FORTUITE

Travaillant pour autrui, vous progressez admirablement si vous possédez de la maîtrise dans l'exécution de vos travaux. Être expert dans votre domaine pourrait vous enrichir. Votre travail est loué et reconnu, vous obtenez des satisfactions dues au mérite et aux efforts,

mais la chance qui vous arrive est fortuite. Que ferez-vous l'an prochain, voilà le nerf de la question...

FÉLICITATIONS ET RÉCOMPENSES

Que vous soyez travailleur autonome ou employé de haut niveau, vous serez récompensé cette année pour la patience et la persévérance que vous avez consacrées jusqu'ici à la conduite de votre vie et de vos affaires. Vous méritez des félicitations et des récompenses; manifester votre contentement ouvertement vous rendra sympathique. D'aussi beaux jours ne sont pas fréquents; puisez allègrement dans la cassolette d'argent céleste, ne vous inquiétez pas pour l'avenir.

CÉLÉBRER SOBREMENT

Célébrer sobrement la fin de 2004 serait sagace. Les derniers jours de l'année et les premiers jours de 2005 semblant cousus d'accidents et de violence, mieux vaut ne pas voyager en avion, user de prudence en auto et se méfier des problèmes liés à l'électricité et à l'eau. Le système hydroélectrique pouvant subir dégâts et pertes, préparez-vous le mieux possible à contrer les pannes et autres désagréments afin de terminer l'année sur une note réjouissante. Célébrer, oui, avec mesure et en évitant les grandes dépenses et les voyages.

ANGE PROTECTEUR

L'ange protecteur vous accompagnant dans vos péripéties et voyages se nomme Ayael. Il vous donnera compréhension et réconfort dans les moments de doute et accroîtra vos dons philosophiques et parapsychiques. La métaphysique et l'ésotérisme sont ses sujets de prédilection; grâce à lui, vous apprendrez mieux et utiliserez honnêtement vos dons naturels.

En invoquant Ayael, vous trouverez des réponses satisfaisantes aux questions sur les grands sujets comme Dieu, la mort, la vie, la démocratie, la liberté, le déterminisme, le destin. Idéaliste et épicurien, il vous fera apprécier les valeurs du passé tout en valorisant celles de notre monde contemporain et se révélera très créateur en ce sens. Ayael et vous ferez bonne équipe.

Coup d'œil sur le Poissons de tout ascendant

Poissons-Poissons

Vous avez beaucoup de chance mais trop d'une bonne chose nuit parfois à l'initiative et aux efforts personnels. Ne devenez pas paresseux et la période vous apportera ce que vous espérez.

Il est impensable que votre vie soit terne et ennuyeuse. Du changement, de belles surprises, voilà de quoi elle est brodée. Vous meublerez l'intérieur à votre goût mais la structure restera intacte.

Commencez l'année prudemment, puis prenez votre envol. Des déplacements et voyages alliant travail et plaisir s'inscrivent au programme. Où que vous soyez, vous êtes en sécurité : un ange protecteur veille au grain.

Faire beaucoup d'argent est possible ; suivez votre intuition. Je ne vous promets pas le gros lot, mais assez de blé pour engranger et pour jouir d'une liberté plus grande. Les prévisions mensuelles qui suivent en diront plus long…

Poissons-Bélier

Après un début d'année prudent, vous déploierez vos ailes et volerez plus haut. Votre intuition, qui s'avère géniale ces temps-ci, vous guide ; il ne reste qu'à suivre le mouvement.

Votre côté Bélier étant sous contrôle, vous êtes libre d'agir en douceur. C'est alors que vous faites vos meilleures affaires. Allez vers votre but en empruntant des détours pouvant vous rendre riche, zigzaguez.

L'avantage du côté Bélier se résume à ceci : la Chance Pure le favorise. Grâce à lui, vous pouvez faire des gains providentiels. Tenter raisonnablement le sort serait une option…

Il faudra faire des choix, mais l'opportunité de votre vie viendra sans que vous ayez à tirer la couverture. Les prévisions de la section suivante vous aideront à utiliser les temps forts qui feront toute la différence.

Poissons-Taureau

Les deux facettes sont favorables, mais avec des bémols. De janvier à juillet, le côté Taureau peut être exploité à profit. Il donne

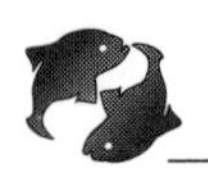

sagesse et jugement, qualités utiles dans la conduite des affaires d'argent.

À compter de juillet, il serait utile de vous en remettre à votre nature Poissons. L'entêtement étant nuisible et la flexibilité utile, vous avez intérêt à donner du lest et à vous montrer tolérant.

Savoir manœuvrer en eaux troubles est votre spécialité. Écoutez votre cœur, vos émotions et surtout votre intuition. Elle est géniale ; vous auriez tort de sous-estimer son pouvoir.

La fin de l'année favorise le côté Poissons. Utilisez ses qualités, surtout en novembre et en décembre, ces mois vous permettant de stabiliser votre situation financière. Les prévisions qui suivent vous renseigneront en détail.

Poissons-Gémeaux

Vous vous trouvez souvent en contradiction avec vous-même, mais cette année équilibre les forces qui vous régissent. Retrouver l'harmonie intérieure permet de vivre une année productive et passionnante.

Le côté Gémeaux est favorable dans les affaires d'argent, d'études, de commerce et de voyages. De janvier à octobre, ses qualités vous avantagent remarquablement ; elles pourraient vous enrichir.

Novembre est un mois fabuleux pour le Poissons. Des opportunités surviennent pour vous de façon magique ; vous n'êtes plus un Poissons volant mais un Poissons pensant.

Dans le cadre de circonstances outrepassant votre volonté, des prodiges surviennent. L'intuition et les prévisions aidant, vous atteignez la cible et n'en revenez pas des résultats obtenus.

Poissons-Cancer

Être résolument Poissons et agir de la sorte pendant la presque totalité de l'année vous rendra plus heureux. Le destin favorisant ce signe, vous ferez des affaires d'or et serez chanceux.

Le fait de soigner votre santé et les problèmes de comportement qui peuvent affecter l'ascendant Cancer vous permettra de préserver votre équilibre. Trop de sensibilité et d'attachement au passé nuit ; par chance, vous avez la faculté d'oublier.

Sans négliger vos responsabilités, n'en prenez pas de nouvelles. Liquider vos peurs imaginaires et donner libre cours à votre ingéniosité et à votre créativité artistique vous enrichira.

L'intuition géniale dont vous êtes porteur attire des gens de qualité capables d'apprécier vos dons et vos talents. Les prévisions mensuelles qui suivent le confirmeront: vous terminez l'année dans l'apothéose.

Poissons-Lion

La combinaison est avantageuse de janvier à juillet, mais à partir de là, mieux vaut être résolument Poissons et agir en fonction du signe, subtilement et en douceur. Ainsi, vous progresserez.

Mettez de côté l'orgueil et l'ambition excessive du Lion et montrez-vous humble en toute occasion, cette attitude étant plus conforme à l'image qu'il faut projeter pour réussir cette année.

Un grand coup s'annonce en novembre, mais vous sentiez depuis octobre la chance tourner en votre faveur. De façon imprévue, et à la suite d'intuitions géniales mises à profit, vous pouvez devenir riche.

Le pouvoir de décider de votre avenir est entre vos mains. Prendre une année sabbatique l'an prochain pourrait avoir du bon. Les prévisions de la section suivante vous aideront à démêler tout ça et à faire les bons choix.

Poissons-Vierge

La combinaison rend perplexe, mais l'harmonie entre les deux tendances est plus facile à établir grâce à la force grandissante du côté Poissons. Qu'il gagne la partie, vous n'aurez qu'à vous en féliciter.

Non que votre personnalité Vierge soit négative, mais disons que les occasions propices qui pleuvront plairont surtout à quelqu'un de généreux qui ne connaît pas l'envie ni la jalousie.

L'intuition, soit l'idée de génie imprimée dans le cerveau sans que la critique ni le jugement n'interviennent, est de loin supérieure à l'intelligence et à la logique cette année.

Décider en moins de quatre minutes est votre spécialité. Vos plus grandes réussites surviennent sans que vous ayez le temps de réfléchir. Les prévisions vous en diront plus long à ce sujet...

Poissons-Balance

Très belle combinaison zodiacale. Alors que le côté Balance est chanceux dans les affaires matérielles et guidé dans les choses spirituelles, le Poissons subit des transformations qui le rendent indispensable.

Les deux sont favorisés mais en alternance. De janvier à juillet, le Poissons joue gagnant. De juillet à octobre, c'est la Balance qui l'emporte. Il suffira de savoir changer de registre en temps opportun.

En novembre, le Poissons se démarque complètement du peloton. Grâce à des intuitions géniales venues en quatre minutes ou moins, il met en branle deux magnifiques projets. La réussite est assurée.

Croyez en votre étoile et Jupiter et Uranus feront le reste. Richesse et pouvoir pourraient vous appartenir, mais les prévisions qui suivent seront nécessaires pour éviter les périodes d'éclipses restrictives.

Poissons-Scorpion

Le côté Poissons, le rêveur ambitieux, l'être subtil qui parvient à ses fins par des moyens détournés et s'adapte aux circonstances réussira. À l'automne, le côté Scorpion forcera le jeu et sera gagnant.

Novembre déclenche une foule d'événements apportant la chance. Vous préparer mentalement à transformer votre vie intime et familiale, vos affaires d'argent, votre travail et vos études rendra la chose plus facile.

Ce qui arrivera dépasse le rationnel et semble tenir de la pensée magique. Bien sûr, vous devez collaborer et faire votre part, mais les surprises heureuses s'avèrent souvent providentielles.

Voyages, gains chanceux, héritages, capitaux bien gérés, enfants, ajouts à la famille et au foyer, de quoi vous réjouir. Mais décembre est traître côté argent ; lire les prévisions qui suivent vous sera indispensable.

Poissons-Sagittaire

Combinaison formidable pourvu qu'on utilise les bonnes composantes au bon moment. Le début d'année est très Sagittaire ; il porte au voyage, mais le Poissons sage restera chez lui.

De janvier à octobre, la personnalité Sagittaire rend de grands services. Sociabilité, entregent et optimisme vous gardent en forme et attirent les gens influents que vous désirez gagner à votre cause.

Séduites par vos propos intelligents, certaines personnes sont prêtes à investir dans vos idées et talents. Travaillant avec vous, elles savent que vous êtes sérieux et que vous réussirez.

Novembre est superbe. La richesse est possible à la suite d'intuitions que vous avez mises à profit. Les prévisions qui suivent vous diront quand il faut agir pour obtenir le maximum de rendement.

Poissons-Capricorne

L'année se déroulera bien à condition que vous fassiez abstraction du côté rationnel du Capricorne et que vous laissiez le côté bohème et moins calculateur du Poissons s'exprimer librement.

Le Poissons est nettement plus avantagé que le Capricorne, mais celui-ci peut vous rendre service de juillet à la fin de l'année, surtout à la fin d'octobre et en novembre.

Bien lire les prévisions de la section suivante vous renseignera sur les trois éclipses touchant le Capricorne. Ces périodes étant moins intéressantes en ce qui concerne la santé physique et morale, mieux vaut ne rien initier à ces moments.

Avantagé par une intuition sans limite et par une chance insolente, vous pouvez devenir riche et influent. Si ça vous intéresse peu, vous héritez d'un prestige accru.

Poissons-Verseau

Combinaison gagnante à tout point de vue. Doué pour les affaires ou tout simplement chanceux, le Verseau fait des gains substantiels et fortuits. Il est au cœur de bien des réussites.

De son côté, le Poissons attend son moment. Il vient à la fin d'octobre et novembre lui est extrêmement favorable. Il n'a pas eu de telles occasions depuis longtemps et doit capitaliser sur son succès.

Qu'il en profite, ça ne dure jamais longtemps ces jours bénis des dieux. Il en sort enrichi et satisfait de lui-même. Non seulement plus heureux parce que plus riche, mais plus vivant en dedans.

Le Poissons ascendant Verseau qui ne trouve rien pour l'allumer vit dans un monde virtuel. Alcool, drogue, médicaments peuvent être en cause. Les prévisions qui suivent l'aideront à se libérer de ses dépendances.

Prévisions mensuelles

JANVIER

Pour moi, le bonheur c'est d'abord d'être bien.

FRANÇOISE SAGAN

DÉBUT D'ANNÉE SAGE

L'année promet d'être sensationnelle, mais elle commence sagement Les démonstrations spectaculaires et grands déploiements d'énergie sont à exclure du programme des fêtes. Il se produit le 31 décembre 2004 une dissonance grave entre Mars en Sagittaire et Uranus dans votre signe, dissonance encore active le 1er janvier 2005. Cela incite à se mettre sur le mode «attente».

Les risques accrus d'accidents m'incitent à vous conseiller la prudence dans les voyages et les déplacements, mais il y a plus. La santé peut écoper. Au moindre indice de malaise, au moindre saignement, à la moindre faiblesse, consultez. Un bon médecin placé sur votre chemin découvrira la source du mal et prescrira ce qui convient. Bien soigné, vous guérirez et reprendrez vite votre rythme habituel.

AGRESSIVITÉ

Si vous notez de l'agressivité, voire de la violence dans votre façon de vous exprimer ou dans vos gestes et paroles, prenez garde, vous êtes sur une pente dangereuse. La frustration matérielle et sexuelle aidant, vous risquez de faire des sottises. Retenez-vous et décidez de vous détendre complètement. Faire le vide, méditer, prier vous empêchera de «péter les plombs». Si vous êtes un ange de douceur et de bonté, attention, c'est vous qui risqueriez de subir les contrecoups. Ne vous mettez à risque sous aucun prétexte, d'accord?

ASCENDANT SAGITTAIRE AVANTAGÉ

Célébrez le nouvel an à votre gré, sans chercher à impressionner qui que ce soit, et reposez-vous le plus possible. Plusieurs planètes en Sagittaire avantagent ce signe. Un ascendant Sagittaire vous fera passer un début d'année plus dynamique. L'énergie coulant de source, il faudra faire attention de ne pas aller jusqu'à l'épuisement total.

Le Poissons peut aimer ardemment et vouloir donner à la personne aimée des preuves tangibles de son amour, mais il ne peut tout se permettre. Par chance, la situation va s'améliorer le mois prochain. Remettez les sports et les dépenses d'énergie physique et sexuelle à des temps plus propices, vous en serez content.

HOROSCOPE HEBDOMADAIRE

Le 1er janvier: Délicat, le premier de l'an est expliqué plus haut. Suivre l'avis des planètes serait sage. À vous de décider, mais si j'étais vous, je me tiendrais tranquille, histoire de me sentir en sécurité. Faites comme moi et tout ira bien.

Du 2 au 8 janvier: Si vous n'abusez pas de votre corps, votre santé se portera bien. L'énergie peut manquer, le sexe avoir des ratés, mais rien de dramatique. Soignez votre rhume, prenez votre température et votre pression et si tout est normal, cessez de vous inquiéter, sinon consultez un médecin.

Du 9 au 15 janvier: Le système nerveux se calme, les affaires de cœur vont mieux, vous reprenez confiance et l'année prend de l'essor. La nouvelle Lune du 10 janvier en Capricorne favorise les amitiés et les relations d'affaires.

Du 16 au 22 janvier: Imprudence, témérité, emballements intempestifs, goût exagéré de la chance à courir, pour le jeu, pour ce qui implique des risques. Attrait pour la vitesse, pour les aventures sexuelles: feu rouge, danger. Vous n'allez pas risquer tout ce que vous avez mis des lunes à bâtir; réfléchissez.

Du 23 au 29 janvier: La pleine Lune du 25 janvier en Lion vous met en contact avec des personnages influents. Le travail est plaisant, mais vous semblez agir dans le sens contraire à vos intérêts. Des impulsions violentes peuvent nuire à la réussite sociale et professionnelle; redoutez les conflits avec les patrons.

Du 30 janvier au 5 février: Saturne travaillant pour vous conseille de réduire les heures de travail et de prendre du bon temps. Votre réserve d'énergie remontant rapidement, vous avez des forces nouvelles à dépenser. Faites-le pour des choses valables, ne vous gaspillez pas en vaines poursuites.

CHIFFRES CHANCEUX

1 - 8 - 14 - 16 - 28 - 35 - 37 - 48 - 49 - 62

FÉVRIER

Don Février se chauffait les mains ; tantôt le soleil luisant, tantôt l'été et l'hiver se livraient bataille ; il venait les séparer, se plaignait de ce qu'il était le plus petit.

J.-L. SEGURA

MOIS DES AMOUREUX

Mois des amoureux, février s'avère satisfaisant. La fin du mois ramène l'anniversaire de naissance des natifs du premier décan des Poissons. Ceux-ci se trouvent directement aux prises avec Uranus, planète de changement qui n'épargne personne. S'ils s'adaptent aux rigueurs du climat, ils s'adapteront aussi bien aux exigences des clients et des patrons. L'aspect du monde extérieur ne leur déplaisant pas, ils se feront une niche confortable où créer leurs magnifiques projets et inventions. Ainsi, ils sont heureux.

ET L'AMOUR...

Et l'amour dans tout cela ? Oui, mais avec des couleurs moins excitantes que la vie sexuelle, peut-être... Vénus se promenant en Verseau favorise surtout l'amitié. Elle peut être amoureuse ou pure et tenir un rôle de premier plan dans la vie des Poissons de tout âge. L'amour pour de bon, c'est à la fin du mois que vous en subirez les affres et les câlins.

SAINT-VALENTIN

Côté sentimental, vous avez des réserves, la Saint-Valentin avec sa Lune en Taureau vous agrée. Beau décor, musique, volupté ; aimant les parfums, vous en offrez autant que vous en recevez. Gourmet et gourmand, vous devriez surveiller les excès de table, de bons vins et d'alcool sont à surveiller : vous ne voudriez pas perdre l'avance que vous avez prise. Un gentil partenaire amoureux et la soirée est superbe. Parce que vous aimez sincèrement votre conjoint ou partenaire amoureux, vous ne regrettez pas votre soirée. La chose mérite d'être soulignée.

VOUS REPRENEZ LE CONTRÔLE

Février est fort intéressant. On note un regain d'énergie, une meilleure santé et plus d'ambition et de détermination à réussir. Mars passant en Capricorne, signe ami, favorise un caractère soucieux de plaire et de faire l'unanimité, mais aussi une volonté forte et un esprit de décision qui en imposent. Vous reprenez le contrôle de vos émotions, de votre impulsivité et de votre dynamisme. Il était temps !

ÉCONOMIES

La persévérance que vous mettez au travail permet de mener à bien vos projets. Canalisant vos énergies dans des voies pratiques, vous savez faire des économies de temps, d'argent et de travail et réussissez à en faire faire aux autres. Cette aptitude à sauver la chèvre et le chou vous vaut des félicitations. On approuve votre façon de réaliser les choses, proprement, systématiquement, correctement et sans fla-fla inutile. Basique, voilà la recette.

Ne craignant ni dieu ni diable, le premier décan célébrera cette année un anniversaire marquant. Le souligner et en garder des preuves tangibles, cadeaux, photos, cartes de souhaits, serait amusant.

Joyeux anniversaire, cher Poissons dont c'est le tour !

HOROSCOPE HEBDOMADAIRE

Du 6 au 12 février : Un vent plaisant arrive en trombe et fortifie le corps et l'esprit. Vous utilisez bien l'énergie et les moyens dont vous disposez ; avec vous, rien ne se perd. La nouvelle Lune du 8 février en Verseau parle de secret, d'automobile, d'avion, d'Internet et de surprise agréable.

Du 13 au 19 février : Votre persévérance dans l'effort est remarquée ; on vous cite en exemple. Que cela ne vous monte pas à la tête, vous avez encore de grandes choses à ériger. Procéder lentement mais sûrement, une chose à la fois est le mot d'ordre.

Du 20 au 26 février : Le Soleil sur Uranus en Poissons décuple le magnétisme. En demande dans divers milieux, vous vous exprimez avec finesse. Meetings, conférences, on vous écoute ébloui. À la pleine Lune du 23 février en Vierge, réduisez les antagonismes et ne provoquez pas l'opposant.

Du 27 février au 5 mars : Soleil, Mercure, Vénus et Uranus en Poissons, vous avez de la belle visite. Rien ne devrait manquer à votre bonheur, sans compter que de belles surprises vous attendent pour votre anniversaire. Chut, je ne dirai rien mais attendez-vous à quelque chose de gros !

CHIFFRES CHANCEUX

3 - 10 - 19 - 28 - 33 - 34 - 43 - 44 - 59 - 67

MARS

Le vrai secret de la vie est de s'intéresser à une chose profondément et à mille choses suffisamment.

HUGH WALPOLE

MOIS D'ANNIVERSAIRE

Le ciel de mars favorise la santé physique, mais il tend surtout à l'amour, à l'amitié, à l'art et à la beauté. Tout traitement en vue d'améliorer son potentiel de base procurera du bien-être et vaudra largement l'investissement de temps et d'argent consenti.

Être aux petits soins pour votre corps redonnera vigueur et jeunesse à vos cellules, optimisme et joie de vivre à vos neurones. Il n'y a pas d'âge pour se faire une beauté, se procurer des vêtements à la mode et suivre les courants branchés. La longévité est relative à la foi et à l'espérance. Quant à la charité, cela va de soi quand on est du signe. Longue vie à vous, cher Poissons !

AMOUR ET DOULEUR

Amour et douleur d'aimer se rejoignent ce mois-ci. Vénus en Poissons n'est pas sans accroître l'émotivité. La vôtre se trouvant adoucie maîtrise l'élément de douleur inhérent à votre nature et permet de ressentir un sentiment tel qu'il soulage ceux et celles qui souffrent dans leur corps et dans leur âme ou leur esprit. Poussé par une tendre pitié, vous pouvez rendre service dans les hôpitaux, les prisons, les institutions charitables où l'on héberge et nourrit ceux qui sont dans le besoin.

BON, OUI ; NAÏF, NON

L'hiver est dur et long pour certains, votre bon cœur tend à vous inciter à porter secours à qui en a besoin. Vous n'aimez pas tous les sans-abris ni tous les malades, mais vous les aidez tous. C'est la plus merveilleuse issue offerte à l'âme humaine. En ce sens, vous êtes pleinement satisfait de vous-même, mais attention de ne pas vous laisser berner en affaires. Faire confiance avec des limites et éviter les conflits légaux est à l'ordre du jour. Bon, oui ; naïf, non !

TRAVAIL ET AFFAIRES

Dans le monde capitaliste à l'excès où nous vivons, il faut s'adapter aux multiples variations financières et prendre de beaux risques calculés. Votre façon de gérer vos affaires peut inquiéter certains proches mais vous devez suivre votre intuition, c'est plus fort que vous et c'est profitable pendant tout le mois. Vous avez du pif ; si vous le mettez au service de vos finances, votre portefeuille prendra de l'embonpoint. Mieux vaut que ce soit lui que vous !

COUPS DE CŒUR

Si le travail que vous effectuez ponctuellement et vigoureusement ne vous plaît pas, pensez à le quitter pour quelque chose de plus transcendant. Uranus dans votre signe ne permet pas le *statu quo.* Il déchaîne des forces de résistance à l'ennui et à la passivité, états qui vous empêchaient d'agir. Passer d'un travail à un autre, d'un métier voire d'une carrière à une autre est tout ce qu'il y a de normal en ce moment. Qui dit changement dit Poissons. Donnez suite à vos coups de cœur, ils vous rendront heureux.

PROGRÈS MATÉRIEL ET SPIRITUEL

Grâce à un bel aspect se faisant entre Jupiter en Balance et Neptune en Verseau, avoir l'ascendant dans l'un de ces signes favorise grandement la chance matérielle et le progrès spirituel. Les deux étant

liés par on ne sait quelle magie des étoiles, négliger l'un au profit de l'autre vous couperait d'une belle énergie constructive et chanceuse. Une croisière se révélerait agréable et profitable. On n'est jamais mieux que sur la mer quand on est Poissons !

ASCENDANTS PRIVILÉGIÉS

Ascendant Balance, Verseau mais aussi Sagittaire et Gémeaux, vous pouvez régler avantageusement des affaires liées aux liquides, pétroles, eaux et autres, à l'hydroélectricité et aux sciences occultes. Des transactions peuvent s'avérer utiles non seulement dans l'immédiat mais aussi dans le futur. Vos dons de pressentiment étant exacerbés, fiez-vous à vos rêves et laissez votre inconscient vous guider, vous êtes sûr d'être à la ligne d'arrivée.

ÂME-SŒUR

Vous gagneriez à vous intéresser à des œuvres caritatives, à vous orienter vers des groupes sociaux, Âge d'or et autres groupes vous rapprochant des gens de votre âge. Leur contact est sympathique et cela vous permet de voyager et de vous divertir à moindres frais. Bonus : l'âme-sœur pourrait se trouver parmi eux.

Un Poissons trouve toujours son « double karmique ». Ne faites pas mentir les planètes en mars, votre mois préféré. Surtout qu'il tend à vous enrichir grâce à une formule magique que vous aurez découverte et adoptée.

Joyeux anniversaire, cher Poissons ! Joyeuses Pâques à tous le 27 mars !

HOROSCOPE HEBDOMADAIRE

Du 6 au 12 mars : Bien dans votre peau, vous établissez des contacts faciles aussi bien avec les hommes qu'avec les femmes en usant de votre charme et de votre magnétisme. La nouvelle Lune du 10 mars en Poissons ajoute une dimension agréable ; cadeaux, célébrations, les sorties sont distrayantes.

Du 13 au 19 mars : Stabilité ou amélioration de la santé. Vous recevez des compliments, des félicitations, des invitations à saisir rapidement. La chance est fugace mais très présente. Pour le travail, l'art, la musique, la beauté, la semaine est opportune et enrichissante.

Du 20 au 26 mars : La pleine Lune du 25 mars en Balance rend service à tous les natifs côté taxes, impôts, testaments et affaires d'argent, mais elle profite surtout aux ascendants Balance, Verseau, Sagittaire et Gémeaux. Popularité, attrait sur le public et sur la foule, vous êtes recherché et chanceux.

Du 27 mars au 2 avril : C'est par la volonté, la ténacité, la fermeté et le dynamisme que vous surmontez les difficultés et les complications actuelles.

Vous profitez de forces dynamiques surprenantes ; si l'on vous croyait passé ou déchu, on se trouve trompé, vous êtes plus efficace que jamais.

CHIFFRES CHANCEUX

1 - 12 - 16 - 23 - 23 - 30 - 31 - 40 - 55 - 64

AVRIL

Belles personnes, rayonnez, fleurissez, soyez des échansonnes
De rêve, d'un sourire enchantez un trépas,
Inspirez-vous des vers... mais ne les jugez pas !

EDMOND ROSTAND

RELATIONS STABLES

Vos relations sentimentales sont sérieuses et stables ; parfois une liaison intime avec une personne plus âgée assagit les tendances frivoles. Le flirt pour le flirt peut être une option, mais celui-ci est passager et n'altère pas la vie conjugale. L'espace de quelques beaux jours d'avril, on croit à des chimères, on fantasme, on se prend pour quelqu'un d'autre. Amusant, sans plus.

ANCIENNES AMITIÉS

Ce qui vous intéresse, ce sont plutôt les anciennes amitiés que vous aviez négligées et qui reprennent de plus belle. Une personne qui a du Taureau par le signe solaire ou ascendant vous aime et l'affection est réciproque. La présence amie réconforte dans les périodes d'éclipses comme il s'en produit ce mois-ci, mais il semble que ce soit

vous qui serviez d'ancrage à plusieurs. Vous en avez la capacité, aucun problème personnel n'étant à prévoir à cause de ces éclipses.

DEUX ÉCLIPSES

L'éclipse solaire totale du 8 avril se faisant en Bélier vous laisse en paix. La santé est solide dans la plupart des cas, mais les ascendants Bélier, Cancer, Capricorne et Balance sont affectés. Une baisse de résistance physique se fait assez fortement sentir. Entreprendre des choses d'envergure et se fatiguer indûment est fortement déconseillé à ces derniers. Il devient prioritaire pour eux de prendre un soin jaloux de leur santé et de leur sécurité personnelle. En cas d'urgence, traitez immédiatement tout malaise pouvant survenir; si vous avez le choix, attendez à mai et après pour subir une chirurgie ou des soins esthétiques majeurs.

L'éclipse lunaire du 24 avril en Scorpion ne pose pas problème en principe, sauf si vous avez un ascendant Scorpion, Lion, Verseau et Taureau. En ce cas, une courte mais douloureuse baisse psychique et morale peut survenir. Si la déprime tend à s'installer et persiste, consulter est la solution, mais à condition de suivre les indications du médecin, du psychologue ou du thérapeute soignant.

FORMULE GAGNANTE

Dans les deux cas, les chances sont de 8 sur 12 en votre défaveur. Ce n'est pas très fort comme statistique, mais les périodes d'éclipses ne sont pas la fin de tout. La formule gagnante : vivre comme à l'habitude, en s'en tenant le plus possible à la routine sécurisante sans chercher à innover et à tout chambarder dans sa vie et ses affaires, se soigner et se reposer.

HOROSCOPE HEBDOMADAIRE

Du 3 au 9 avril : Les personnes de votre entourage personnel et au travail qui sont Gémeaux, Vierge, Sagittaire ou Poissons sont plus en forme. Confiez-leur une mission, demandez un service, elles se feront un plaisir de vous obliger. L'éclipse solaire totale du 8 avril en Bélier est expliquée plus haut.

Du 10 au 16 avril : Mercure rétrogradant, ralentissez. Grèves, retards, lenteurs administratives et autres, vous n'avez pas le choix. Remettez les moteurs en marche et à vitesse maximale le 15. Frères, sœurs, cousins, parenté et entourage vous aiment; la chance qu'ils ont déteint sur vous.

Du 17 au 23 avril: Haut les cœurs, vous avez de l'amour à donner, du bonheur à recevoir. Ouvrez votre cœur à tout beau sentiment et ne laissez pas la jalousie ternir vos relations affectives, amicales et conjugales. Chance dans les arts et avec les artistes, créativité, dons pour la cuisine, bon goût.

Du 24 au 30 avril: L'éclipse lunaire de pénombre du 24 avril en Scorpion a été expliquée plus haut. Ne rien entreprendre et ne pas déménager, changer de bureau, d'emploi ou de décor sous pareils augures, ce serait décevant. Une relation d'amour ou d'amitié commencée ici ne durera pas.

CHIFFRES CHANCEUX

2 - 6 - 12 - 24 - 25 - 32 - 33 - 46 - 59 - 67

MAI

De tous les animaux qui s'élèvent dans l'air
Qui marchent sur la terre, ou nagent dans la mer
De Paris au Pérou, du Japon jusqu'à Rome
Le plus sot animal, à mon avis c'est l'homme.

NICOLAS BOILEAU

MARS EN POISSONS

Planète d'action, d'énergie, de volonté, de sexe et sport, Mars arrive en visite dans votre signe, le Poissons. Il y restera pendant tout le mois de mai, provoquant des prises de décisions fulgurantes et spontanées, des crises de domination et d'ambition peu commune, des réactions passionnées auxquelles on n'est pas habitué. Rarement les natifs du Poissons se montrent-ils aussi déterminés. De quoi surprendre, mais agréablement.

QUITTE À SE TROMPER

Quitte à se tromper, ce qui arrive peu vu la puissance de l'intuition, on agit fermement, sans retour en arrière, résolument. Personne ne peut vous faire changer d'idée et c'est bien ainsi. L'instinct vous

amène en terrain sûr et vous fait reconnaître l'ennemi pour ce qu'il est. Vous procédez à des changements majeurs. Tout se fait à vive allure ; vous prenez à peine le temps de manger tant vous êtes survolté. Buvez beaucoup de jus de fruits et de jus de légumes, ça vous gardera dans cet esprit sans amocher votre santé.

VENT D'ÉNERGIE POSITIVE

Un vent d'énergie souffle sur vous et balaie les préjugés et tabous. Vous bougez, vous brassez des affaires, vous n'avez peur de rien, c'est étonnant et beau à la fois. Œuvrant parfois dans des lieux isolés, travaillant dans le secret et exigeant la discrétion de ceux avec qui et pour qui vous travaillez, vous participez à la naissance d'un beau projet. Vous pouvez même en mener deux de front. De quoi vous tenir occuper en ce beau printemps 2005 qui vous oblige à bouger, à virevolter, à faire des prouesses dont vous serez fier en août et surtout en novembre prochain, moment où la boucle sera bouclée.

POUR LES PLUS JEUNES

Pour les plus jeunes, le sexe risque d'occuper toute la place. L'appétit sexuel devenant vorace, vous ne vous contentez pas de miettes, vos désirs charnels prennent des allures d'ouragan. Sexe, oui, mais pensez aussi sport et bénévolat. Ces options serviront de dérivatif à une surabondance d'hormones et d'énergies physiques et sexuelles.

GOURMANDISE

Gare à la gourmandise pouvant devenir gloutonnerie. Prendre des repas gargantuesques vous fera prendre du poids. Attention à votre ligne, Poissons, si vous désirez plaire à votre compagnon de jeux ou séduire un nouveau partenaire, il faut des appâts. Goût pour la gastronomie, pour les bons crus et les boissons alcoolisées. Attention, ça peut entraîner des complications. Allô, ici le foie ! Sans parler de l'ivrognerie, de l'alcoolisme et d'autres mauvaises habitudes dont il faudra vous défaire un jour ou l'autre. Pourquoi commencer ? Dirigez habilement votre énorme somme d'énergie et vous passerez un mois du tonnerre !

C'est la fête des Mères le 8 mai, bonne fête aux mamans Poissons !

HOROSCOPE HEBDOMADAIRE

Du 1er au 7 mai : Le 1er est fulgurant, le 2 très utile et le 3 surprenant mais plaisant. Le menu de la semaine est aussi varié que complet. Les choses du cœur et de l'art ont votre préférence. Vous trouvez des compensations de qualité dans ce qui embellit la vie et nourrit l'âme et l'esprit.

Du 8 au 14 mai : La nouvelle Lune du 8 mai en Taureau accroît le désir charnel et l'appétit sexuel, mais la romance est à l'honneur. Vous ne tombez que pour quelqu'un qui fait la cour et sait être patient en amour. Ça prend beaucoup pour vous séduire !

Du 15 au 21 mai : Actif intellectuellement, vous possédez une rare sûreté de jugement. Il est temps de prendre des décisions définitives que vous ne regretterez pas. Qui a du Taureau, du Gémeaux ou de la Balance rejoint vos idées et vous plaît. Amitié, amour, tout dépend…

Du 22 au 28 mai : La pleine Lune du 23 mai en Sagittaire et l'arrivée du Soleil en Gémeaux incitent à la prudence côté santé. Il faut réduire les voyages et les déplacements. Le cœur n'est pas simple, deux personnes se disputent votre affection. Laquelle choisir ? Aucune pour le moment, bien sûr !

Du 29 mai au 4 juin : Déception affective et familiale. Vous ne trouvez pas la paix désirée au foyer. L'harmonie recherchée se trouve en vous-même. Vous pouvez y accéder par la musique, la chanson, la danse, le théâtre, la méditation, le yoga et autres dynamiques du genre.

CHIFFRES CHANCEUX

4 - 6 - 12 - 28 - 29 - 39 - 40 - 41 - 55 - 69

JUIN

Où donc un enfant dormirait-il avec plus de sécurité que dans la chambre de son père ?

NOVALIS

L'AMOUR ET L'AMITIÉ

L'amour remplit ce mois d'extase amoureuse et de confiance amicale. Par bonheur, vous avez des quantités d'amour à donner et vos sentiments sont payés de retour. En choisissant bien vos amis et amours, vous retirerez un plaisir ludique du seul fait d'être en leur compagnie. Le beau de l'affaire, c'est que la raison ne s'objecte pas à vos choix, bien au contraire. Qui vous aime est digne d'affection et qui vous aimez la mérite aussi. Qu'il s'agisse d'amour ou d'amitié, l'échange est parfait.

PASSER À L'ACTION

Pour passer à l'action au travail, ou en ce qui concerne un projet qui vous tient à cœur, agissez le plus rapidement possible, soit avant le 12 de préférence. Mars toujours dans votre signe incite à l'impulsivité dans les actes et les décisions. L'énergie débordant de tous côtés, mieux vaut la canaliser et n'aller que dans une seule direction à la fois. Trop de projets menés de front pourraient provoquer une collision. À ce propos, prudence au volant, au travail, dans le sport et l'exercice. En cas de malaise douloureux, de fièvres, de saignements ou autres, consultez sans tarder. Mars est dynamique, mais parfois trop. Réduisez les dépenses d'énergie si vous êtes en panne, ce sera de courte durée.

HOROSCOPE HEBDOMADAIRE

Du 5 au 11 juin: La nouvelle Lune du 6 juin en Gémeaux rend hypersensible et susceptible. Ne critiquez pas et on vous épargnera. Vous êtes nerveux, vos réflexes sont peu sûrs, prudence dans les écrits, dans les déplacements et avec les enfants.

Du 12 au 18 juin: Les angles s'adoucissent, santé, intellect, système nerveux, sentiment, charme et talent sont en croissance. Grande chance en amour, dans les jeux de hasard, en spéculation boursière, immobilière et financière. Jouez le tout pour le tout, vous gagnerez!

Du 19 au 25 juin: La pleine Lune du 21 juin en Capricorne ramène à l'ordre. Le temps est à l'économie des moyens, de temps et d'argent. Faites des réserves tandis que l'abondance se manifeste. Jouissez de l'été et de la vie, mais sans excès.

Du 26 juin au 2 juillet: Si vous devez prendre une décision importante ou faire un geste significatif en amour, en affaires ou en ce qui concerne votre santé, choisissez cette semaine pour le faire. Dépêchez-vous avant de changer d'idée. Les Poissons, ça change vite de direction, observez-les dans leur aquarium…

CHIFFRES CHANCEUX

4 - 5 - 6 - 14 - 26 - 27 - 33 - 44 - 58 - 64

JUILLET

Dieu fit la douce illusion
Pour les heureux du bel âge;
Pour les vieux fous, l'ambition,
Et la retraite pour le sage.

VOLTAIRE

TROP D'UNE BONNE CHOSE

Pour une bonne récolte, il faut avoir semé depuis mars dernier les semences de la réussite. Juillet stabilise vos ambitions et les rend réalisables. Courir après les chimères est joli, mais la période exige de revenir à des visées plus raisonnables. Les normes changent, les temps changent, il faut s'adapter au nouveau rythme de vie qui s'implante peu à peu.

Vous n'avez pas envie de l'entendre, mais il est de mon devoir de vous dire ceci: trop d'une bonne chose nuit. Trop de facilité et d'argent liquide ne prédispose pas à la créativité, à l'innovation, au plaisir de vivre à fond et d'être content de soi. Cela rend sûr de soi et paresseux; c'est un risque que je désire souligner en ce beau mois de juillet. Vous ne m'en voudrez pas j'espère…

DÉFI ET ESTIME DE SOI

Si personne n'ose le faire ou s'en soucie, posez-vous vous-même des défis. Il faudra vous dépasser et aller au-delà de vos limites pour arriver au but visé tout en conservant l'estime de soi. Il reste que la satisfaction du travail accompli est indispensable à tout natif qui se respecte. Sans

estime de soi, on peut posséder la terre, mais rien n'y fait. Sitôt entré, le bonheur s'échappe par la porte d'en arrière et reste introuvable...

Cette tactique procurera des effets bénéfiques à la santé physique, morale et mentale. Si vous ne voulez pas perdre votre avance, soyez avant-gardiste, ultramoderne, prophétique. Ne craignez pas d'être 20 ans en avance, les autres vous rejoindront dans 7 ans. Tous n'ont pas votre ouverture d'esprit ni votre façon d'envisager les problèmes du XXIe siècle, il faut bien que quelqu'un propose des solutions de rechange. Ce sera vous, c'est décrété.

MINIMALISME

« Nul n'est prophète dans son pays » ne s'applique pas à votre genre de travail, de mission, d'énergie. Ne fabriquez rien, ne créez rien de jetable, faites du durable. Matériellement, devenez minimaliste, vous aurez un plaisir ludique à économiser l'énergie hydroélectrique, le pétrole, le gaz, la nourriture, le vêtement, les loisirs, etc. Toute forme d'économie vous réjouit. Si l'on peut vivre avec moins tout en se faisant plaisir, pourquoi s'en priver ? Vous passerez de bonnes vacances à recycler les vieux objets, les anciennes amitiés, le vieux gagné. Ce ne sera pas du temps perdu !

HOROSCOPE HEBDOMADAIRE

Du 3 au 9 juillet : Le Soleil et Saturne s'unissent pour vous faire réaliser des choses importantes qui comptaient peu avant. C'est réussi, la nouvelle Lune du 6 juillet en Cancer le prouve, vous êtes un adulte responsable. Le temps a fait son œuvre, vous êtes un être encore imparfait mais évolué.

Du 10 au 16 juillet : Le Soleil demeure votre meilleur ami. Utilisez une protection solaire adéquate et gobez ses rayons stimulants pour le cœur et la formule sanguine. Une personne qui a du Lion, du Bélier ou du Sagittaire vous est utile. Son affection vous est indispensable ; avec elle, vous vous sentez en sécurité.

Du 17 au 23 juillet : Profitez des vacances pour vous refaire des forces, vous avez mérité du bon temps. La pleine Lune du 21 juillet en Capricorne parle des amis et relations, de la culture de la terre, des arbres, de la montagne. Celle-ci est plus accessible, mais la mer vous est bénéfique. Dur choix.

Du 24 au 30 juillet: La paresse intelligente est appréciée jusqu'au 28, moment où l'énergie resurgit. Sur un mode lent et sensuel mais gourmand et friand d'émotions fortes, vous passez une semaine agréable avec des gens de qualité. Vous faites des envieux…

Du 31 juillet au 6 août: L'esprit de décision et l'autorité du Lion vous plaisent.

Vous suivez son avis et êtes content de l'avoir fait. La nouvelle Lune du 4 août en Lion montre que l'orgueil a des vertus. Vous évitez des pièges à la suite d'une réaction d'orgueil opportune.

CHIFFRES CHANCEUX

8 - 16 - 19 - 20 - 32 - 33 - 45 - 46 - 51 - 69

AOÛT

Si par hasard tu fais incliner la balance de la justice, que ce ne soit jamais sous le poids d'un cadeau, mais sous celui de la miséricorde.

MIGUEL DE CERVANTES

HEUREUX HASARD

Quelque chose de surprenant que vous prenez pour un «heureux hasard» pourrait changer votre plan de vie. Un projet oublié refait surface, une personne du passé resurgit, l'opportunité que vous pensiez perdue à jamais se manifeste à nouveau. Saisissez la chance pendant qu'elle passe et si vous avez quelques planètes, l'ascendant ou le Milieu-du-ciel en Balance, en Verseau ou en Gémeaux, l'affaire est dans le sac. Cette fois, vous prendrez le bateau.

AMBITIEUX PROJETS

Ce qui a été commencé ou initié le printemps dernier ouvre la porte à des profits inespérés. Vous ne pensiez pas que tant de gens et d'argent seraient disponibles pour réaliser vos ambitieux projets et n'en revenez pas de voir les portes s'ouvrir devant vous aussi aisément. Profitez de ce mois généreux pour obtenir les crédits nécessaires et pour rendre à terme un projet que certains jugent prématuré et irrationnel. Il peut s'agir d'un enfant, d'une adoption, d'une nouvelle

orientation de carrière ou de toute autre chose vous touchant d'infiniment près. Vous faites corps avec la nature ; elle apprécie et vous rend la monnaie de votre pièce.

PRÉPARATIFS

Voyez aux préparatifs de dernière minute et ne tardez pas à faire comprendre votre préséance aux plus jeunes, aux débutants et néophytes qui connaissent peu le domaine où vous exercez et pratiquez. Imposez votre volonté avec pondération mais fermeté. Si on vous sent sûr de vous, on ne doutera pas de votre expertise et on acceptera d'emblée que vous preniez charge de l'affaire en question.

En sourdine, de façon presque sournoise, ce que vous érigez en août aura des répercussions profondes sur votre avenir. Sans exagérer, prenez les choses au sérieux. Et soyez prêt, septembre s'annonce mouvementé mais passionnant, et novembre encore plus excitant. Avec un peu de bonne volonté, vous surmonterez les obstacles et réussirez un coup dont vous vous souviendrez.

CONJOINT, ASSOCIÉ

Des malentendus ou désaccords avec votre conjoint ou votre partenaire d'affaires semblent associés aux multiples occupations et pensées qui occupent votre cerveau. Comme vous avez peu de temps disponible pour l'amour et le partage, l'autre peut se sentir délaissé et vous faire de la peine sans le vouloir ou pour vous punir de l'abandonner à son sort. Essayez de ne pas trop le négliger...

DATE MARQUANTE

Le 18 août est une date marquante : retour d'affection, retrouvailles amicales et amoureuses, réconciliation conjugale et familiale, règlement hors cours ou légal en votre faveur, fin d'une situation déplaisante ou douloureuse et autres bonnes nouvelles relatives au sentiment et à l'argent. La satisfaction matérielle et le progrès spirituel profitent d'une intuition phénoménale. La première idée est la meilleure ; n'hésitez pas plus de quatre minutes avant de signifier votre accord, quelle que soit la proposition, vous êtes sûr de gagner.

HOROSCOPE HEBDOMADAIRE

Du 7 au 13 août : Si vous recherchez le grand amour, il se peut que la période vous déçoive. Prenez garde de ne pas donner votre cœur à la légère. Plus de deux personnes dans le couple, c'est trop. Soyez fidèle et exigez la réciprocité.

Du 14 au 20 août : Il vous arrive dimanche une vague d'énergie positive dont vous disposez pour réaliser vos objectifs personnels. Sport, sexe, travail et bénévolat vous occupent. La pleine Lune du 19 août en Verseau parle de secret ; discrétion de rigueur.

Du 21 au 27 août : Diminuer les heures de travail et prendre du bon temps aidera au maintien d'une bonne santé. Si vous lancez un projet, ne tenez pas compte des contrariétés pouvant survenir ; elles sont passagères, vous durerez.

Du 28 août au 3 septembre : Entourez-vous de gens honnêtes signés Balance, Verseau, Sagittaire et Gémeaux. Vous créerez et réaliserez vos buts communs. La nouvelle Lune du 3 septembre en Vierge incline à la critique acerbe ; chut, taisez-vous !

CHIFFRES CHANCEUX

2 - 6 - 9 - 13 - 23 - 24 - 30 - 31 - 44 - 55

SEPTEMBRE

On ne trouve guère un grand esprit qui n'ait un grain de folie.

SÉNÈQUE

LE QUOTIDIEN

Le quotidien n'est pas parfait. Vous continuez de susciter la critique et l'admiration ; les deux se teintant d'envie et de jalousie, votre vie sociale et professionnelle n'est pas une sinécure. Par contre, on vous donne des marques d'amour et d'affection au moment où vous en avez le plus besoin. C'est comme si l'âme sœur et vous étiez sur la même longueur d'ondes dans les moments de transition insécurisants que vous traversez.

CHANGEMENT QUI ÉBRANLE

Le changement ébranle toujours, même s'il est provoqué par nos propres actions et décisions. Essayez de ne pas vous troubler si tout va de travers dans les petites choses de la vie courante ; vous mettrez de l'ordre dans la maison, le bureau, le garage et dans vos livres de comptabilité plus tard. Ne perdez pas vos menus papiers et reçus, c'est de première importance pour les impôts, etc. Si vous n'aimez pas la paperasse, passez le boulot à quelqu'un qui s'y connaît et dont vous savez la fiabilité, vous serez libéré d'un souci.

COMME ULYSSE

Dans les aspects plus transcendants de la vie, certains d'entre vous ont la chance de vivre des moments privilégiés dont l'impact sur l'avenir est incontestable. Il peut s'agir d'un transfert, d'un déménagement majeur, d'un redressement de situation matérielle et financière que vous n'espériez plus ou tout simplement d'une chance providentielle qui se manifeste en temps opportun. Vous êtes logique et prêt à faire les concessions et virages nécessaires pour parvenir au but ultime qui est d'être en bonne santé, libre, insouciant, créateur, bohème, voyageur et aimé. Heureux qui comme Ulysse…

AIDES PRÉCIEUSES

Des aides précieuses viennent d'un bel aspect entre Jupiter de la Balance et Pluton du Sagittaire, votre carré. Des efforts de bonne volonté sont exigés de votre part, mais le ciel est prêt à vous donner généreusement et selon vos actes passés et présents. Ce qui a pu vous causer quelques problèmes jusqu'ici peut disparaître de votre horizon ; le ciel peut redevenir bleu et sans nuages.

ASCENDANTS ET SIGNES FAVORISÉS

Le natif du Poissons ayant un ascendant, une Lune natale ou tout autre secteur important en Balance ou en Sagittaire reçoit en quantité les dons et cadeaux célestes et bénéficie d'une chance impressionnante et soudaine. De même, les personnes de son entourage qui relèvent de ces signes l'aident à atteindre le succès souhaité. Ajoutez à ces amalgames chanceux les Lion et Verseau et vous avez une combinaison gagnante.

Une troisième personne disparaît de l'image ; vous êtes mis en évidence et prenez la relève. Ne craignez pas d'être original et de rester vous-même, c'est ce que l'on recherche après tout…

C'est la fête du Travail au Québec le 5 septembre, bon congé !

HOROSCOPE HEBDOMADAIRE

Du 4 au 10 septembre : Vous êtes tributaire des autres pendant un temps ; ça vous met en rogne mais ne lâchez pas pour autant. Il se produit le 9 une secousse pouvant être sismique. Nerveusement à plat et l'intuition étant nulle, ne signez rien, reposez-vous.

Du 11 au 17 septembre : Le 11 apporte des joies d'ordre affectif, sensuel et artistique. Vénus porte à la tendresse et ajoute au charme. La pleine Lune du 17 septembre en Poissons tend à neutraliser la critique et à séduire les plus coriaces. Devant le succès, on s'incline, bravo !

Du 18 au 24 septembre : C'est dimanche que Jupiter et Pluton se font des câlins. Vous profitez indirectement de leur action puissante et le destin fait le reste. Regardez ce qui se passe autour de vous et prenez des notes, ça vaut la peine d'en garder souvenir.

Du 25 septembre au 1er octobre : Régler toute affaire traînante avant le 1er octobre et réduire ses ambitions serait de bon augure. Le mois prochain étant peu favorable aux activités humaines, ménagez vos forces, votre temps et votre argent.

CHIFFRES CHANCEUX

6 - 12 - 28 - 37 - 38 - 40 - 41 - 55 - 56 - 69

OCTOBRE

On ne perd pas sans regret même ses pires habitudes ; ce sont peut-être celles qu'on regrette le plus.

OSCAR WILDE

MALGRÉ LES ÉCLIPSES

Malgré les deux éclipses qui obscurcissent le ciel d'octobre, vous restez solide et persévérant dans l'effort. L'intellect vif et piquant

est curieux, avide d'apprendre. Les jeunes et les aînés surtout profitent d'un regain nerveux et intellectuel du meilleur effet sur la santé. Sport et exercice, mais surtout yoga et méditation, sont des activités proches de vous. Un sain programme de vie est établi dans le but de consolider la santé et de conserver la jeunesse de l'esprit. Pas facile de s'y conformer tous les jours, mais les résultats s'avèrent probants.

JEUNES ET AÎNÉS

Enfants et grands-parents font bonne équipe. Nul ne comprend mieux les jeunes que le Poissons, ils s'adorent et s'éduquent mutuellement. Articulés, conscients de leur force et de leur pouvoir, jeunes et aînés agissent dans un mouvement de libéralité peu commun ; ils obtiennent justice dans des causes qui semblaient perdues d'avance. Comme quoi il ne faut pas baisser pavillon devant l'adversaire et encore moins capituler devant l'ennemi.

ÉCLIPSES MINEURES

L'éclipse solaire du 3 octobre en Balance est annulaire, donc de moindre intensité. Ceux dont l'ascendant est Balance, Cancer, Capricorne ou Bélier doivent prendre soin d'eux et s'assurer de ne rien commencer d'important de la fin de septembre au 24 octobre, temps appelé « période d'éclipses ». Rien de viable n'étant amorcé sous ce thème, mieux vaut s'en tenir à la routine.

L'éclipse lunaire du 17 octobre en Bélier est partielle. De moindre effet aussi, elle incline les personnes des signes nommés plus haut à la déprime passagère. Voir des gens équilibrés favorisera la récupération rapide des forces et énergies psychiques. Le courage remontant rapidement, la vie repend de l'éclat à compter du 24 octobre environ. Dès lors c'est feu vert, la route sera bonne !

C'est l'Action de grâce le 10 octobre, bon congé à tous !

HOROSCOPE HEBDOMADAIRE

Du 2 au 8 octobre : L'éclipse solaire annulaire du 3 octobre en Balance est expliquée plus haut. En principe, vous êtes en bonne santé. Aider ceux qui sont malades serait une bonne action à votre actif. Si vous en avez le temps…

Du 9 au 15 octobre : Mercure favorise l'expression verbale. Vous parlez bien et vous vous montrez convaincant ; peu de gens résistent à vos propositions, qu'elles soient d'ordre personnel, amoureux, social ou politique. Vous avez la cote d'amour.

Du 16 au 22 octobre : L'éclipse lunaire partielle du 17 octobre en Bélier est expliquée plus haut, aller lire ces explications sera utile à ceux dont le moral peut flancher. Savoir que le soleil reviendra bientôt leur redonnera courage et espoir.

Du 23 au 29 octobre : Le Soleil et Jupiter entrent cette semaine en Scorpion, signe en amitié avec le vôtre. La force physique se renouvelle aisément pendant le sommeil et la chance accompagne chacun de vos gestes. Voir grand s'impose.

Du 30 octobre au 5 novembre : La nouvelle Lune du 1er novembre en Scorpion accroît la sociabilité, le magnétisme et l'attrait sexuel. Vous attirez le sexe opposé et obtenez des résultats remarquables dans votre métier, votre carrière.

CHIFFRES CHANCEUX

5 - 10 - 15 - 25 - 26 - 33 - 42 - 43 - 55 - 70

NOVEMBRE ET DÉCEMBRE

L'esprit libre et curieux de l'homme est ce qui a le plus de prix au monde.
JOHN STEINBECK

JUSTICE IMMANENTE ET INTUITION

Un bel aspect entre Jupiter en Scorpion et Uranus en Poissons se dessine dans le ciel du 27 novembre. Tout novembre et la majeure partie de décembre sont illuminés par une énergie planétaire puissante et positive, énergie que vous recevez en abondance, étant d'un des signes impliqués. Sous le coup de la justice immanente et de l'intuition supérieure, rien ne peut mal tourner. Ce que vous entreprenez a toutes les chances de réussir, ce n'est que justice.

SORCIER, SORCIÈRE

Vous êtes tributaire d'une rare part de bonne fortune et celle-ci prend des chemins détournés et imprévus pour se manifester. Ce que vous attendiez n'arrive pas, mais autre chose de plus intense se manifeste. Vous n'avez pas à geindre, la période est très fortunée. Tout semble venir sans effort. C'est à se demander si vous n'êtes pas un peu sorcier ou sorcière, parfois…

CHANCE ET FORTUNE

Chance et fortune sont possibles pour vous, mais ce ne sont pas les seuls avantages que procure ce beau transit. D'autres résident dans une dépense nerveuse et organique ne dépassant pas vos possibilités de récupération. De ce fait, votre état de santé physique est très satisfaisant. Voilà de bonnes nouvelles pour qui désire s'impliquer dans une entreprise nécessitant une forte vitalité. C'est le temps de faire le plein, de rajeunir son apparence, sa garde-robe, ses concepts aussi.

VUE IMPRENABLE

Psychologue, vous lisez dans la pensée des autres comme dans un livre ouvert ; ils ne peuvent rien vous cacher. Cette faculté vous servira au cours de ces semaines dont l'issue sera à la hauteur de certains livres de science-fiction. Malgré les surprises et les changements qui se multiplient à un rythme accéléré, vous dominez la situation. Comme il se doit, vous voyez les choses de haut, mais la vue est imprenable, ne changez de palier pour rien au monde.

CINÉMA, TÉLÉ, ASTROLOGIE

Si vous faites du cinéma, de la télévision, de la radio, de l'aviation, des travaux électriques ou hydroélectriques, de la publicité ou de l'informatique, des succès prestigieux vous sont dévolus. Les astrologues et parapsychologues du signe sont crédibles et populaires ; leurs prédictions se réalisant, ils ont bonne presse, cela les change des sceptiques qui nient toute base scientifique à l'astrologie. La revanche est douce au cœur de l'Indien ? Étant du signe, je ne pouvais rater aussi belle occasion de lancer une flèche à qui le mérite !

L'HEURE EST VENUE

Un vent d'optimisme favorise la réussite de vos plans et projets. Ce que vous avez établi précédemment tend à se réaliser subitement. Vous êtes pris de court, peu habitué au genre de situation qui se présente, mais vous faites bonne figure et ne connaissez pas de grands problèmes matériels, financiers, sociaux et spirituels. L'heure est venue de manifester au grand jour votre joie et de jouir de la chance qui se présente sans fausse pudeur. Vous avez mérité la chance actuelle, je vous offre mes félicitations sincères !

BÉMOL

Un bémol s'inscrit à la mi-décembre pour les Poissons ascendant Scorpion, Lion, Taureau ou Verseau. Les affaires d'argent se compliquant à souhait, certains doivent fermer leurs livres pendant que d'autres plus chanceux retirent à temps les fonds investis et les mettent en sécurité. Une baisse des valeurs étant prévisible, cet avis les aidera à sauver ce qu'il reste à sauver. En cas de krach boursier ou monétaire, ils auront moins à regretter. Je leur souhaite que les pertes ne soient que matérielles, celles-là sont réparables…

Huit chances sur douze que cela ne s'applique pas à vous. Tant mieux, mais ne prenez pas cet avertissement à la légère. Jupiter et Saturne, quand ils se disputent, provoquent des remous à l'échelle planétaire. Vous serez à même d'observer les résultats ; je souhaite que vous n'ayez pas à en souffrir.

Pour la plupart, l'année se termine sur une note extrêmement positive et encourageante. En croisière ou au bord de la mer, vous serez très bien, mais confortablement installé dans votre fauteuil préféré vous serez tout aussi bien !

Bonne fin d'année, cher Poissons !

HOROSCOPE HEBDOMADAIRE

Du 6 au 12 novembre : Vénus harmonieux favorise la santé, la chance et le talent. Art, beauté, créativité sont accrus et le charme permet de vendre ses idées et produits sans difficulté. En amour, le moment est sérieux mais magique. Côté affaires, rien de moins que fabuleux.

Du 13 au 19 novembre : La pleine Lune du 15 novembre en Taureau met l'accent sur la sensualité. Gourmandise, attouchements tendres, plaisir procuré par la grande musique, visite de lieux magnifiques, galeries d'art et boutiques de luxe. Coup de foudre possible le 12, bonne chance !

Du 20 au 26 novembre : Il peut être question de voyage de travail et de plaisir, de réussite soudaine en occultisme, astrologie surtout, d'éducation, les professeurs du signe étant remarquables. L'argent rentre grâce à une chance foudroyante.

Du 27 novembre au 3 décembre : La nouvelle Lune du 1er décembre en Sagittaire favorise les déplacements, pays, coutumes, langues et religions étrangères. Profiter de l'exotisme d'un safari est un rêve que peu réaliseront, mais qui pourrait se matérialiser. Découvertes et explorations font partie du quotidien.

Du 4 au 10 décembre : Dynamisme, confiance en soi, intuition géniale, idées rapidement mises à profit, guérison subite, richesse acquise spontanément. Vous êtes dans une forme rare, faites ce qu'il faut pour que cela perdure.

Du 11 au 17 décembre : Stress, nervosité, ne signez pas. La pleine Lune du 15 décembre en Gémeaux incite à ralentir au volant. Ne conduisez qu'en parfait état de conscience. Le 17 a été analysé plus haut.

Du 18 au 24 décembre : Sans ascendant Taureau, Lion, Scorpion ou Verseau, vous célébrez Noël avec les intimes en fêtant les succès récents et en élaborant des projets d'avenir. Si vous avez des problèmes mais avez suivi les instructions, vous êtes sauf. Sinon, vous êtes vivant, c'est le principal !

Du 25 au 31 décembre : Joyeux Noël ! La fatigue persiste, ne faites rien d'éreintant en fait de sport et voyez ceux qui vous rendent heureux. La nouvelle Lune du 30 décembre en Capricorne favorise les relations de longue date.

CHIFFRES CHANCEUX

6 - 7 - 15 - 18 - 23 - 25 - 36 - 38 - 42 - 43

Bonne année, cher Poissons !

Positions de la Lune et du Soleil en 2005

DATE	SOLEIL	LUNE
1er janvier	Soleil en Capricorne	Lune en Vierge
2 janvier	Soleil en Capricorne	Lune entrant en Balance à 11h21
3 janvier	Soleil en Capricorne	Lune en Balance
4 janvier	Soleil en Capricorne	Lune entrant en Scorpion à 19h01
5 janvier	Soleil en Capricorne	Lune en Scorpion
6 janvier	Soleil en Capricorne	Lune entrant en Sagittaire à 22h45
7 janvier	Soleil en Capricorne	Lune en Sagittaire
8 janvier	Soleil en Capricorne	Lune entrant en Capricorne à 23h12
9 janvier	Soleil en Capricorne	Lune en Capricorne
10 janvier	Soleil en Capricorne	Pleine Lune en Capricorne entrant en Verseau à 22h08
11 janvier	Soleil en Capricorne	Lune en Verseau
12 janvier	Soleil en Capricorne	Lune entrant en Poissons à 21h51
13 janvier	Soleil en Capricorne	Lune en Poissons
14 janvier	Soleil en Capricorne	Lune en Poissons
15 janvier	Soleil en Capricorne	Lune entrant en Bélier à 0h28
16 janvier	Soleil en Capricorne	Lune en Bélier
17 janvier	Soleil en Capricorne	Lune entrant en Taureau à 7h07
18 janvier	Soleil en Capricorne	Lune en Taureau
19 janvier	Soleil en Capricorne	Lune entrant en Gémeaux à 17h25
20 janvier	Soleil entre en Verseau à 17h43	Lune en Gémeaux
21 janvier	Soleil en Verseau	Lune en Gémeaux
22 janvier	Soleil en Verseau	Lune entrant en Cancer à 5h43
23 janvier	Soleil en Verseau	Lune en Cancer
24 janvier	Soleil en Verseau	Lune entrant en Lion à 18h22
25 janvier	Soleil en Verseau	Nouvelle Lune en Lion
26 janvier	Soleil en Verseau	Lune en Lion
27 janvier	Soleil en Verseau	Lune entrant en Vierge à 5h25
28 janvier	Soleil en Verseau	Lune en Vierge
29 janvier	Soleil en Verseau	Lune entrant en Balance à 17h14

DATE	SOLEIL	LUNE
30 janvier	Soleil en Verseau	Lune en Balance Mercure entrant en Verseau
31 janvier	Soleil en Verseau	Lune en Balance
1er février	Soleil en Verseau	Lune entrant en Scorpion à 1h52
2 février	Soleil en Verseau	Lune en Scorpion Jupiter rétrograde en Scorpion Vénus en Verseau
3 février	Soleil en Verseau	Lune entrant en Sagittaire à 7h22
4 février	Soleil en Verseau	Lune en Sagittaire
5 février	Soleil en Verseau	Lune entrant en Capricorne à 9h33
6 février	Soleil en Verseau	Lune en Capricorne Mars en Capricorne
7 février	Soleil en Verseau	Lune entrant en Verseau à 9h27
8 février	Soleil en Verseau	Pleine Lune en Verseau
9 février	Soleil en Verseau	Lune entrant en Poissons à 9h00
10 février	Soleil en Verseau	Lune en Poissons
11 février	Soleil en Verseau	Lune entrant en Bélier à 10h22
12 février	Soleil en Verseau	Lune en Bélier
13 février	Soleil en Verseau	Lune entrant en Taureau à 15h19
14 février	Soleil en Verseau	Lune en Taureau
15 février	Soleil en Verseau	Lune en Taureau
16 février	Soleil en Verseau	Lune entrant en Gémeaux à 0h19 Mercure entrant en Poissons
17 février	Soleil en Verseau	Lune en Gémeaux
18 février	Soleil entrant en Poissons à 13h33	Lune entrant en Cancer à 12h14
19 février	Soleil en Poissons	Lune en Cancer
20 février	Soleil en Poissons	Lune en Cancer
21 février	Soleil en Poissons	Lune entrant en Lion à 0h56
22 février	Soleil en Poissons	Lune en Lion
23 février	Soleil en Poissons	Lune entrant en Vierge à 12h45
24 février	Soleil en Poissons	Nouvelle Lune en Vierge
25 février	Soleil en Poissons	Lune entrant en Balance à 23h00
26 février	Soleil en Poissons	Lune en Balance Vénus entrant en Poissons
27 février	Soleil en Poissons	Lune en Balance
28 février	Soleil en Poissons	Lune entrant en Scorpion à 7h22
1er mars	Soleil en Poissons	Lune en en Scorpion
2 mars	Soleil en Poissons	Lune entrant en Sagittaire à 13h31
3 mars	Soleil en Poissons	Lune en Sagittaire
4 mars	Soleil en Poissons	Lune entrant en Capricorne à 17h13
5 mars	Soleil en Poissons	Lune en Capricorne Mercure entrant en Bélier

Date	Soleil	Lune
6 mars	Soleil en Poissons	Lune entrant en Verseau à 18h50
7 mars	Soleil en Poissons	Lune en Verseau
8 mars	Soleil en Poissons	Lune entrant en Poissons à 20h33
9 mars	Soleil en Poissons	Lune en Poissons
10 mars	Soleil en Poissons	Pleine Lune en Poissons à 9h51 Lune entrant en Bélier à 22h04
11 mars	Soleil en Poissons	Lune en Bélier
12 mars	Soleil en Poissons	Lune en Bélier
13 mars	Soleil en Poissons	Lune entrant en Taureau à 1h06
14 mars	Soleil en Poissons	Lune en Taureau
15 mars	Soleil en Poissons	Lune entrant en Gémeaux à 8h45
16 mars	Soleil en Poissons	Lune en Gémeaux
17 mars	Soleil en Poissons	Lune entrant en Cancer à 20h45
18 mars	Soleil en Poissons	Lune en Cancer
19 mars	Soleil en Poissons	Lune en Cancer
20 mars	Soleil entrant en Bélier à 12h34	Lune entrant en Lion à 8h18 Mars entrant en Verseau
21 mars	Soleil en Bélier	Lune en Lion
22 mars	Soleil en Bélier	Lune entrant en Vierge à 20h11
23 mars	Soleil en Bélier	Lune en Vierge
24 mars	Soleil en Bélier	Lune en Vierge
25 mars	Soleil en Bélier	Nouvelle Lune entrant en Balance à 6h01
26 mars	Soleil en Bélier	Lune en Balance
27 mars	Soleil en Bélier	Lune entrant en Scorpion à 13h30
28 mars	Soleil en Bélier	Lune en Scorpion
29 mars	Soleil en Bélier	Lune entrant en Sagittaire à 18h58
30 mars	Soleil en Bélier	Lune en Sagittaire
31 mars	Soleil en Bélier	Lune entrant en Capricorne à 22h49
1er avril	Soleil en Bélier	Lune en Capricorne
2 avril	Soleil en Bélier	Lune en Capricorne
3 avril	Soleil en Bélier	Lune entrant en Verseau à 1h32
4 avril	Soleil en Bélier	Lune en Verseau
5 avril	Soleil en Bélier	Lune entrant en Poissons à 4h46
6 avril	Soleil en Bélier	Lune en Poissons
7 avril	Soleil en Bélier	Lune entrant en Bélier à 7h46
8 avril	Soleil en Bélier	Éclipse de Soleil totale en Bélier Pleine Lune en Bélier
9 avril	Soleil en Bélier	Lune entrant en Taureau à 11h51
10 avril	Soleil en Bélier	Lune en Taureau
11 avril	Soleil en Bélier	Lune entrant en Gémeaux à 18h56
12 avril	Soleil en Bélier	Lune en Gémeaux

Date	Soleil	Lune
13 avril	Soleil en Bélier	Lune en Gémeaux
14 avril	Soleil en Bélier	Lune entrant en Cancer à 5h04
15 avril	Soleil en Bélier	Lune en Cancer
16 avril	Soleil en Bélier	Lune entrant en Lion à 17h18
17 avril	Soleil en Bélier	Lune en Lion
18 avril	Soleil en Bélier	Lune en Lion
19 avril	Soleil entre en Taureau à 23h38	Lune entrant en Vierge à 5h28
20 avril	Soleil en Taureau	Lune en Vierge
21 avril	Soleil en Taureau	Lune entrant en Balance à 15h28
22 avril	Soleil en Taureau	Lune en Balance
23 avril	Soleil en Taureau	Lune entrant en Scorpion à 22h26
24 avril	Soleil en Taureau	Nouvelle Lune en Scorpion Éclipse de pénombre en Scorpion
25 avril	Soleil en Taureau	Lune en Scorpion
26 avril	Soleil en Taureau	Lune entrant en Sagittaire à 2h47
27 avril	Soleil en Taureau	Lune en Sagittaire
28 avril	Soleil en Taureau	Lune entrant en Capricorne à 5h34
29 avril	Soleil en Taureau	Lune en Capricorne
30 avril	Soleil en Taureau	Lune entrant en Verseau à 7h55
1er mai	Soleil en Taureau	Lune en Verseau
2 mai	Soleil en Taureau	Lune entrant en Poissons à 9h44
3 mai	Soleil en Taureau	Lune en Poissons
4 mai	Soleil en Taureau	Lune entrant en Bélier à 14h37
5 mai	Soleil en Taureau	Lune en Bélier
6 mai	Soleil en Taureau	Lune entrant en Taureau à 20h02
7 mai	Soleil en Taureau	Lune en Taureau
8 mai	Soleil en Taureau	Pleine Lune en Taureau
9 mai	Soleil en Taureau	Lune entrant en Gémeaux à 3h30
10 mai	Soleil en Taureau	Lune en Gémeaux
11 mai	Soleil en Taureau	Lune entrant en Cancer à 13h21
12 mai	Soleil en Taureau	Lune en Cancer
		Mercure entrant en Taureau
13 mai	Soleil en Taureau	Lune en Cancer
14 mai	Soleil en Taureau	Lune entrant en Lion à 1h18
15 mai	Soleil en Taureau	Lune Lion
16 mai	Soleil en Taureau	Lune entrant en Vierge à 13h47
17 mai	Soleil en Taureau	Lune en Vierge
18 mai	Soleil en Taureau	Lune en Vierge
19 mai	Soleil en Taureau	Lune entrant en Balance 0h31
20 mai	Soleil en Taureau	Lune en Balance
21 mai	Soleil entrant en Gémeaux à 22h48	Lune entrant en Scorpion à 7h50

Date	Soleil	Lune
22 mai	Soleil en Gémeaux	Lune en Scorpion
23 mai	Soleil en Gémeaux	Nouvelle Lune en Sagittaire à 11h39
24 mai	Soleil en Gémeaux	Lune en Sagittaire
25 mai	Soleil en Gémeaux	Lune entrant en Capricorne à 13h12
26 mai	Soleil en Gémeaux	Lune en Capricorne
27 mai	Soleil en Gémeaux	Lune entrant en Verseau 14h11
28 mai	Soleil en Gémeaux	Lune en Verseau Mercure en Gémeaux
29 mai	Soleil en Gémeaux	Lune entrant en Poissons à 16h10
30 mai	Soleil en Gémeaux	Lune en Poissons
31 mai	Soleil en Gémeaux	Lune entrant en Bélier à 20h09
1er juin	Soleil en Gémeaux	Lune Bélier
2 juin	Soleil en Gémeaux	Lune en Bélier
3 juin	Soleil en Gémeaux	Lune entrant en Taureau à 2h21 Vénus entrant en Cancer
4 juin	Soleil en Gémeaux	Lune en Taureau
5 juin	Soleil en Gémeaux	Lune entrant en Gémeaux à 10h37
6 juin	Soleil en Gémeaux	Pleine Lune en Gémeaux
7 juin	Soleil en Gémeaux	Lune entrant en Cancer à 10h47
8 juin	Soleil en Gémeaux	Lune en Cancer
9 juin	Soleil en Gémeaux	Lune en Cancer
10 juin	Soleil en Gémeaux	Lune entrant en Lion à 8h41
11 juin	Soleil en Gémeaux	Lune en Lion Mercure en Cancer
12 juin	Soleil en Gémeaux	Lune entrant en Vierge à 21h23 Mars entrant en Bélier
13 juin	Soleil en Gémeaux	Lune en Vierge
14 juin	Soleil en Gémeaux	Lune en Vierge
15 juin	Soleil en Gémeaux	Lune entrant en Balance à 9h00
16 juin	Soleil en Gémeaux	Lune en Balance
17 juin	Soleil en Gémeaux	Lune entrant en Scorpion à 17h25
18 juin	Soleil en Gémeaux	Lune en Scorpion
19 juin	Soleil en Gémeaux	Lune entrant en Sagittaire à 21h46
20 juin	Soleil en Gémeaux	Lune en Sagittaire
21 juin	Soleil entrant en Cancer à 6h47	Lune entrant en Capricorne à 22h53
22 juin	Soleil en Cancer	Nouvelle Lune en Capricorne
23 juin	Soleil en Cancer	Lune entrant en Verseau à 22h37
24 juin	Soleil en Cancer	Lune en Verseau
25 juin	Soleil en Cancer	Lune en Verseau

DATE	SOLEIL	LUNE
26 juin	Soleil en Cancer	Lune entrant en Poissons à 0 h 04
27 juin	Soleil en Cancer	Lune en Poissons
28 juin	Soleil en Cancer	Lune entrant en Bélier à 1 h 52 Mercure entrant en Lion Vénus entrant en Lion
29 juin	Soleil en Cancer	Lune Bélier
30 juin	Soleil en Cancer	Lune entrant en Taureau à 7 h 46
1er juillet	Soleil en Cancer	Lune en Taureau
2 juillet	Soleil en Cancer	Lune entrant en Gémeaux à 16 h 27
3 juillet	Soleil en Cancer	Lune en Gémeaux
4 juillet	Soleil en Cancer	Lune en Gémeaux
5 juillet	Soleil en Cancer	Lune entrant en Cancer à 3 h 08
6 juillet	Soleil en Cancer	Pleine Lune en Cancer
7 juillet	Soleil en Cancer	Lune entrant en Lion à 15 h 12
8 juillet	Soleil en Cancer	Lune en Lion
9 juillet	Soleil en Cancer	Lune en Lion
10 juillet	Soleil en Cancer	Lune entrant en Vierge à 3 h 58
11 juillet	Soleil en Cancer	Lune en Vierge
12 juillet	Soleil en Cancer	Lune entrant en Balance à 16 h 10
13 juillet	Soleil en Cancer	Lune en Balance
14 juillet	Soleil en Cancer	Lune en Balance
15 juillet	Soleil en Cancer	Lune entrant en Scorpion à 1 h 52
16 juillet	Soleil en Cancer	Lune en Scorpion
17 juillet	Soleil en Cancer	Lune entrant en Sagittaire à 7 h 36
18 juillet	Soleil en Cancer	Lune en Sagittaire
19 juillet	Soleil en Cancer	Lune entrant en Capricorne à 9 h 27
20 juillet	Soleil en Cancer	Lune en Capricorne
21 juillet	Soleil en Cancer	Nouvelle Lune entrant en Verseau à 8 h 56
22 juillet	Soleil entrant en Lion à 17 h 42	Lune en Verseau
23 juillet	Soleil en Lion	Lune entrant en Poissons à 8 h 12 Vénus entrant en Vierge
24 juillet	Soleil en Lion	Lune en Poissons
25 juillet	Soleil en Lion	Lune entrant en Bélier à 9 h 24
26 juillet	Soleil en Lion	Lune en Bélier
27 juillet	Soleil en Lion	Lune entrant en Taureau à 13 h 55
28 juillet	Soleil en Lion	Lune en Taureau Mars entrant en Taureau
29 juillet	Soleil en Lion	Lune entrant en Gémeaux à 22 h 03
30 juillet	Soleil en Lion	Lune en Gémeaux
31 juillet	Soleil en Lion	Lune en Gémeaux
1er août	Soleil en Lion	Lune entrant en Cancer à 8 h 53

DATE	SOLEIL	LUNE
2 août	Soleil en Lion	Lune en Cancer
3 août	Soleil en Lion	Lune entrant en Lion à 22h11
4 août	Soleil en Lion	Lune en Lion
5 août	Soleil en Lion	Pleine Lune en Lion
6 août	Soleil en Lion	Lune entrant en Vierge à 9h55
7 août	Soleil en Lion	Lune en Vierge
8 août	Soleil en Lion	Lune entrant en Balance à 22h10
9 août	Soleil en Lion	Lune en Balance
10 août	Soleil en Lion	Lune en Balance
11 août	Soleil en Lion	Lune entrant en Scorpion à 8h36
12 août	Soleil en Lion	Lune en Scorpion
13 août	Soleil en Lion	Lune entrant en Sagittaire à 15h48
14 août	Soleil en Lion	Lune en Sagittaire
15 août	Soleil en Lion	Lune entrant en Capricorne à 19h14
16 août	Soleil en Lion	Lune en Capricorne
17 août	Soleil en Lion	Lune entrant en Verseau à 19h40 Mercure entrant en Balance
18 août	Soleil en Lion	Lune en Verseau
19 août	Soleil en Lion	Nouvelle Lune entrant en Poissons à 18h53
20 août	Soleil en Lion	Lune en Poissons
21 août	Soleil en Lion	Lune entrant en Bélier à 19h02
22 août	Soleil en Lion	Lune en Bélier
23 août	Soleil entrant en Vierge à 0h47	Lune entrant en Taureau à 21h59
24 août	Soleil en Vierge	Lune en Taureau
25 août	Soleil en Vierge	Lune en Taureau
26 août	Soleil en Vierge	Lune entrant en Gémeaux à 4h44
27 août	Soleil en Vierge	Lune en Gémeaux
28 août	Soleil en Vierge	Lune entrant en Cancer à 14h58
29 août	Soleil en Vierge	Lune en Cancer
30 août	Soleil en Vierge	Lune en Cancer
31 août	Soleil en Vierge	Lune entrant en Lion à 3h15
1er septembre	Soleil en Vierge	Lune en Lion
2 septembre	Soleil en Vierge	Lune entrant en Vierge à 15h57
3 septembre	Soleil en Vierge	Lune en Vierge
4 septembre	Soleil en Vierge	Lune en Vierge Mercure entrant en Vierge
5 septembre	Soleil en Vierge	Lune entrant en Balance à 23h02
6 septembre	Soleil en Vierge	Lune en Balance
7 septembre	Soleil en Vierge	Lune entrant en Scorpion à 14h11
8 septembre	Soleil en Vierge	Lune en Scorpion

DATE	SOLEIL	LUNE
9 septembre	Soleil en Vierge	Lune entrant en Sagittaire à 22h04
10 septembre	Soleil en Vierge	Lune en Sagittaire
11 septembre	Soleil en Vierge	Lune en Sagittaire Vénus entrant en Scorpion
12 septembre	Soleil en Vierge	Lune entrant en Capricorne à 2h58
13 septembre	Soleil en Vierge	Lune en Capricorne
14 septembre	Soleil en Vierge	Lune entrant en Verseau à 5h03
15 septembre	Soleil en Vierge	Lune en Verseau
16 septembre	Soleil en Vierge	Lune entrant en Poissons à 5h25
17 septembre	Soleil en Vierge	Pleine Lune en Poissons
18 septembre	Soleil en Vierge	Lune entrant en Bélier à 5h44
19 septembre	Soleil en Vierge	Lune en Bélier
20 septembre	Soleil en Vierge	Lune entrant en Taureau à 7h48 Mercure en Balance
21 septembre	Soleil en Vierge	Lune en Taureau
22 septembre	Soleil entrant en Balance à 22h40	Lune entrant en Gémeaux à 18h24
23 septembre	Soleil en Balance	Lune en Gémeaux
24 septembre	Soleil en Balance	Lune entrant en Cancer à 22h11
25 septembre	Soleil en Balance	Lune en Cancer
26 septembre	Soleil en Balance	Lune en Cancer
27 septembre	Soleil en Balance	Lune entrant en Lion à 10h04
28 septembre	Soleil en Balance	Lune en Lion
29 septembre	Soleil en Balance	Lune entrant en Vierge à 22h45
30 septembre	Soleil en Balance	Lune en Vierge
1er octobre	Soleil en Balance	Lune en Vierge
2 octobre	Soleil en Balance	Lune entrant en Balance à 10h25
3 octobre	Soleil en Balance	Pleine Lune en Balance
4 octobre	Soleil en Balance	Lune entrant en Scorpion à 20h04
5 octobre	Soleil en Balance	Lune en Scorpion
6 octobre	Soleil en Balance	Lune en Scorpion
7 octobre	Soleil en Balance	Lune entrant en Sagittaire à 3h29
8 octobre	Soleil en Balance	Lune en Sagittaire Vénus entrant en Sagittaire Mercure entrant en Scorpion
9 octobre	Soleil en Balance	Lune entrant en Capricorne à 8h45
10 octobre	Soleil en Balance	Lune en Capricorne
11 octobre	Soleil en Balance	Lune entrant en Verseau à 12h06
12 octobre	Soleil en Balance	Lune en Verseau
13 octobre	Soleil en Balance	Lune entrant en Poissons
14 octobre	Soleil en Balance	Lune en Poissons
15 octobre	Soleil en Balance	Lune entrant en Bélier à 15h40

Date	Soleil	Lune
16 octobre	Soleil en Balance	Lune en Bélier
17 octobre	Soleil en Balance	Nouvelle Lune entrant en Taureau à 18h05
18 octobre	Soleil en Balance	Lune en Taureau
19 octobre	Soleil en Balance	Lune entrant en Gémeaux à 22h45
20 octobre	Soleil en Balance	Lune en Gémeaux
21 octobre	Soleil en Balance	Lune en Gémeaux
22 octobre	Soleil en Balance	Lune entrant en Cancer à 6h42
23 octobre	Soleil entrant en Scorpion	à 7h43 Lune en Cancer
24 octobre	Soleil en Scorpion	Lune entrant en Lion à 17h50
25 octobre	Soleil en Scorpion	Lune en Lion
26 octobre	Soleil en Scorpion	Lune en Lion Jupiter entrant en Scorpion
27 octobre	Soleil en Scorpion	Lune entrant en Vierge à 6h29
28 octobre	Soleil en Scorpion	Lune en Vierge
29 octobre	Soleil en Scorpion	Lune entrant en Balance à 18h16
30 octobre	Soleil en Scorpion	Lune en Balance Mercure entrant en Sagittaire
31 octobre	Soleil en Scorpion	Lune en Balance
1er novembre	Soleil en Scorpion	Lune entrant en Scorpion à 2h30
2 novembre	Soleil en Scorpion	Pleine Lune en Scorpion
3 novembre	Soleil en Scorpion	Lune entrant en Sagittaire à 08h56
4 novembre	Soleil en Scorpion	Lune en Sagittaire
5 novembre	Soleil en Scorpion	Lune entrant en Capricorne à 13h18 Vénus entrant en Capricorne
6 novembre	Soleil en Scorpion	Lune en Capricorne
7 novembre	Soleil en Scorpion	Lune entrant en Verseau à 16h32
8 novembre	Soleil en Scorpion	Lune en Verseau
9 novembre	Soleil en Scorpion	Lune entrant en Poissons à 19h24
10 novembre	Soleil en Scorpion	Lune en Poissons
11 novembre	Soleil en Scorpion	Lune entrant en Bélier à 22h23
12 novembre	Soleil en Scorpion	Lune en Bélier
13 novembre	Soleil en Scorpion	Lune en Bélier
14 novembre	Soleil en Scorpion	Lune entrant en Taureau à 2h03
15 novembre	Soleil en Scorpion	Lune en Taureau
16 novembre	Soleil en Scorpion	Lune entrant en Gémeaux à 7h11
17 novembre	Soleil en Scorpion	Lune en Gémeaux
18 novembre	Soleil en Scorpion	Lune entrant en Cancer à 14h43
19 novembre	Soleil en Scorpion	Lune en Cancer
20 novembre	Soleil en Scorpion	Lune en Cancer
21 novembre	Soleil en Scorpion	Lune entrant en Lion à 1h11
22 novembre	Soleil entrant en Sagittaire à 5 h 16	Lune en Lion

DATE	SOLEIL	LUNE
23 novembre	Soleil en Sagittaire	Lune entrant en Vierge à 13h43
24 novembre	Soleil en Sagittaire	Lune en Vierge
25 novembre	Soleil en Sagittaire	Lune en Vierge
26 novembre	Soleil en Sagittaire	Lune entrant en Balance à 1h59
27 novembre	Soleil en Sagittaire	Lune en Balance
28 novembre	Soleil en Sagittaire	Lune entrant en Scorpion à 11h34
29 novembre	Soleil en Sagittaire	Lune en Scorpion
30 novembre	Soleil en Sagittaire	Lune entrant en Sagittaire à 17h33
1er décembre	Soleil en Sagittaire	Pleine Lune en Sagittaire
2 décembre	Soleil en Sagittaire	Lune entrant en Capricorne à 20h43
3 décembre	Soleil en Sagittaire	Lune en Capricorne
4 décembre	Soleil en Sagittaire	Lune entrant en Verseau à 22h37
5 décembre	Soleil en Sagittaire	Lune en Verseau
6 décembre	Soleil en Sagittaire	Lune en Verseau
7 décembre	Soleil en Sagittaire	Lune entrant en Poissons à 0h45
8 décembre	Soleil en Sagittaire	Lune en Poissons
9 décembre	Soleil en Sagittaire	Lune entrant en Bélier à 4h03
10 décembre	Soleil en Sagittaire	Lune en Bélier
11 décembre	Soleil en Sagittaire	Lune entrant en Taureau à 8h47
12 décembre	Soleil en Sagittaire	Lune en Taureau Mercure entrant en Sagittaire
13 décembre	Soleil en Sagittaire	Lune entrant en Gémeaux à 15h00
14 décembre	Soleil en Sagittaire	Lune en Gémeaux
15 décembre	Soleil en Sagittaire	Nouvelle Lune entrant en Cancer à 23h02 Vénus entrant en Verseau
16 décembre	Soleil en Sagittaire	Lune en Cancer
17 décembre	Soleil en Sagittaire	Lune en Cancer
18 décembre	Soleil en Sagittaire	Lune entrant en Lion à 9h19
19 décembre	Soleil en Sagittaire	Lune en Lion
20 décembre	Soleil en Sagittaire	Lune entrant en Vierge à 21h40
21 décembre	Soleil entrant en Capricorne à 18h36	Lune en Vierge
22 décembre	Soleil en Capricorne	Lune en Vierge
23 décembre	Soleil en Capricorne	Lune entrant en Balance à 10h27
24 décembre	Soleil en Capricorne	Lune en Balance
25 décembre	Soleil en Capricorne	Lune entrant en Scorpion à 22h05
26 décembre	Soleil en Capricorne	Lune en Scorpion
27 décembre	Soleil en Capricorne	Lune entrant en Scorpion
28 décembre	Soleil en Capricorne	Lune entrant en Sagittaire à 3h45
29 décembre	Soleil en Capricorne	Lune en Sagittaire
30 décembre	Soleil en Capricorne	Lune entrant en Capricorne à 6h36
31 décembre	Soleil en Capricorne	Lune en Capricorne

Usage pratique des tableaux lunaires

QUAND LA LUNE EST EN BÉLIER

CONSEILLÉ

Commencer quelque chose de nouveau. Négocier, diriger une entreprise, recruter de la main-d'œuvre. Chercher un emploi, régler les affaires urgentes. Agir avec autorité. Commencer un projet d'envergure, créer, innover. Prendre des décisions rapides. Tenter sa chance. Prendre des risques. S'amuser. Faire du sport. Parler franc. Partir à l'aventure. Exprimer sa sexualité sainement. Prendre soin des enfants et des personnes âgées. Effectuer un voyage rapide. Faire le ménage. Cuisiner au four, utiliser les plantes aromatiques ou des épices (ail et piment). Préparer un repas exotique. Aller au restaurant. Déclarer son amour. Protéger les adolescents.

DÉCONSEILLÉ

Amorcer une relation amoureuse. S'engager dans un procès ou dans un conflit. Établir de nouvelles relations. Pratiquer des sports sans protection suffisante. Se montrer audacieux. Se disputer avec des aînés. Se vanter. Être égoïste. Aller chez le dentiste. Conduire vite ou en état d'ébriété. Manquer de tact. Imposer sa volonté. Être jaloux, agressif et dominateur. Porter du rouge, des perles et des rubis. Manier des armes. Se faire opérer à la tête ou aux organes de la tête (sauf en cas d'urgence absolue).

QUAND LA LUNE EST EN TAUREAU

CONSEILLÉ

Être persévérant. S'occuper de sa vie sentimentale et affective. Lire. Se reposer. Semer tout ce qui germe lentement mais vigoureusement. Tricoter. Acheter des vêtements sobres et élégants. Soigner son apparence. Économiser. Prendre rendez-vous avec son gérant de banque. Demander des faveurs féminines. Entreprendre une cure d'amaigrissement ou de rajeunissement. Acheter une maison. Investir dans les objets d'art, de luxe et de plaisir. Faire l'amour, faire un enfant. Écouter de la musique. Transplanter. Investir dans l'immobilier. Rénover. Consulter son naturopathe ou son médecin. Commencer un nouvel emploi. Prier. Méditer sur l'amour et l'amitié.

DÉCONSEILLÉ

Voyager en bateau. S'obstiner. S'entêter. S'occuper des affaires urgentes. Paresser. Jalouser. Envier. Se montrer exagérément gourmand. Essayer de nouvelles recettes. Croire aux promesses. Prêter de l'argent sans garantie. Abuser des drogues, de l'alcool, des médicaments et du sexe. Être mesquin. Offrir des cadeaux trop onéreux. Se faire opérer au cou, à la gorge ou aux seins (sauf en cas d'urgence).

QUAND LA LUNE EST EN GÉMEAUX

CONSEILLÉ

S'occuper d'affaires financières (commerce, banque). Déménager. Écrire. Faire un petit voyage pour régler des dettes. Signer des contrats. Prendre des dépuratifs. Faire de la publicité. Étudier. Enseigner. Porter des vêtements neufs. Se joindre à un club social ou à un groupe. Couper ses cheveux. Se rajeunir. Méditer. Flirter. Aller voir un bon spectacle. Commencer une cure de désintoxication. Cultiver les bonnes relations avec l'entourage. Jouer aux échecs. Prendre soin des bébés et des enfants. Danser. Voyager. Bouger. Avoir recours à son flair, à son ingéniosité, à sa dextérité et à son intelligence.

DÉCONSEILLÉ

Se marier. Prendre des engagements fixes. Se fiancer. S'associer en affaires. Calomnier. Juger les gens. Être infidèle. Se montrer intime avec les jeunes, les subalternes, les patrons et les collègues de travail. Transplanter ou planter. Acheter une maison. S'énerver. Critiquer. Mentir. Voler. Être hypocrite. Se croire invincible. Faire des promesses. Fuguer. Se faire opérer aux bras, aux mains, aux bronches, aux épaules ou aux poumons.

QUAND LA LUNE EST EN CANCER

CONSEILLÉ

S'occuper d'affaires sentimentales et familiales. Recevoir à dîner et servir un bon vin. Apporter des fleurs à sa conjointe, à sa mère ou à sa belle-mère. Voyager à la campagne et sur l'eau. Veiller aux affaires de la maison. S'occuper des ancêtres et des aînés. Lire. Préparer la fin de sa vie. Se protéger et protéger les siens. Être romantique. Faire ou écouter de la musique. Prendre un tonique fortifiant. Faire des provisions. Demander des faveurs féminines. Porter du blanc et du gris perle. Être doux et gentil. Cultiver des plantes aquatiques et des légumes. Transplanter.

DÉCONSEILLÉ

Se marier. Prêter de l'argent. Rompre avec la tradition. Se disputer avec sa mère, sa conjointe ou les femmes en général. Être misogyne. Divulguer des secrets. Commencer un régime amaigrissant. Couper du bois. Être capricieux. Provoquer le sort. Regretter le passé. Être exagérément sensible. Être trop maternel et protecteur. Se faire opérer à l'estomac, à la poitrine ou aux côtes.

QUAND LA LUNE EST EN LION

CONSEILLÉ

Acheter et vendre. Entretenir des relations avec des gens haut placés et des diplomates. Donner une grande réception. Porter des vêtements de qualité. Porter des bijoux. Aller au théâtre. Manger des fruits secs et des noix. Penser aux vacances, aux jeux et aux sports. S'occuper de ses enfants. Aller chez le dentiste. Prouver son amour. Prendre du soleil raisonnablement. Faire du bateau. Lancer un livre ou un disque. Aller à la chasse. Jouer à la loterie. Être généreux. Voyager. Se dorloter. Tailler des arbres et des arbustes.

DÉCONSEILLÉ

S'associer en affaires. Se marier. Déménager. Se vanter. Investir à la bourse. Bouder les bonnes manières. Se surmener. Scandaliser. S'entêter. Tricher. Jouer à la vedette. Se montrer gourmand. Rechercher la gloire. Planter, semer. Subir une opération au cœur, au dos ou aux yeux (sauf en cas d'urgence).

QUAND LA LUNE EST EN VIERGE

CONSEILLÉ

Travailler dans les champs. Tailler et greffer des arbres. Commencer un nouvel emploi. Travailler minutieusement. Calculer. Analyser. Critiquer dans un but positif. Nettoyer. Faire un grand ménage. Jeter ce qui ne sert plus. Entreprendre des études ou se recycler. Lire. Téléphoner. Communiquer. Entretenir l'amitié. Économiser. Aller voir son garagiste ou son médecin. Porter des vêtements sobres et élégants. Être d'une propreté absolue. Assister à une conférence ou à une rencontre. Collectionner. Faire des recherches médicales ou autres. Viser la perfection en tout.

DÉCONSEILLÉ

Critiquer. Être indécis et jaloux. S'inquiéter indûment. s'occuper des affaires sentimentales. Voyager sur l'eau. S'occuper d'immobilier. Être avare. Être tatillon et obsédé par la propreté. Subir des opérations au bas-ventre et aux organes du système digestif.

QUAND LA LUNE EST EN BALANCE

CONSEILLÉ

S'intéresser à l'amour, au mariage et aux associations. Demander et accepter du soutien des femmes. S'occuper de tout ce qui doit pousser et germer rapidement. Acheter et porter des vêtements à la mode. Aller chez l'esthéticienne. Traiter ses cheveux. Décorer sa maison. Consulter son avocat ou son notaire. Se joindre à un club social chic. Acheter des livres et des fleurs. Assister à des spectacles. User de tact et de diplomatie. Manger légèrement. Sortir en amoureux. Investir dans les objets d'art, les bijoux et les objets de cuivre. Porter des teintes pastel ou claires.

DÉCONSEILLÉ

Entreprendre un voyage en bateau. Déménager. Commencer un nouvel emploi. Faire des changements importants à la maison. Parler sans réfléchir. Pratiquer des sports violents. Paresser. Vivre aux crochets des autres. Faire des dépenses excessives pour impressionner. Être snob. Rechercher la vie facile. Se montrer superficiel. Se méfier de la flatterie. Tomber dans le libertinage. Se faire opérer aux reins ou pour des calculs biliaires.

QUAND LA LUNE EST EN SCORPION

CONSEILLÉ

User de tact et de diplomatie. Transformer. Rénover. Consulter son médecin ou son chirurgien. Faire des recherches. Acheter une maison. Ouvrir un compte d'épargne. Emprunter de l'argent. Faire de la grande cuisine. Faire son testament. Étudier ses rêves. Visiter les antiquaires. Cultiver les épices et les plantes aromatiques. Acheter une auto, un bateau. Faire une cure de santé. Se défouler dans sa vie sexuelle ou dans les sports.

DÉCONSEILLÉ

Voyager. Entamer un procès ou s'engager dans un conflit. Se marier. Divorcer. S'occuper d'affaires financières. Discuter, se venger. Couper du bois. Se montrer impitoyable, cruel, jaloux et possessif. S'amuser avec des armes, des couteaux et des outils tranchants. Dominer, manipuler. Critiquer pour détruire. Abuser de l'alcool et des drogues, des médicaments. Se faire opérer aux parties génitales, à l'anus ou au bas-ventre.

QUAND LA LUNE EST EN SAGITTAIRE

CONSEILLÉ

Se marier. S'associer. Se fiancer. Semer des céréales, des herbes et des fleurs. S'intéresser aux animaux de race. Se réconcilier. Voyager sur l'eau. Lancer une nouvelle entreprise. Importer ou exporter. Écrire. Commencer des études supérieures ou spécialisées. Éditer. Publier. Être indépendant. Pardonner. Être optimiste. Demander des faveurs et des autorisations. Chasser, pêcher, se promener dans la nature. Avoir des contacts avec des étrangers. Acheter des pierres précieuses. Prêter de l'argent.

DÉCONSEILLÉ

Mentir ou exagérer. Acheter et vendre des métaux. Dicter aux autres leur conduite. Imposer ses idées. Se vanter. Parier. Faire des excès de table et d'alcool ou des exploits sexuels pour épater la galerie. Se faire opérer aux hanches ou aux cuisses, aux poumons ou aux voies respiratoires, au foie ou à la rate.

QUAND LA LUNE EST EN CAPRICORNE

CONSEILLÉ

Commencer un nouvel emploi. Acheter ou vendre une maison, une ferme, un terrain ou un vignoble. Fréquenter des politiciens, des gérants de banque et des administrateurs. Ouvrir un compte d'épargne, économiser. Manger et boire peu. Se vêtir de ses plus beaux habits. Être ponctuel. Être sérieux. Avoir le sens des responsabilités. S'occuper des aînés. Aller à la montagne. Visiter les antiquaires. Cultiver l'amour du travail bien fait et le respect de soi.

DÉCONSEILLÉ

Provoquer un conflit. Être dur et avare. Se montrer trop exigeant et perfectionniste. Changer et échanger de l'argent. Déclarer son amour. Se marier. Se moquer des autres. Négliger sa santé et son apparence. Être hyperambitieux. S'évader dans l'alcool ou les drogues. Avoir des principes élastiques. Tomber dans la corruption, le pessimisme et le découragement. Subir une opération aux genoux ou pour des calculs biliaires.

QUAND LA LUNE EST EN VERSEAU

CONSEILLÉ

Faire de l'aménagement forestier et des travaux agricoles dans les forêts, les champs et les jardins. S'occuper de nouveaux domaines. Acheter des appareils électroménagers, un ordinateur, une auto ou un avion. Commencer un régime amaigrissant. Transformer ou acheter une maison. Voyager pour le plaisir. Aller chez le dentiste, l'astrologue ou le psychologue. Aller au cinéma, écouter la radio ou regarder la télé. Faire de la photographie. Recevoir des amis. Se joindre à des sociétés financières importantes.

DÉCONSEILLÉ

Prêter de l'argent. S'endetter. Voyager en avion. Être trop indépendant. Avoir des préjugés. Se montrer original ou excentrique. Rompre sans raison des relations amoureuses ou amicales. Bouder la mode et le progrès. Choquer par plaisir. Se mettre en colère, casser des objets. Se faire opérer aux chevilles ou aux mollets.

QUAND LA LUNE EST EN POISSONS

CONSEILLÉ

S'occuper de choses paisibles. Voyager. Prêter de l'argent. Porter du bleu. Écouter parler les autres. S'intéresser à des projets secrets. Écouter de la musique romantique. Parler doucement. Pardonner. Être généreux et tendre. Prendre soin de ses amis, de son amour et de sa famille. Visiter les malades. Répondre au courrier. Commencer un régime amaigrissant. Couper ses cheveux pour obtenir une repousse rapide. Prendre soin des enfants et des petits animaux. Boire beaucoup d'eau. Se reposer, se détendre. Manger légèrement des aliments purs et sains. Porter des chaussures confortables.

DÉCONSEILLÉ

Hésiter. Faire deux choses à la fois. Être hypersensible ou trop émotif. Manquer de cohérence. Subir l'influence de gens peu recommandables. Fréquenter des endroits louches. Couper du bois. Cuisiner au four. Avoir des complexes de culpabilité et d'infériorité. Déprimer, mentir, se plaindre. Abuser de l'alcool et des drogues. Faire des transactions financières importantes. Entreprendre ce qui doit être terminé rapidement. Se faire opérer aux pieds.